A-Z BRISTOL & BA

G000292969

CONTENTS

REFERENCE

Motorway	M5	Church or Chapel	†
A Road	A4	Electricity Transmission Line	⊠— — —⊠
Under Construction		Fire Station	■
Proposed		Hospital	H
B Road	B4058	House Numbers (Selected Rds.)	4 22 36
Dual Carriageway		Information Centre	🛈
One Way Street		National Grid Reference	360
Traffic flow on A Roads is indicated by a heavy line on the driver's left.	→	Places of Interest	
Pedestrianized Road		Police Station	▲
Restricted Access		Post Office	★
Track / Footpath		Toilet	▽
Residential Walkway		Toilet with Disabled Facilities	♿

Railway	Tunnel / Level Crossing / Station

Large Scale City Centres Only

One Way Roads Traffic flow is indicated by a blue arrow.	→
Built Up Area	HIGH STREET
Educational Establishments	
Local Authority Boundary	
Hospitals & Health Centres	
Posttown Boundary	
Leisure & Recreational Facilities	
Postcode Boundary Within Posttown	
Places of Interest	
Map Continuation	12 Large Scale 4
Public Buildings	
Shopping Centres & Markets	
Beaches	
Car Park (Selected)	P
Other Selected Buildings	

SCALE

Map Pages 6-95, 98-157
1:10,838 approx 6 inches to 1 mile

0 — ¼ Mile
0 — 250 Metres

Map Pages 4-5, 96-97
1:5,419 approx 12 inches to 1 mile

0 — ⅛ Mile
0 — 250 Metres

Copyright of Geographers' A-Z Map Company Limited

Head Office : Fairfield Road, Borough Green, Sevenoaks, Kent TN15 8PP Tel: 01732 781000
Showrooms : 44 Gray's Inn Road, London WC1X 8HX Tel: 0171 242 9246

Based upon the Ordnance Survey mapping with the permission of
The Controller of Her Majesty's Stationery Office

© Crown Copyright (399000)   © 1998 EDITION 1

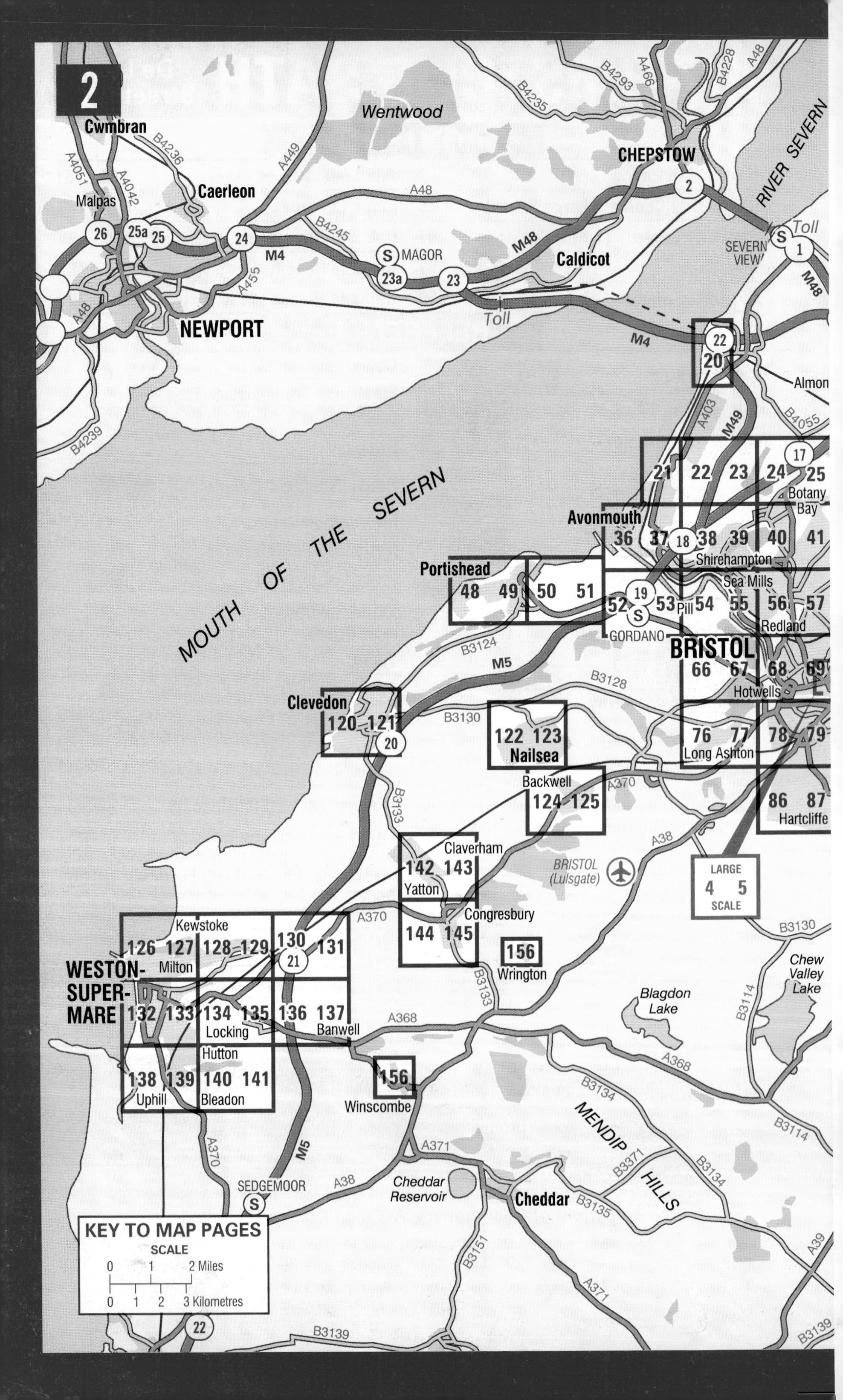

2

Cwmbran

Malpas

Caerleon

NEWPORT

Wentwood

CHEPSTOW

MAGOR
Caldicot

Toll

RIVER SEVERN

SEVERN VIEW

Toll

Almon

MOUTH OF THE SEVERN

Avonmouth

Portishead

| 21 | 22 | 23 | 24 | 25 |

Botany
Bay

| 36 | 37 | 18 | 38 | 39 | 40 | 41 |

Shirehampton

| 48 | 49 | 50 | 51 |

Sea Mills

| 52 | 53 | 54 | 55 | 56 | 57 |

GORDANO

Pill

Redland

BRISTOL

| 66 | 67 | 68 | 69 |

Hotwells

Clevedon

| 120 | 121 |

20

| 122 | 123 |

Nailsea

Backwell

| 124 | 125 |

| 76 | 77 | 78 | 79 |

Long Ashton

| 86 | 87 |

Hartcliffe

BRISTOL
(Lulsgate)

| 142 | 143 |

Yatton

Claverham

Congresbury

| 144 | 145 |

| 156 |

Wrington

Blagdon
Lake

Chew
Valley
Lake

| LARGE |
| 4 5 |
| SCALE |

Kewstoke

| 126 | 127 | 128 | 129 | 130 | 131 |

Milton

21

WESTON-SUPER-MARE

| 132 | 133 | 134 | 135 | 136 | 137 |

Locking

Banwell

Hutton

| 138 | 139 | 140 | 141 |

Uphill

Bleadon

| 156 |

Winscombe

MENDIP HILLS

SEDGEMOOR

Cheddar
Reservoir

Cheddar

22

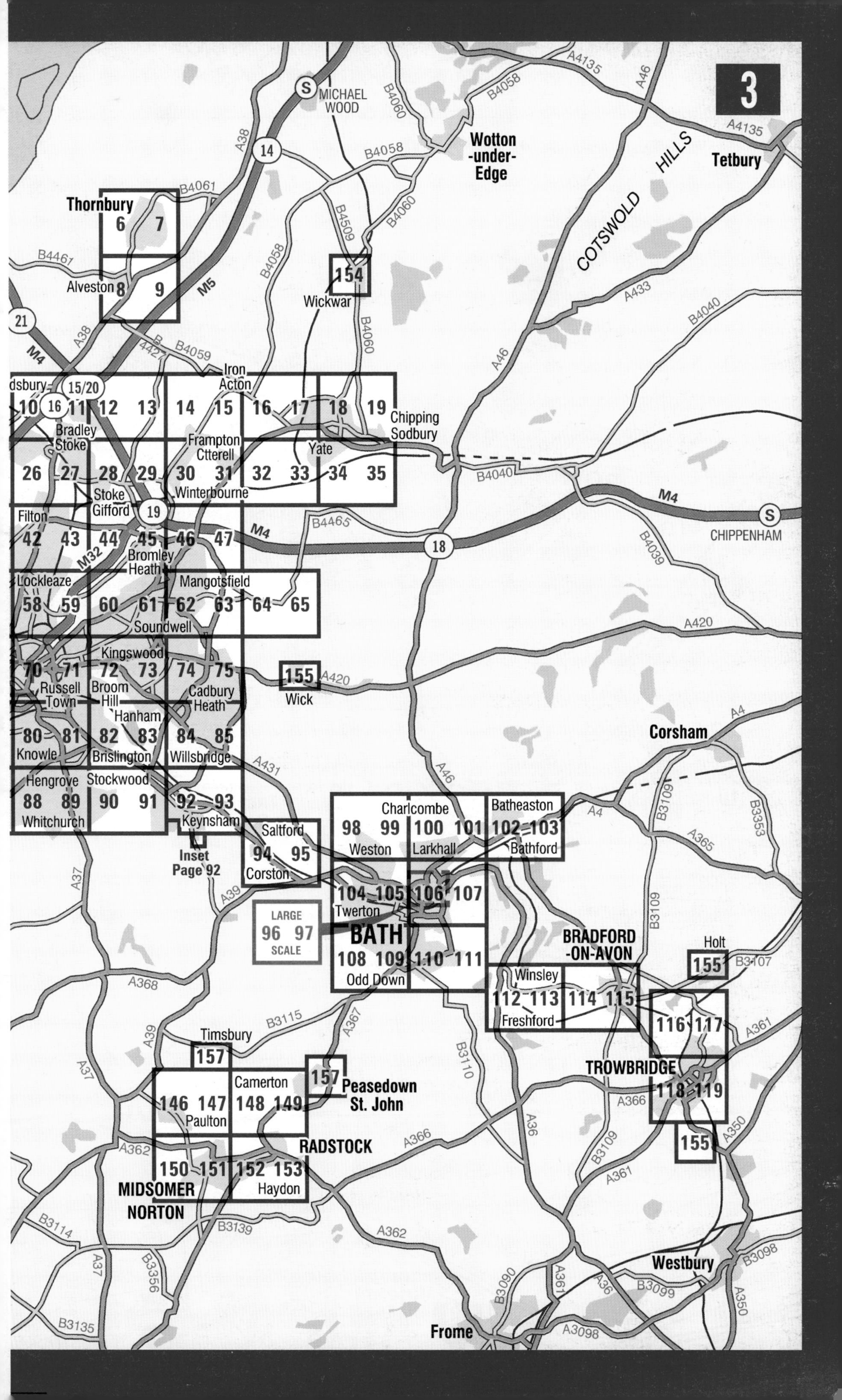
Thornbury
Alveston
Wotton -under- Edge
Tetbury
COTSWOLD HILLS
MICHAEL WOOD
Wickwar
Iron Acton
Chipping Sodbury
Bradley Stoke
Frampton Cotterell
Yate
Winterbourne
Stoke Gifford
Filton
Bromley Heath
Lockleaze
Mangotsfield
Soundwell
Kingswood
Russell Town
Broom Hill
Hanham
Cadbury Heath
Wick
Knowle
Brislington
Willsbridge
Hengrove
Stockwood
Whitchurch
Keynsham
Inset Page 92
Saltford
Corston
Charlcombe
Weston
Larkhall
Batheaston
Bathford
Twerton
LARGE SCALE
BATH
Odd Down
CHIPPENHAM
Corsham
BRADFORD -ON-AVON
Holt
Winsley
Freshford
TROWBRIDGE
Timsbury
Camerton
Paulton
Peasedown St. John
RADSTOCK
Haydon
MIDSOMER NORTON
Westbury
Frome

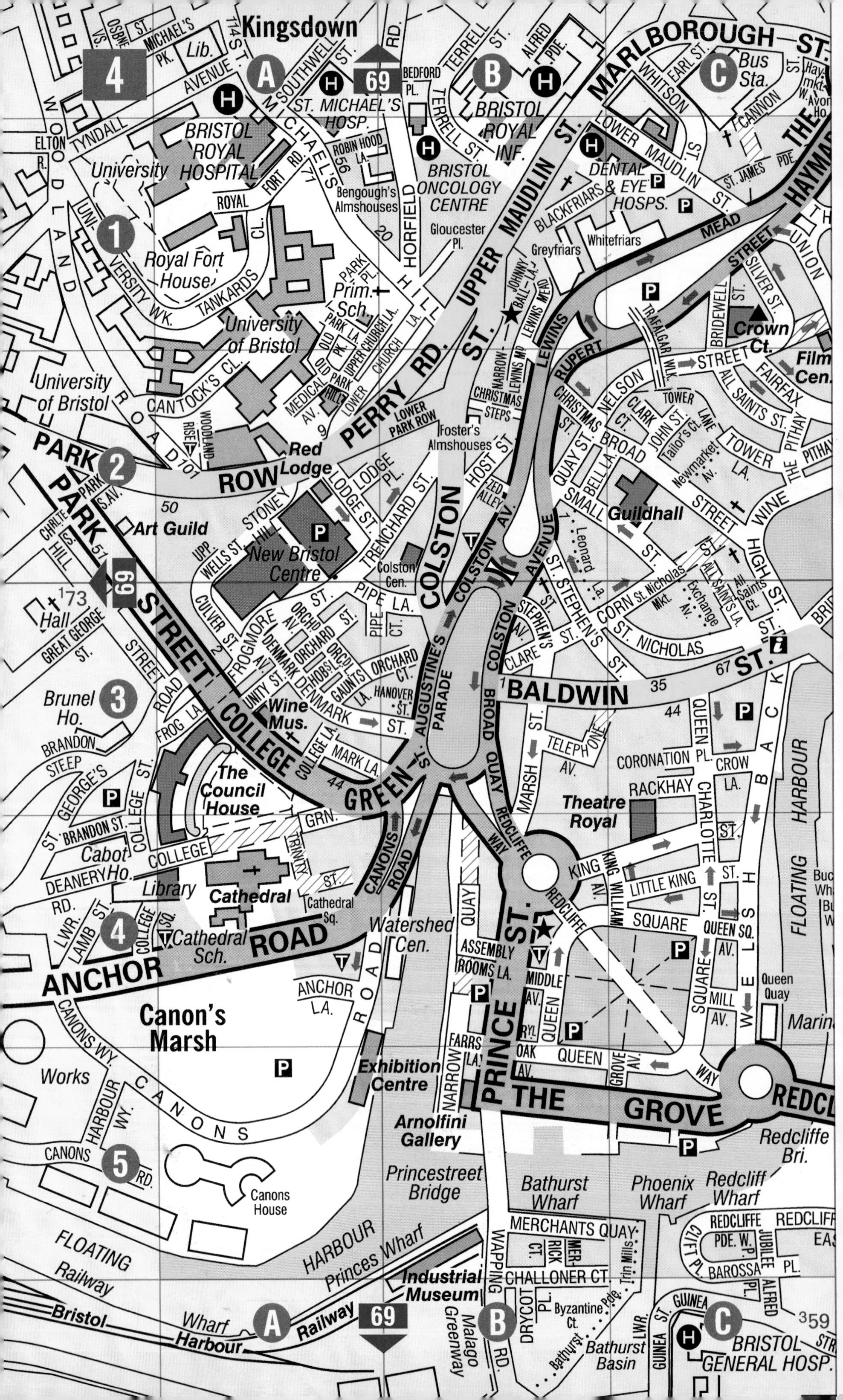

4
Kingsdown
69
Bristol Royal Hospital
University
Royal Fort House
University of Bristol
Bristol Royal Inf.
Bristol Oncology Centre
Dental & Eye Hosps.
Bus Sta.
Marlborough St.
Upper Maudlin St.
Perry Rd.
Park Row
Red Lodge
Park Street
Art Guild
New Bristol Centre
Colston Cen.
Colston Av.
Baldwin St.
Guildhall
Crown Ct.
Film Cen.
Wine Mus.
Brunel Ho.
The Council House
College Green
Cabot Ho.
Library
Cathedral
Cathedral Sch.
Anchor Road
Canon's Marsh
Watershed Cen.
Theatre Royal
Queen Square
Prince St.
The Grove
Exhibition Centre
Arnolfini Gallery
Princestreet Bridge
Bathurst Wharf
Phoenix Wharf
Redcliff Wharf
Redcliffe Bri.
Canons House
Works
Floating Harbour
Princes Wharf
Industrial Museum
Bristol Harbour Railway
Malago Greenway
Bathurst Basin
Bristol General Hosp.
Queen Quay
Floating Harbour

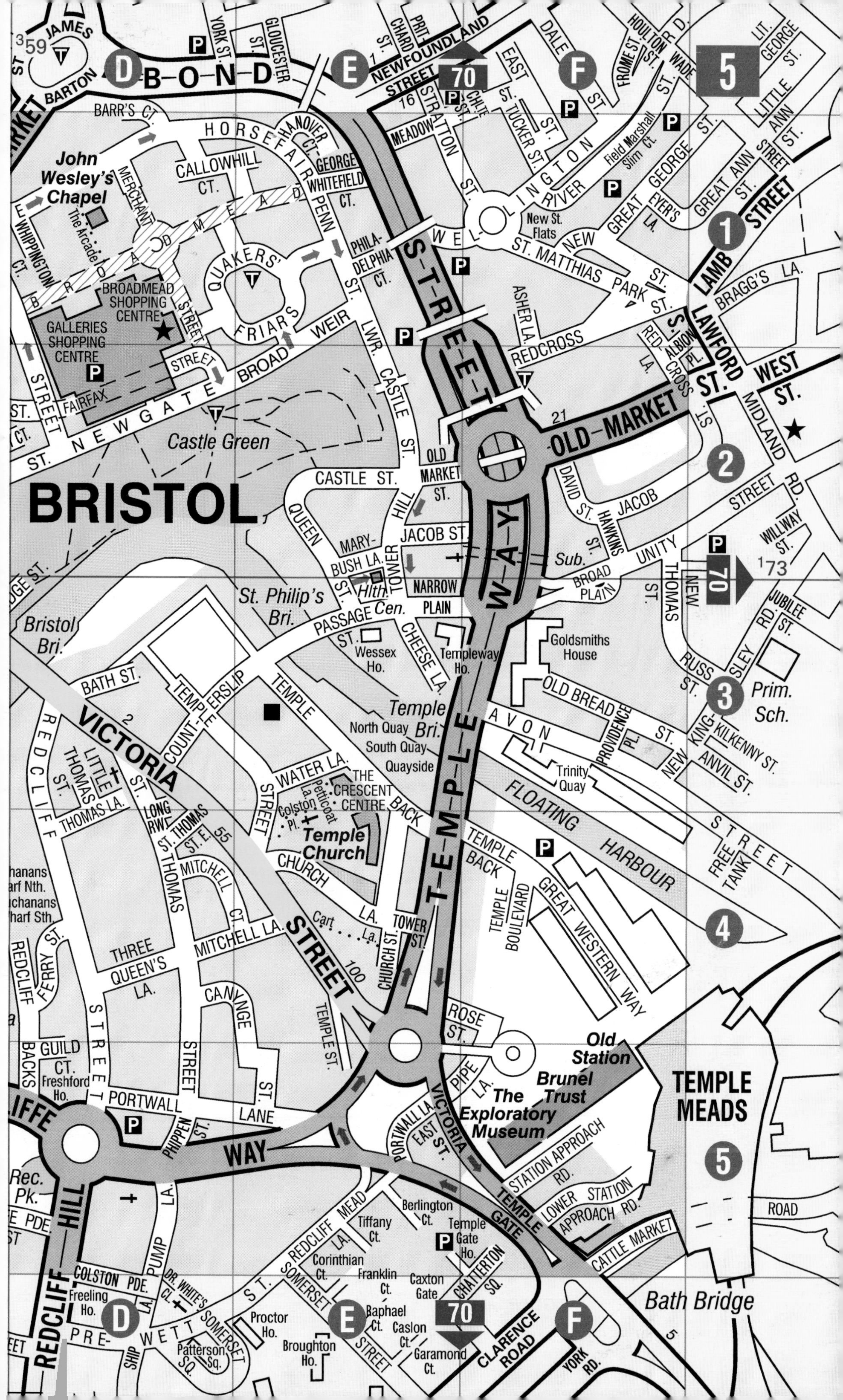

BRISTOL
John Wesley's Chapel
BROADMEAD SHOPPING CENTRE
GALLERIES SHOPPING CENTRE
Castle Green
St. Philip's Bri.
Bristol Bri.
Temple Bri.
Temple Church
THE CRESCENT CENTRE
FLOATING HARBOUR
Old Station
Brunel Trust
The Exploratory Museum
TEMPLE MEADS
Bath Bridge
BOND ST.
NEWFOUNDLAND STREET
HORSEFAIR
BROADMEAD
NEWGATE
BROAD WEIR
TEMPLE WAY
OLD MARKET
VICTORIA STREET
TEMPLE BACK
REDCLIFF HILL
REDCLIFF STREET
PORTWALL LANE
WAY
TEMPLE GATE
STATION APPROACH RD.
LOWER STATION APPROACH RD.
CATTLE MARKET
CLARENCE ROAD
YORK RD.
UNITY ST.
JACOB STREET
AVON ST.
GREAT WESTERN WAY
TEMPLE BOULEVARD
LAWFORD ST.
LAMB STREET
WEST ST.
MIDLAND RD.
70
70
70
5

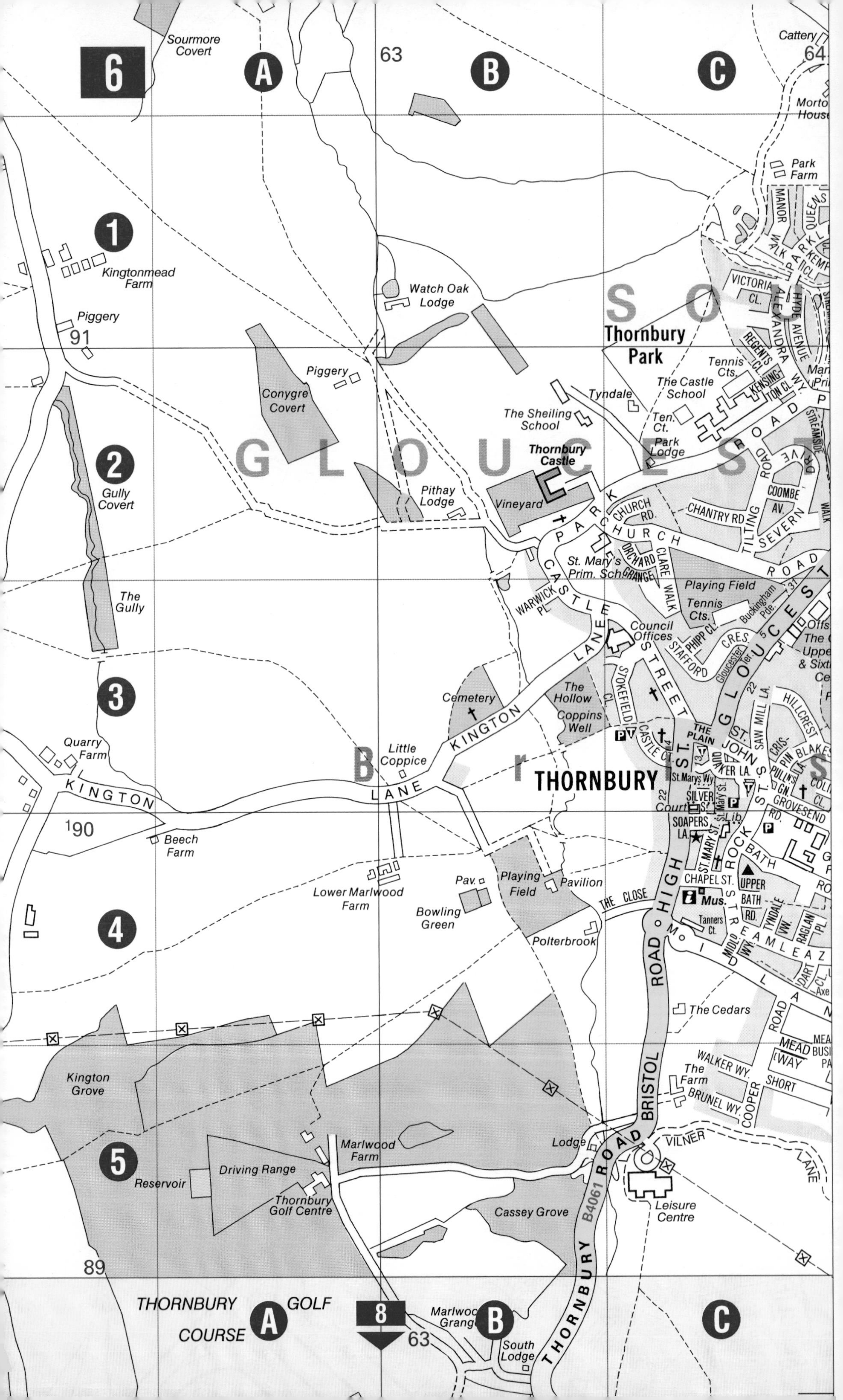

6
A
B
C
63
64
Sourmore Covert
Cattery
Morton House
Park Farm
Kingtonmead Farm
Piggery
91
Watch Oak Lodge
Piggery
Conygre Covert
Thornbury Park
The Castle School
Tyndale
The Sheiling School
Thornbury Castle
Park Lodge
Gully Covert
Pithay Lodge
Vineyard
GLOUCEST
SOU
PARK ROAD
CHURCH RD.
CHANTRY RD
CHURCH ROAD
COOMBE AV.
SEVERN
TILTING ROAD
St. Mary's Prim. Sch.
ORCHARD GRANGE
CLARE WALK
Playing Field
Tennis Cts.
The Gully
CASTLE STREET
WARWICK PL.
Council Offices
STAFFORD CRES.
PHIPP CL.
Buckingham Pde.
Gloucester Ter.
GLOUCESTER ST.
Cemetery
The Hollow
Coppins Well
STOKEFIELD CL.
CASTLE CT.
THE PLAIN
KINGTON LANE
Quarry Farm
Little Coppice
THORNBURY
Br
JOHN ST.
SAW MILL LA.
HILLCREST
QUAKER LA.
St. Marys Wy.
SILVER ST.
Court
St. Mary St.
Lib.
SOAPERS LA.
ROCK ST.
GROVESEND RD.
BATH
UPPER BATH RD.
CHAPEL ST.
Mus.
Tanners Ct.
TYNDALE AV.
RAGLAN PL.
190
Beech Farm
Lower Marlwood Farm
Pav.
Playing Field
Pavilion
THE CLOSE
Bowling Green
Polterbrook
HIGH ST.
STREAMLEAZE
MIDLAND WAY
DART
Axe
The Cedars
MEAD WAY
SHORT WAY
WALKER WY.
The Farm
BRUNEL WY.
COOPER RD.
Kington Grove
BRISTOL ROAD
Lodge
VILNER LANE
Marlwood Farm
Driving Range
Reservoir
Thornbury Golf Centre
Cassey Grove
Leisure Centre
B4061
THORNBURY ROAD
89
THORNBURY GOLF COURSE
8
63
Marlwood Grange
South Lodge
VICTORIA CL.
ALEXANDRA
HYDE AVENUE
REGENTS CL.
KENSINGTON CL. WY.
MANOR WALK
QUEENS
PARK
KEMP CL.
1
2
3
4
5

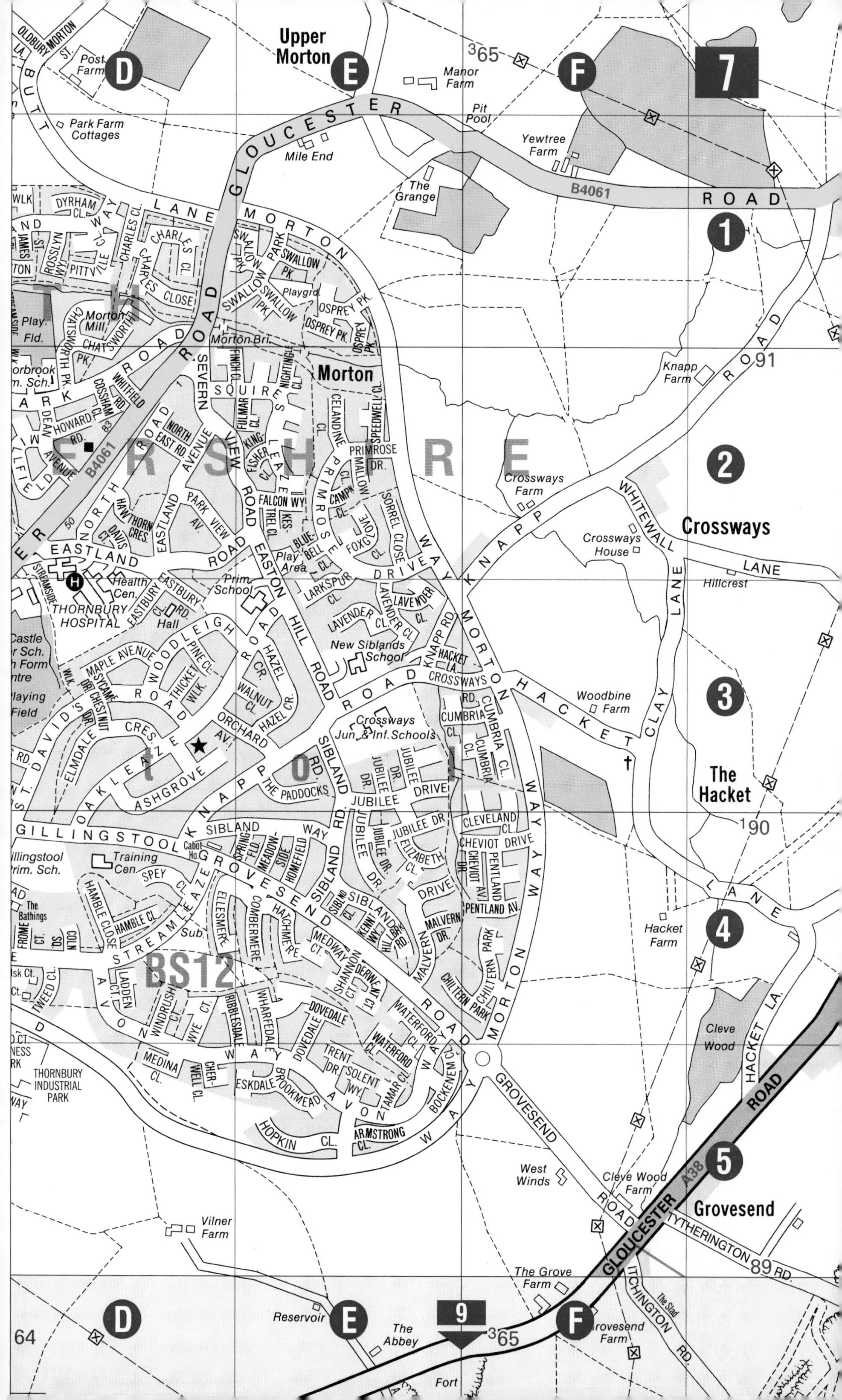

7
Upper Morton
Post Farm
Manor Farm
Pit Pool
Park Farm Cottages
Mile End
Yewtree Farm
The Grange
GLOUCESTER ROAD
B4061
MORTON LANE
Morton Mill
Morton Bri.
Morton
Play. Fld.
Playgrd.
Knapp Farm
KNAPP ROAD
Crossways Farm
Crossways House
Crossways
WHITEWALL LANE
Hillcrest
CLAY LANE
Woodbine Farm
The Hacket
HACKET LANE
Hacket Farm
Cleve Wood
HACKET LA.
EASTLAND ROAD
NORTH ROAD
Health Cen.
THORNBURY HOSPITAL
Hall
Prim. School
New Siblands School
Crossways Jun. & Inf. Schools
MORTON WAY
SIBLAND ROAD
GILLINGSTOOL
Gillingstool Prim. Sch.
Training Cen.
The Bathings
STREAMLEAZE
GROVESEND ROAD
BS12
AVON WAY
THORNBURY INDUSTRIAL PARK
GROVESEND ROAD
West Winds
Cleve Wood Farm
Grovesend
TYTHERINGTON RD.
A38
GLOUCESTER ROAD
The Grove Farm
ITCHINGTON RD.
Grovesend Farm
Vilner Farm
Reservoir
The Abbey
Fort
9
D
E
F
1
2
3
4
5
365
91
190
89
64

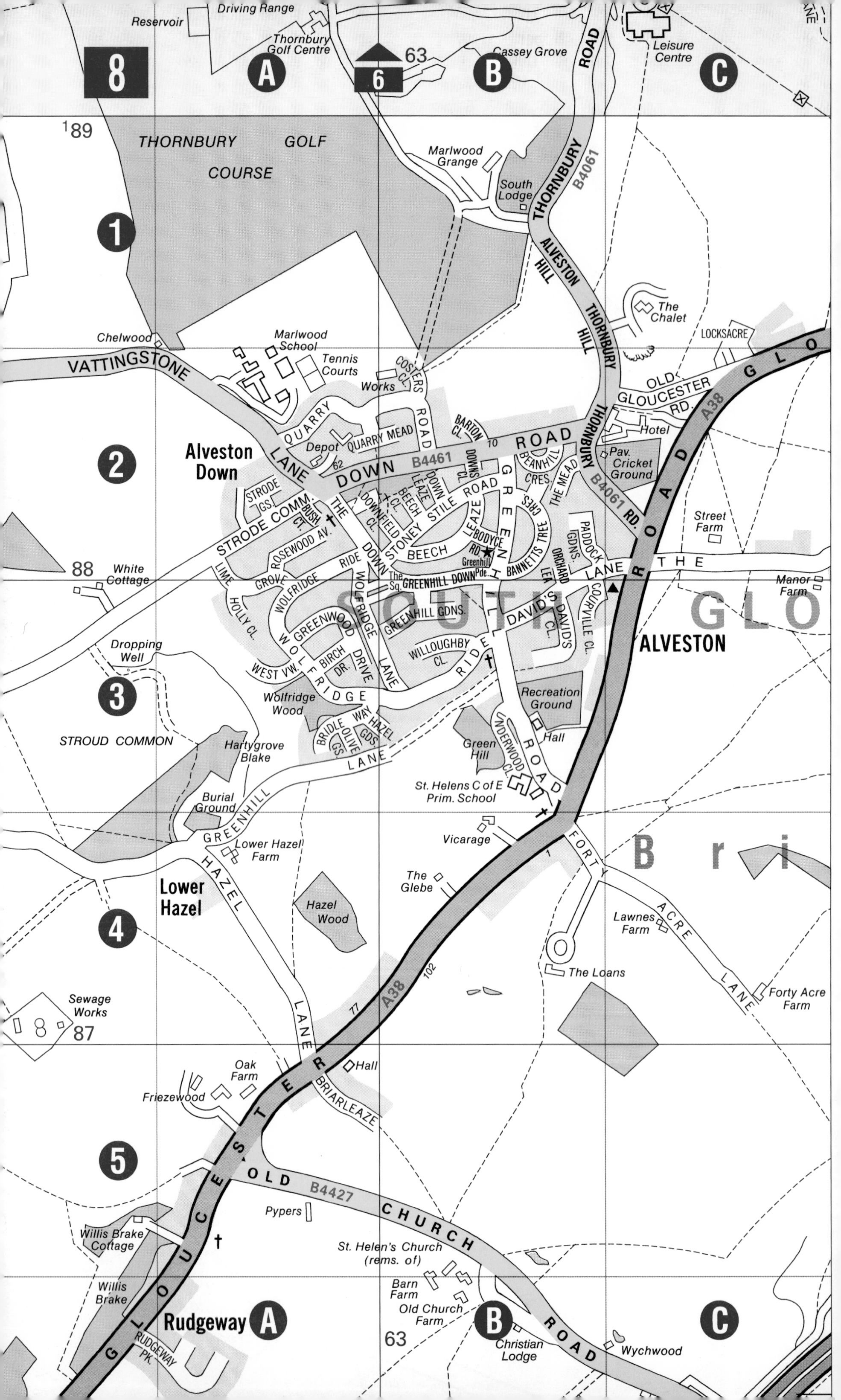
8
6
63
A
B
C
Driving Range
Reservoir
Thornbury Golf Centre
Cassey Grove
Leisure Centre
THORNBURY GOLF COURSE
189
Marlwood Grange
South Lodge
THORNBURY ROAD
B4061
ALVESTON HILL
THORNBURY HILL
The Chalet
LOCKSACRE
Chelwood
Marlwood School
Tennis Courts
Works
COSTERS CL.
VATTINGSTONE LANE
QUARRY
QUARRY MEAD
Depot
BARTON CL.
OLD GLOUCESTER RD.
Hotel
Alveston Down
DOWN ROAD
B4461
DOWNS CL.
BEANHILL CRES.
THE MEAD
Pav.
Cricket Ground
B4061 RD.
STRODE GS.
STRODE COMM.
BUSH CT.
THE DOWN
DOWNFIELD CL.
BEECH CL.
DOWN LEAZE
STONEY STILE ROAD
GREEN HILL
BANNETTS TREE CRES.
PADDOCK GDNS.
ORCHARD LEA
LEAZE
BODYCE RD
Greenhill Pde.
BEECH
ROSEWOOD AV.
RIDE
Street Farm
THE LANE
88
White Cottage
LIME GROVE
WOLFRIDGE RIDE
The Sq.
GREENHILL DOWN
DAVID'S LANE
DAVID'S CL.
COURVILLE CL.
Manor Farm
HOLLY CL.
GREENWOOD
WOLFRIDGE
GREENHILL GDNS.
SOUTH GLO
ALVESTON
Dropping Well
WILLOUGHBY CL.
RIDE
WEST VW.
BIRCH DR.
DRIVE
LANE
WOLFRIDGE
Recreation Ground
Wolfridge Wood
BRIDLE WAY
OLIVE GS.
HAZEL GDS.
Hall
STROUD COMMON
Hartygrove Blake
Green Hill
UNDERWOOD CL.
ROAD
LANE
St. Helens C of E Prim. School
Burial Ground
GREENHILL
Vicarage
Lower Hazel Farm
FORT
Bri
HAZEL
Lower Hazel
The Glebe
Lawnes Farm
ACRE
Hazel Wood
The Loans
LANE
Forty Acre Farm
Sewage Works
87
A38
102
77
LANE
Oak Farm
Hall
Friezewood
BRIARLEAZE
GLOUCESTER ROAD
OLD CHURCH ROAD
B4427
Pypers
Willis Brake Cottage
St. Helen's Church (rems. of)
Willis Brake
Barn Farm
Old Church Farm
Rudgeway
RUDGEWAY PK.
Christian Lodge
Wychwood

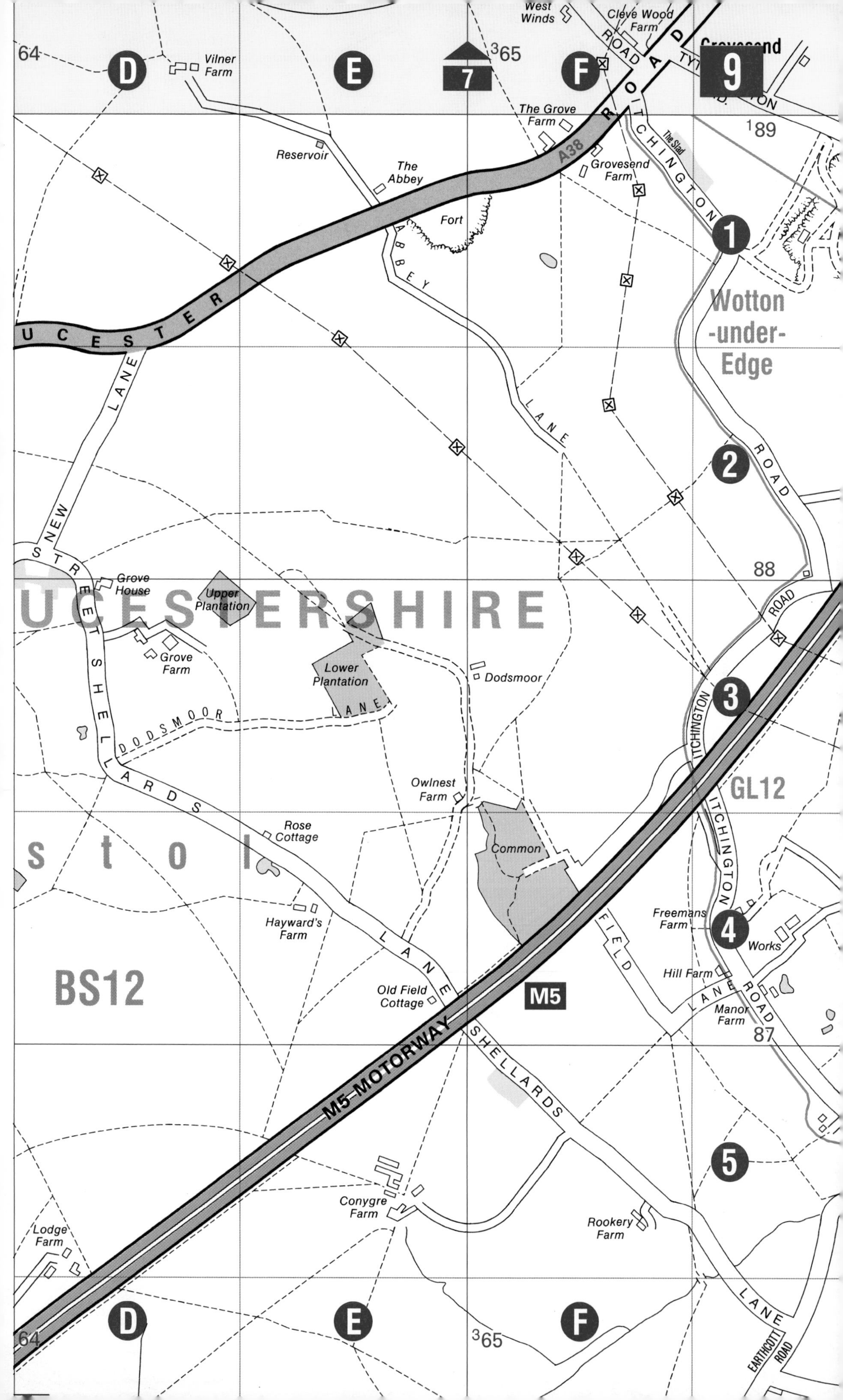
Vilner Farm
7
West Winds
Cleve Wood Farm
Grovesend
The Grove Farm
Reservoir
The Abbey
Fort
Grovesend Farm
The Stad
Wotton -under- Edge
ABBEY LANE
GLOUCESTER ROAD
A38
NEW LANE
ROAD
88
ITCHINGTON ROAD
Grove House
Upper Plantation
UCESTERSHIRE
Grove Farm
Lower Plantation
Dodsmoor
DODSMOOR LANE
STREET SHELLARDS
Owlnest Farm
Rose Cottage
Common
GL12
stol
Hayward's Farm
Freemans Farm
Works
Hill Farm
FIELD LANE
Manor Farm
87
BS12
Old Field Cottage
M5
M5-MOTORWAY
SHELLARDS LANE
Conygre Farm
Rookery Farm
Lodge Farm
64
365
189
EARTHCOTT ROAD
D
E
F
1
2
3
4
5

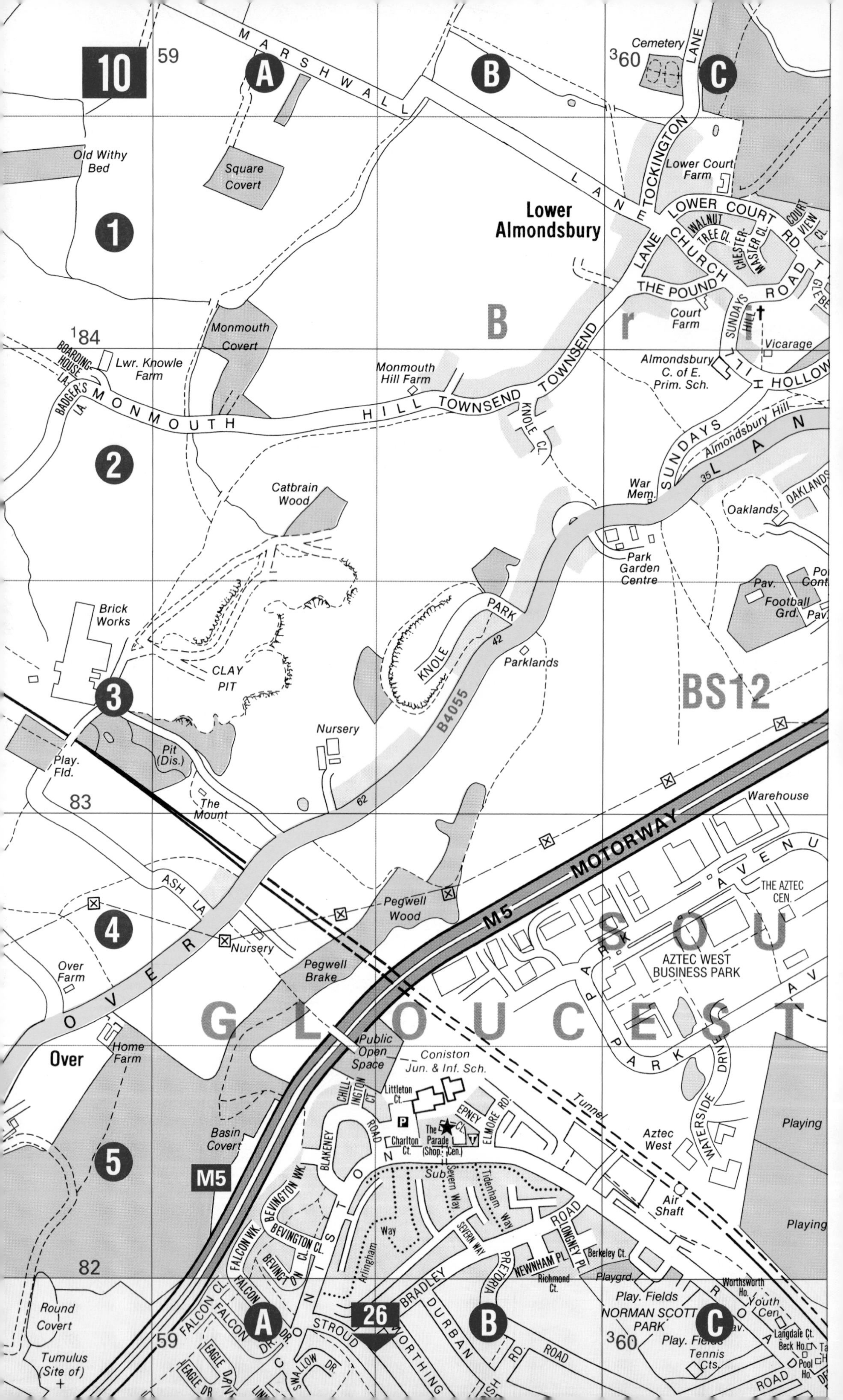
10
A
B
C
1
2
3
4
5
Marshwall Lane
Old Withy Bed
Square Covert
Cemetery
Tockington Lane
Lower Court Farm
Lower Almondsbury
Lower Court Rd.
Walnut Tree Cl.
Chestermaster Cl.
Court View Cl.
Church Road
The Pound
Court Farm
Sundays Hill
Vicarage
Almondsbury C. of E. Prim. Sch.
Hollow
Monmouth Covert
Lwr. Knowle Farm
Boarding House La.
Badger's La.
Monmouth Hill
Monmouth Hill Farm
Townsend
Townsend
Knole Cl.
Almondsbury Hill
Lane
War Mem.
Oaklands
Catbrain Wood
Park Garden Centre
Pav.
Football Grd.
Brick Works
Clay Pit
Knole Park
Parklands
B4055
BS12
Nursery
Pit (Dis.)
Play. Fld.
The Mount
Warehouse
M5 Motorway
Avenue
The Aztec Cen.
Ash La.
Pegwell Wood
Nursery
Over Farm
Pegwell Brake
Over
Aztec West Business Park
Park Avenue
Gloucest
Sou
Home Farm
Over
Public Open Space
Coniston Jun. & Inf. Sch.
Littleton Ct.
Chillington Ct.
Epney Cl.
Elmore Rd.
The Parade (Shop. Cen.)
Charlton Ct.
Tunnel
Aztec West
Waterside Drive
Playing
Basin Covert
M5
Blakeney
Coniston Road
Severn Way
Tidenham Way
Sub
Bevington Wk.
Bevington Cl.
Falcon Wk.
Arlingham Way
Longney Pl.
Newnham Pl.
Berkeley Ct.
Richmond Ct.
Pretoria Road
Air Shaft
Playing
Playgrd.
Play. Fields
Norman Scott Park
Play. Fields
Tennis Cts.
Worthsworth Ho.
Youth Cen.
Langdale Ct.
Beck Ho.
Pool Ho.
Round Covert
Tumulus (Site of)
Falcon Cl.
Falcon Dr.
Eagle Dr.
Swallow Dr.
Stroud Road
Bradley
Durban Road
Worthing
26
59
360
184
83
82
59
360
35
42
62

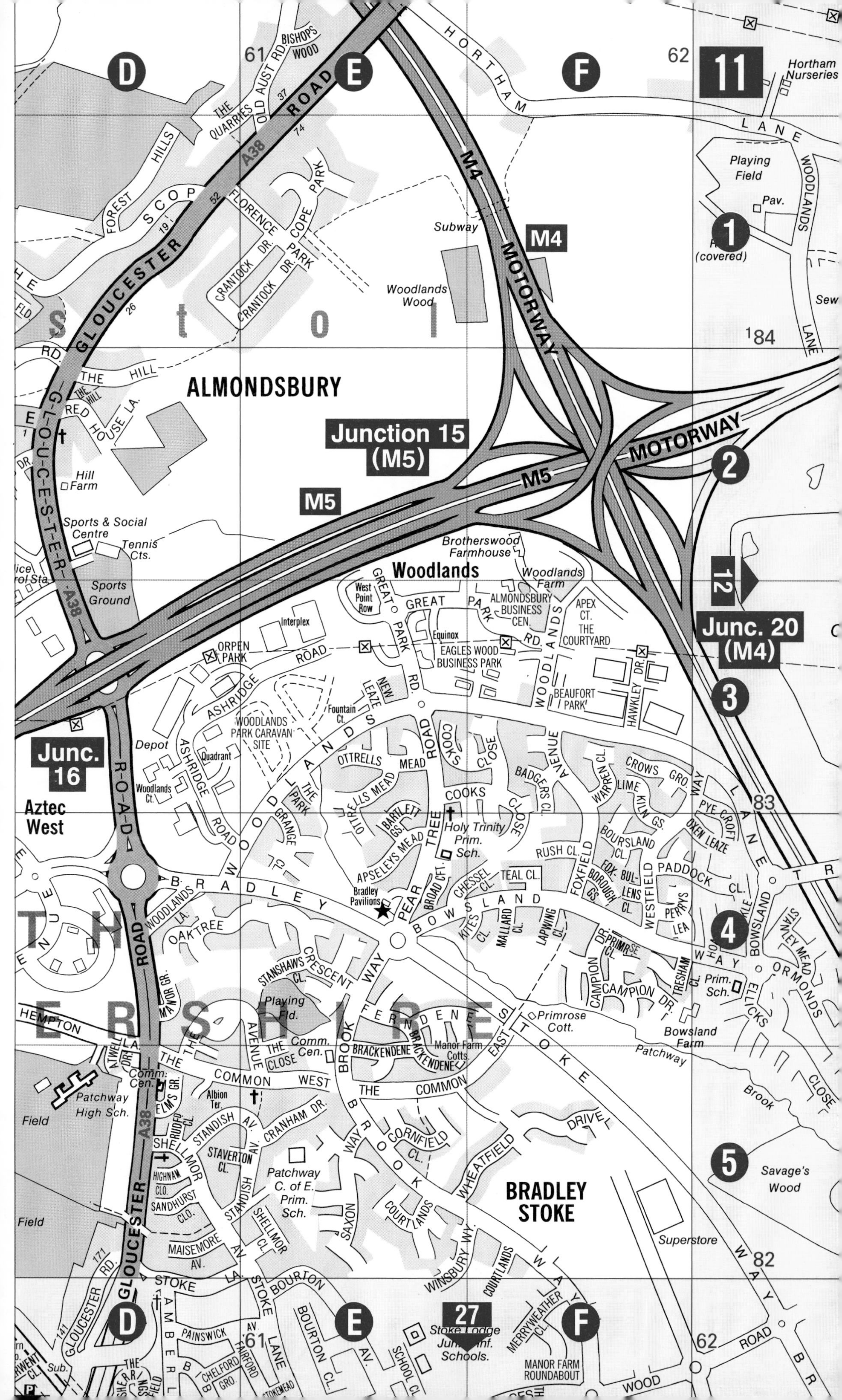

11
D
E
F
61
62
ALMONDSBURY
Junction 15 (M5)
M5
M4
M4 MOTORWAY
M5 MOTORWAY
Junc. 20 (M4)
Junc. 16
12
27
Aztec West
Woodlands
BRADLEY STOKE
GLOUCESTER ROAD
A38
HORTHAM LANE
Hortham Nurseries
Playing Field
Pav.
WOODLANDS LANE
BISHOPS WOOD
OLD AUST RD
THE QUARRIES
FOREST HILLS
SCOP
FLORENCE PARK
COPE PARK
CRANTOCK DR.
Subway
Woodlands Wood
THE HILL
RED HOUSE LA.
Hill Farm
Sports & Social Centre
Tennis Cts.
Sports Ground
Brotherswood Farmhouse
Woodlands Farm
West Point Row
GREAT PARK RD.
Interplex
Equinox
ALMONDSBURY BUSINESS CEN.
APEX CT.
THE COURTYARD
EAGLES WOOD BUSINESS PARK
ORPEN PARK
ASHRIDGE ROAD
WOODLANDS PARK CARAVAN SITE
Fountain Ct.
NEW LEAZE
BEAUFORT PARK
HAWKLEY DR.
Depot
Quadrant
Woodlands Ct.
WOODLANDS ROAD
OTTRELLS MEAD
COOKS CLOSE
BADGERS CL.
WARREN CL.
CROWS GRO.
LIME KILN GS.
PYE CROFT
OXEN LEAZE
THE PARK
GRANGE CL.
BARTLETT GS.
APSELEYS MEAD
TREE
Holy Trinity Prim. Sch.
RUSH CL.
BOURSLAND CL.
FOX-BOROUGH GS.
BULLENS CL.
WESTFIELD
PADDOCK CL.
PERRYS LEA
BRADLEY
Bradley Pavilions
PEAR TREE ROAD
BROAD CFT.
CHESSEL CL.
TEAL CL.
BOWSLAND WAY
KITES CL.
MALLARD CL.
LAPWING CL.
CAMPION DR.
PRIMROSE CL.
TRESHAM CL.
Prim. Sch.
ELLICKS CL.
STANLEY MEAD
ORMONDS CLOSE
OAKTREE
STANSHAWS CL.
CRESCENT
Playing Fld.
FERNDENE
BRACKENDENE
Manor Farm Cotts.
Primrose Cott.
Bowsland Farm
Patchway Brook
STOKE
HEMPTON LA.
ATWELL DR.
MANOR GR.
THE AVENUE
THE CLOSE
Comm. Cen.
THE COMMON WEST
THE COMMON EAST
Albion Ter.
ELMS GR.
Patchway High Sch.
Field
RUDFORD CL.
STANDISH AV.
CRANHAM DR.
BROOK WAY
CORNFIELD CL.
WHEATFIELD DRIVE
STAVERTON CL.
SHELLMOR
HIGHNAM CLO.
SANDHURST CLO.
Patchway C. of E. Prim. Sch.
SAXON WAY
COURTLANDS
MAISEMORE AV.
SHELLMOR CL.
WINSBURY WY.
Superstore
Savage's Wood
STOKE LA.
BOURTON
BOURTON CL.
PAINSWICK AV.
CHELFORD GRO.
FAIRFORD
SCHOOL CL.
Stoke Lodge Jun. Inf. Schools.
MERRYWEATHER CL.
MANOR FARM ROUNDABOUT
WOOD
ROAD
Sub.

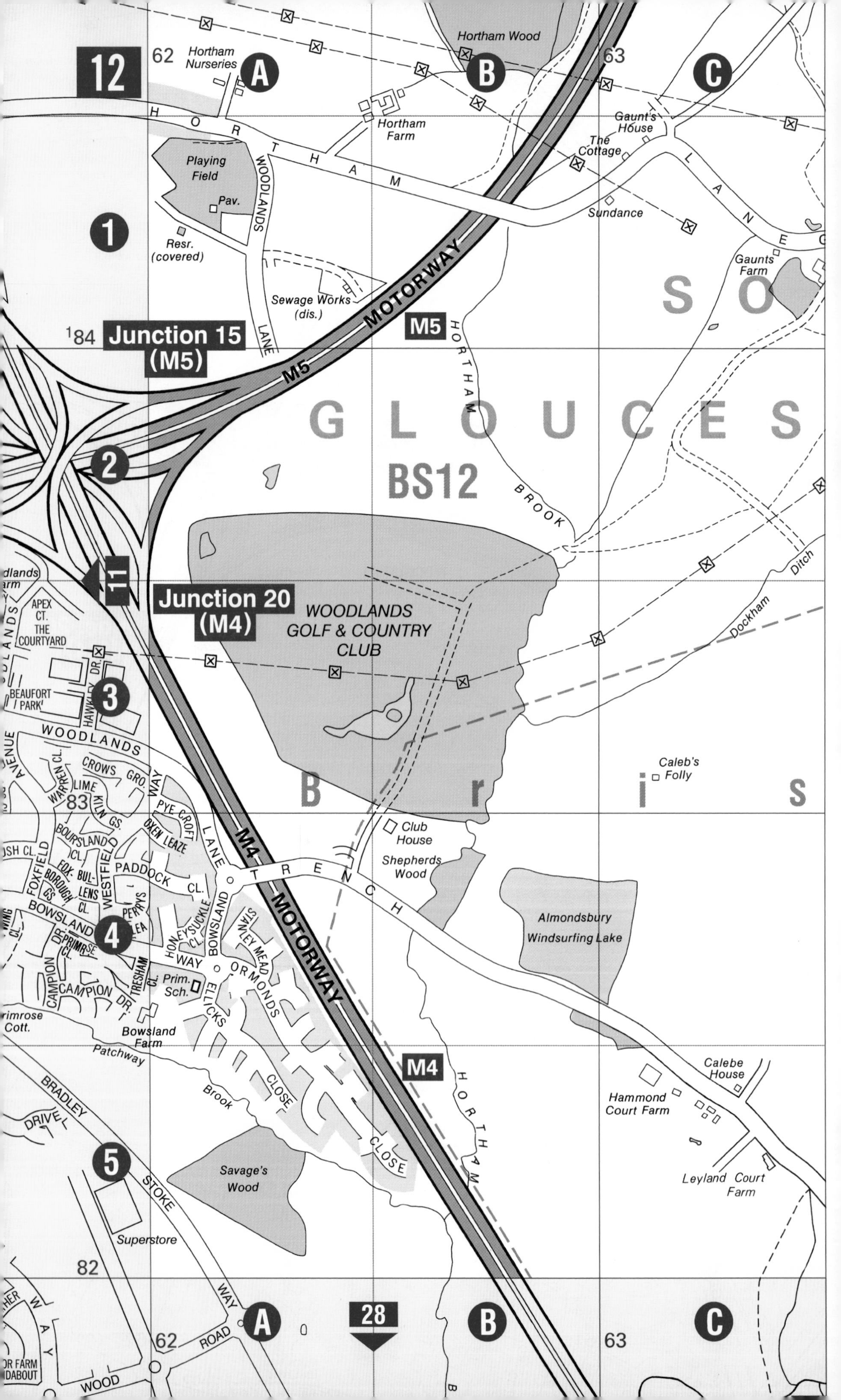

12 62 **A** **B** 63 **C**

Hortham Nurseries

Hortham Wood

Gaunt's House

The Cottage

Hortham Farm

Sundance

Playing Field

Pav.

Gaunts Farm

1

Resr. (covered)

Sewage Works (dis.)

HORTHAM LANE

MOTORWAY

M5

HORTHAM BROOK

S O

¹84 **Junction 15 (M5)**

M5

G L O U C E S

BS12

WOODLANDS LANE

2

Ditch

Dockham

11

dlands

Junction 20 (M4)

WOODLANDS GOLF & COUNTRY CLUB

Caleb's Folly

APEX CT. THE COURTYARD

HAWKLEY DR.

BEAUFORT PARK

3

WOODLANDS

B r i s

AVENUE

CROWS GRO.

WARREN CL.

LIME KILN GS.

PYE CROFT

OXEN LEAZE

83

Club House

BOURSLAND CL.

FOX-BUL-LENS CL.

WESTFIELD

PADDOCK CL.

PERYS LEA

Shepherds Wood

USH CL.

FOXFIELD

BOROUGH GS.

Almondsbury Windsurfing Lake

WING

BOWSLAND DR.

PRIMROSE CL.

4

HONEYSUCKLE CL.

BOWSLAND WAY

STANLEY MEAD

ORMONDS

TRENCH

CAMPION CL.

CAMPION DR.

TRESHAM CL.

Prim. Sch.

ELLICKS

rimrose Cott.

Bowsland Farm

Patchway

Brook

CLOSE

M4

HORTHAM

Calebe House

BRADLEY DRIVE L

CLOSE

MOTORWAY

Hammond Court Farm

5

STOKE WAY

Savage's Wood

Leyland Court Farm

Superstore

82

HER WAY

WOOD

62 ROAD **A**

28▼

B 63

C

R FARM DABOUT

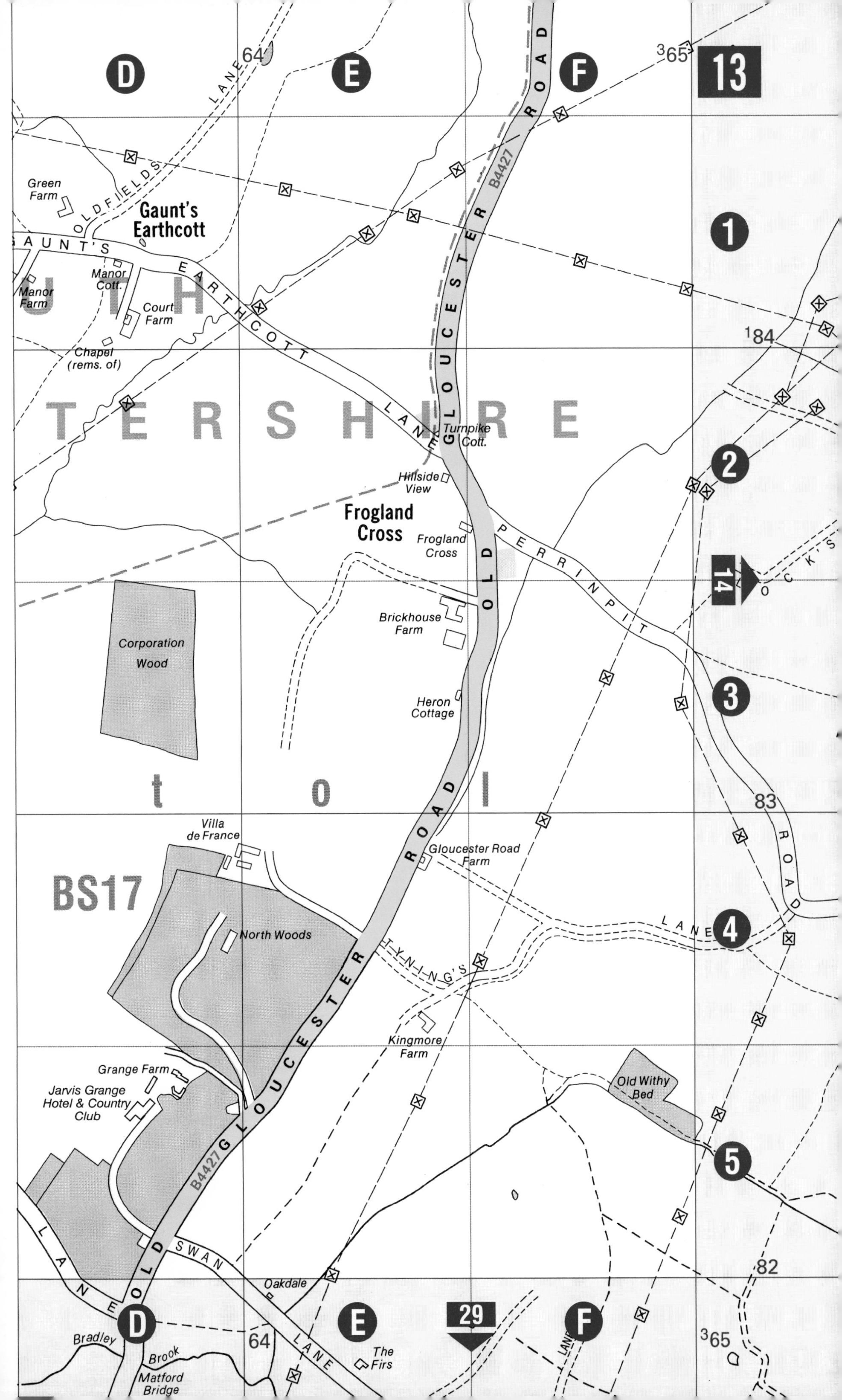

D 64 **E** **F** 365 **13**

Green Farm

Gaunt's Earthcott

Oldfields

1

Gaunt's

Manor Cott.

Court Farm

Manor Farm

Chapel (rems. of)

¹84

EARTHCOTT LANE

UTH

TERSHIRE

Gloucester Road

B4427

2

Turnpike Cott.

Hillside View

Old Perrinpit Road

14 N O C K'S

Frogland Cross

Frogland Cross

Brickhouse Farm

3

Corporation Wood

Heron Cottage

83

t o l

Villa de France

Gloucester Road Farm

BS17

North Woods

Gloucester Road

LANE

4

LYNING'S

Kingmore Farm

Grange Farm

Jarvis Grange Hotel & Country Club

B4427 GLOUCESTER

Old Withy Bed

5

82

LANE

OLD SWAN

Oakdale

D 64 LANE **E** The Firs **29** **F** 365

Bradley Brook

Matford Bridge

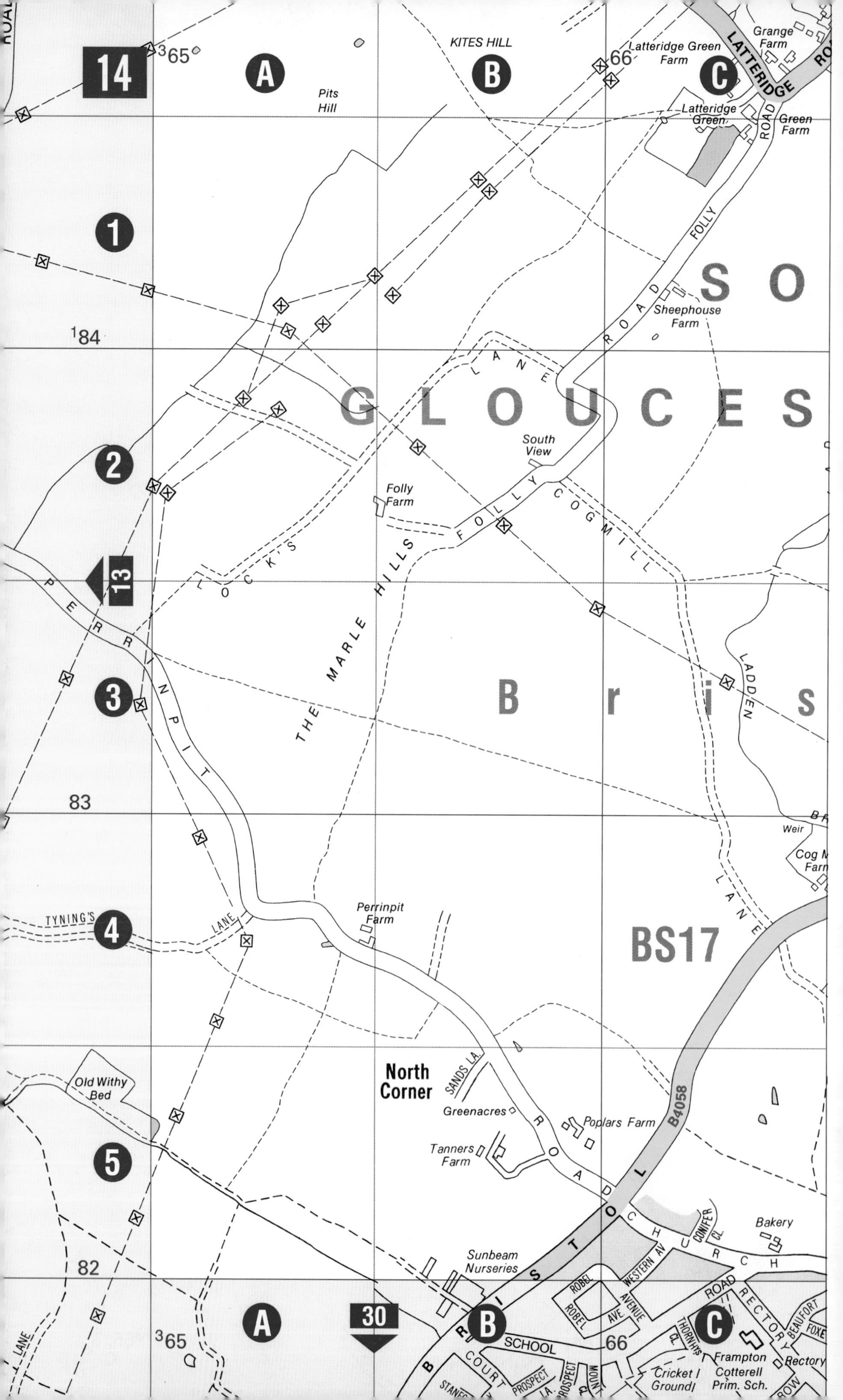
14
A
B
C
KITES HILL
Pits Hill
Latteridge Green Farm
LATTERIDGE ROAD
Grange Farm
Latteridge Green
Green Farm
FOLLY ROAD
Sheephouse Farm
SO
GLOUCES
LANE
South View
Folly Farm
FOLLY
COGMILL
LOCK'S
THE MARLE HILLS
13
PERRINPIT
Bris
LADDEN
Weir
Cog M
Farm
LANE
BS17
TYNING'S LANE
Perrinpit Farm
North Corner
SANDS LA.
Greenacres
Poplars Farm
Tanners Farm
ROAD
B4058
BRISTOL
Old Withy Bed
CHURCH
CONIFER CL.
Bakery
Sunbeam Nurseries
ROBEL
WESTERN AV
AVENUE
ROBEL AVE.
ROAD
RECTORY
BEAUFORT
FOXE
30
SCHOOL
COURT
PROSPECT LA.
PROSPECT
THORNHYS CL.
Frampton Cotterell Prim. Sch.
Rectory
Cricket Ground
LANE
1
2
3
4
5
184
83
82
365
66

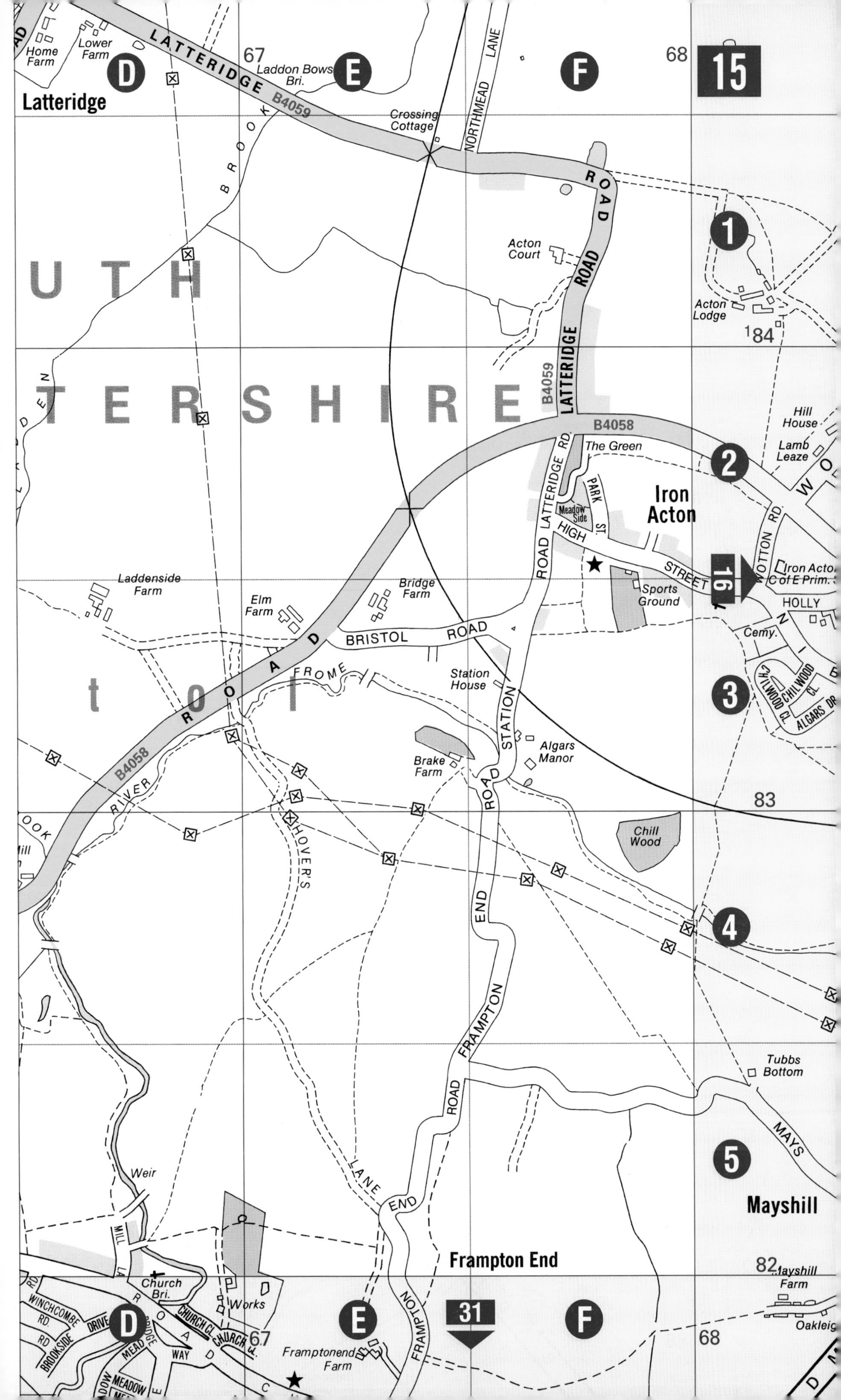

Latteridge
Home Farm
Lower Farm
LATTERIDGE B4059
Laddon Bows Bri.
Crossing Cottage
NORTHMEAD LANE
BROOK
ROAD
Acton Court
LATTERIDGE ROAD
B4059
Acton Lodge
Hill House
Lamb Leaze
B4058
The Green
PARK ST.
Meadow Side
Iron Acton
HIGH STREET
LATTERIDGE RD.
ROAD
WOTTON RD.
Iron Acton C of E Prim.
HOLLY
Cemy.
Sports Ground
Laddenside Farm
Elm Farm
Bridge Farm
BRISTOL ROAD
ROAD
B4058
FROME
RIVER
Station House
STATION ROAD
Algars Manor
Brake Farm
CHILWOOD CL
ALGARS DR
Chill Wood
HOVER'S LANE
END
FRAMPTON END ROAD
Tubbs Bottom
MAYS
Mayshill
Weir
MILL LANE
Church Bri.
Works
Frampton End
Mayshill Farm
Oakleig
WINCHCOMBE RD.
BROOKSIDE DRIVE
RD
MEAD
BRIDGE
ROAD
WAY
CHURCH CL.
MEADOW
Framptonend Farm
FRAMPTON
67
68
84
83
82

16

31

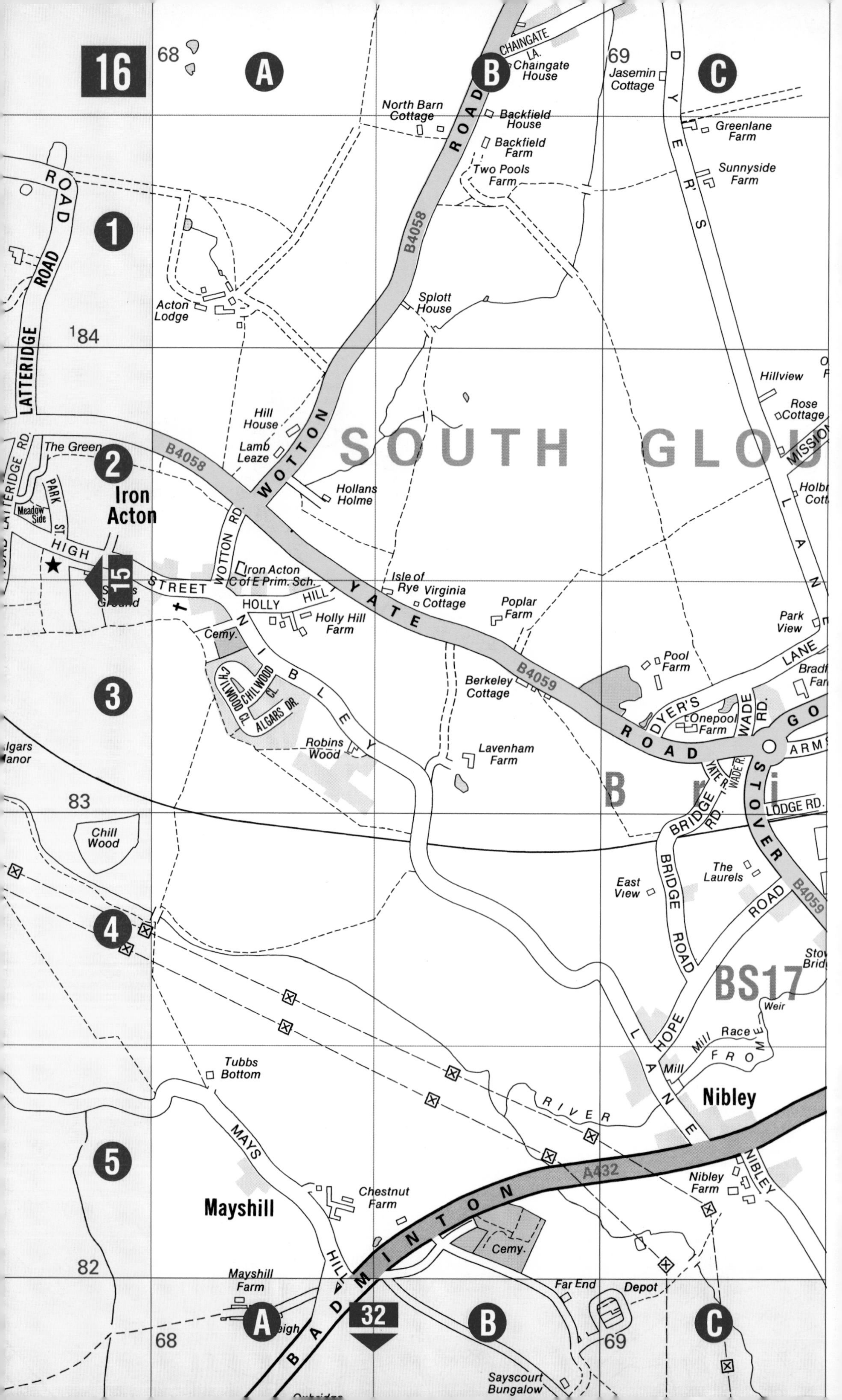

16

68

A

B CHAINGATE LA.
Chaingate House

69 Jasemin Cottage

C

North Barn Cottage

Backfield House

Greenlane Farm

Backfield Farm

Sunnyside Farm

1

B4058

Two Pools Farm

ROAD

DYERS

Splott House

Hillview

Rose Cottage

ROAD

LATTERIDGE ROAD

184

Acton Lodge

Hill House

Lamb Leaze

S O U T H   G L O U

MISSION

Holbr Cott

LATTERIDGE RD.

The Green

B4058

WOTTON

Hollans Holme

Holbr Cott

PARK ST

Meadow Side

2 Iron Acton

HIGH

ROAD

Isle of Rye

Virginia Cottage

Poplar Farm

Park View

★

15

STREET

Iron Acton C of E Prim. Sch.

WOTTON RD.

HOLLY HILL

YATE

Pool Farm

LANE

Bradl Far

Sports Ground

Cemy.

HOLLY

Holly Hill Farm

B4059

Berkeley Cottage

WADE RD.

DYER'S

Onepool Farm

3

CHILWOOD

CHILWOOD CL.

ALGARS DR.

NIBLEY

Robins Wood

Lavenham Farm

ROAD

STOVER

GO ARMS

lgars Manor

YATE R.

WADE R.

B4059

83

LODGE RD.

B ri

BRIDGE RD.

Chill Wood

☒

East View

The Laurels

BRIDGE ROAD

Stov Brid

4 ☒

☒

BS17

Weir

☒

HOPE

Mill Race

FROM

☒

Tubbs Bottom

Mill

Nibley

☒

LANE

RIVER

NIBLEY

5

MAYS

☒

A432

Nibley Farm

Chestnut Farm

Nibley Farm

Mayshill

82

Mayshill Farm

HILL

Cemy.

Far End

Depot

A eigh

32▼

BADMINTON

B

69

C

Sayscourt Bungalow

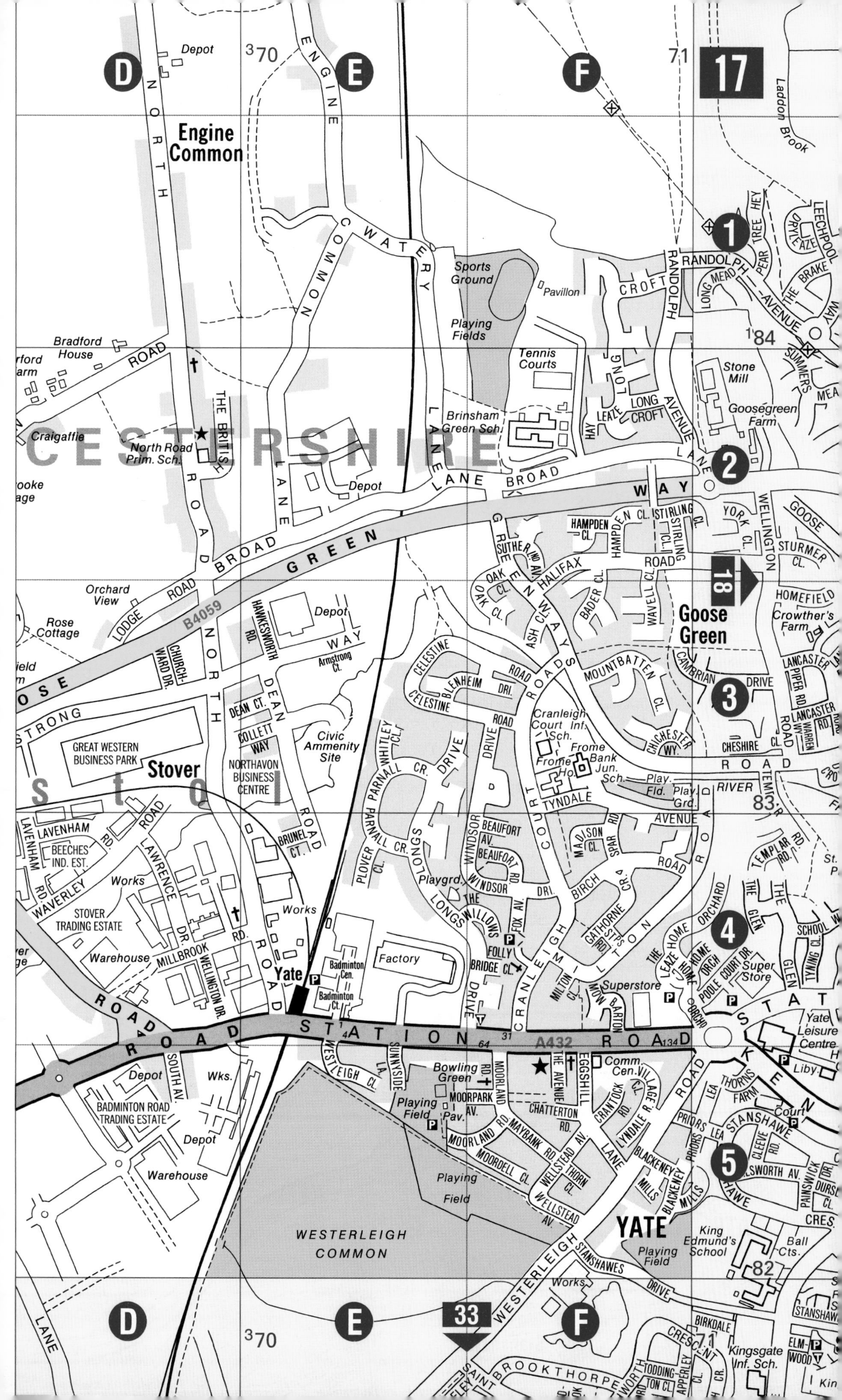

Engine Common
Goose Green
Stover
Yate
YATE
WESTERLEIGH COMMON
GREAT WESTERN BUSINESS PARK
NORTHAVON BUSINESS CENTRE
STOVER TRADING ESTATE
BADMINTON ROAD TRADING ESTATE
BEECHES IND. EST.
Sports Ground
Playing Fields
Tennis Courts
Brinsham Green Sch.
North Road Prim. Sch.
Cranleigh Court Inf. Sch.
Frome Bank Jun. Sch.
King Edmund's School
Kingsgate Inf. Sch.
Yate Leisure Centre
Civic Ammenity Site
Stone Mill
Goosegreen Farm
Crowther's Farm
Bradford House
Orchard View
Rose Cottage
Craigaffie
Laddon Brook
B4059
A432
BROAD LANE
ENGINE COMMON LANE
WATERY LANE
NORTH ROAD
BROAD GREEN
GOOSE GREEN WAY
LODGE ROAD
STATION ROAD
BADMINTON ROAD
RANDOLPH AVENUE
CRANLEIGH COURT ROAD
WESTERLEIGH ROAD
RIVER ROAD
MILTON ROAD
HALIFAX ROAD

18
33

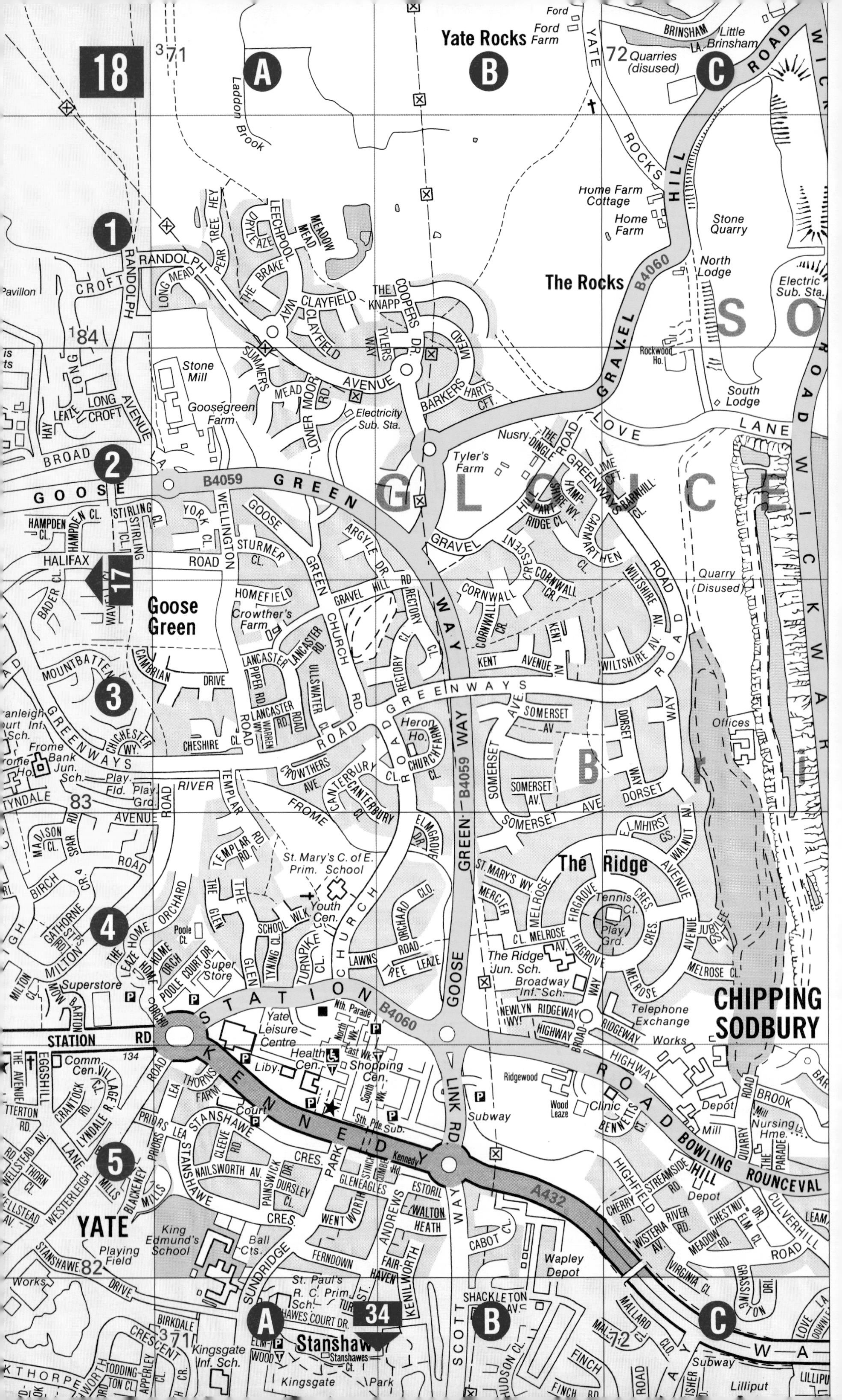

Yate Rocks
Ford Farm
Quarries (disused)
Little Brinsham
Home Farm Cottage
Home Farm
Stone Quarry
North Lodge
The Rocks
Electric Sub. Sta.
Rockwood Ho.
South Lodge
Stone Mill
Goosegreen Farm
Electricity Sub. Sta.
Tyler's Farm
Goose Green
Crowther's Farm
Quarry (Disused)
Offices
Heron Ho.
St. Mary's C. of E. Prim. School
Youth Cen.
The Ridge
The Ridge Jun. Sch.
Broadway Inf. Sch.
Telephone Exchange
Works
CHIPPING SODBURY
Superstore
Super Store
Yate Leisure Centre
Health Cen.
Liby.
Shopping Cen.
Ridgewood
Wood Leaze
Clinic
Subway
Depot
Mill
Nursing Hme.
YATE
King Edmund's School
Playing Field
Ball Cts.
Wapley Depot
St. Paul's R.C. Prim. Sch.
Stanshawe
Kingsgate Inf. Sch.
Kingsgate Park
Lilliput
Frome Bank Jun. Sch.
Play. Fld.
Play. Grd.
Comm. Cen.
B4059
B4060
A432
GLOUCESTER
BRISTOL

17
34

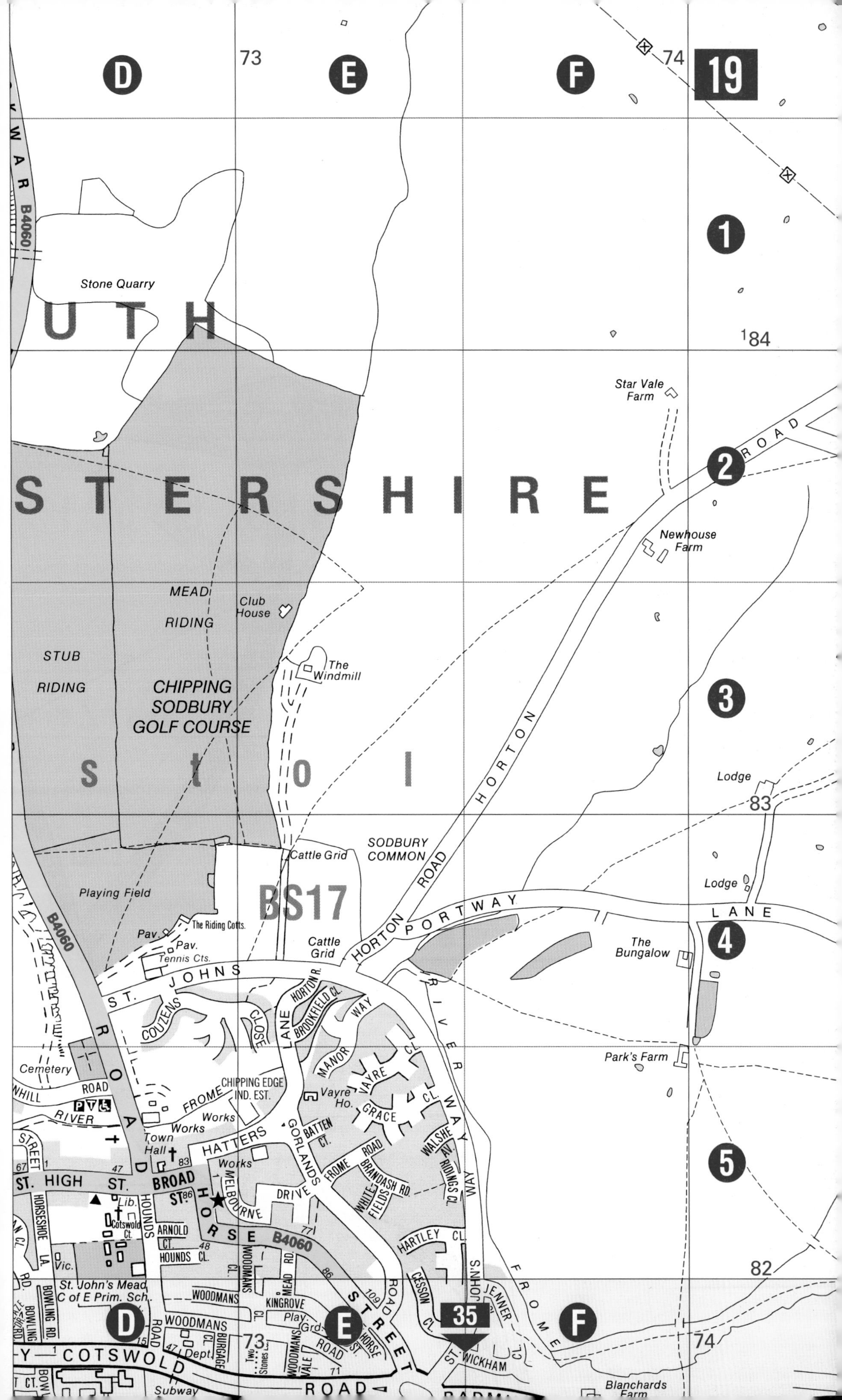

D 73 **E** **F** 74 **19**

1

184

Stone Quarry

UTH

Star Vale
Farm

STERSHIRE **2** ROAD

Newhouse
Farm

MEAD
RIDING

Club
House

STUB **3**

RIDING

The
Windmill

CHIPPING
SODBURY
GOLF COURSE

Lodge

83

s t o l

Lodge

SODBURY
COMMON

Cattle Grid LANE

Playing Field HORTON ROAD PORTWAY **4**

The
Bungalow

BS17 B4060

Pav. The Riding Cotts.
Cattle
Grid

Pav. RIVER Park's Farm
Tennis Cts.

ST. JOHNS

COUZENS CLOSE LANE HORTON R.
BROOKFIELD CL.

Cemetery FROME MANOR WAY WAY **5**

ROAD CHIPPING EDGE VAYRE CL.
IND. EST.

WHILL RIVER Works Vayre GRACE CL. RIDINGS CL.
Ho.
Works WALSHE AV.

STREET Town HATTERS GORLANDS BATTEN FROME 82
Hall CT.
BRANDASH RD. HARTLEY CL.
67 83 WHITE-
Works FIELDS CL.

ST. HIGH ST. BROAD DRIVE
47 ST 86 MELBOURNE
Lib. B4060
▲ Cotswold HORSE 77
Ct. ROAD MEAD RD. CESSON CL. 74
Vic. ARNOLD 48
CT. HOUNDS CL.

St. John's Mead WOODMANS **D** **E** **35** **F**
C of E Prim. Sch KINGROVE STREET
Play JENNER
WOODMANS Grd.
BURGAGE 73 ST. WICKHAM
BOWLING RD. Dept.
Two Stones CL.
COTSWOLD Blanchards
CT. Subway ROAD Farm

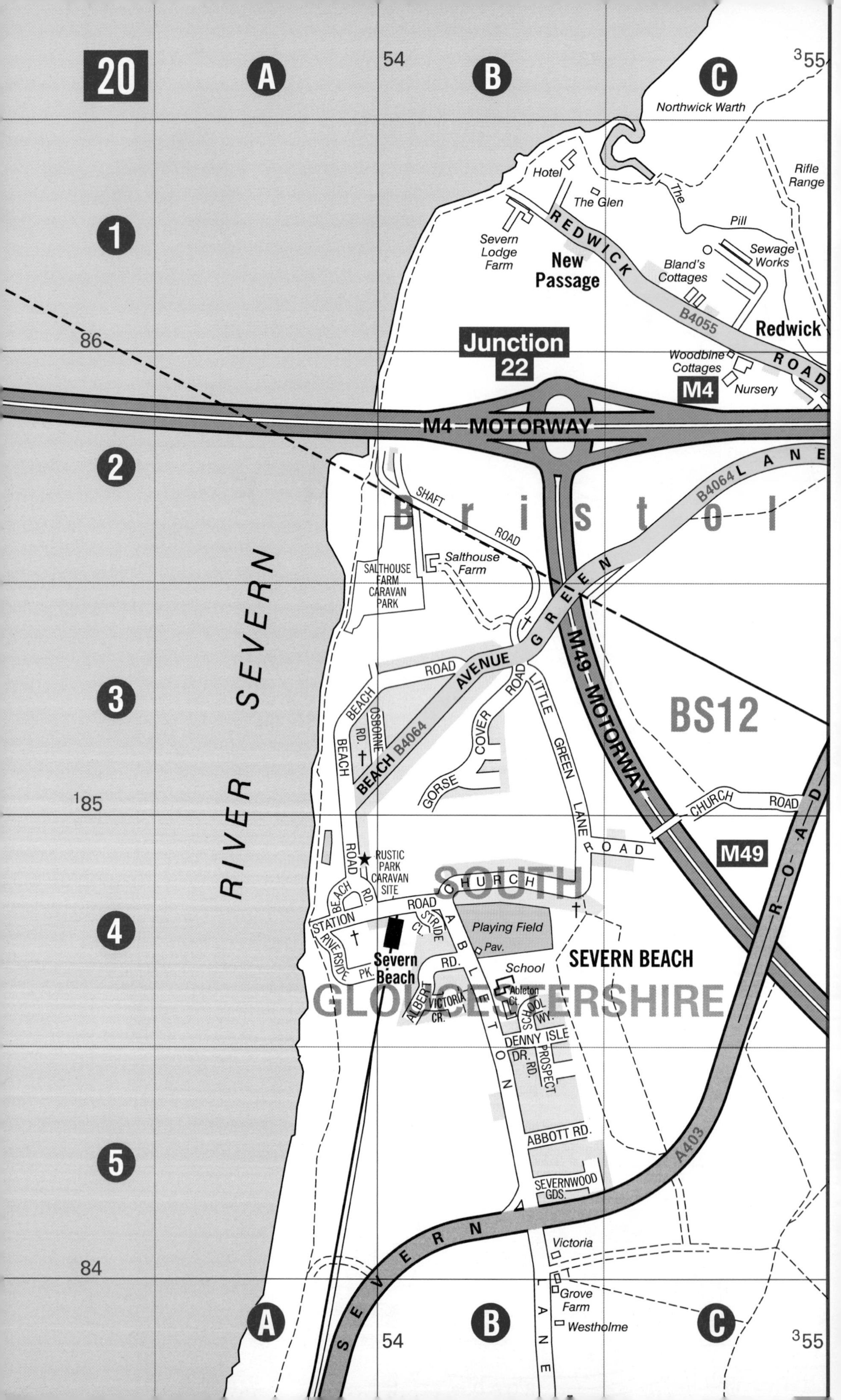
A
B
C
54
355
Northwick Warth
Hotel
The Glen
The Pill
Rifle Range
Severn Lodge Farm
New Passage
REDWICK ROAD
Bland's Cottages
Sewage Works
B4055
Redwick
Junction 22
Woodbine Cottages
M4
Nursery
86
M4 MOTORWAY
SHAFT ROAD
Bristol
B4064
LANE
GREEN
Salthouse Farm
SALTHOUSE FARM CARAVAN PARK
RIVER SEVERN
AVENUE
ROAD
BEACH
OSBORNE RD.
BEACH B4064
COVER ROAD
GORSE
LITTLE GREEN LANE ROAD
M49 MOTORWAY
BS12
CHURCH ROAD
M49
185
BEACH ROAD
RUSTIC PARK CARAVAN SITE
BEACH RD.
SOUTH
CHURCH ROAD
STATION ROAD
STRIDE CL.
RIVERSIDE PK.
Severn Beach
Playing Field
Pav.
School
SEVERN BEACH
ABLETON LANE
Ableton Ct.
ALBERT RD.
VICTORIA CR.
SCHOOL WY.
GLOUCESTERSHIRE
DENNY ISLE DR.
PROSPECT RD.
ABBOTT RD.
SEVERNWOOD GDS.
A403
SEVERN ROAD
Victoria
84
Grove Farm
Westholme
LANE
1
2
3
4
5

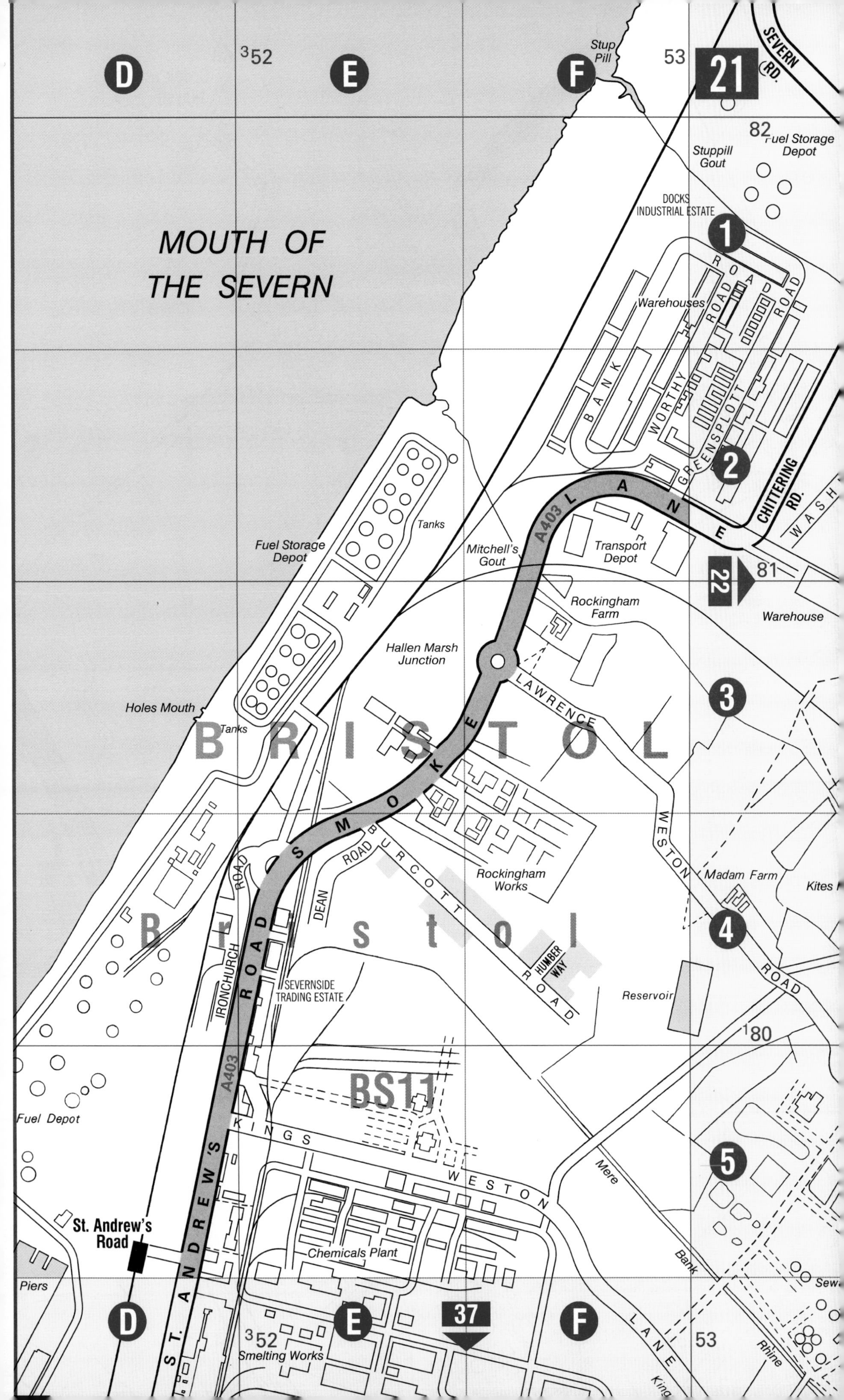

MOUTH OF
THE SEVERN

BRISTOL

B r i s t o l

BS11

St. Andrew's
Road

D ³52 **E** **F** 53 **21**

Stup
Pill

Stuppill
Gout

82 Fuel Storage
Depot

DOCKS
INDUSTRIAL ESTATE

1

Warehouses

BANK ROAD

WORTHY ROAD

GREENSPLOTT ROAD

CHITTERING RD.

2

WASH

LANE

A403

Transport
Depot

22 81

Warehouse

Mitchell's
Gout

Rockingham
Farm

Hallen Marsh
Junction

LAWRENCE

3

Fuel Storage
Depot

Tanks

WESTON

Madam Farm

Kites

4

Holes Mouth

Tanks

SMOKE ROAD

DEAN ROAD

BURCOTT ROAD

Rockingham
Works

HUMBER WAY

Reservoir

ROAD

¹80

Fuel Depot

IRONCHURCH ROAD

SEVERNSIDE
TRADING ESTATE

KINGS WESTON

Mere

Bank

5

Sew

ST. ANDREW'S ROAD

Chemicals Plant

Piers

D ³52 **E** **37** **F** 53

Smelting Works

LANE

King

Rhine

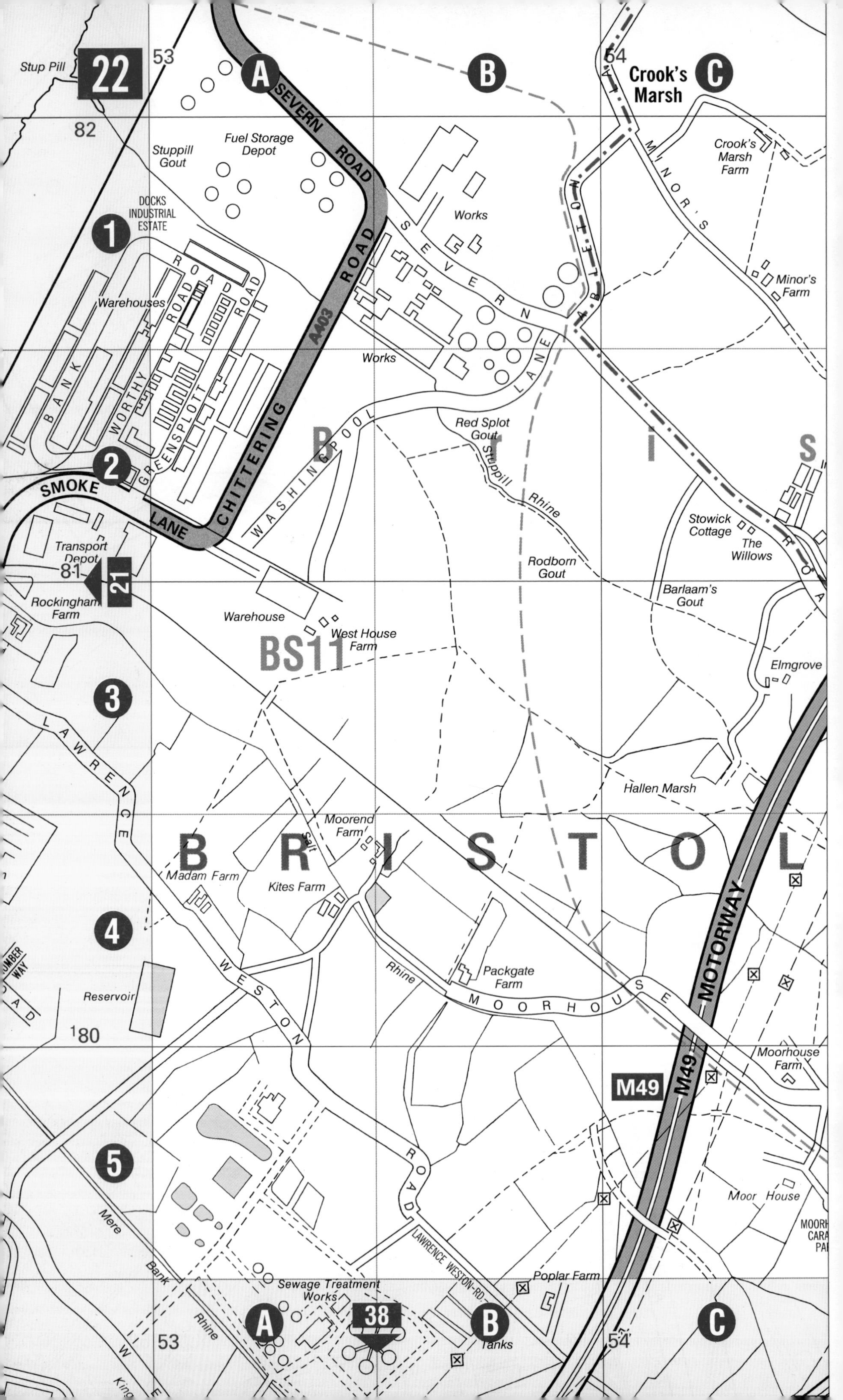

22
Stup Pill
53
82
A
B
C
54
Crook's Marsh
SEVERN ROAD
Fuel Storage Depot
Stuppill Gout
DOCKS INDUSTRIAL ESTATE
1
Warehouses
ROAD
WORTHY ROAD
BANK
GREENSPLOTT ROAD
A403
CHITTERING ROAD
SEVERN
Works
ABLETON LANE
MINOR'S
Crook's Marsh Farm
Minor's Farm
Works
WASHINGPOOL LANE
Red Splot Gout
Stuppill Rhine
BRISTOL
2
SMOKE LANE
Transport Depot
81
21
Rockingham Farm
Warehouse
West House Farm
BS11
Rodborn Gout
Barlaam's Gout
Stowick Cottage
The Willows
Elmgrove
ROAD
3
LAWRENCE WESTON ROAD
Hallen Marsh
Moorend Farm
Salt Rhine
Madam Farm
Kites Farm
4
Reservoir
180
Packgate Farm
Rhine
MOORHOUSE
MOTORWAY
M49
Moorhouse Farm
5
Mere Bank Rhine
Moor House
LAWRENCE WESTON RD.
Sewage Treatment Works
Poplar Farm
Tanks
38
53
54

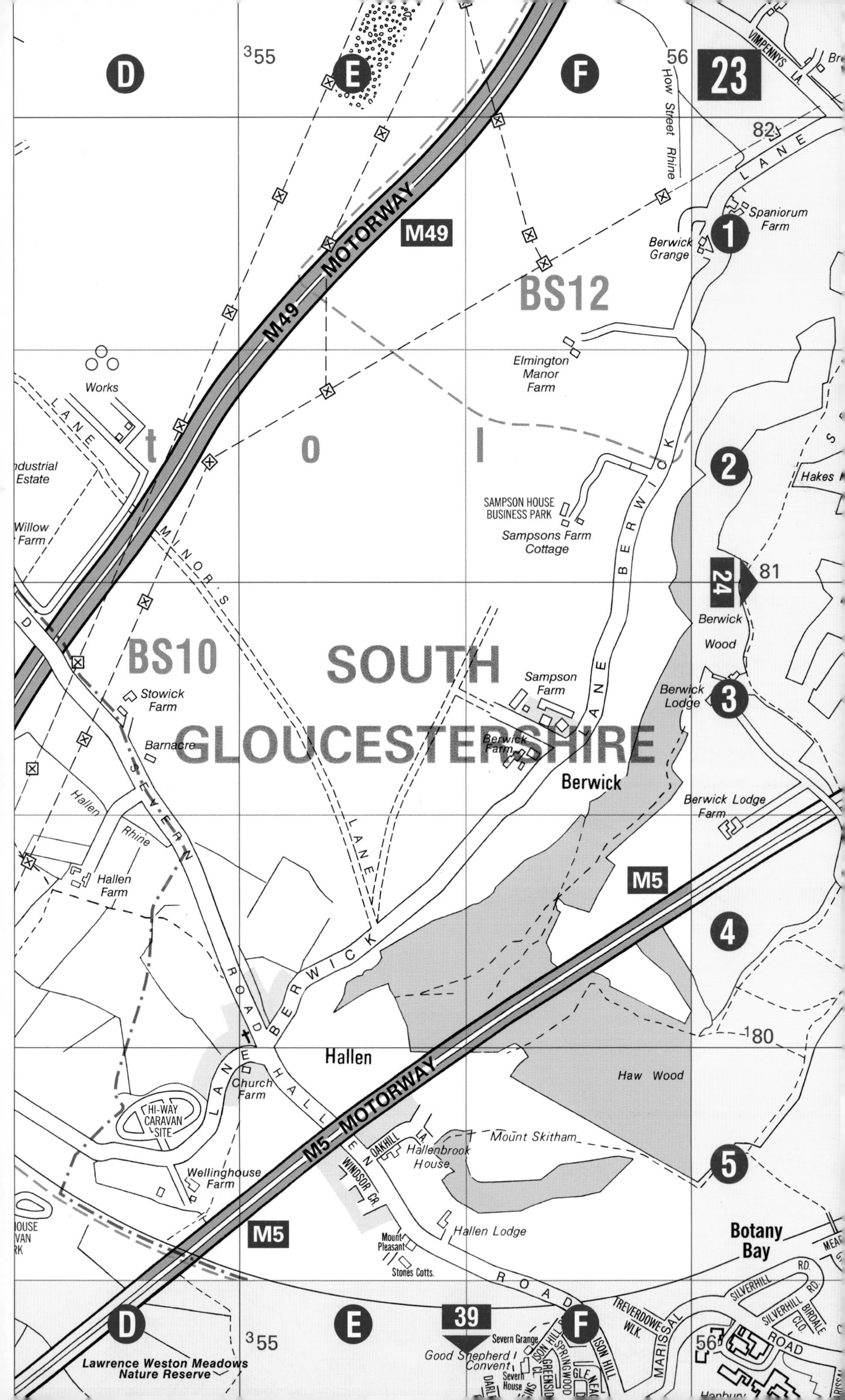
D
E
F
355
56
M49 MOTORWAY
M49
BS12
BS10
SOUTH GLOUCESTERSHIRE
Spaniorum Farm
Berwick Grange
Elmington Manor Farm
SAMPSON HOUSE BUSINESS PARK
Sampsons Farm Cottage
Works
Industrial Estate
Willow Farm
MINOR'S LANE
BERWICK LANE
Stowick Farm
Barnacre
Sampson Farm
Berwick Farm
Berwick
Berwick Wood
Berwick Lodge
Berwick Lodge Farm
Hakes
Hallen Rhine
Hallen Farm
SEVERN ROAD
M5
M5 MOTORWAY
Hallen
Church Farm
HI-WAY CARAVAN SITE
Haw Wood
Mount Skitham
Hallenbrook House
OAKHILL LA.
WINDSOR CR.
Wellinghouse Farm
Hallen Lodge
Mount Pleasant
Stones Cotts.
Botany Bay
SILVERHILL RD.
BIRDALE CLO.
TREVERDOWE WLK.
MARISSAL ROAD
Severn Grange
Good Shepherd Convent
Severn House
Lawrence Weston Meadows Nature Reserve
VIMPENNYS LA.
82
81
80
1
2
3
4
5
24
39

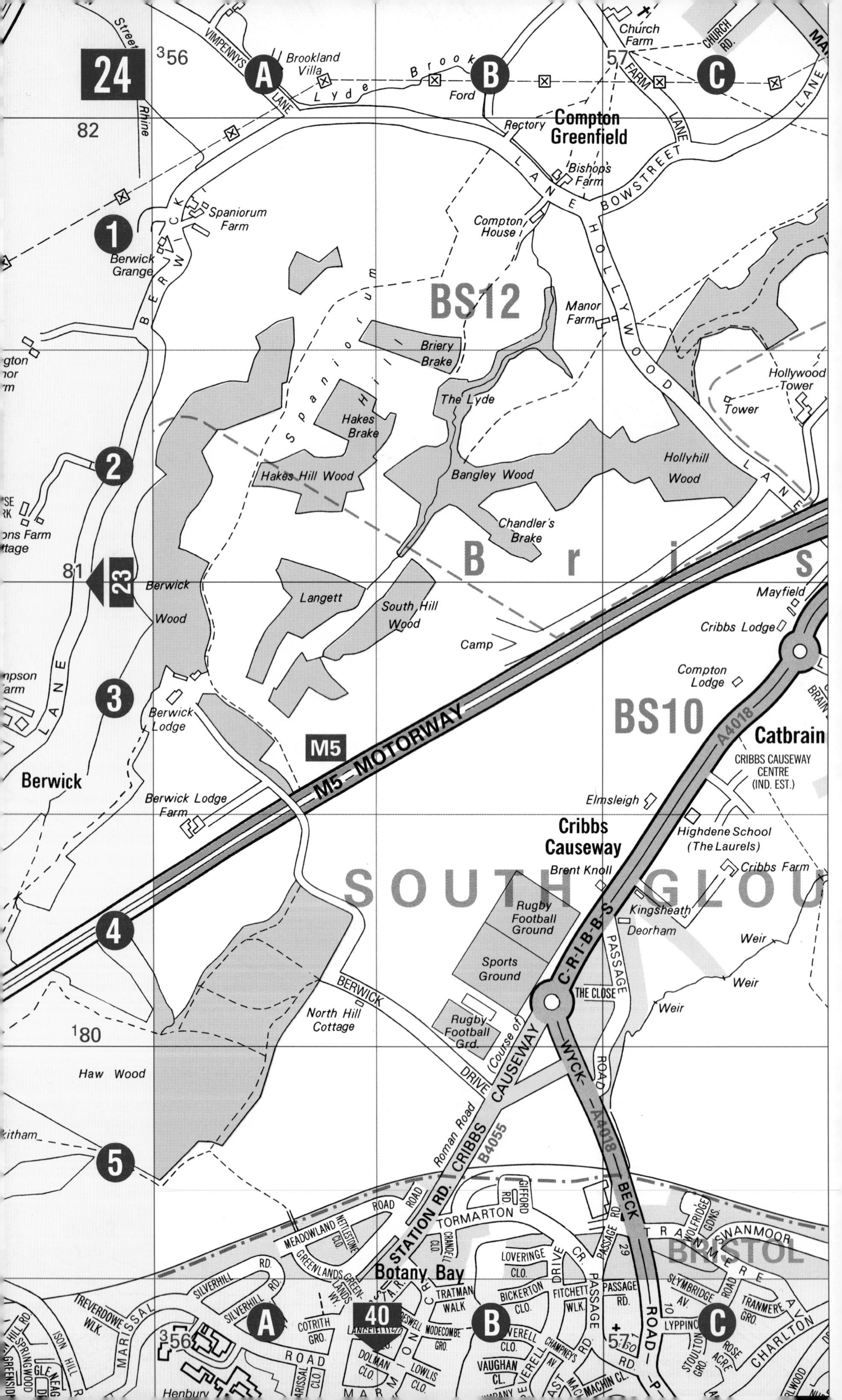

356

82

A Brookland Villa

Lyde Brook

Ford

B

57 FARM

Church Farm

CHURCH RD.

C

Rectory

Compton Greenfield

Bishops Farm

Spaniorum Farm

1

Berwick Grange

gton nor m

BS12

Compton House

Manor Farm

Hollywood Tower

Tower

Briery Brake

The Lyde

Hollyhill Wood

Hakes Brake

2

Hakes Hill Wood

Bangley Wood

se RK

ns Farm ottage

81 ◄ **23**

Berwick Wood

Langett

South Hill Wood

Chandler's Brake

B r i s

Mayfield

Cribbs Lodge

Camp

Compton Lodge

BS10

Catbrain

npson arm

3

Berwick Lodge

CRIBBS CAUSEWAY CENTRE (IND. EST.)

Elmsleigh

Berwick

Berwick Lodge Farm

M5 MOTORWAY

Cribbs Causeway

Brent Knoll

Highdene School (The Laurels)

Cribbs Farm

Kingsheath

Deorham

Weir

4

Rugby Football Ground

Sports Ground

THE CLOSE

Weir

Weir

BERWICK

North Hill Cottage

Rugby Football Grd.

S O U T H   G L O U

180

Haw Wood

Roman Road

CRIBBS CAUSEWAY

WYCK

BECK

ROAD A4018

kitham

5

STATION RD.

TORMARTON

Wolfridge Gdns.

SWANMOOR

MEADOWLAND

GREENLANDS GREEN

Botany Bay

Loveringe Clo.

PASSAGE RD.

BRISTOL

TREVERDOWE WLK.

SILVERHILL

SILVERHILL RD.

A

COTRITH GRO.

40

DOLMAN CLO.

TRATMAN WALK

BICKERTON CLO.

FITCHETT WLK.

B

Slymbridge Av.

TRANMERE GRO.

ROSE ACRE

C

356

HENBURY

MARISSAL ROAD

VAUGHAN CL.

LYPPINC

CHARLTON

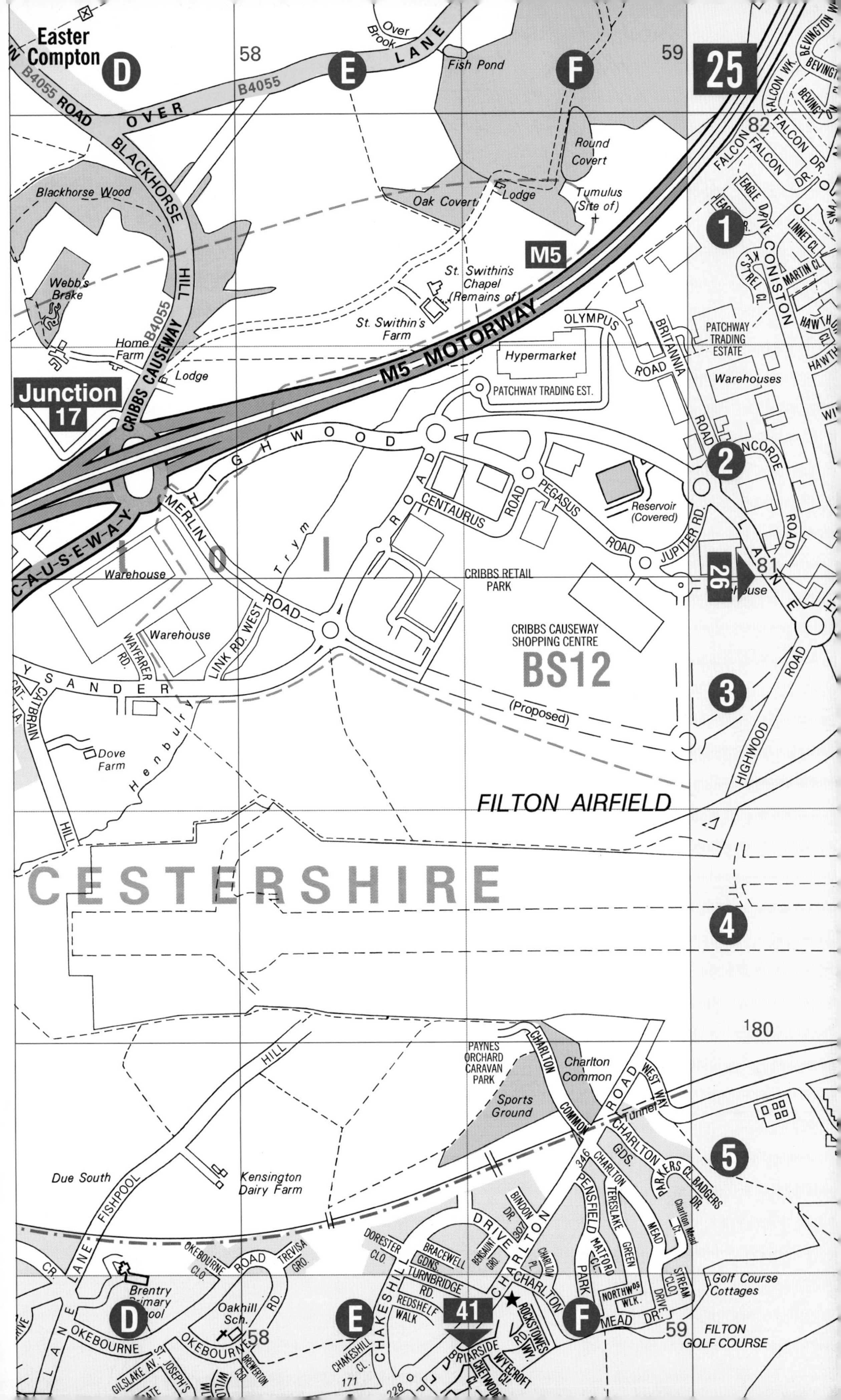

Easter
Compton **D**

25

58

B4055

E

Over
Brook

LANE

Fish Pond

F

Round
Covert

59

82

BEVINGTON WK
BEVINGTON
BEVINGTON DR
FALCON WK
FALCON DR
FALCON DR

B4055 ROAD
OVER

Blackhorse Wood

BLACKHORSE

Oak Covert

Lodge

Tumulus
(Site of)

1

EAGLE DRIVE
CONISTON
KESTREL CL
MARTIN CL
LINNET CL
HAWTHORN

St. Swithin's
Chapel
(Remains of)

M5

Webb's
Brake

HILL

CRIBBS CAUSEWAY

St. Swithin's Farm

OLYMPUS
ROAD

BRITANNIA
ROAD

PATCHWAY TRADING
ESTATE

HAWTH

Home
Farm

Lodge

M5 - MOTORWAY

Hypermarket

Warehouses

**Junction
17**

PATCHWAY TRADING EST.

ROAD

CONCORDE

ROAD

2

HIGHWOOD

ROAD

CENTAURUS

PEGASUS

ROAD

Reservoir
(Covered)

JUPITER RD.

26

A81

house

L O I

Trym

MERLIN

ROAD

ROAD

CRIBBS RETAIL
PARK

Warehouse

WAYFARER RD.

LINK RD. WEST

ROAD

CRIBBS CAUSEWAY
SHOPPING CENTRE

BS12

3

HIGHWOOD
ROAD

Warehouse

Y SANDER

CAT BRAIN

(Proposed)

Dove Farm

Henbury

HILL

FILTON AIRFIELD

C E S T E R S H I R E

80

4

HILL

PAYNES
ORCHARD
CARAVAN
PARK

CHARLTON

Charlton
Common

CHARLTON

ROAD

WEST WAY

Sports
Ground

COMMON

Tunnel

CHARLTON

CHARLTON GDS.

PARKERS CL. BADGERS DR.

5

Due South

Kensington
Dairy Farm

FISHPOOL LANE

ROAD

TREVISA GRO.

OKEBOURNE CLO.

DORESTER
CLO.

BRACEWELL
GDNS.

BERKLEY GRO.

346

PENSFIELD

CHARLTON PK.

MATFORD CL.

Charlton Mead

GREEN

MEAD

STREAM CLO.

Golf Course
Cottages

Brentry
Primary
School

D

Oakhill
Sch.

OKEBOURNE RD.

BROMERTON

58

CHAMESHILL
CL.

CHAKESHILL

DRIVE

E

TURNBRIDGE
RD.

REDSHELF
WALK

41

★

CHARLTON

ROCKSTOWES

CHARLTON

MEAD DR.

NORTHWOS
WLK.

DRIVE

F

59

**FILTON
GOLF COURSE**

OKEBOURNE

GILSLAKE AV.

ST. JOSEPH'S

BRIARSIDE

WYECROFT
CL.

SHERWOOD

171

228

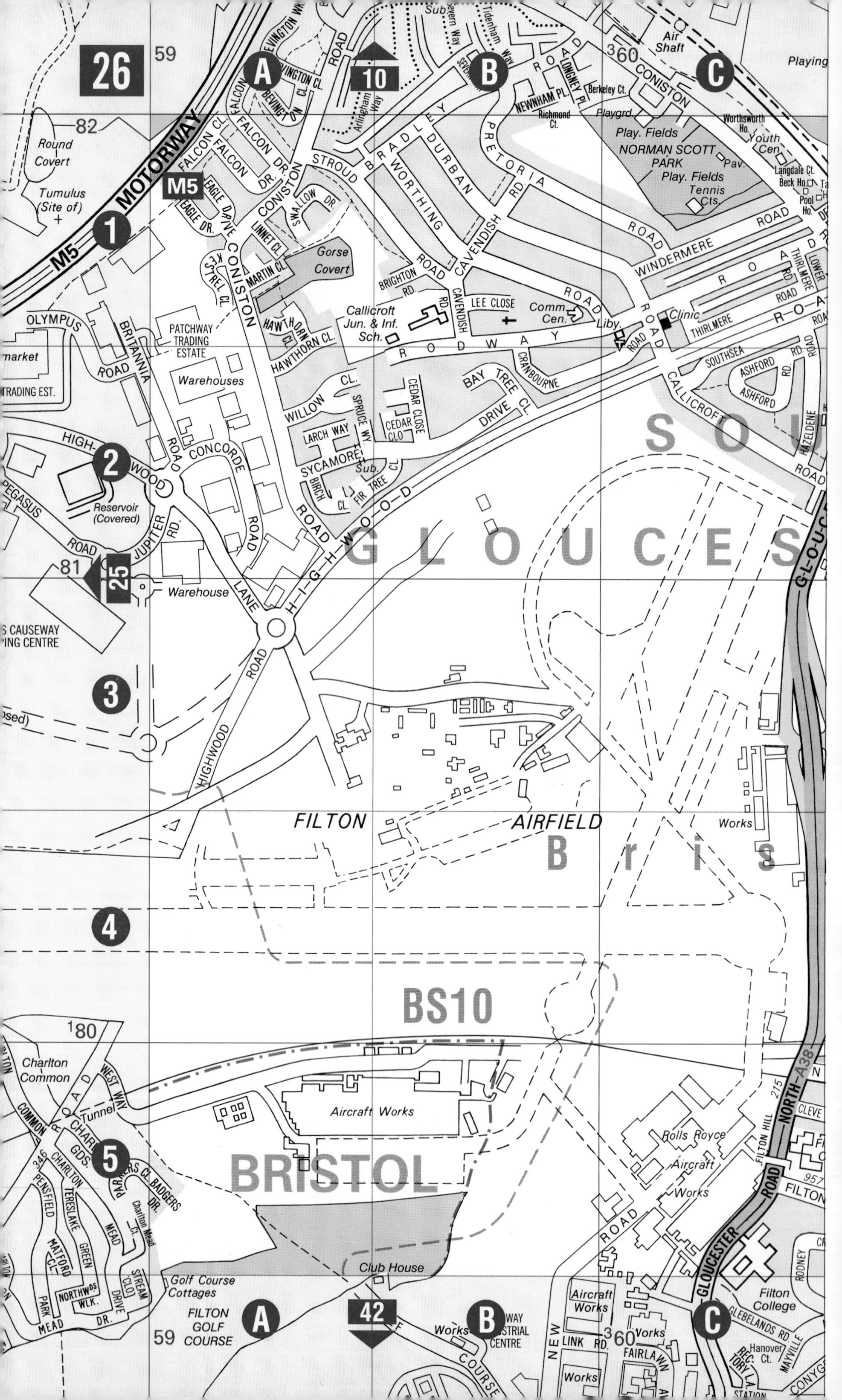

Grid references (top): A · 10 · B · C

M5 MOTORWAY · M5

Round Covert
Tumulus (Site of)
+

OLYMPUS ROAD
TRADING EST.
market

BRITANNIA ROAD
PATCHWAY TRADING ESTATE
Warehouses

HIGH-WOOD ROAD
Reservoir (Covered)
PEGASUS ROAD

CAUSEWAY
PING CENTRE
Warehouse

FALCON CL. · FALCON DR. · BEVINGTON CL. · BEVINGTON WK. · EVINGTON WK.
EAGLE DRIVE · EAGLE DR. · KESTREL CL. · LINNET CL. · SWALLOW DR.
CONISTON ROAD · STROUD · MARTIN CL. · HAWTHORN CL. · HAWTHORN CL.
Gorse Covert

WILLOW CL. · SPRUCE WY. · LARCH WAY · CEDAR CLOSE · CEDAR CLO.
SYCAMORE CL. · BIRCH CL. · FIR TREE CL. · Sub.

CONCORDE ROAD · JUPITER RD. · HIGHWOOD LANE · HIGHWOOD ROAD

BRIGHTON RD. · WORTHING ROAD · DURBAN ROAD · BRADLEY · CAVENDISH RD.
CAVENDISH ROAD · PRETORIA RD. · RODWAY · Callicroft Jun. & Inf. Sch.
LEE CLOSE · Comm. Cen. · Liby. · Clinic
BAY TREE DRIVE · CRANBOURNE · GRANBOURNE · SOUTHSEA
CALLICROFT · ASHFORD · ASHFORD RD.

Arlingham Way · Severn Way · Tideham Way · Longney Rd. · NEWNHAM PL.
Richmond Ct. · Berkeley Ct. · 360 · CONISTON · Air Shaft · Playing
Worthsworth Ho. · Youth Cen. · Langdale Ct. · Beck Ho. · Pool Ho.
NORMAN SCOTT PARK · Play. Fields · Tennis Cts. · Pav.
WINDERMERE ROAD · THIRLMERE RD. · LOWER · HAZELDENE · THIRLMERE

S · O · U
G · L · O · U · C · E · S · T
G-L-O-U-C-E
B · r · i · s

3

FILTON AIRFIELD Works

4

BS10

Charlton Common
WEST WAY · CHART GDS. · Tunnel · PARK CL. · BADGERS DR. · CHARLTON MEAD
COMMON · CHARLTON · PENSFIELD · TERSLAKE · GREEN MEAD · MATFORD
NORTHWDS. WLK. · STREAM CLO. · DRIVE · PARK MEAD

Aircraft Works

BRISTOL

Rolls Royce Aircraft Works
FILTON HILL · 215 · NORTH A-38 · Station · FILTON
GLOUCESTER ROAD · NEW ROAD · LINK RD. · FAIRLAWN · Works
CLEVE · FILTON · RODNEY · Filton College · GLEBELANDS RD.
MAYVILLE · Hanover Ct. · CONYG · TORY LA.

Grid references (bottom): A · 42 · B · C

Golf Course Cottages
FILTON GOLF COURSE
59
Club House

WAY INDUSTRIAL CENTRE · Works · 360
Aircraft Works · Works

Grid numbers: 1, 2, 3, 4, 5 (left margin); 26 · 59 · 82 · 81 · 25 · 80 · 180

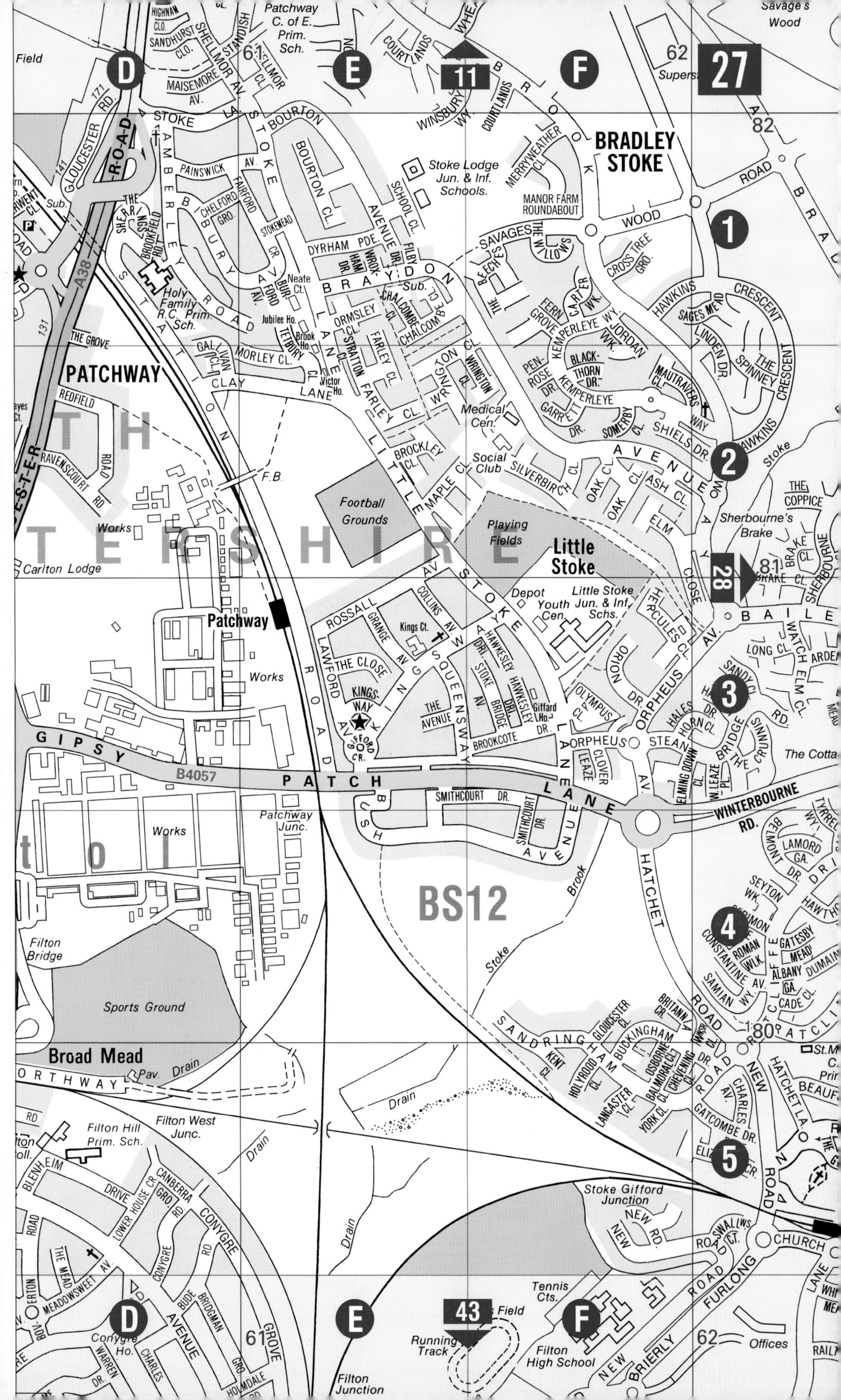

27
11
28
43
BRADLEY STOKE
PATCHWAY
Little Stoke
BS12
Patchway
Stoke Lodge Jun. & Inf. Schools.
MANOR FARM ROUNDABOUT
Holy Family R.C. Prim. Sch.
Patchway C. of E. Prim. Sch.
Medical Cen.
Social Club
Football Grounds
Playing Fields
Little Stoke Jun. & Inf. Schs.
Youth Cen.
Depot
Works
Carlton Lodge
Patchway Junc.
Filton Bridge
Sports Ground
Broad Mead
Filton Hill Prim. Sch.
Filton West Junc.
Stoke Gifford Junction
Tennis Cts.
Filton High School
Running Track
Filton Junction
Sherbourne's Brake
Savage's Wood
GIPSY PATCH LANE
B4057
WINTERBOURNE RD.
HATCHET ROAD
BRADLEY STOKE WAY
NORTHWAY
CONYGRE GROVE
STATION ROAD
LITTLE STOKE LANE
BRAYDON AVENUE
KINGSWAY
QUEENSWAY
SANDRINGHAM
A38

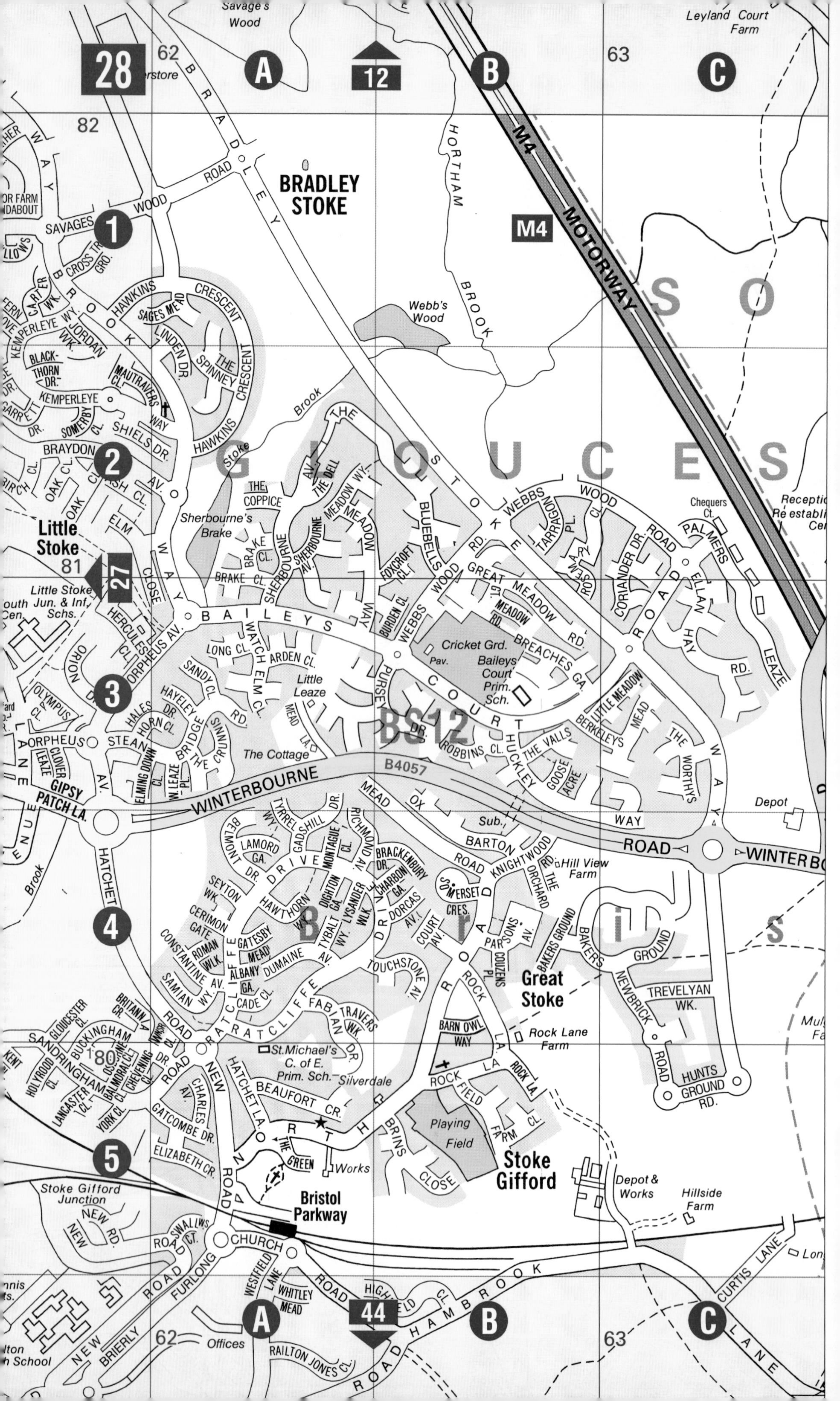

BRADLEY STOKE
Little Stoke
Great Stoke
Stoke Gifford
Bristol Parkway
Savage's Wood
Leyland Court Farm
Webb's Wood
Sherbourne's Brake
Little Leaze
The Cottage
Cricket Grd.
Pav.
Baileys' Court Prim. Sch.
Little Stoke Jun. & Inf. Schs.
St.Michael's C. of E. Prim. Sch.
Silverdale
Playing Field
Works
Depot & Works
Hillside Farm
Hill View Farm
Rock Lane Farm
Stoke Gifford Junction
Offices
Depot
Sub.
Chequers Ct.
M4 MOTORWAY
B4057
BS12
GLOUCESTERSHIRE
BRISTOL
WINTERBOURNE ROAD
BRADLEY STOKE WAY
BAILEYS COURT ROAD
WOOD ROAD
SAVAGES WOOD ROAD
HAWKINS CRESCENT
SAGES MEAD
LINDEN DR.
THE SPINNEY
BROOK WAY
HORTHAM BROOK
WEBBS WOOD RD.
WEBBS WOOD ROAD
GREAT MEADOW RD.
MEADOW WAY
MEADOW WY.
THE DELL
THE COPPICE
SHERBOURNE AV.
BRAKE CL.
FOXCROFT CL.
BURDEN CL.
BLUEBELLS
TARRAGON PL.
ROSEMARY CL.
CORIANDER DR.
PALMERS LEAZE
ELLAN HAY RD.
BREACHES GA.
LITTLE MEADOW
BERKELEYS MEAD
THE WORTHYS
THE VALLS
GOOSE ACRE
HUCKLEY WAY
ROBBINS CL.
PURSEY DR.
MEAD LA.
ARDEN CL.
WATCH ELM CL.
LONG CL.
SANDY CL.
HAYELEY DR.
HORN CL.
HALES
STEAN BRIDGE RD.
THE CRUNNIS
ELMING DOWN CL.
W. LEAZE PL.
ORPHEUS AV.
HERCULES CL.
ORION DR.
OLYMPUS CL.
GIPSY PATCH LA.
CLOVER LEAZE
HATCHET ROAD
MEAD OX WAY
BARTON ROAD
KNIGHTWOOD RD.
THE ORCHARD
SOMERSET CRES.
PARSONS' AV.
COUZENS PL.
BAKERS GROUND
NEWBRICK ROAD
TREVELYAN WK.
HUNTS GROUND RD.
ROCK LA.
ROCKFIELD
FARM CL.
BARN OWL WAY
BRINS CLOSE
NORTH ROAD
THE GREEN
BEAUFORT CR.
HATCHET LA.
RATCLIFFE DR.
FABIAN DR.
TRAVERS WK.
TOUCHSTONE AV.
MONTAGUE CL.
RICHMOND AV.
BRACKENBURY DR.
CHARBON GA.
DORCAS AV.
COURT AV.
LYSANDER WLK.
DIGHTON GA.
TYBALT WY.
HAWTHORN WK.
GADSHILL DR.
TYRREL WY.
LAMORD GA.
BELMONT DR.
SEYTON WK.
CERIMON GATE
ROMAN WLK.
GATESBY MEAD
ALBANY GA.
DUMAINE AV.
CADE CL.
CONSTANTINE AV.
SAMIAN WY.
BRITANNIA CR.
GLOUCESTER CL.
SANDRINGHAM RD.
BUCKINGHAM
HOLYROOD CL.
BALMORAL CL.
CHEVENING CL.
LANCASTER CL.
YORK CL.
WINDSOR DR.
CHARLES AV.
GATCOMBE DR.
ELIZABETH CR.
NEW ROAD
NEW RD.
SWALLOWS CT.
CHURCH ROAD
FURLONG
BRIERLY ROAD
WESTFIELD LANE
WHITLEY MEAD
HIGHFIELD CL.
HAMBROOK LANE
RAILTON JONES CL.
CURTIS LANE
BRAYDON AV.
OAK CL.
BIRCH CL.
ELM CL.
CLOSE
KEMPERLEYE WY.
KEMPERLEYE
BLACKTHORN DR.
MAUTRAVERS CL.
SOMERBY CL.
SHIELS DR.
GARRETT DR.
JORDAN WK.
CARTER WK.
CROSS TREE GRO.

12
27
44

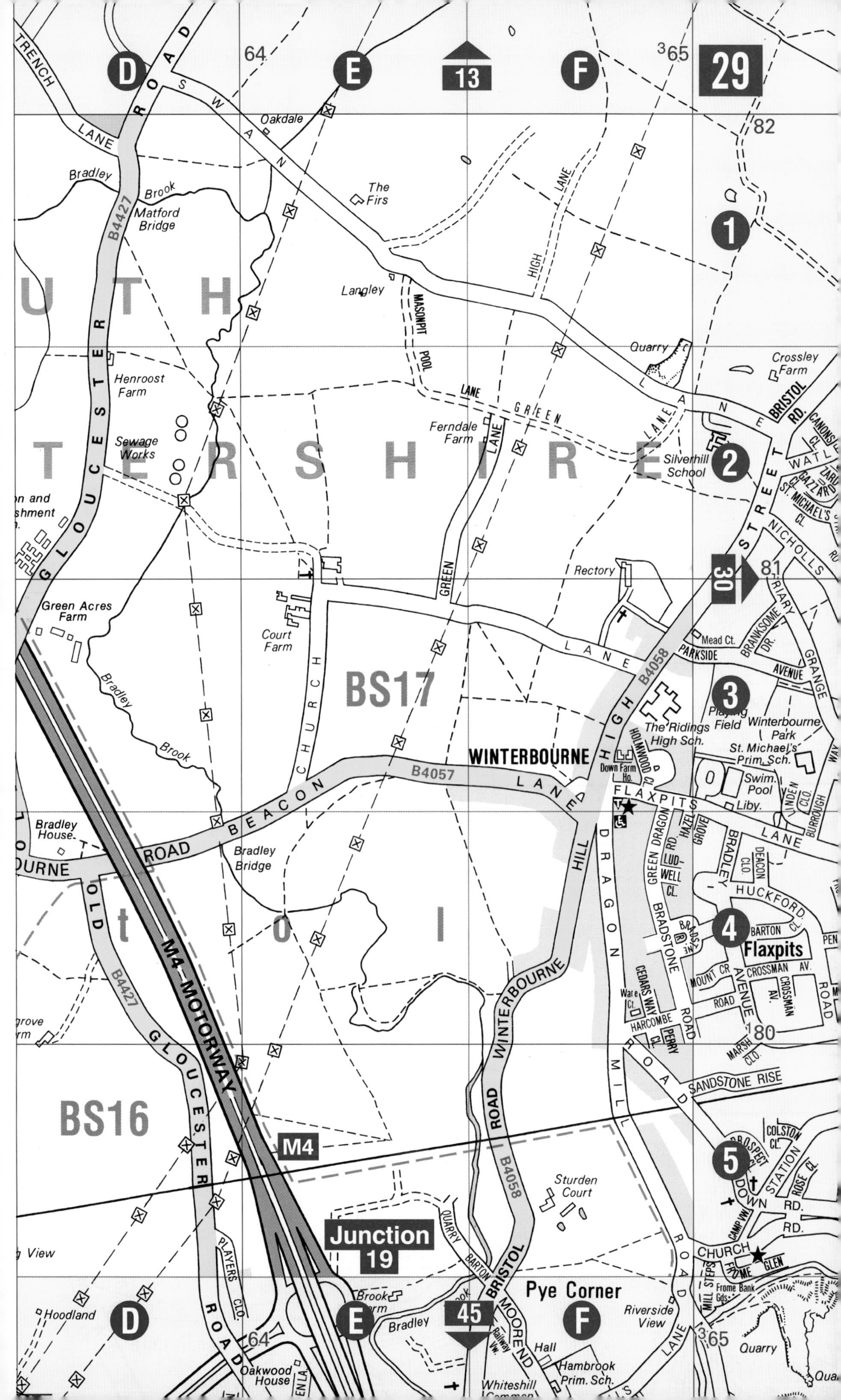

29

D E 13 F

64 365 82 1

SOUTH GLOUCESTERSHIRE

SWAN LANE
TRENCH LANE
B4427
Bradley
Brook
Matford Bridge
Oakdale
The Firs
Langley
HIGH LANE
365
82
1

Henroost Farm
Sewage Works
Ferndale Farm
GREEN LANE
MASONPIT POOL LANE
LANE
Quarry
Crossley Farm
BRISTOL RD.
Silverhill School
CANONSLEA CL.
WATLIZARD
ST. MICHAEL'S CL.
BAZZARD
2

STREET
30 81
NICHOLLS
RIARY
GRANGE
Rectory
Mead Ct.
BRANSOME DR.
PARKSIDE
AVENUE
3

Green Acres Farm
Court Farm
BEACON ROAD CHURCH
BS17
The Ridings High Sch.
B4058
Playing Field
Winterbourne Park
St. Michael's Prim. Sch.
Swim. Pool
Liby.
LINDEN CLO.
BURROUGH
WINTERBOURNE
B4057
Bradley Brook
Bradley House
Bradley Bridge
LANE
HIGH HILL
HOLMWOOD CLO.
Down Farm Ho.
FLAXPITS
GREEN DRAGON RD.
HAZEL GROVE
LUD-WELL CL.
BRADLEY CLO.
DEACON CLO.
HUCKFORD
4
Flaxpits
BARTON CLO.
PEN
OLD GLOUCESTER ROAD
B4427
DRAGON WINTERBOURNE ROAD
BRADSTONE
B4058
MOUNT CR.
CROSSMAN AV.
CROSSMAN AV.
80
CEDARS WAY
PERRY CLO.
MARSH CLO.
HARCOMBE CL.
ROAD
SANDSTONE RISE

BS16
M4 MOTORWAY
M4
MILL ROAD
Sturden Court
COLSTON CL.
PROSPECT
STATION RD.
ROSE CT.
DOWN
CAMBRI
RD.
CHURCH
5

Junction 19
Low View
PLAYERS CLO.
QUARRY BARTON
Hoodland
MOOREND
BRISTOL
B4058
Pye Corner
FROME GLEN
Frome Bank Gds.
Riverside View
Quarry
Brook Farm
Bradley
Railway VW.
45
Hambrook Prim. Sch.
Oakwood House
Whiteshill Common

D E 45 F

164

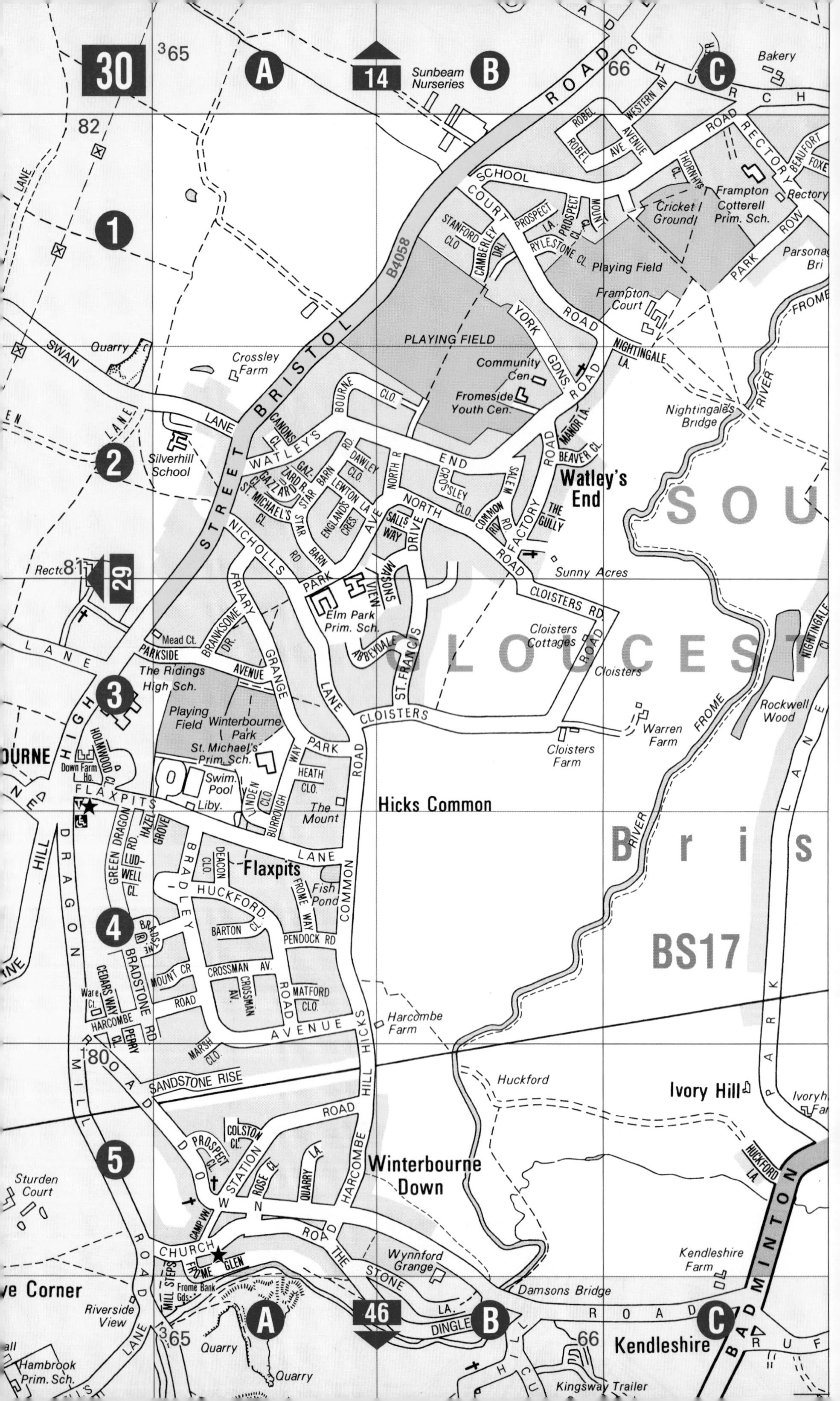

30
14
46
29
Sunbeam Nurseries
Bakery
Watley's End
Hicks Common
Flaxpits
Winterbourne Down
Kendleshire
Ivory Hill
BS17
PLAYING FIELD
Community Cen.
Frometside Youth Cen.
Frampton Cotterell Prim. Sch.
Cricket Ground
Playing Field
Frampton Court
Crossley Farm
Silverhill School
Elm Park Prim. Sch.
Sunny Acres
Cloisters Cottages
Cloisters
Warren Farm
Cloisters Farm
Rockwell Wood
The Ridings High Sch.
Winterbourne Park
St. Michael's Prim. Sch.
Swim. Pool
Liby.
The Mount
Fish Pond
Harcombe Farm
Huckford
Sturden Court
Wynnford Grange
Damsons Bridge
Kendleshire Farm
Riverside View
Hambrook Prim. Sch.
Quarry
Nightingale's Bridge
Down Farm Ho.
Mead Ct.
Kingsway Trailer
BRISTOL ROAD
B4058
BADMINTON ROAD

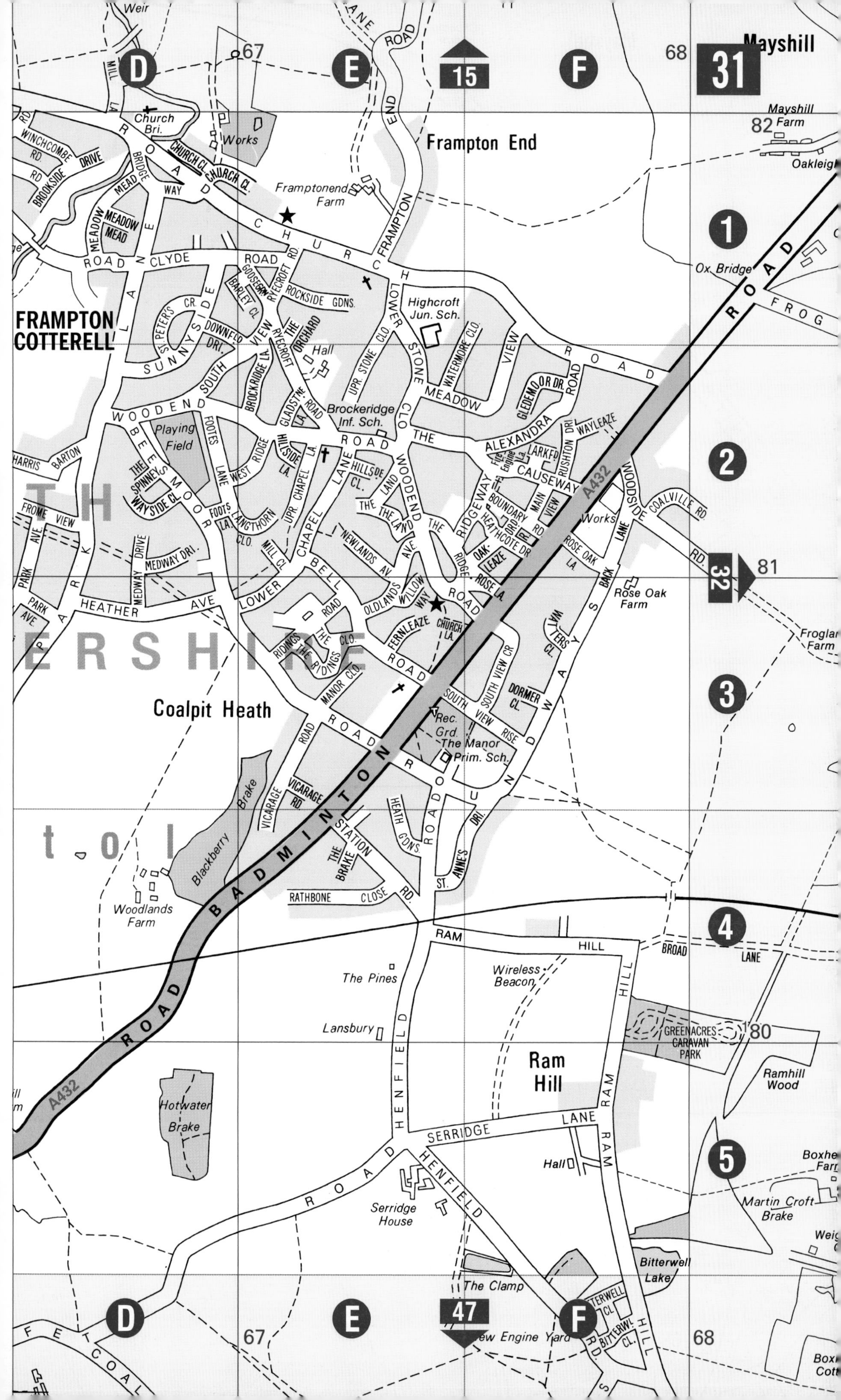

31
Mayshill
Mayshill Farm
Oakleigh
Frampton End
Framptonend Farm
FRAMPTON COTTERELL
Coalpit Heath
Ram Hill
Church Bri.
Works
Highcroft Jun. Sch.
Brockeridge Inf. Sch.
Hall
Playing Field
Ox Bridge
Rose Oak Farm
Froglane Farm
Rec. Grd.
The Manor Prim. Sch.
Blackberry Brake
Woodlands Farm
The Pines
Lansbury
Wireless Beacon
GREENACRES CARAVAN PARK
Ramhill Wood
Hotwater Brake
Serridge House
Hall
Martin Croft Brake
Bitterwell Lake
The Clamp
New Engine Yard
CHURCH ROAD
CLYDE ROAD
FRAMPTON END ROAD
BADMINTON ROAD
A432
WOODEND ROAD
SUNNYSIDE
SOUTH VIEW
ALEXANDRA ROAD
THE CAUSEWAY
BITTERWELL CL.
RAM HILL
SERRIDGE LANE
HENFIELD ROAD
BROAD LANE
FROG LANE
COALVILLE RD.
WOODSIDE RD.
15
47
32
D
E
F
1
2
3
4
5
67
68
80
81
82

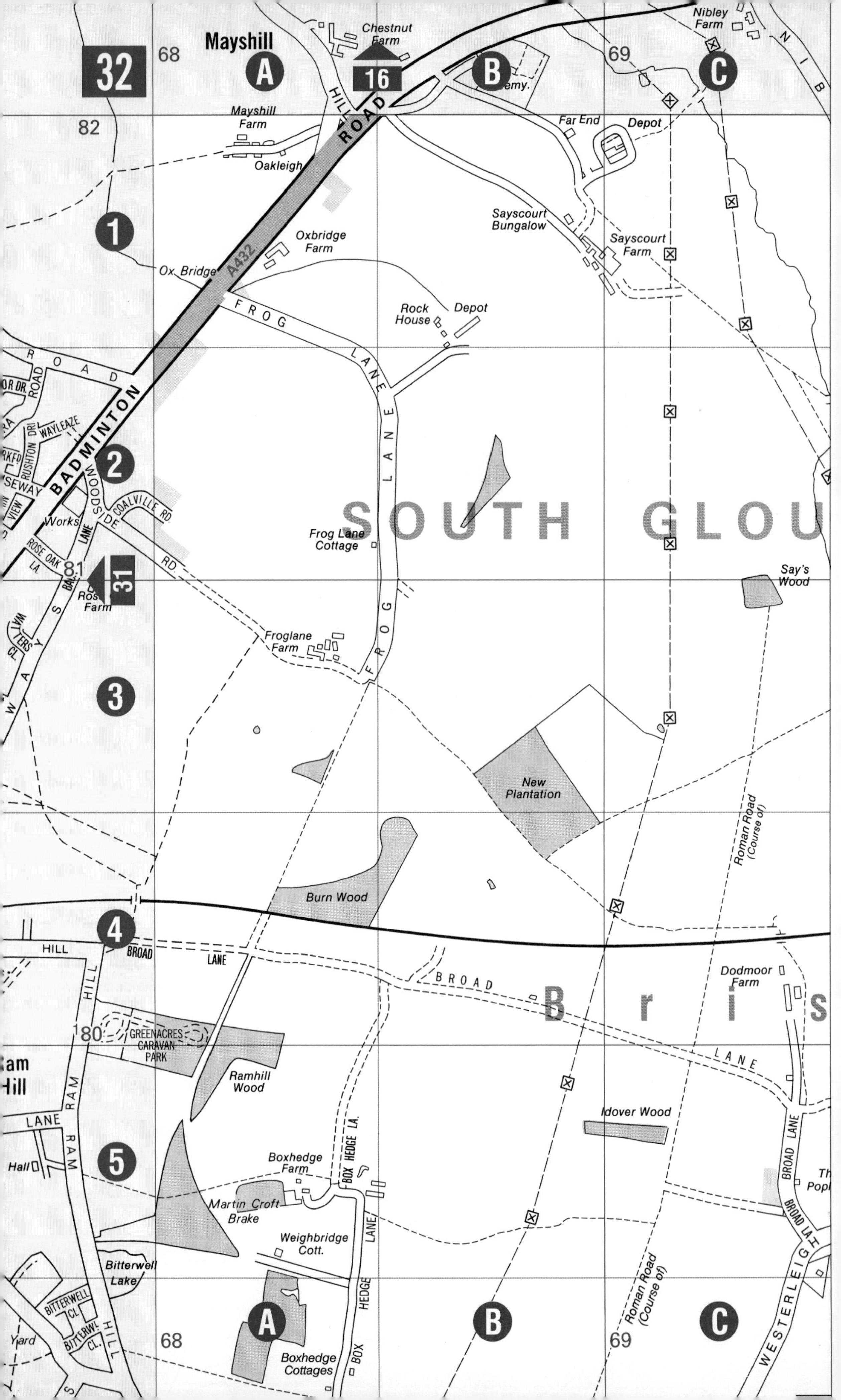

Mayshill

A

B

C

Chestnut
Farm

Nibley
Farm

Mayshill
Farm

Oakleigh

emy.

Far End

Depot

1

Oxbridge
Farm

Sayscourt
Bungalow

Sayscourt
Farm

Ox. Bridge

FROG

Rock
House

Depot

LANE

ROAD

HILL

A432

BADMINTON

2

WAYLEAZE

RUSHTON DRI.

ARKFD

VIEW

OR DR.

ROAD

ROAD

Works

WOODSIDE LANE

COALVILLE RD.

RD.

S O U T H   G L O U

Frog Lane
Cottage

Say's
Wood

ROSE OAK LA.

81

31

Ros
Farm

WATERS CL.

Froglane
Farm

W   A   Y

FROG   LANE

3

New
Plantation

Roman Road
(Course of)

Burn Wood

4

HILL

BROAD

LANE

BROAD

LANE

Bris

Dodmoor
Farm

HILL

180

GREENACRES
CARAVAN
PARK

am
Hill

LANE

RAM

Ramhill
Wood

Idover Wood

BOX HEDGE LA.

5

Hall

RAM

Boxhedge
Farm

BROAD LANE

Th
Popl

Martin Croft
Brake

Weighbridge
Cott.

HEDGE

LANE

BOX

A

B

Roman Road
(Course of)

C

WESTERLEIG

Bitterwell
Lake

BITTERWELL
CL.

BITTERWL
CL.

HILL

68

Boxhedge
Cottages

69

Yard

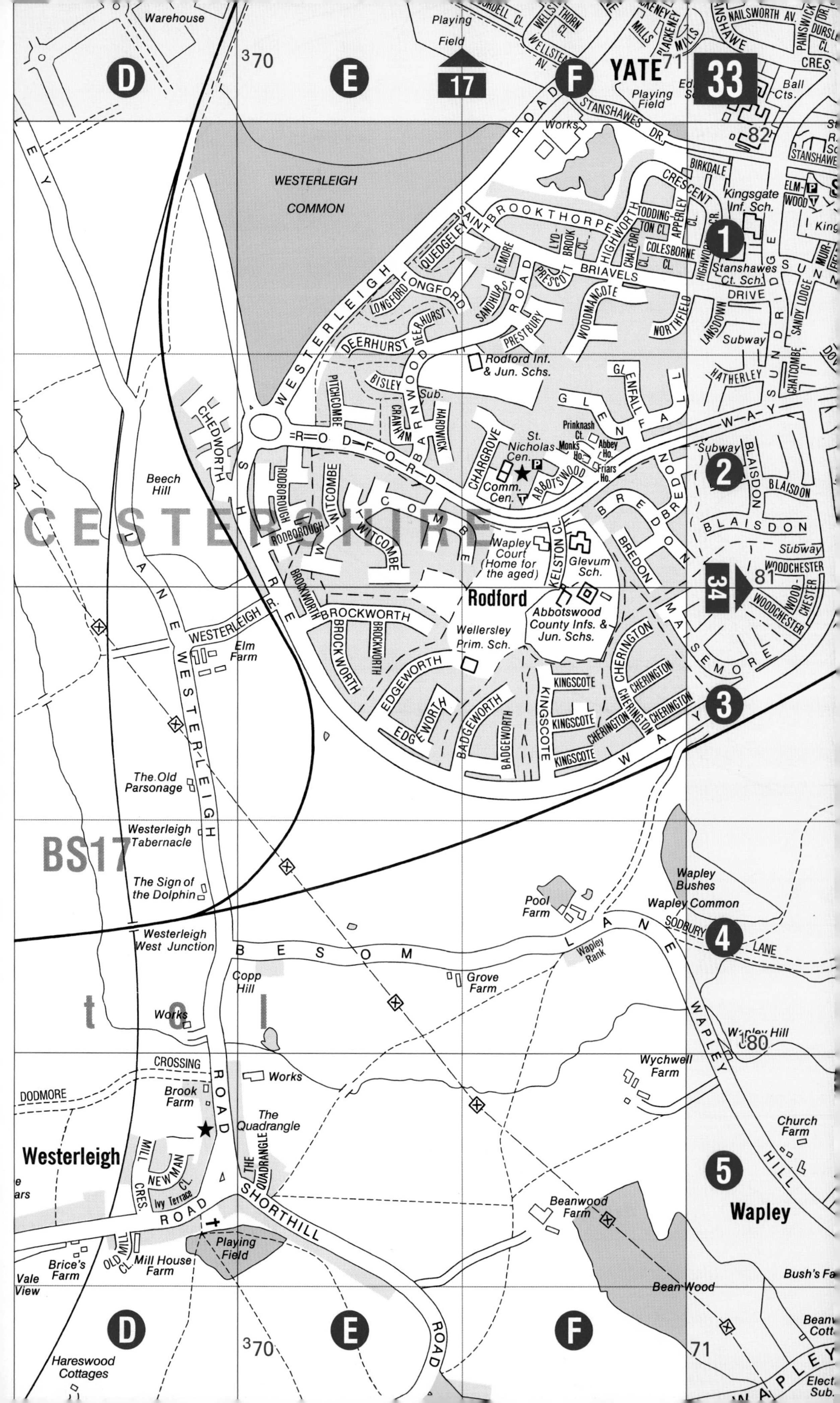

33
YATE
17
34
D
E
F
1
2
3
4
5
WESTERLEIGH COMMON
Rodford
Westerleigh
Wapley
BS17
Warehouse
Playing Field
Kingsgate Inf. Sch.
Stanshawes Ct. Sch.
Rodford Inf. & Jun. Schs.
St. Nicholas Cen.
Comm. Cen.
Wapley Court (Home for the aged)
Glevum Sch.
Abbotswood County Infs. & Jun. Schs.
Wellersley Prim. Sch.
Beech Hill
Elm Farm
The Old Parsonage
Westerleigh Tabernacle
The Sign of the Dolphin
Westerleigh West Junction
Copp Hill
Grove Farm
Pool Farm
Wapley Bushes
Wapley Common
Wapley Rank
Wychwell Farm
Church Farm
Beanwood Farm
Bean Wood
Brook Farm
The Quadrangle
Ivy Terrace
Mill House Farm
Brice's Farm
Vale View
Hareswood Cottages
Works
STANSHAWES DR.
WESTERLEIGH ROAD
BROOKTHORPE
CRESCENT
BRIAVELS
DRIVE
RODFORD WAY
BESOM LANE
SODBURY LANE
WAPLEY HILL
SHORTHILL ROAD
WESTERLEIGH ROAD
CROSSING
DODMORE
BROCKWORTH
EDGEWORTH
BADGEWORTH
KINGSCOTE
CHERINGTON
MAISEMORE
BREDON
BLAISDON
WOODCHESTER
GLENFALL
WITCOMBE
RODBOROUGH
CHEDWORTH
DEERHURST
LONGFORD
QUEDGELEY
SANDHURST
PRESTBURY
WOODMANCOTE
NORTHFIELD
LANSDOWN
HATHERLEY
CHATCOMBE
SANDY LODGE
ABBOTSWOOD
CHARGROVE
HARDWICK
CRANHAM
BISLEY
PITCHCOMBE
ELMORE
HIGHWORTH
COLESBORNE CL.
TODDINGTON CL.
LYDBROOK CL.
APPERLEY CL.
BIRKDALE
SUNDRIDGE
NEWMAN CL.
MILL CRES.
OLD MILL CL.
THE QUADRANGLE
NAILSWORTH AV.
WELLSTEAD AV.
Subway
370
71
81
82
80

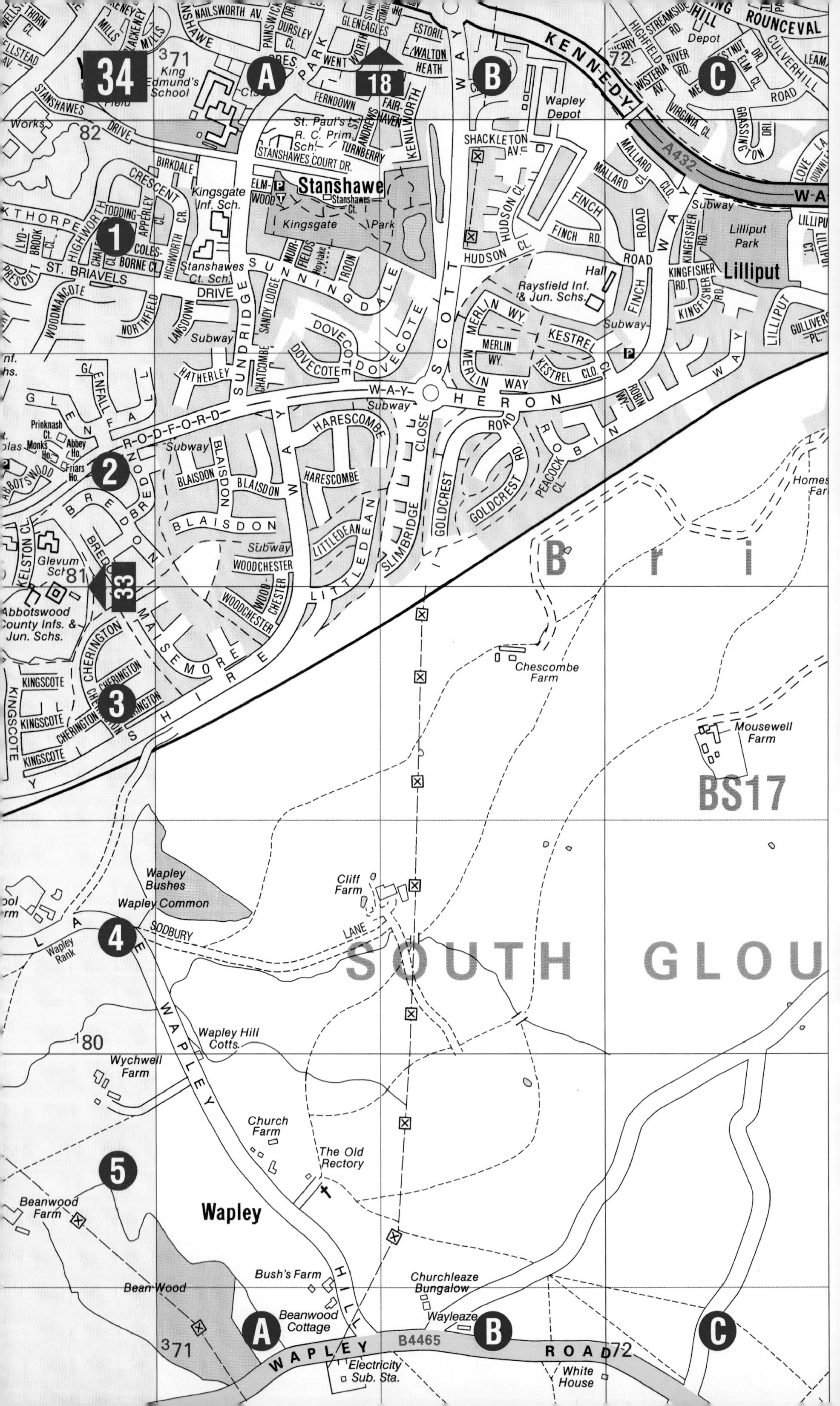

34
18
33
A
B
C
1
2
3
4
5
Stanshawe
Lilliput
Lilliput Park
Kingsgate Park
Wapley Depot
King Edmund's School
Kingsgate Inf. Sch.
Stanshawes Ct. Sch.
St. Paul's R. C. Prim. Sch.
Raysfield Inf. & Jun. Schs.
Glevum Sch.
Abbotswood County Infs. & Jun. Schs.
KENNEDY WAY
A432
HERON WAY
RODFORD WAY
SCOTT WAY
SUNNINGDALE
STANSHAWES DRIVE
ST. BRIAVELS DRIVE
SHIRE WAY
Chescombe Farm
Mousewell Farm
BS17
Cliff Farm
SOUTH GLOU
Wapley Bushes
Wapley Common
SODBURY LANE
WAPLEY HILL
Wapley Hill Cotts.
Wychwell Farm
Church Farm
The Old Rectory
Wapley
Beanwood Farm
Bean Wood
Bush's Farm
Beanwood Cottage
Churchleaze Bungalow
Wayleaze
WAPLEY ROAD
B4465
Electricity Sub. Sta.
White House

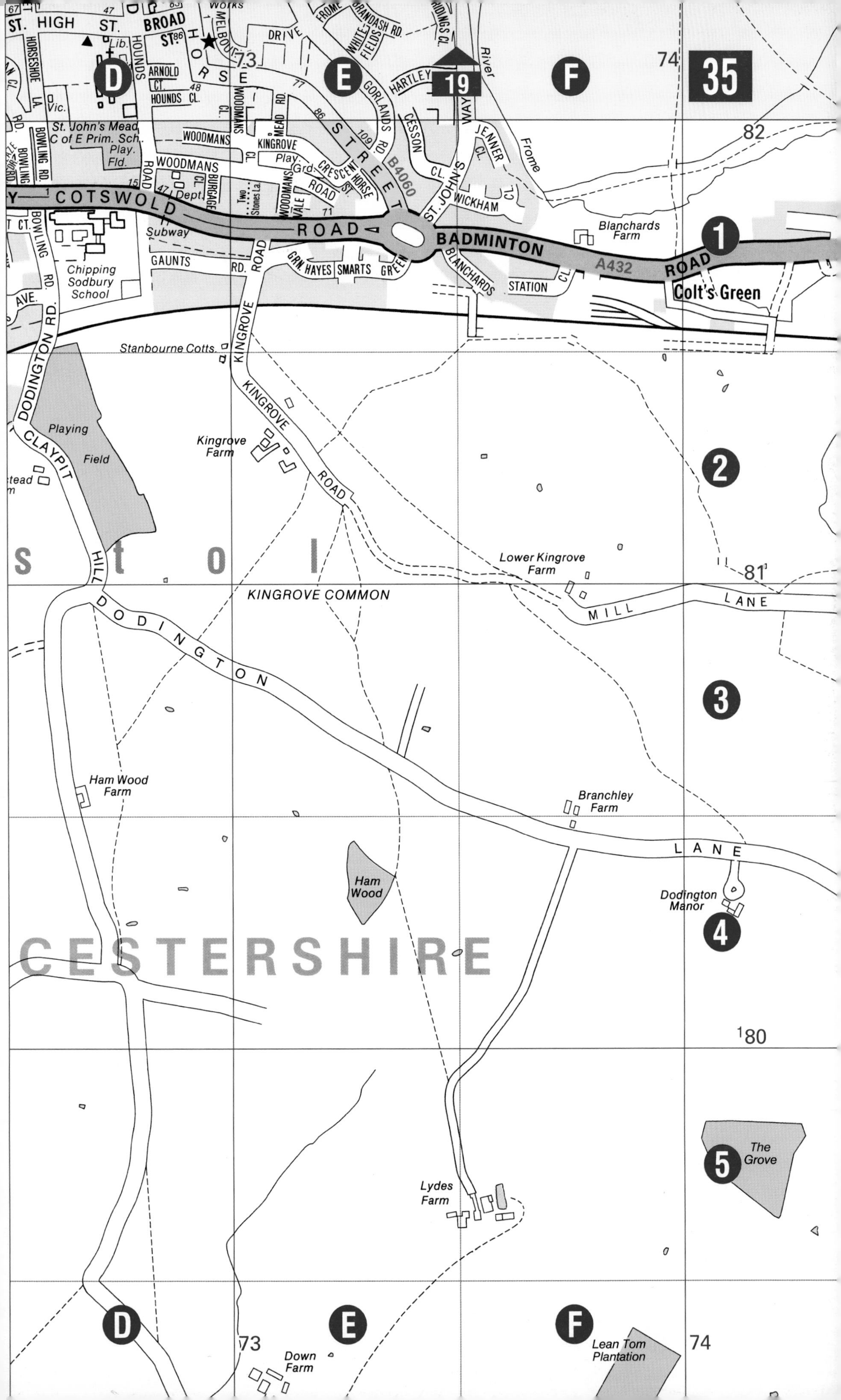

19
D
E
F
73
74
82
81
80
1
2
3
4
5
HIGH ST.
BROAD ST.
HORSE
HORSESHOE LA.
HOUNDS
ARNOLD CT.
HOUNDS CL.
MELBOURNE
DRIVE
FROME
BRANDASH RD.
WHITEFIELDS
RIDINGS CL.
HARTLEY
River Frome
St. John's Mead C of E Prim. Sch.
Play. Fld.
BOWLING RD.
WOODMANS
WOODMANS CL.
BURGAGE CL.
KINGROVE
Play. Grd.
CRESCENT
HORSE ST.
STREET
GORLANDS RD.
B4060
CESSON CL.
ST. JOHN'S WAY
JENNER CL.
WICKHAM CL.
COTSWOLD ROAD
Dept.
Two Stones La.
WOODMANS VALE
MEAD RD.
Subway
GAUNTS RD.
KINGROVE ROAD
GRN. HAYES
SMARTS GREEN
BADMINTON ROAD
A432
BLANCHARDS
STATION CL.
Blanchards Farm
Colt's Green
Chipping Sodbury School
AVE.
Stanbourne Cotts.
DODINGTON RD.
Playing Field
CLAYPIT HILL
Kingrove Farm
KINGROVE ROAD
Lower Kingrove Farm
MILL LANE
KINGROVE COMMON
DODINGTON LANE
Ham Wood Farm
Branchley Farm
Ham Wood
Dodington Manor
CESTERSHIRE
The Grove
Lydes Farm
Down Farm
Lean Tom Plantation

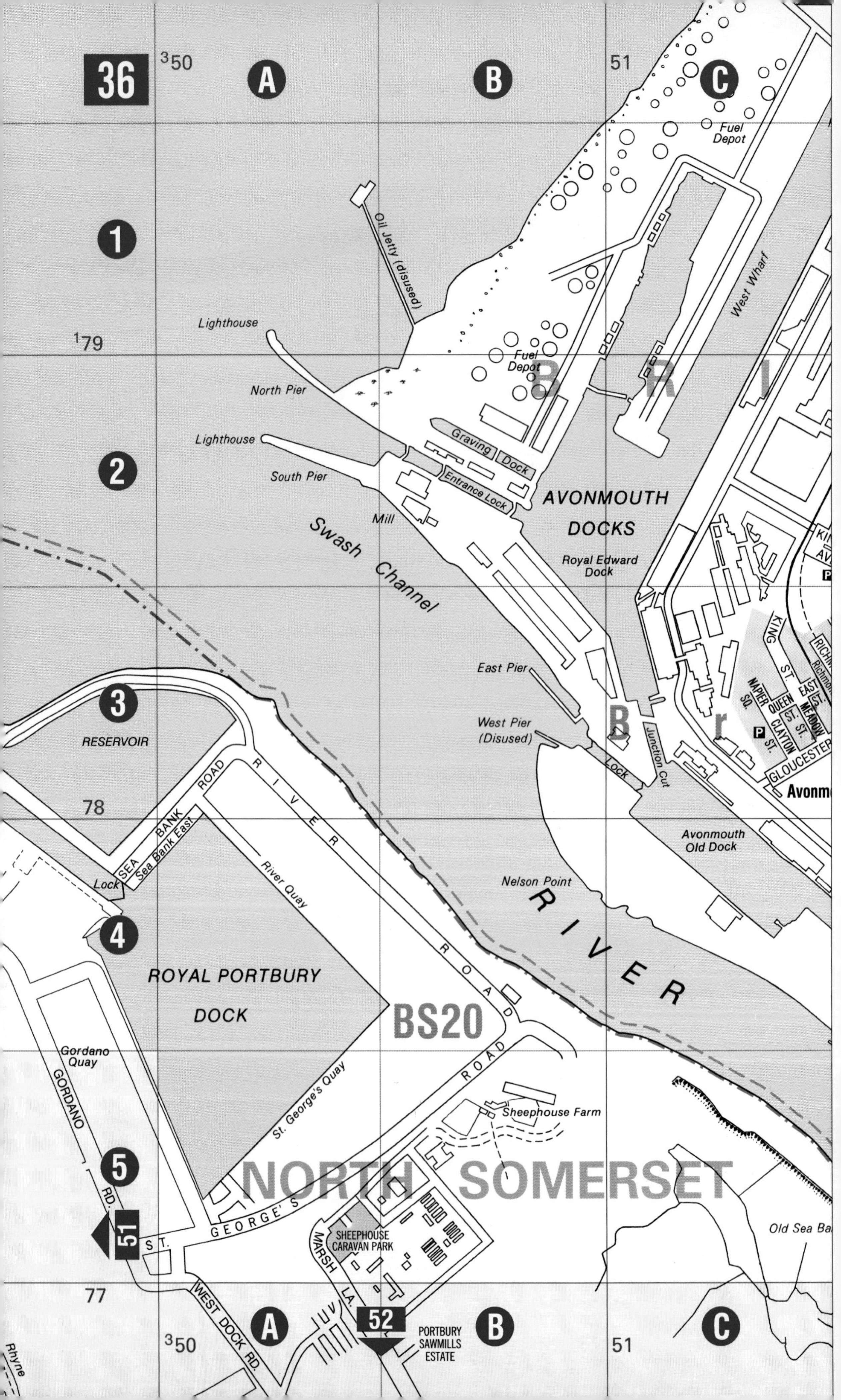

A   B   51   C

1

Oil Jetty (disused)

Lighthouse

North Pier

Lighthouse

South Pier

Mill

Swash Channel

Fuel Depot

Graving Dock

Entrance Lock

AVONMOUTH DOCKS

Royal Edward Dock

B R I

West Wharf

Fuel Depot

2

¹79

3

RESERVOIR

78

SEA BANK ROAD

Sea Bank East

Lock

RIVER ROAD

River Quay

East Pier

West Pier (Disused)

Lock

Junction Cut

B

r

Avonm

Avonmouth Old Dock

Nelson Point

R I V E R

4

ROYAL PORTBURY DOCK

BS20

GORDANO RD.

Gordano Quay

St. George's Quay

5

51

GEORGE'S ST.

WEST DOCK RD.

MARSH LANE

SHEEPHOUSE CARAVAN PARK

Sheephouse Farm

NORTH SOMERSET

Old Sea Ba

Rhyne

77

³50

A   52   B   51   C

PORTBURY SAWMILLS ESTATE

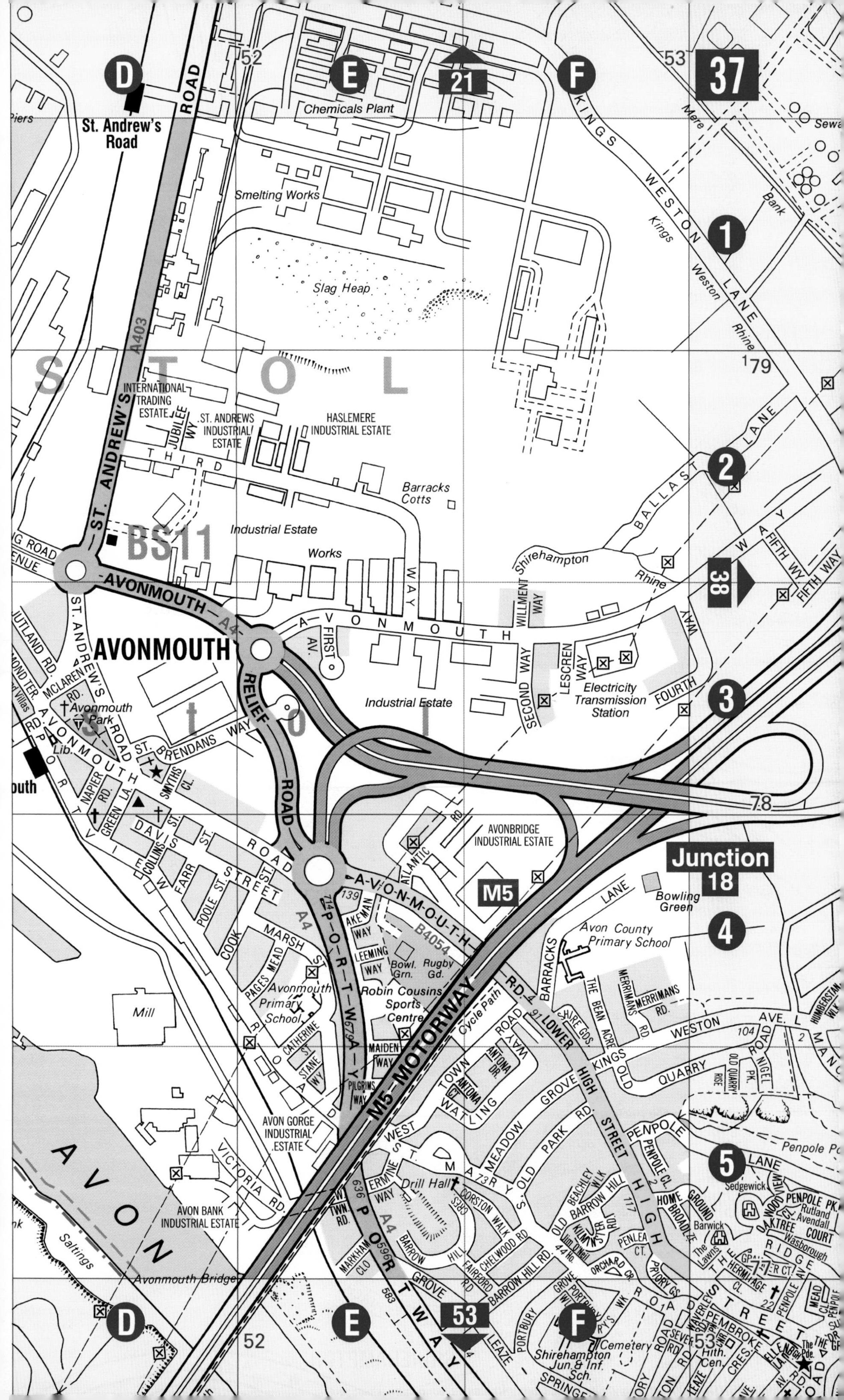

Chemicals Plant
Smelting Works
Slag Heap
St. Andrew's Road
ST. ANDREW'S ROAD
A403
KINGS WESTON LANE
Kings Weston Rhine
INTERNATIONAL TRADING ESTATE
JUBILEE WY.
ST. ANDREWS INDUSTRIAL ESTATE
HASLEMERE INDUSTRIAL ESTATE
THIRD
Barracks Cotts
BALLAST LANE
Industrial Estate
Works
BS11
Shirehampton Rhine
FIFTH WY.
FIFTH WAY
AVONMOUTH
WILLMENT WAY
SECOND WAY
LESCREN WAY
FOURTH WAY
Electricity Transmission Station
FIRST AV.
RELIEF ROAD
ST. BRENDANS WAY
Avonmouth Park
Lib.
NAPIER RD.
GREEN LA.
DAVIS ST.
COLLINS ST.
FARR ST.
POOLE ST.
STREET
COOK
MARSH
PAGES MEAD
Avonmouth Primary School
Mill
AVONBRIDGE INDUSTRIAL ESTATE
ATLANTIC RD.
Junction 18
M5
Bowling Green
Avon County Primary School
B4054
LEEMING WAY
AKEMAN WAY
Bowl. Grn.
Rugby Gd.
Robin Cousins Sports Centre
M5 MOTORWAY
Cycle Path
MAIDEN WAY
PILGRIMS WAY
CATHERINE
STANE WY.
PORTWAY
A4
AVON GORGE INDUSTRIAL ESTATE
VICTORIA RD.
AVON BANK INDUSTRIAL ESTATE
AVON
Saltings
Avonmouth Bridge
BARRACKS LANE
MERRIMANS RD.
THE BEAN ACRE
SHIRE GDS.
LOWER HIGH STREET
KINGS WESTON AVE.
OLD QUARRY RD.
NIGEL PK.
PENPOLE LANE
PENPOLE CL.
Penpole Pt.
WEST TOWN RD.
WATLING WAY
ANTONA DR.
ANTONA CT.
GROVE RD.
MEADOW GROVE
OLD PARK RD.
ST. MARY'S RD.
Drill Hall
CORSTON WALK
ERMINE WAY
TWN. RD.
BARROW HILL CRES.
CHELWOOD RD.
FAIRFORD RD.
BARROW HILL RD.
OLD BARROW HILL
BEACHLEY WLK.
KIMMINSTER RD.
ORCHARD CR.
PENLEA CT.
PRIORY GS.
HOME GROUND
BROADLEAZE
Sedgewick
Barwick
The Lawns
WOODVIEW
PENPOLE PK.
Rutland
Avendall
Wasborough
COURT
RIDGE
HERMITAGE CL.
PENPOLE AV.
MEAD CL.
MARKHAM CLO.
GROVE LEAZE
PORTBURY
Cemetery
Shirehampton Jun & Inf. Sch.
SPRING
PEMBROKE CRES.
WAVERLEY RD.
Hlth. Cen.
THE GREEN
The Pde.
ELLENBOROUGH RD.
Junction

21
38
53

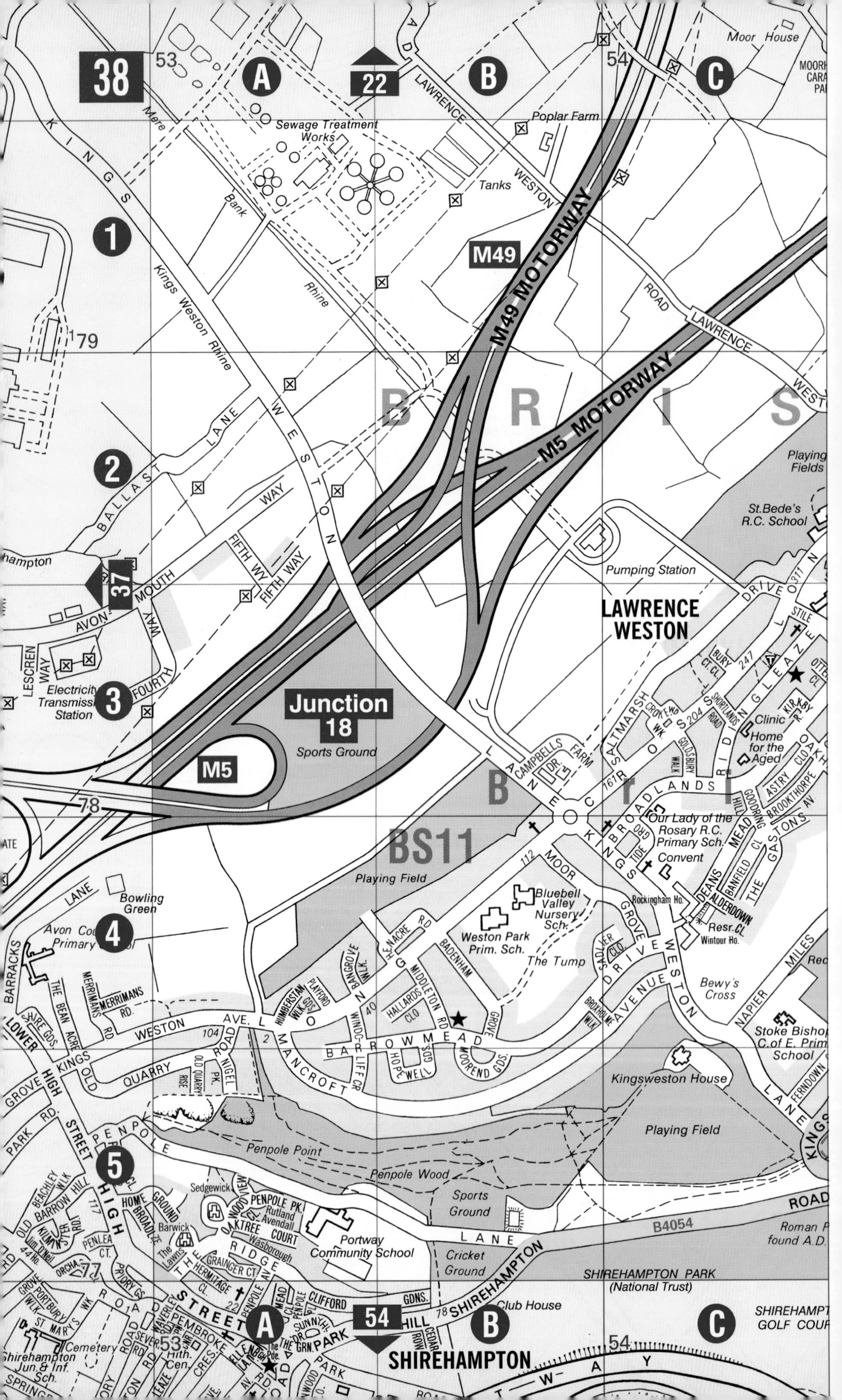

22
A
B
C
Moor House
Sewage Treatment Works
Poplar Farm
Tanks
LAWRENCE WESTON ROAD
M49
M49 MOTORWAY
M5 MOTORWAY
Kings Weston Rhine
BALLAST LANE
AVONMOUTH WAY
FIFTH WAY
37
Electricity Transmission Station
Junction 18
Sports Ground
M5
Pumping Station
LAWRENCE WESTON
Playing Fields
St.Bede's R.C. School
BS11
Playing Field
Bowling Green
Bluebell Valley Nursery Sch.
Weston Park Prim. Sch.
The Tump
Our Lady of the Rosary R.C. Primary Sch.
Convent
Clinic
Home for the Aged
Bewy's Cross
Stoke Bishop C.of E. Prim. School
Kingsweston House
Playing Field
Penpole Point
Penpole Wood
Sports Ground
Portway Community School
Cricket Ground
SHIREHAMPTON PARK
(National Trust)
Club House
B4054
SHIREHAMPTON
Shirehampton Jun.& Inf. Sch.
Cemetery
54

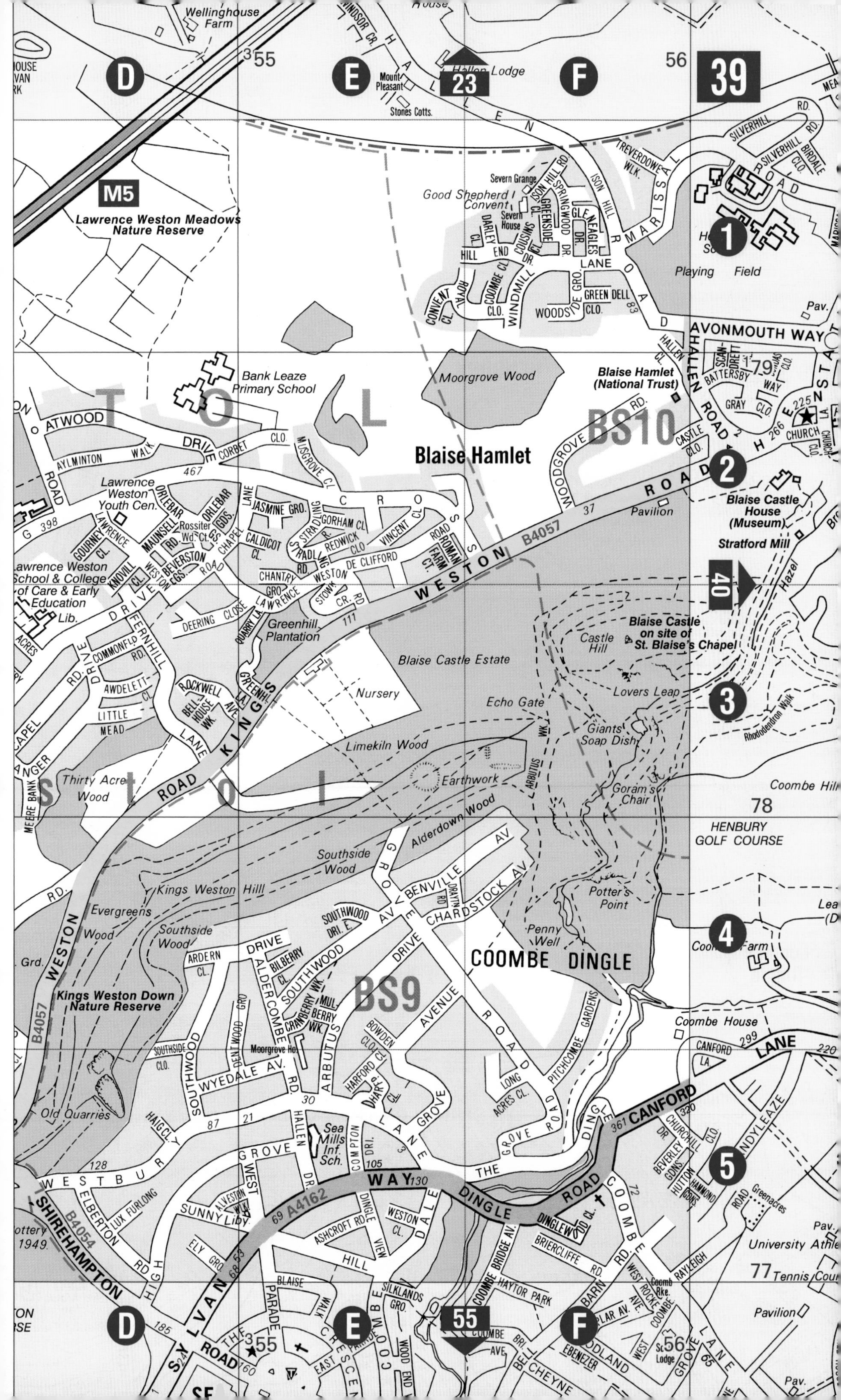
Wellinghouse Farm
M5
Lawrence Weston Meadows Nature Reserve
Hallen Lodge
23
Mount Pleasant
Stones Cotts.
Good Shepherd Convent
Severn Grange
Severn House
Playing Field
AVONMOUTH WAY
Bank Leaze Primary School
Moorgrove Wood
Blaise Hamlet (National Trust)
BS10
Blaise Hamlet
ATWOOD DRIVE
Lawrence Weston Youth Cen.
Lawrence Weston School & College of Care & Early Education
Lib.
Blaise Castle House (Museum)
Stratford Mill
40
B4057
WESTON ROAD
CROSS
Pavilion
Greenhill Plantation
Blaise Castle Estate
Blaise Castle on site of St. Blaise's Chapel
Castle Hill
Lovers Leap
Echo Gate
Giants Soap Dish
Nursery
Limekiln Wood
Earthwork
Goram's Chair
Thirty Acre Wood
KINGS WESTON ROAD
Alderdown Wood
Southside Wood
HENBURY GOLF COURSE
Coombe Hill
Kings Weston Hill
Potter's Point
Evergreens Wood
Penny Well
Coombe Farm
COOMBE DINGLE
Kings Weston Down Nature Reserve
BS9
Old Quarries
Coombe House
CANFORD LANE
Sea Mills Inf. Sch.
WESTBURY ROAD
A4162
SYLVAN WAY
DINGLE ROAD
SHIREHAMPTON ROAD
B4054
Greenacres
University Athletic
Tennis Court
Pavilion
55
Lodge

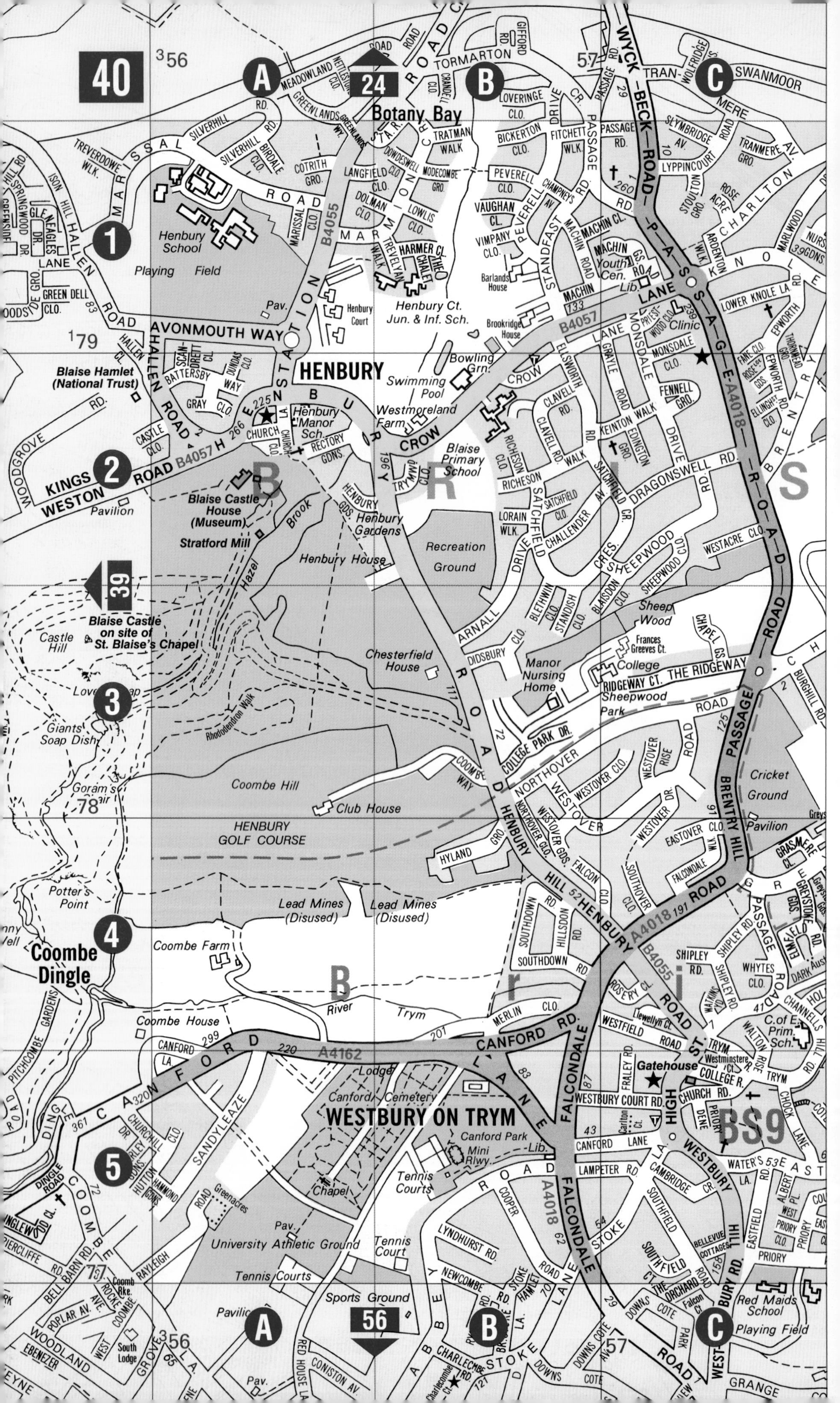

40
A
B
C
24
56
39
1
2
3
4
5
Botany Bay
HENBURY
WESTBURY ON TRYM
BS9
Henbury School
Playing Field
Pav.
AVONMOUTH WAY
Blaise Hamlet (National Trust)
Henbury Court
Henbury Ct. Jun. & Inf. Sch.
Barlands House
Brookridge House
Machin Youth Cen.
Lib.
Clinic
Bowling Grn.
Swimming Pool
Westmoreland Farm
Henbury Manor Sch.
Blaise Primary School
Blaise Castle House (Museum)
Stratford Mill
Hazel Brook
Henbury House
Henbury Gardens
Recreation Ground
Blaise Castle on site of St. Blaise's Chapel
Castle Hill
Giants Soap Dish
Goram's Chair
Chesterfield House
Manor Nursing Home
Frances Greeves Ct.
College
Sheep Wood
Sheepwood Park
Rhododendron Walk
Coombe Hill
Club House
HENBURY GOLF COURSE
Cricket Ground
Pavilion
Potter's Point
Lead Mines (Disused)
Lead Mines (Disused)
Coombe Farm
Coombe Dingle
River Trym
Coombe House
Canford Cemetery
Lodge
Canford Park
Mini Rlwy.
Tennis Courts
Chapel
Gatehouse
C.of E. Prim. Sch.
University Athletic Ground
Tennis Court
Tennis Courts
Sports Ground
Red Maids School
Playing Field
South Lodge
Pav.
WYCK BECK ROAD
PASSAGE ROAD
A4018
B4055
B4057
A4162
STATION ROAD
HENBURY ROAD
CROW LANE
KINGS WESTON ROAD
HALLEN ROAD
MARISSAL ROAD
CANFORD LANE
CANFORD RD.
FALCONDALE ROAD
HENBURY HILL
BRENTRY HILL
BRENTRY LANE
KNOLE LANE
CHARLTON ROAD
TRANMERE AV.
SWANMOOR CR.
MACHIN ROAD
PEVERELL DRIVE
DRAGONSWELL RD.
THE RIDGEWAY
COLLEGE PARK DR.
NORTHOVER ROAD
WESTOVER ROAD
SOUTHDOWN RD.
WESTFIELD ROAD
HIGH ST.
CHURCH RD.
STOKE LANE
WESTBURY HILL
WESTBURY RD.
CANFORD LANE
DINGLE ROAD
COOMBE LANE
SANDYLEAZE
RAYLEIGH ROAD

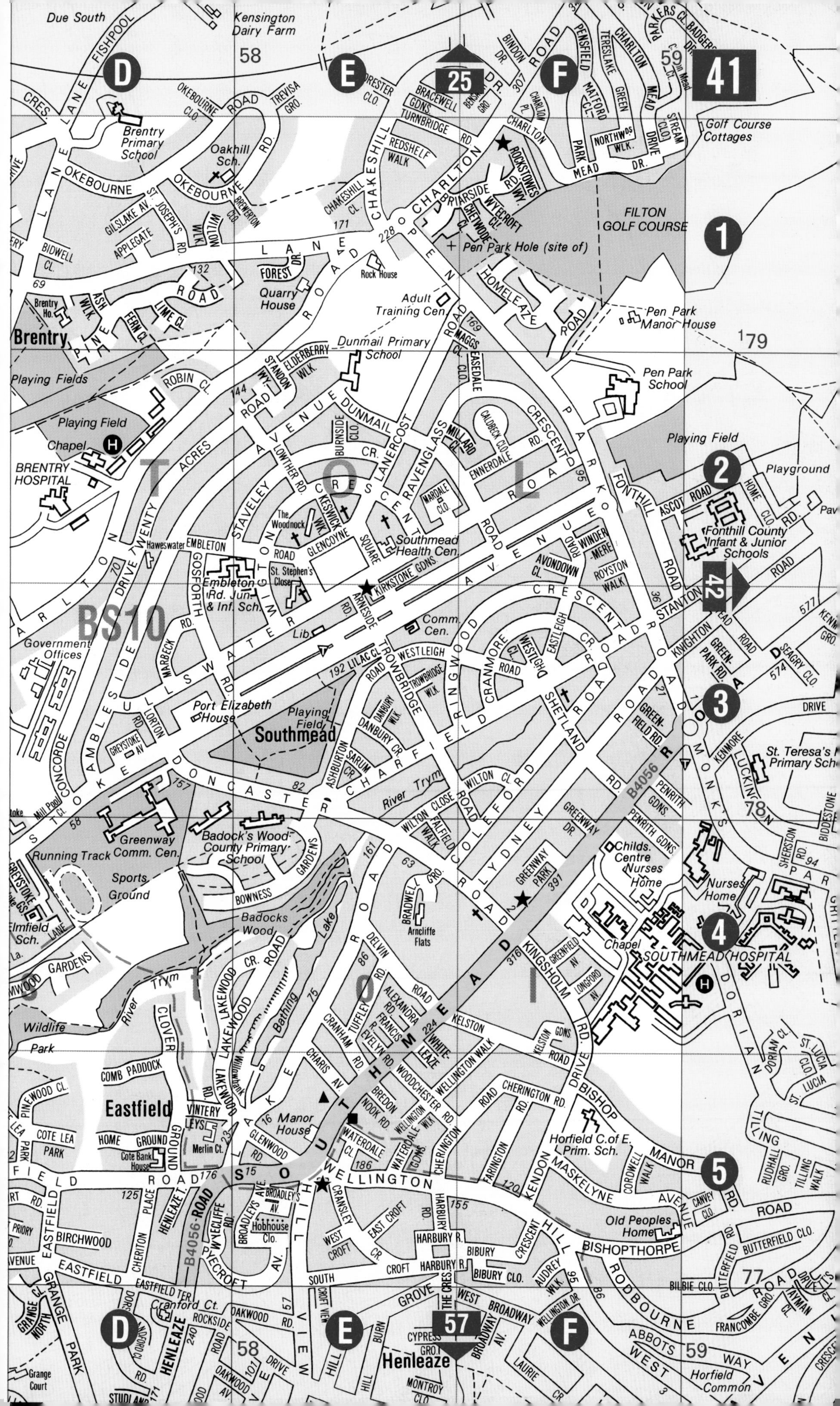

Due South
Kensington Dairy Farm
Brentry Primary School
Oakhill Sch.
Quarry House
Rock House
Adult Training Cen.
Pen Park Hole (site of)
FILTON GOLF COURSE
Golf Course Cottages
Pen Park Manor House
Dunmail Primary School
Pen Park School
Playing Fields
Playing Field
Chapel
BRENTRY HOSPITAL
Brentry
Fonthill County Infant & Junior Schools
Playground
Southmead Health Cen.
Embleton Rd. Jun. & Inf. Sch.
Comm. Cen.
Lib.
BS10
Government Offices
Port Elizabeth House
Southmead
St. Teresa's Primary Sch
Greenway Comm. Cen.
Badock's Wood County Primary School
Running Track
Sports Ground
Badocks Wood
Elmfield Sch.
Arncliffe Flats
Childs Centre
Nurses Home
SOUTHMEAD HOSPITAL
Wildlife Park
Eastfield
Manor House
Merlin Ct.
Cote Bank House
Horfield C.of E. Prim. Sch.
Old Peoples Home
Cranford Ct.
Henleaze
Grange Court
Horfield Common
SOUTHMEAD ROAD
B4056
DONCASTER ROAD
STOKE LANE
CHARLTON ROAD
PEN PARK ROAD
WELLINGTON HILL
BISHOP MANOR ROAD
ROAD

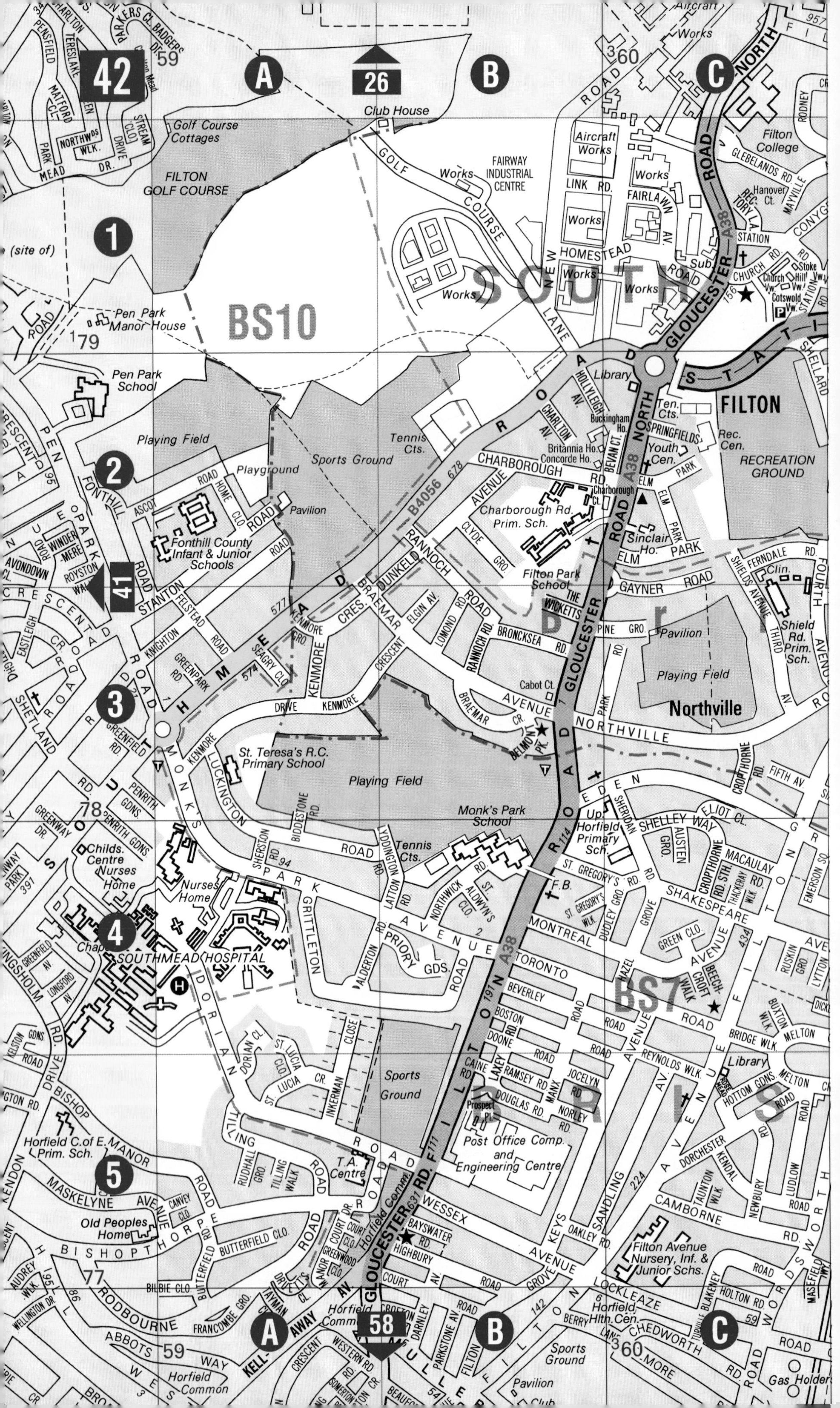

42
A
26
B
C
FILTON GOLF COURSE
Golf Course Cottages
Club House
FAIRWAY INDUSTRIAL CENTRE
Aircraft Works
Filton College
BS10
Pen Park Manor House
(site of)
Pen Park School
Playing Field
Playground
Sports Ground
Tennis Cts.
Pavilion
Fonthill County Infant & Junior Schools
41
Charborough Rd. Prim. Sch.
Filton Park School
FILTON
RECREATION GROUND
Rec. Cen.
Youth Cen.
Library
Shield Rd. Prim. Sch.
Northville
St. Teresa's R.C. Primary School
Playing Field
Monk's Park School
Up. Horfield Primary Sch.
SOUTHMEAD HOSPITAL
Nurses Home
Childs. Centre
BS7
Sports Ground
Post Office Comp. and Engineering Centre
T.A. Centre
Horfield C.of E. Prim. Sch.
Old Peoples Home
Filton Avenue Nursery, Inf. & Junior Schs.
Horfield Hlth. Cen.
Horfield Common
58
Gas Holder
1
2
3
4
5

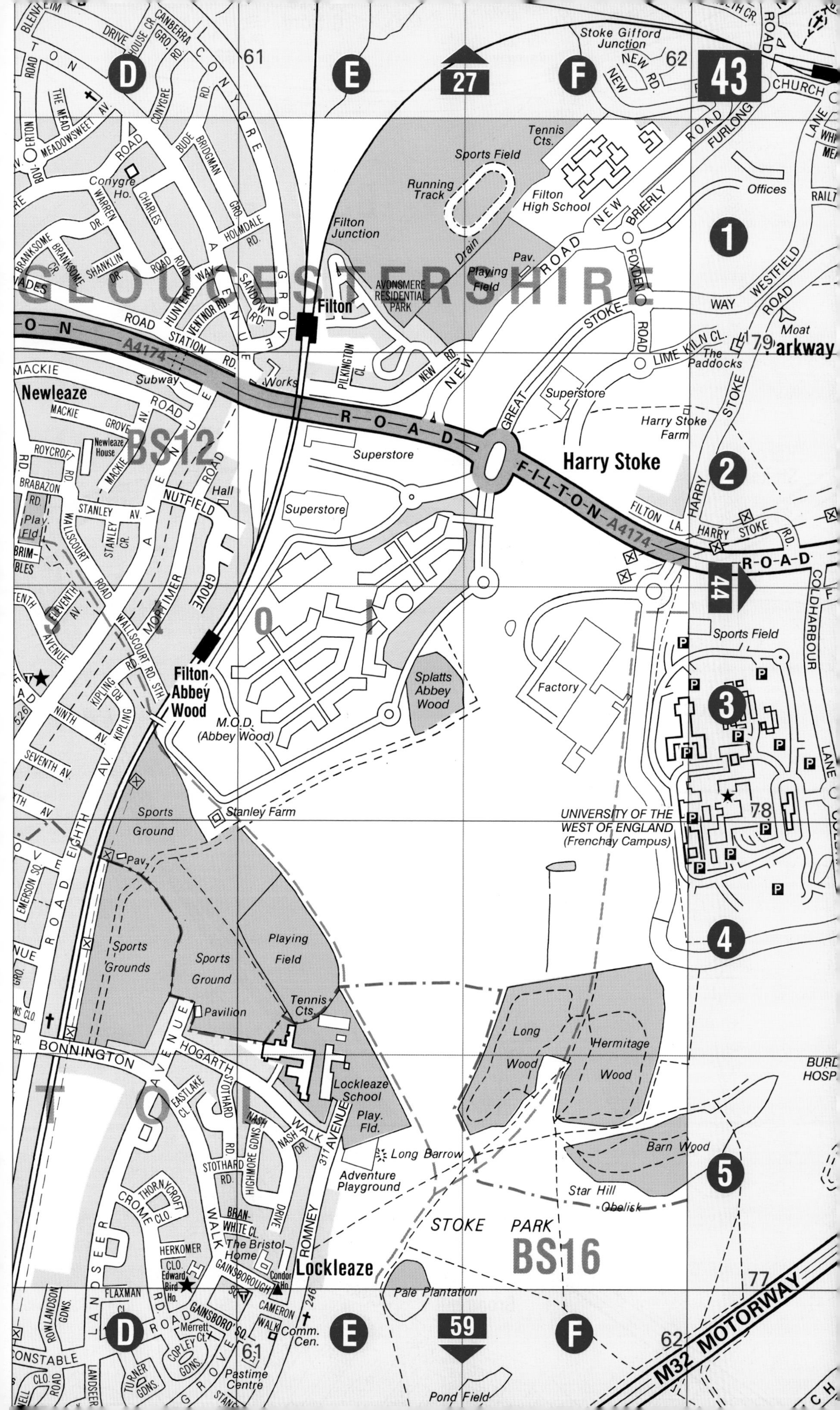
43
27
59
44
D
E
F
1
2
3
4
5
GLOUCESTERSHIRE
BS12
BS16
Filton
Filton Abbey Wood
Harry Stoke
Newleaze
Lockleaze
Parkway
Stoke Gifford Junction
Filton Junction
Filton High School
Sports Field
Running Track
Tennis Cts.
Playing Field
AVONSMERE RESIDENTIAL PARK
Superstore
Factory
Splatts Abbey Wood
M.O.D. (Abbey Wood)
Stanley Farm
Harry Stoke Farm
The Paddocks
Moat
Offices
UNIVERSITY OF THE WEST OF ENGLAND (Frenchay Campus)
Sports Ground
Sports Grounds
Pavilion
Lockleaze School
Play. Fld.
Long Barrow
Adventure Playground
Long Wood
Hermitage Wood
Barn Wood
Star Hill
Obelisk
STOKE PARK
Pale Plantation
Pond Field
The Bristol Home
Edward Bird Ho.
Condor Ho.
Comm. Cen.
Pastime Centre
Conygre Ho.
Newleaze House
M32 MOTORWAY
FILTON ROAD A4174
CHURCH
FURLONG
NEW ROAD
BRIERLY
FOXDEN ROAD
STOKE WAY
WESTFIELD WAY
GREAT STOKE
HARRY STOKE RD.
FILTON LA.
LIME KILN CL.
COLDHARBOUR LANE
STATION RD.
SANDOWN RD.
VENTNOR RD.
HUNTERS WAY
GROVE
CONYGRE
BRIDGMAN GRO.
HOLMDALE RD.
SHANKLIN DR.
BRANKSOME DR.
WARREN
CHARLES
MEADOWSWEET AV.
THE MEAD
BLENHEIM DRIVE
CANBERRA GRO.
PILKINGTON CL.
MACKIE ROAD
MACKIE GROVE
MACKIE AV.
ROYCROFT RD.
BRABAZON RD.
STANLEY AV.
STANLEY CR.
WALLSCOURT ROAD
NUTFIELD
MORTIMER
KIPLING RD.
NINTH AV.
SEVENTH AV.
EIGHTH AV.
ELEVENTH AV.
EMERSON SQ.
BONNINGTON
HOGARTH
EASTLAKE CL.
STOTHARD RD.
NASH DR.
HIGHMORE GDNS.
31st AVENUE
ROMNEY
THORNYCROFT CLO.
CROME
HERKOMER CLO.
BRANWHITE CL.
GAINSBOROUGH SQ.
CAMERON WALK
FLAXMAN CL.
LANDSEER
ROWLANDSON GDNS.
CONSTABLE ROAD
COPLEY GDNS.
TURNER GDNS.
Merrett Ct.
61
62
77
78
79
246
526

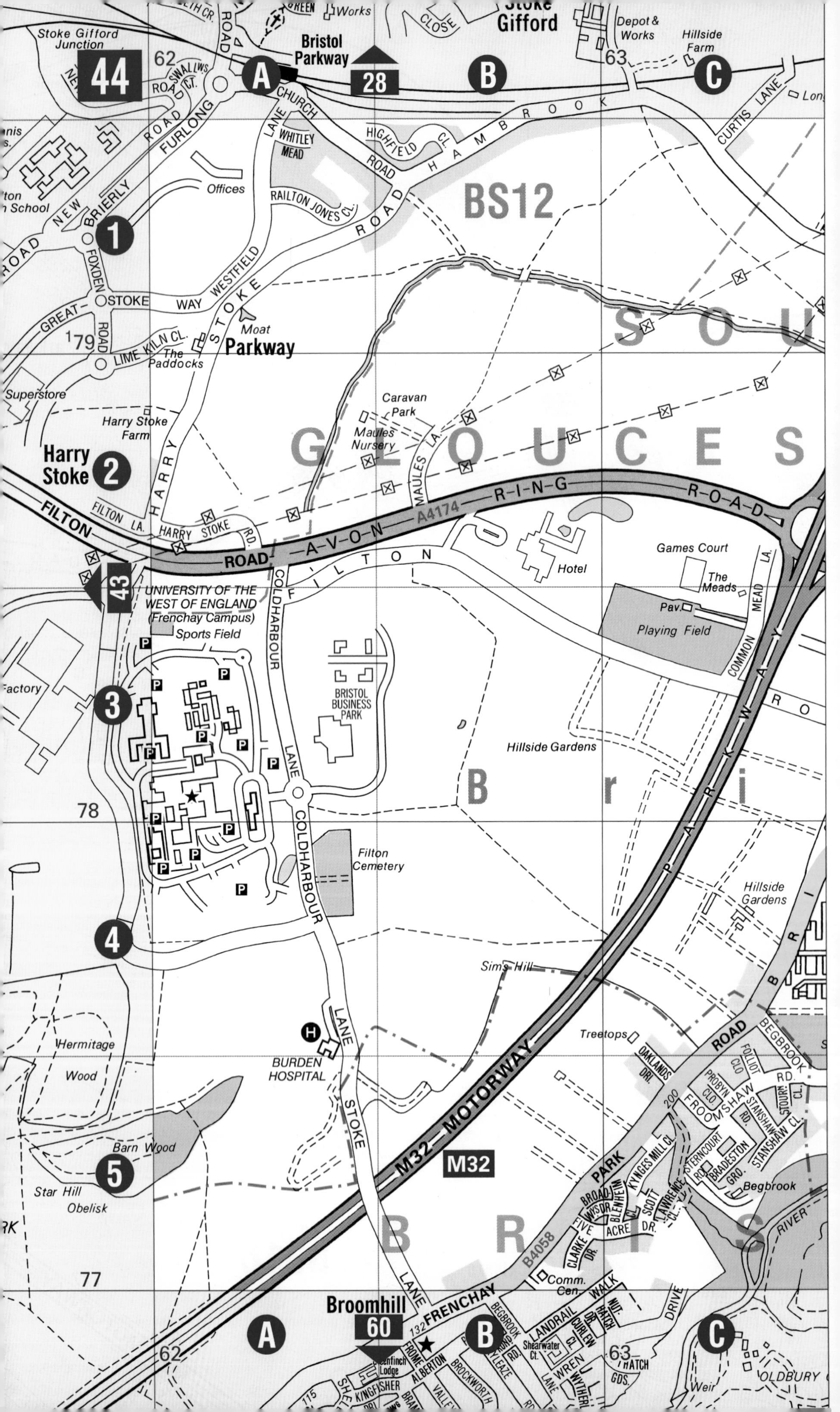

44
Stoke Gifford Junction
Bristol Parkway
28
Stoke Gifford
Depot & Works
Hillside Farm
A
B
C
62
63
CHURCH LANE
WHITLEY MEAD
HIGHFIELD CL.
HAMBROOK LANE
CURTIS LANE
FURLONG ROAD
BRIERLY
NEW ROAD
Offices
RAILTON JONES CL.
BS12
1
FOXDEN ROAD
GREAT STOKE
WAY
WESTFIELD
STOKE ROAD
Moat
Parkway
179
LIME KILN CL.
The Paddocks
Superstore
Harry Stoke Farm
Caravan Park
Maules Nursery
MAULES LA.
SOU
GLOUCES
Harry Stoke
2
FILTON
FILTON LA.
HARRY STOKE RD.
ROAD
AVON RING ROAD
A4174
Hotel
Games Court
The Meads
Pav.
Playing Field
COMMON MEAD LA.
43
UNIVERSITY OF THE WEST OF ENGLAND (Frenchay Campus)
Sports Field
COLDHARBOUR LANE
FILTON ROAD
Factory
3
BRISTOL BUSINESS PARK
Hillside Gardens
Bri
PARKWAY
78
Filton Cemetery
Hillside Gardens
4
Sims Hill
Hermitage Wood
H
BURDEN HOSPITAL
STOKE LANE
Treetops
OAKLANDS DRI.
ROAD
BEGBROOK
FOLLIOT CLO
PROBYN CLO
FROOMSHAW
STANSHAW RD.
STOURTON CL.
STANSHAW CL.
200
Barn Wood
5
Star Hill Obelisk
M32 MOTORWAY
M32
PARK
KYNGES MILL CL.
BROAD WAY DR.
BLENHEIM
LAWRENCE CL.
STERNCOURT RD.
BRADESTON GRO.
Begbrook
SCOTT
FIVE ACRE DR.
CLARKE DR.
B4058
BRIS
RIVER
77
Comm. Cen.
WALK
DRIVE
Broomhill
60
FRENCHAY
132
BEGBROOK
LANDRAIL
CURLEW
HATCH
Shearwater Ct.
WREN
HATCH GDS.
WYTHERLEY
Greenfinch Lodge
FROME
ALBERTON
BROCKWORTH
KINGFISHER
OLDBURY
Weir
115

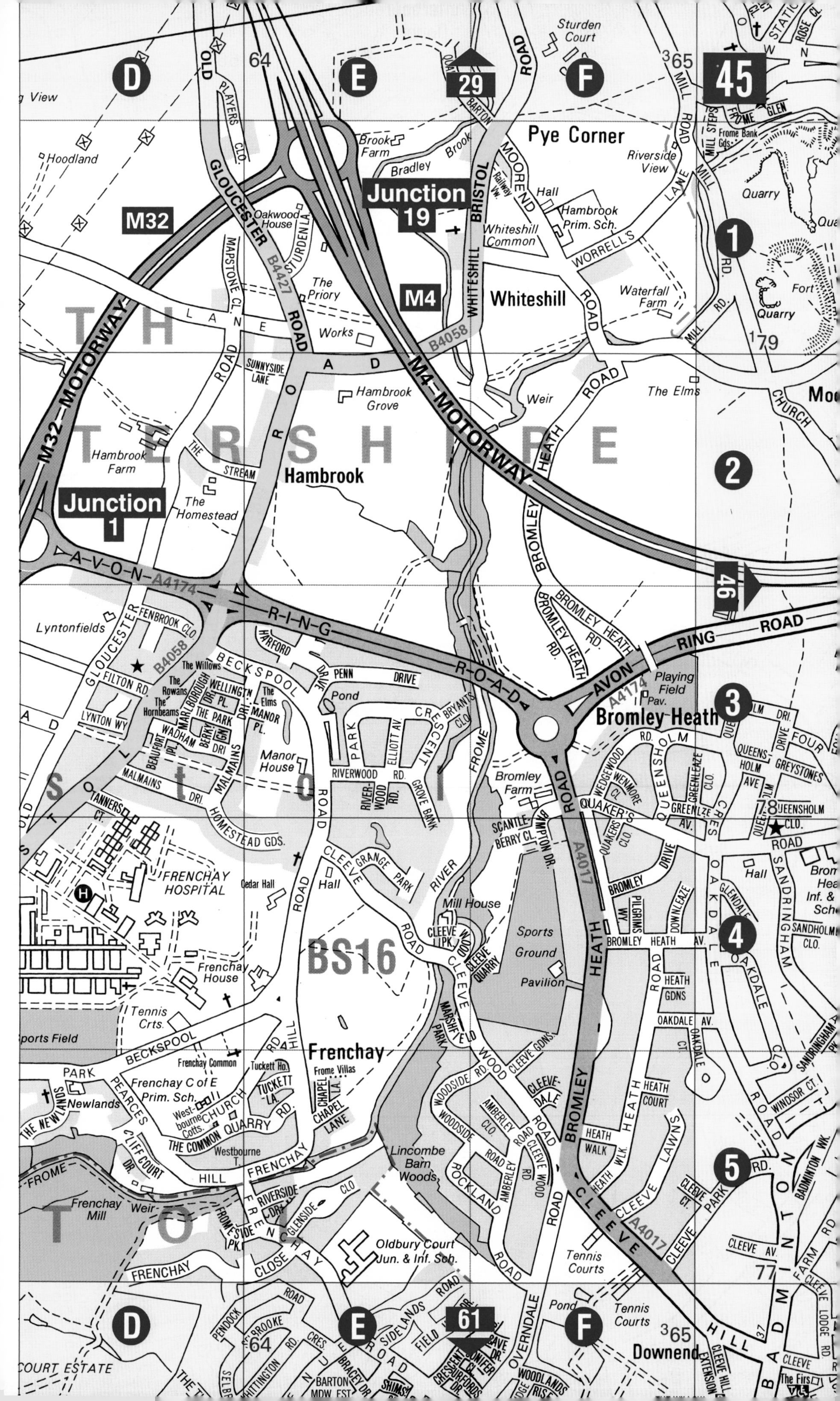

D
E
F
64
365
29
Sturden Court
Pye Corner
Brook Farm
Bradley Brook
Junction 19
M32
M4
Hoodland
Oakwood House
Riverside View
Hambrook Prim. Sch.
Whiteshill Common
Whiteshill
Waterfall Farm
The Priory
Works
Quarry
Fort
179
Hambrook Grove
Weir
The Elms
M32 MOTORWAY
M4 MOTORWAY
Hambrook Farm
Hambrook
The Homestead
Junction 1
AVON RING ROAD
A4174
46
Lyntonfields
Playing Field
Bromley Heath
Manor House
Bromley Farm
Cedar Hall
FRENCHAY HOSPITAL
Hall
Mill House
Sports Ground
Pavilion
BS16
Frenchay House
Tennis Crts.
Sports Field
Frenchay
Frenchay Common
Tuckett Ho.
Frome Villas
Frenchay C of E Prim. Sch.
Newlands
Westbourne Cotts.
Lincombe Barn Woods
Frenchay Mill
Weir
Oldbury Court Jun. & Inf. Sch.
Tennis Courts
Bromley Heath Inf. & Sch.
Downend
COURT ESTATE
61
The Firs
78
77
1
2
3
4
5

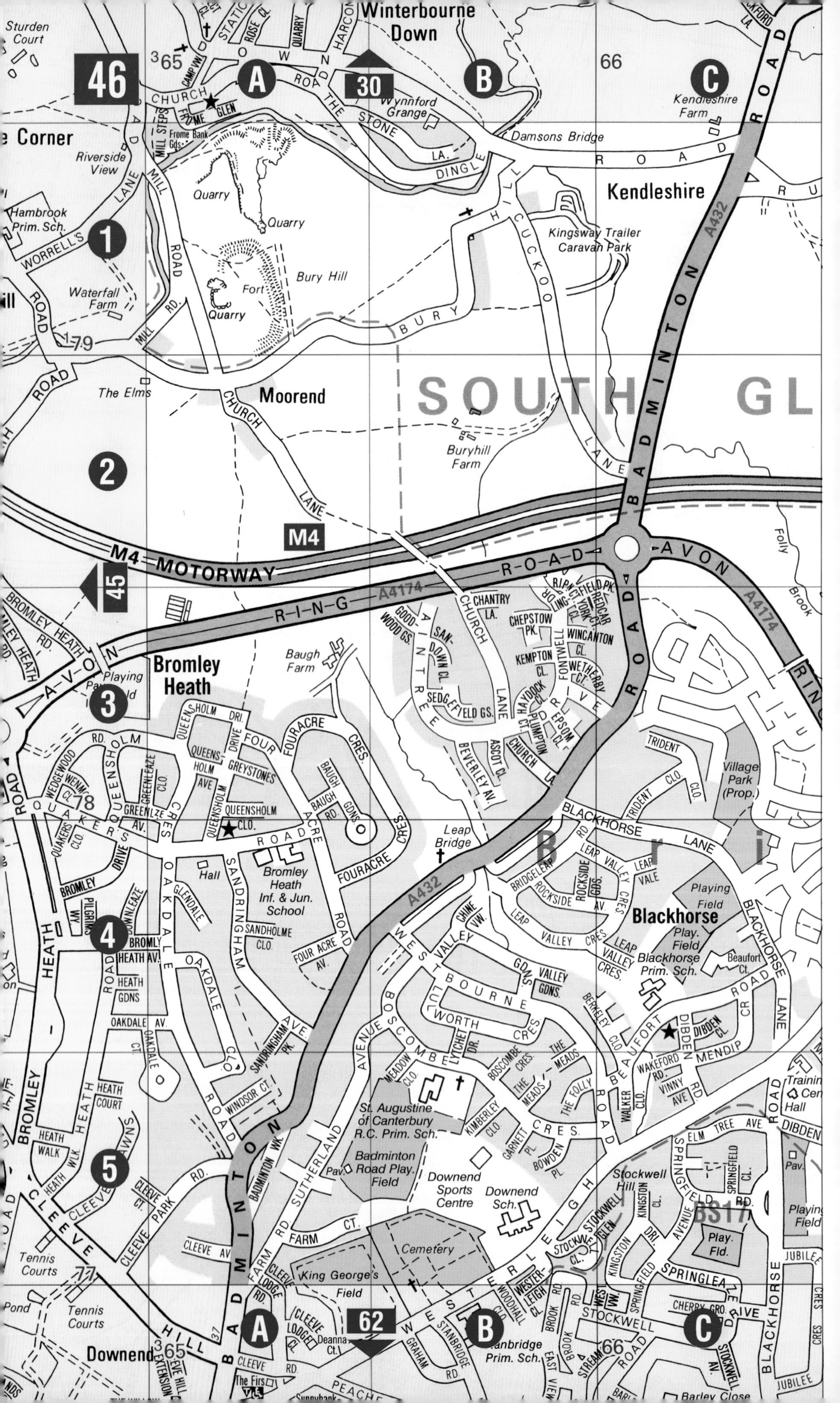
Winterbourne Down
Sturden Court
Corner
Riverside View
Hambrook Prim. Sch.
Waterfall Farm
Wynnford Grange
Damsons Bridge
Kendleshire Farm
Kendleshire
Kingsway Trailer Caravan Park
Quarry
Fort
Bury Hill
The Elms
Moorend
SOUTH GL
Buryhill Farm
M4 MOTORWAY
RING ROAD
AVON
A4174
A432
BADMINTON ROAD
Bromley Heath
Baugh Farm
Playing Field
Village Park (Prop.)
Leap Bridge
Blackhorse
Blackhorse Prim. Sch.
Bromley Heath Inf. & Jun. School
Hall
St. Augustine of Canterbury R.C. Prim. Sch.
Badminton Road Play. Field
Downend Sports Centre
Downend Sch.
Cemetery
King George's Field
Stockwell Hill
Tennis Courts
Pond
Downend
Stanbridge Prim. Sch.
BS17
Play. Fld.
Folly Brook
Training Centre Hall
30
45
62
A
B
C
1
2
3
4
5
365
66

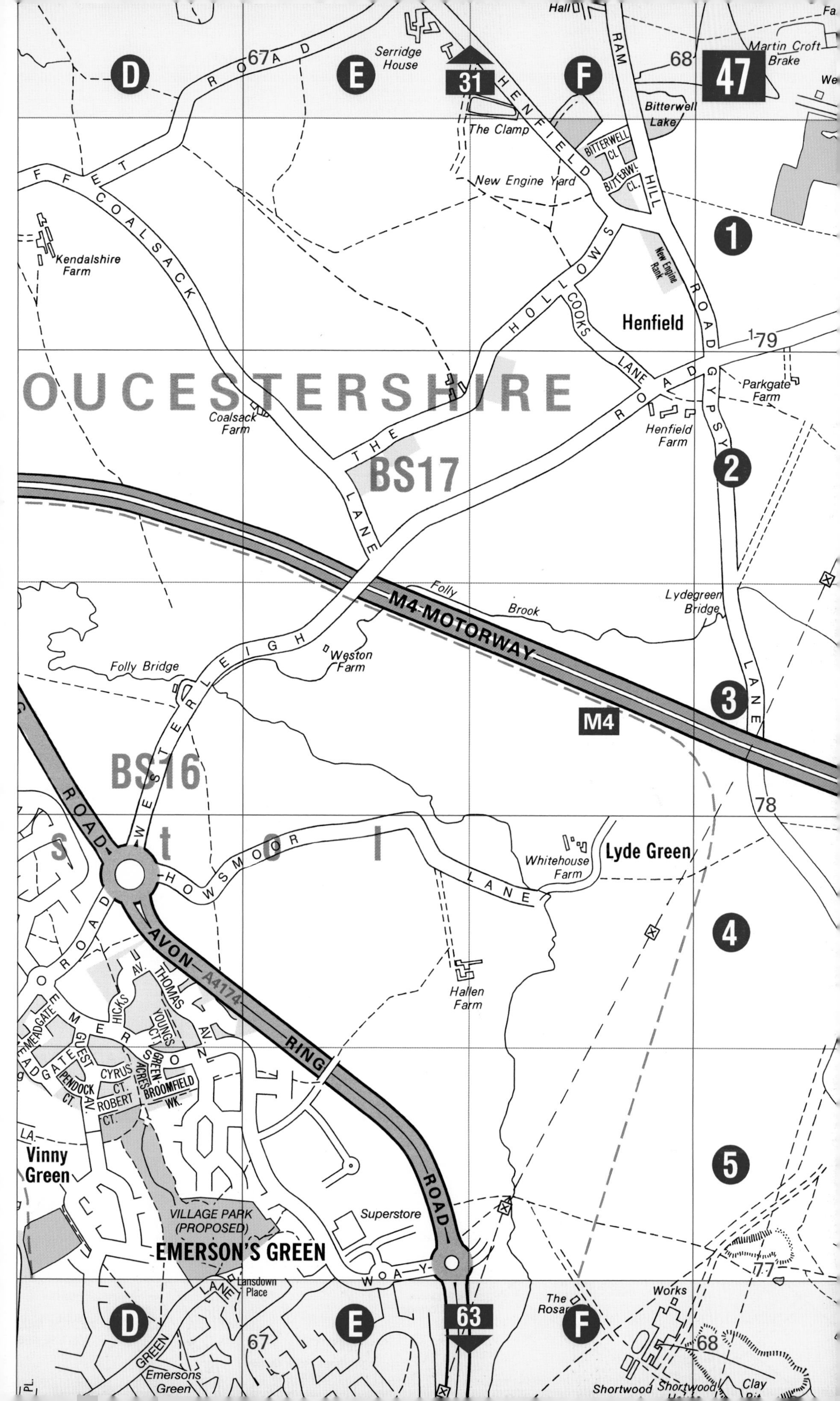

D   67A   Serridge House   **E**   **31**   **F**   Martin Croft Brake   68   **47**

The Clamp

Bitterwell Lake

BITTERWELL CL

New Engine Yard

BITTERWL CL

New Engine Bank

1

Kendalshire Farm

COALSACK

Henfield

79

OUCESTERSHIRE

Coalsack Farm

Parkgate Farm

BS17

Henfield Farm

2

Folly

Brook

Lydegreen Bridge

M4 MOTORWAY

Folly Bridge

Weston Farm

M4

3

78

BS16

Whitehouse Farm

Lyde Green

s   **t**   HOWSMOOR   **o**   **l**

LANE

4

AVON — A4174 —

Hallen Farm

RING

HICKS AV.

THOMAS AV.

YOUNGS CT.

GREEN ACRES

EMERGATE

GUEST

GATE

PENDOCK CT.

CYRUS CT.

ROBERT AV.

CT.

BROOMFIELD WK.

5

Vinny Green

VILLAGE PARK (PROPOSED)

Superstore

ROAD

EMERSON'S GREEN

77

LA

Lansdown Place

D   67   **E**   **63**   The Rosar   **F**

Works

68

Emersons Green

Shortwood

Shortwood

Clay

PL.

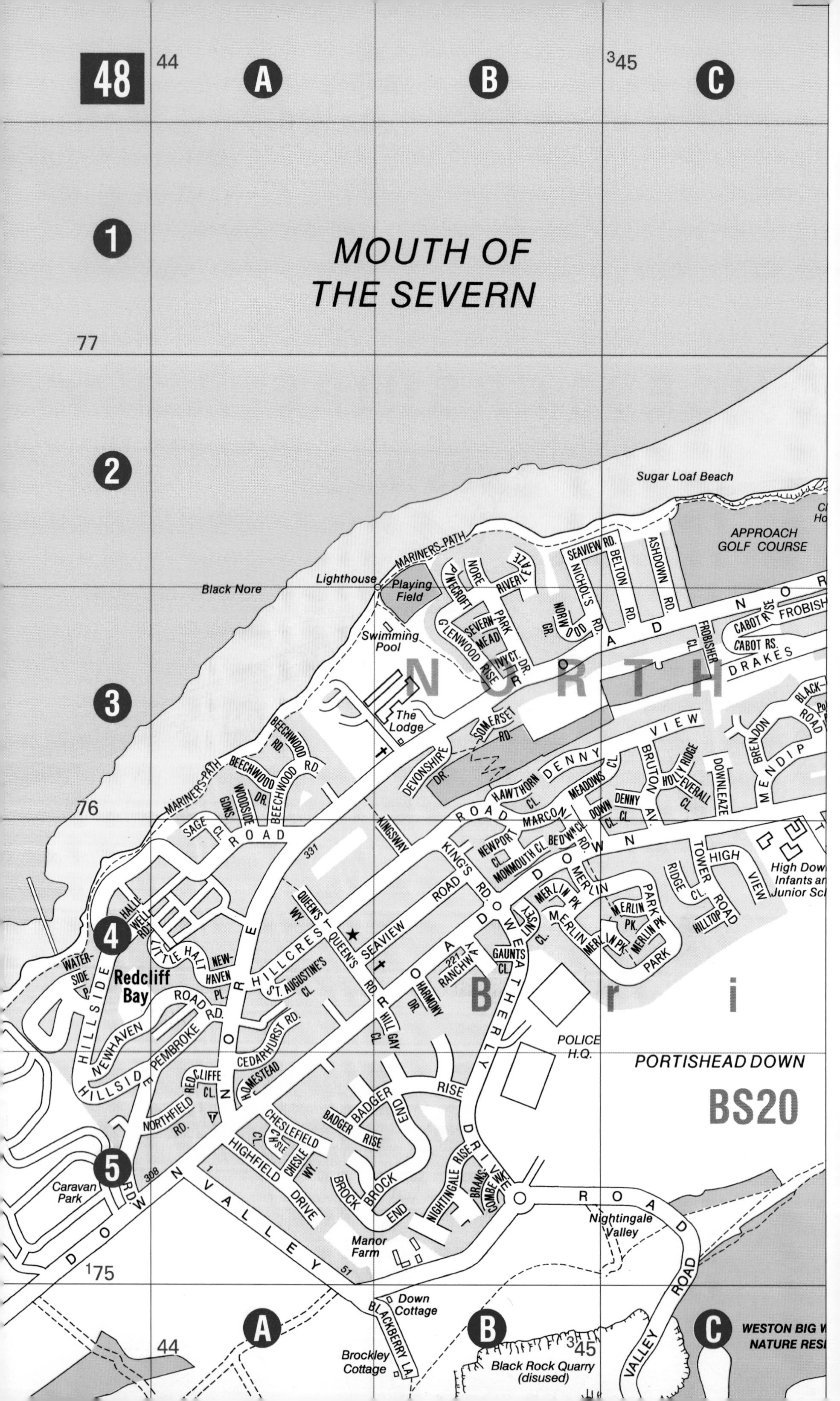

48 44 **A** **B** ³45 **C**

1

*MOUTH OF
THE SEVERN*

77

2

Sugar Loaf Beach

*APPROACH
GOLF COURSE*

Black Nore Lighthouse MARINERS PATH SEAVIEW RD.

3

The Lodge

N O R T H

PORTISHEAD DOWN

BS20

4

Redcliff
Bay

B r i

POLICE
H.Q.

5

Caravan
Park

Manor
Farm

Nightingale
Valley

75

44 **A** *Down
Cottage* **B** ³45 **C** **WESTON BIG W**
NATURE RES

*Brockley
Cottage* *Black Rock Quarry
(disused)* VALLEY ROAD

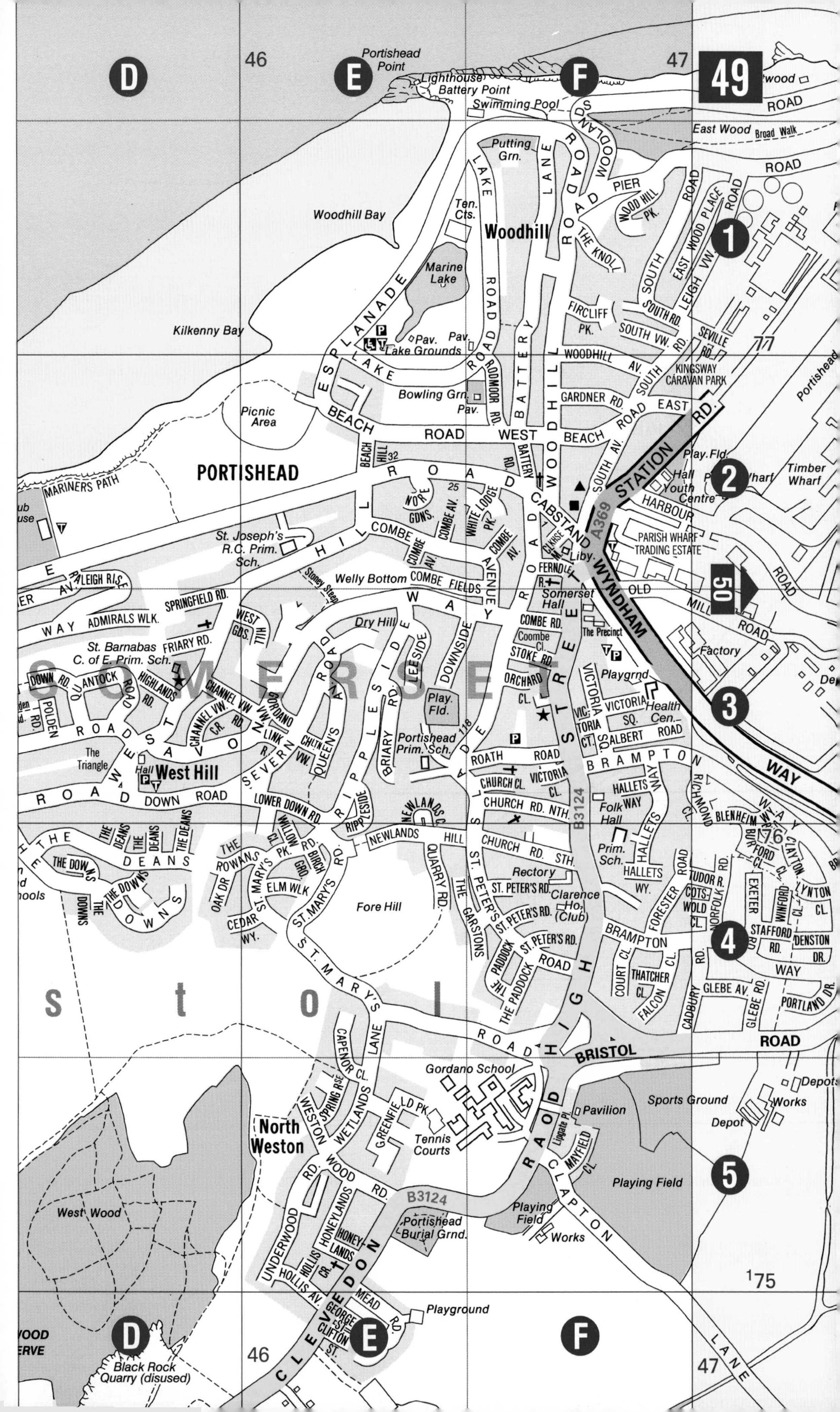

49
D
E
F
46
47
Portishead Point
Lighthouse
Battery Point
Swimming Pool
East Wood
Broad Walk
ROAD
Putting Grn.
Woodhill Bay
Ten. Cts.
Woodhill
Marine Lake
Kilkenny Bay
ESPLANADE
LAKE ROAD
Lake Grounds
Pav.
WOODLANDS ROAD
PIER ROAD
WOOD HILL PK.
THE KNOLL
SOUTH ROAD
EAST WOOD PLACE
LEIGH VW.
FIRCLIFF PK.
SOUTH VW. RD.
SEVILLE RD.
WOODHILL AV.
KINGSWAY CARAVAN PARK
GARDNER RD.
SOUTH ROAD
EAST
Bowling Grn.
RODMOOR RD.
BATTERY LANE
WOODHILL ROAD
Picnic Area
BEACH ROAD WEST
BEACH ROAD EAST
PORTISHEAD
BEACH HILL
HILL ROAD
STATION RD.
A369
Play. Fld.
Hall
Youth Centre
Timber Wharf
MARINERS PATH
CABSTAND
HARBOUR
PARISH WHARF TRADING ESTATE
St. Joseph's R.C. Prim. Sch.
COMBE AV.
WHITE LODGE PK.
COMBE FIELDS
AVENUE
Liby.
FERNDLE
Welly Bottom
Stoney Steep
WAY
Somerset Hall
OLD MILL ROAD
WYNDHAM
50
RALEIGH RISE
SPRINGFIELD RD.
ADMIRALS WLK.
WEST HILL GDS.
Dry Hill
LEESIDE
DOWNSIDE
COMBE RD.
Coombe Cl.
STOKE RD.
The Precinct
Factory
St. Barnabas C. of E. Prim. Sch.
FRIARY RD.
SOMERSET
DOWN RD.
QUANTOCK ROAD
HIGHLANDS RD.
CHANNEL VW.
GORDANO LINK
ORCHARD CL.
VICTORIA
Playgrnd
Health Cen.
VICTORIA SQ.
ALBERT ROAD
POLDEN RD.
ROAD
CHANNEL VW. CR.
QUEEN'S
BRIARY RD.
Play. Fld.
Portishead Prim. Sch.
ROATH ROAD
BRAMPTON
WAY
The Triangle
West Hill
Hall
SEVERN RD.
CHURCH CL.
VICTORIA CL.
HALLETS WAY
B3124
RICHMOND CL.
BLENHEIM WAY
DOWN ROAD
LOWER DOWN RD.
RIPPLESIDE
NEWLANDS CL.
CHURCH RD. NTH.
Folk Hall
76
CLAYTON CL.
BURFORD CL.
THE DEANS
WILLOW CL.
NEWLANDS HILL
QUARRY RD.
CHURCH RD. STH.
Prim. Sch.
THE DOWNS
THE ROWANS
ST. MARY'S PK. RD.
BIRCH GRO.
Rectory
TUDOR R.
ST. PETER'S RD.
Clarence Ho. (Club)
COTSWOLD CL.
NORFOLK RD.
EXETER RD.
WINFORD CL.
LYNTON CL.
OAK DR
ELM WLK
CEDAR WY.
Fore Hill
THE GARSTONS
THE PADDOCK
FORESTER ROAD
4
STAFFORD RD.
DENSTON DR.
ST. MARY'S RD.
COURT CL.
THATCHER CL.
FALCON CL.
CADBURY
GLEBE AV.
GLEBE RD.
PORTLAND DR.
HIGH ST.
s
t
o
l
ROAD
BRISTOL
CAPENOR CL.
LANE
Gordano School
Pavilion
Sports Ground
Depots
Works
Depot
North Weston
WESTON
SPRING RISE
WETLANDS
GREENFIELD PK.
Tennis Courts
Lipgate Pl.
MAYFIELD CL.
Playing Field
5
West Wood
WOOD RD.
B3124
Portishead Burial Grnd.
Playing Field
Works
CLAPTON LANE
UNDERWOOD
HONEYLANDS
HOLLIS CR.
HOLLIS AV.
CLEVEDON
MEAD RD.
GEORGE ST.
CLIFTON ST.
Playground
175
WOOD RESERVE
Black Rock Quarry (disused)

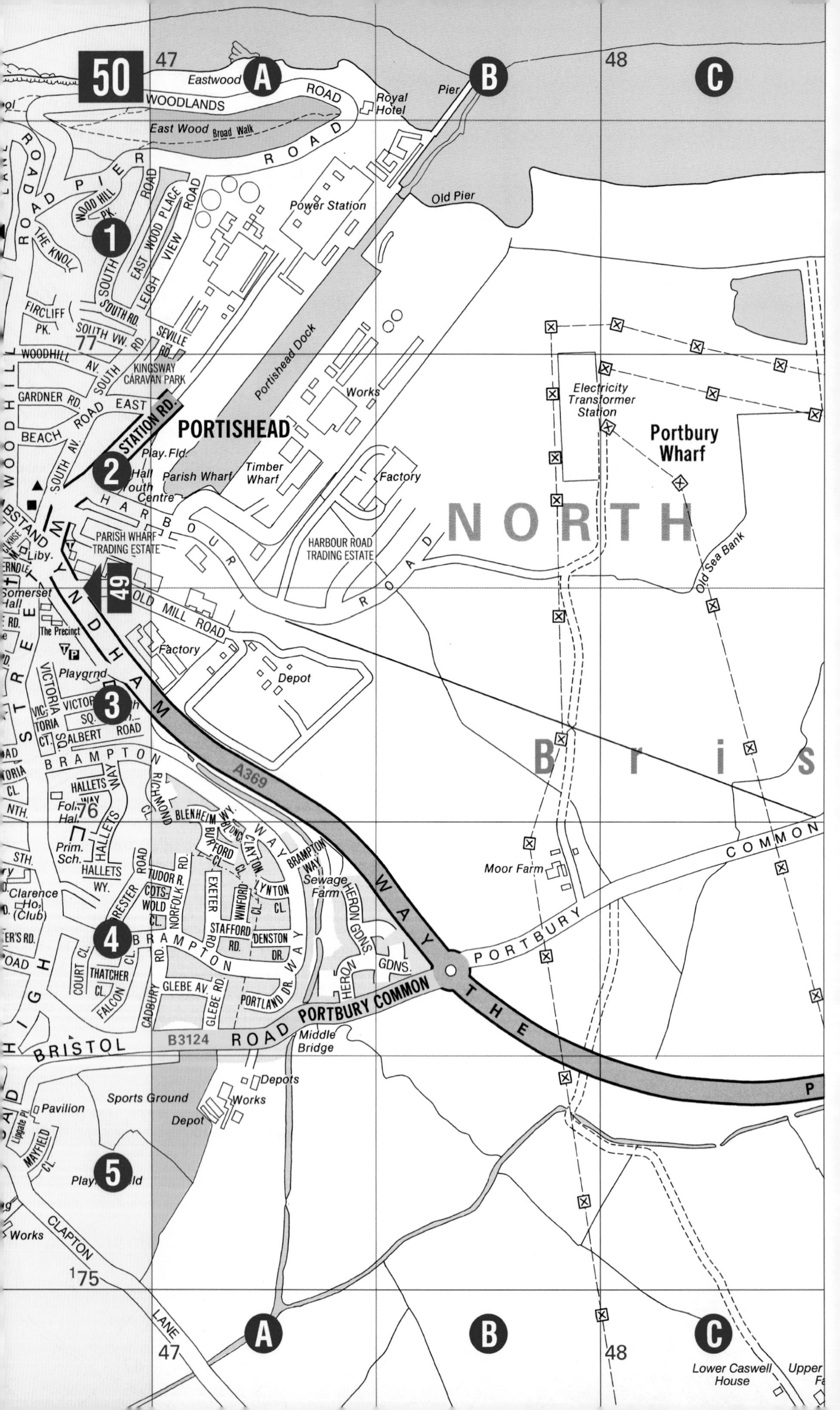

47 A

48 B C

Eastwood

WOODLANDS ROAD

Royal Hotel

Pier

East Wood Broad Walk

ROAD

PIER ROAD

Wood Hill PK.

THE KNOL

WOOD HILL

Power Station

Old Pier

1

FIRCLIFF PK.

SOUTH RD.

EAST WOOD PLACE

LEIGH VIEW ROAD

77

SOUTH VW. RD.

SEVILLE RD.

Portishead Dock

WOODHILL AV.

GARDNER RD.

SOUTH AV.

KINGSWAY CARAVAN PARK

Works

Electricity Transformer Station

BEACH ROAD EAST

STATION RD.

PORTISHEAD

Portbury Wharf

2

Play. Fld.

Hall Youth Centre

Parish Wharf

Timber Wharf

Factory

N O R T H

PARISH WHARF TRADING ESTATE

HARBOUR ROAD TRADING ESTATE

HARBOUR ROAD

WYNDHAM STREET

Somerset Hall

49

OLD MILL ROAD

Old Sea Bank

Liby.

The Precinct

P

Factory

Playgrnd

VICTORIA CT.

VICTORIA SQ.

S. ALBERT ROAD

Depot

B r i s

3

BRAMPTON WAY

HALLETS CL.

Foli Hall

76

BLENHEIM WY.

RICHMOND CL.

CLAYTON WAY

BRAMPTON WAY

Moor Farm

C O M M O N

Prim. Sch.

HALLETS WY.

FORESTER ROAD

TUDOR R.

BURFORD CL.

EXETER CL.

LYNTON CL.

Sewage Farm

HERON GDNS.

PORTBURY

THE

Clarence Ho. (Club)

RD.

WOLD CL.

NORFOLK RD.

WINFORD CL.

STAFFORD RD.

DENSTON DR.

HERON

ER'S RD.

4

COURT CL.

THATCHER CL.

BRAMPTON

CADBURY RD.

GLEBE AV.

GLEBE RD.

PORTLAND DR.

GDNS.

PORTBURY COMMON

WAY

FALCON CL.

HIGH

BRISTOL

B3124

ROAD

Middle Bridge

P

Lipgate Pl.

Pavilion

Sports Ground

Depots

Works

Depot

MAYFIELD CL.

5

Playield

CLAPTON

Works

175

LANE

47 A

B

48 C

Lower Caswell House

Upper Fa

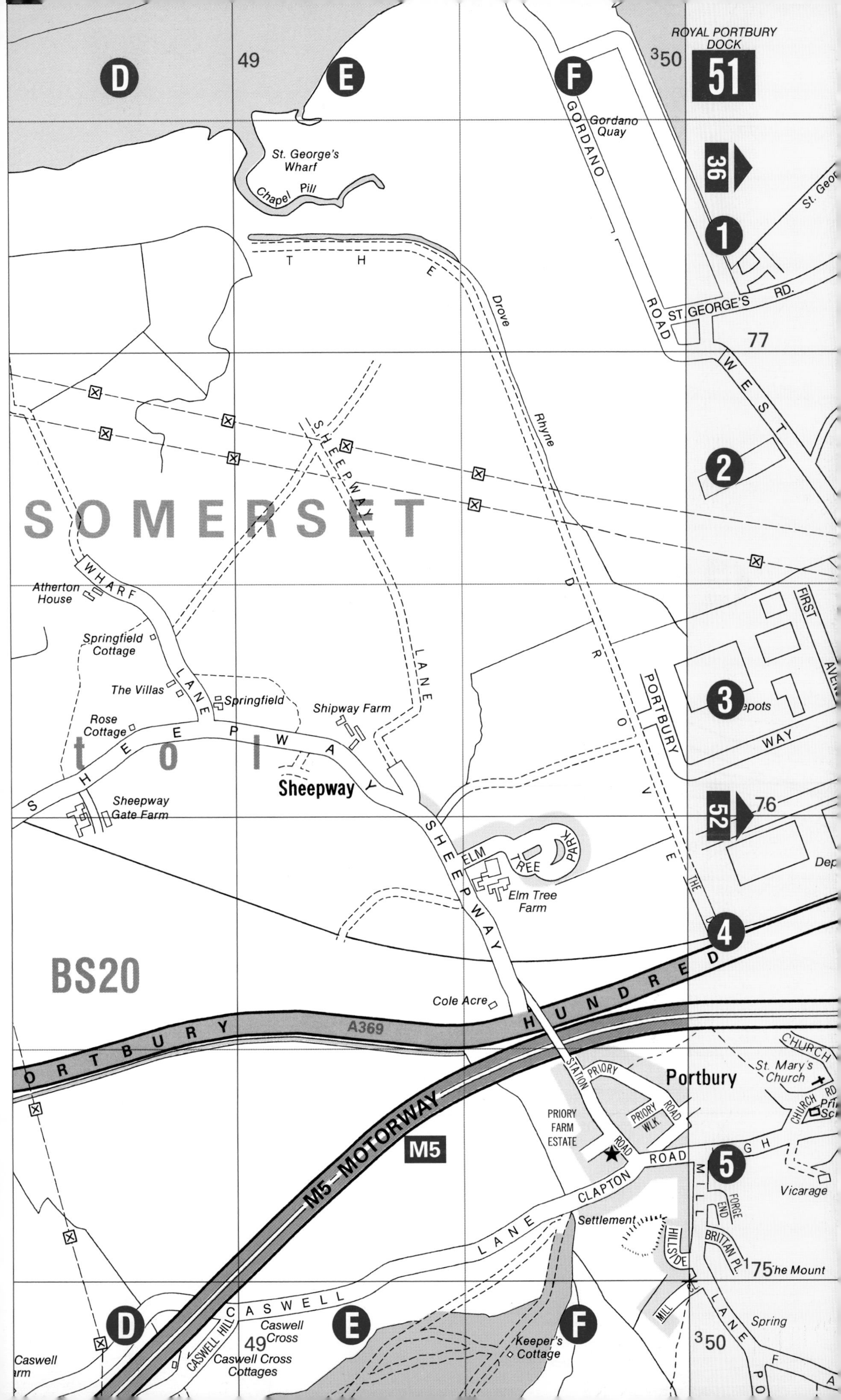
ROYAL PORTBURY DOCK
D
E
F
49
350
36
Gordano Quay
GORDANO ROAD
St. George's Wharf
Chapel Pill
THE Drove Rhyne
THE DROVE
1
ST GEORGE'S RD.
77
WEST
2
SOMERSET
SHEEPWAY
SHEEPWAY LANE
WHARF LANE
Atherton House
Springfield Cottage
The Villas
Springfield
Shipway Farm
Rose Cottage
Sheepway
Sheepway Gate Farm
3
Depots
PORTBURY WAY
FIRST AVE
52
76
ELM TREE PARK
Elm Tree Farm
4
BS20
Cole Acre
PORTBURY HUNDRED
A369
M5 MOTORWAY
M5
STATION ROAD
PRIORY ROAD
PRIORY WLK.
PRIORY FARM ESTATE
Portbury
St. Mary's Church
CHURCH RD
HIGH ROAD
5
Vicarage
MILL LANE
FORGE END
BRITTAN PL.
HILLSIDE
CLAPTON LANE
Settlement
175
The Mount
CASWELL
CASWELL HILL
Caswell Cross
Caswell Cross Cottages
Keeper's Cottage
Spring
350
Caswell

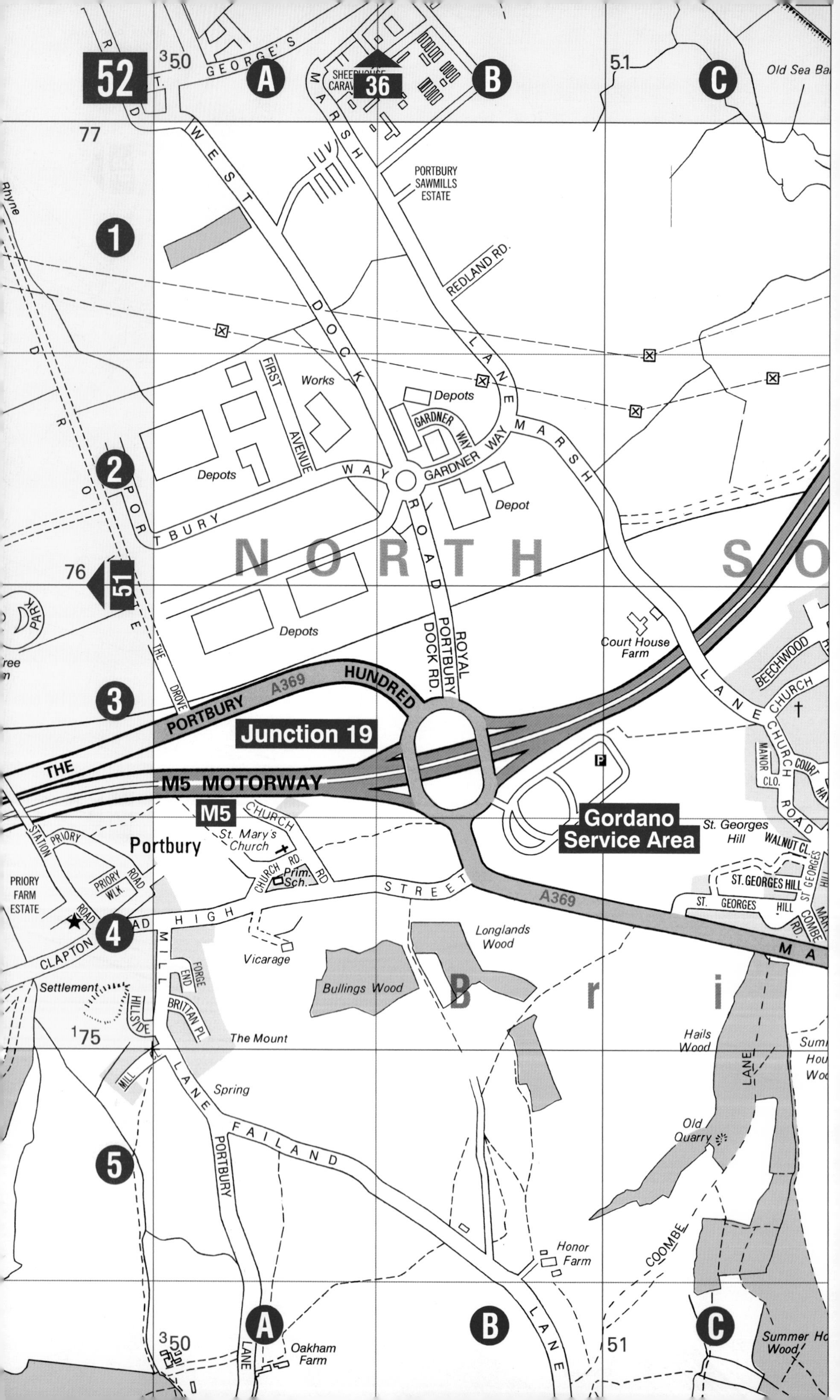

52

³50 GEORGE'S **A** **B** 51 Old Sea Ba **C**

77

SHEEPHOUSE
CARAV **36**

1

PORTBURY
SAWMILLS
ESTATE

Rhyne

REDLAND RD.

Works

Depots

First Avenue

West Dock

Marsh Lane

2

Depots

Gardner Way

Depots

Gardner Way

Depot

76 **51**

N O R T H S O

Depots

Court House
Farm

BEECHWOOD

Portbury Royal Dock Rd.

CHURCH ROAD

3 THE PORTBURY A369 HUNDRED

Junction 19

LANE

MANOR CLO.

COURT HA.

P

M5 MOTORWAY

M5

CHURCH RD.

St. Georges
Hill

WALNUT CL.

Portbury

St. Mary's
Church

**Gordano
Service Area**

ST. GEORGES HILL

PRIORY
FARM
ESTATE

Priory
Priory Wlk.
Road

Prim.
Sch.

ST. GEORGES
HILL

ST. COMBE RD.

4

STREET

A369 M A

CLAPTON

HIGH

MILL

Forge End

Vicarage

Longlands
Wood

B r i

Settlement

Brittan Pl.

Bullings Wood

Hails
Wood

Sum
Hou
Wo

Hillside

The Mount

¹75

Mill Lane

Spring

PORTBURY

FAILAND

Old
Quarry

Lane

5

COOMBE

Honor
Farm

³50 **A** Oakham
Farm **B** LANE 51 **C** Summer Ho
Wood

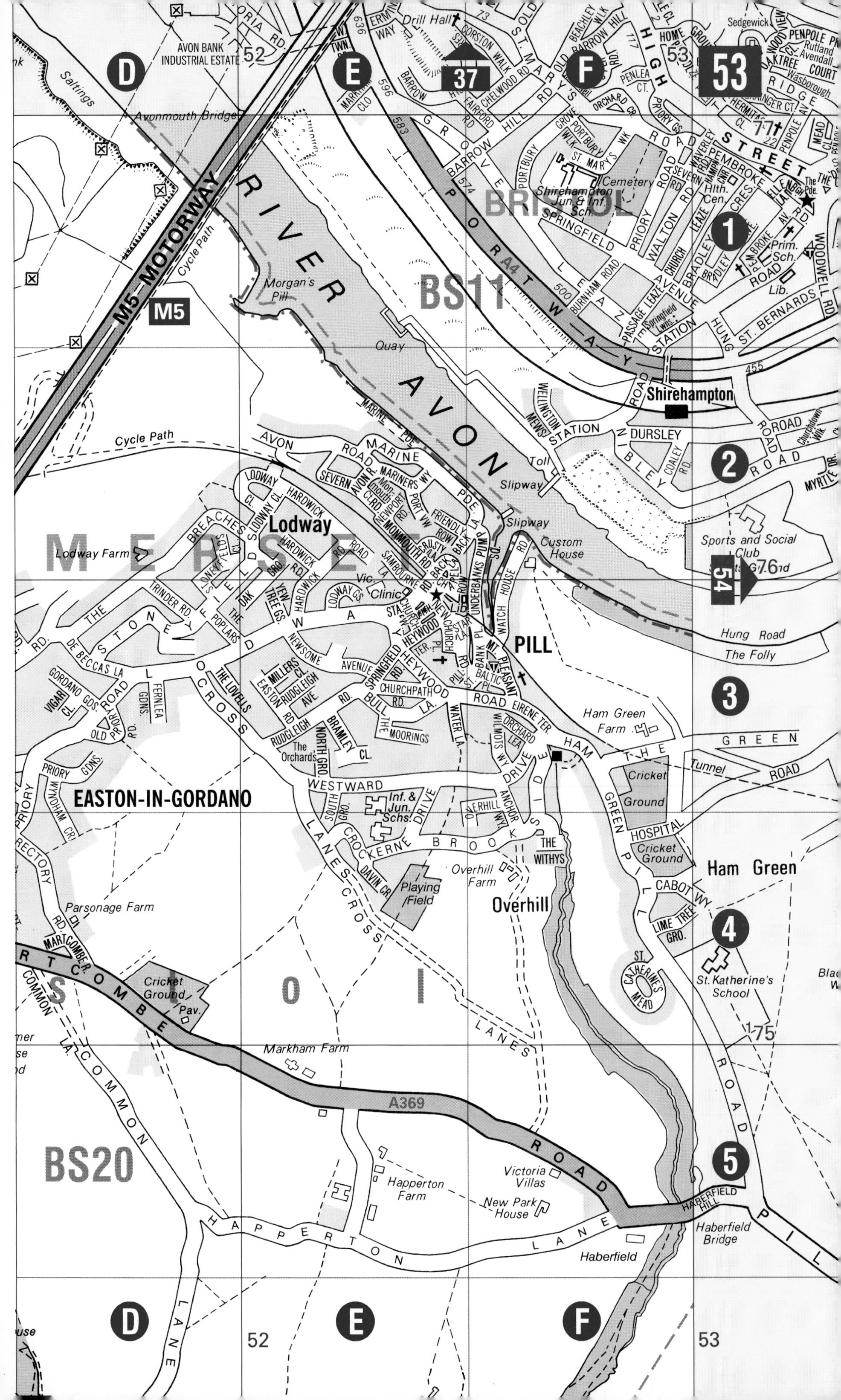
AVON BANK INDUSTRIAL ESTATE
Avonmouth Bridge
M5 MOTORWAY
RIVER AVON
Morgan's Pill
Quay
BRISTOL
BS11
Shirehampton
Lodway
PILL
Custom House
Sports and Social Club
Hung Road
The Folly
Ham Green Farm
Cricket Ground
Ham Green
EASTON-IN-GORDANO
Parsonage Farm
Overhill
Overhill Farm
Playing Field
St. Katherine's School
Markham Farm
A369
BS20
Happerton Farm
Victoria Villas
New Park House
Haberfield
Haberfield Bridge
HAPPERTON LANE
PILL ROAD
PORTWAY
HIGH STREET
Lodway Farm
Cycle Path
Saltings
Slipway
Toll
Tunnel

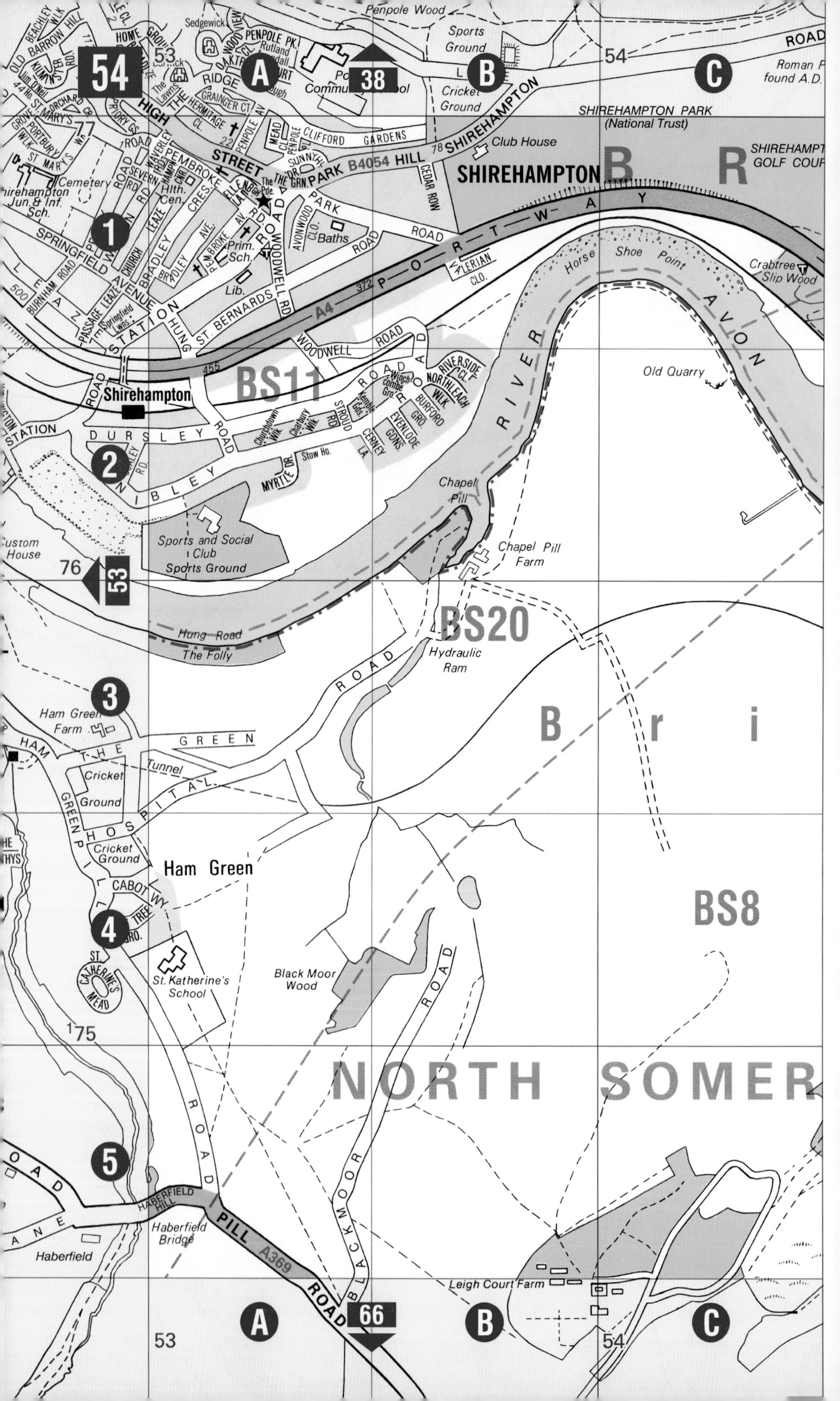

38
53
66
A
B
C
1
2
3
4
5
Penpole Wood
Sports Ground
Cricket Ground
Community School
Roman P found A.D.
SHIREHAMPTON PARK (National Trust)
Club House
SHIREHAMPTON
SHIREHAMPT GOLF COUR
PENPOLE PK.
HIGH STREET
PARK B4054 HILL
SHIREHAMPTON
CLIFFORD GARDENS
CEDAR ROW
Cemetery
Shirehampton Jun.& Inf. Sch.
SPRINGFIELD AVENUE
PEMBROKE RD.
Hlth. Cen.
Prim. Sch.
Lib.
Baths
WOODWELL RD
ST. BERNARDS
STATION
HUNG
A4
PORTWAY
Horse Shoe Point
Crabtree Slip Wood
AVON
RIVER
Old Quarry
BS11
Shirehampton
WOODWELL ROAD
RIVERSIDE CL.
NORTHLEACH WLK.
BURFORD GRO.
EVENLODE GDNS.
CERNEY LA.
STROUD RD
DURSLEY ROAD
NIBLEY
MYRTLE DR.
Stow Ho.
Chapel Pill
Chapel Pill Farm
Custom House
Sports and Social Club Sports Ground
Hung Road
The Folly
BS20
Hydraulic Ram
ROAD
Bri
Ham Green Farm
HAM
THE GREEN
Tunnel
HOSPITAL
Cricket Ground
GREEN PILL
Ham Green
CABOT WY
ST. CATHERINE'S MEAD
St. Katherine's School
Black Moor Wood
BLACKMOOR ROAD
BS8
NORTH SOMER
175
ROAD
LANE
HABERFIELD HILL
Haberfield Bridge
Haberfield
PILL ROAD
A369
Leigh Court Farm
53
54

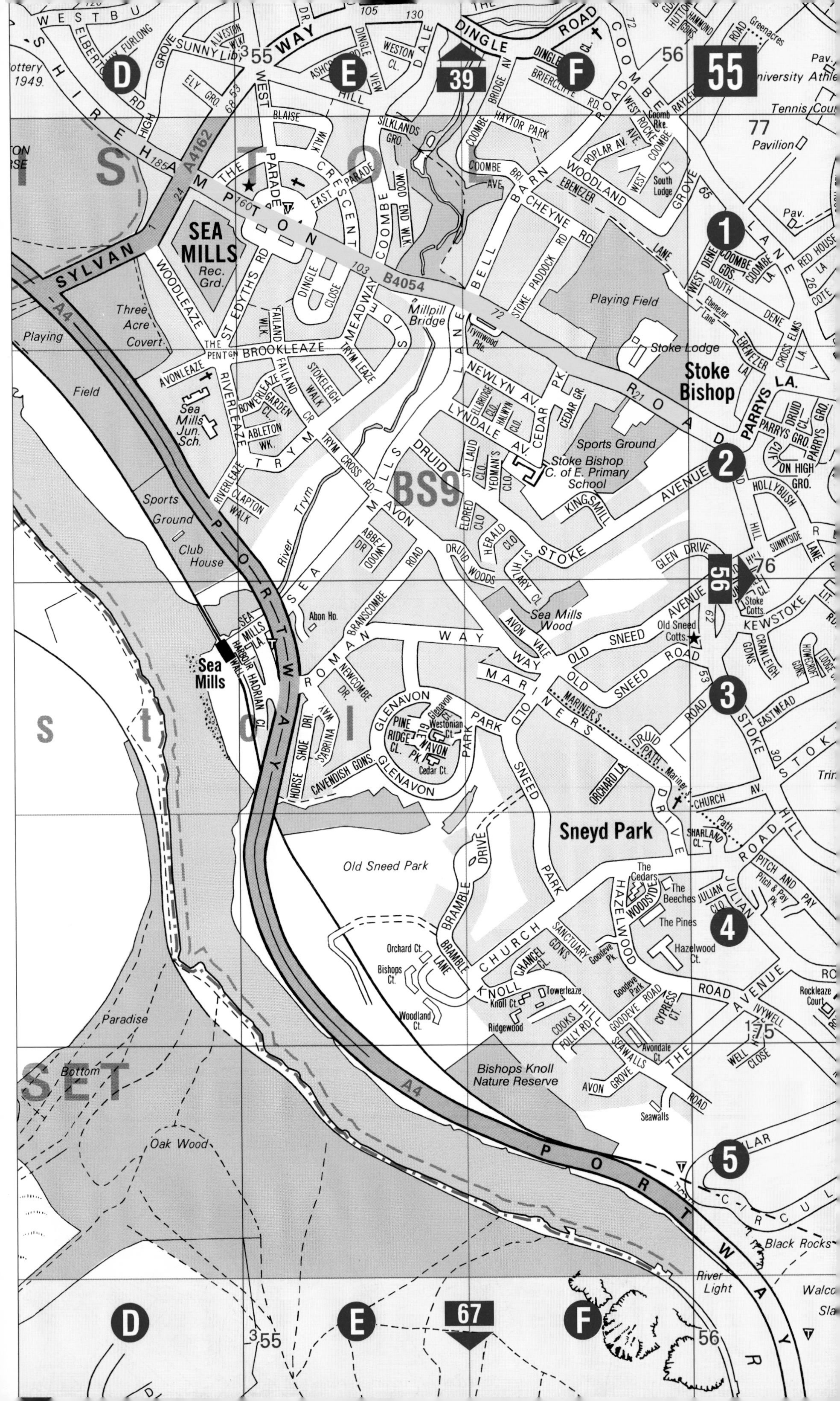
D
E
F
39
1
2
3
4
5
56
67
SEA MILLS
Rec. Grd.
Sea Mills
Stoke Bishop
Sneyd Park
BS9
Stoke Lodge
Playing Field
Sports Ground
Stoke Bishop C. of E. Primary School
Sea Mills Wood
Sea Mills Jun. Sch.
Three Acre Covert
Club House
Millpill Bridge
Old Sneed Park
Bishops Knoll Nature Reserve
Old Sneed Cotts.
Abon Ho.
Black Rocks
River Light
Paradise Bottom
Oak Wood
Pavilion
Tennis Court
South Lodge
SHIREHAMPTON RD
SYLVAN WAY
PORTWAY
STOKE HILL
DINGLE ROAD
COOMBE LANE
PARRYS LA.
RIVERLEAZE
BROOKLEAZE
WOODLEAZE
AVONLEAZE
TRYM LEAZE
STOKE LANE
CHURCH AV.
ROMAN WAY
MARINERS DRIVE
OLD SNEED ROAD
OLD SNEED AVENUE
SNEED PARK
GLENAVON PARK
GLENAVON
CHURCH ROAD
BRAMBLE DRIVE
BRAMBLE LANE
KNOLL HILL
SEAWALLS ROAD
AVON GROVE
HAZELWOOD ROAD
THE AVENUE
JULIAN ROAD
PITCH AND PAY LANE
GLEN DRIVE
SEA MILLS LANE
DRUID WOODS
DRUID ROAD
NEWLYN AV.
LYNDALE AV.
CEDAR PK.
WOODLAND GROVE
CHEYNE RD
BELL BARN RD
STOKE PADDOCK RD
COOMBE BRIDGE AVE
HAYTOR PARK
THE CRESCENT
WEST PARADE
EAST PARADE
THE PARADE
DINGLE CLOSE
MEADWAY
STOKELEIGH WALK
FAILAND CR
BOWERLEAZE
ABLETON WK.
CLAPTON WALK
ST EDYTH'S RD
HORSE SHOE DRI.
CAVENDISH GDNS.
SABRINA WAY
NEWCOMBE DR.
BRANSCOMBE ROAD
ABBEY WOOD DR
AVON VALE
KINGSMILL
SHARLAND CL.
ORCHARD LA.
DRUID PATH
Mariner's Path
KEWSTOKE
EASTMEAD
CRANLEIGH GDNS.
SUNNYSIDE LANE
HOLLYBUSH
IVYWELL
WELL CLOSE
Rockleaze Court
Hazelwood Ct.
The Pines
The Beeches
The Cedars
Seawalls
Avondale Ct.
Towerleaze
Ridgewood
Knoll Ct.
Woodland Ct.
Bishops Ct.
Orchard Ct.
Cedar Ct.
Westonian Ct.
A4
A4162
B4054

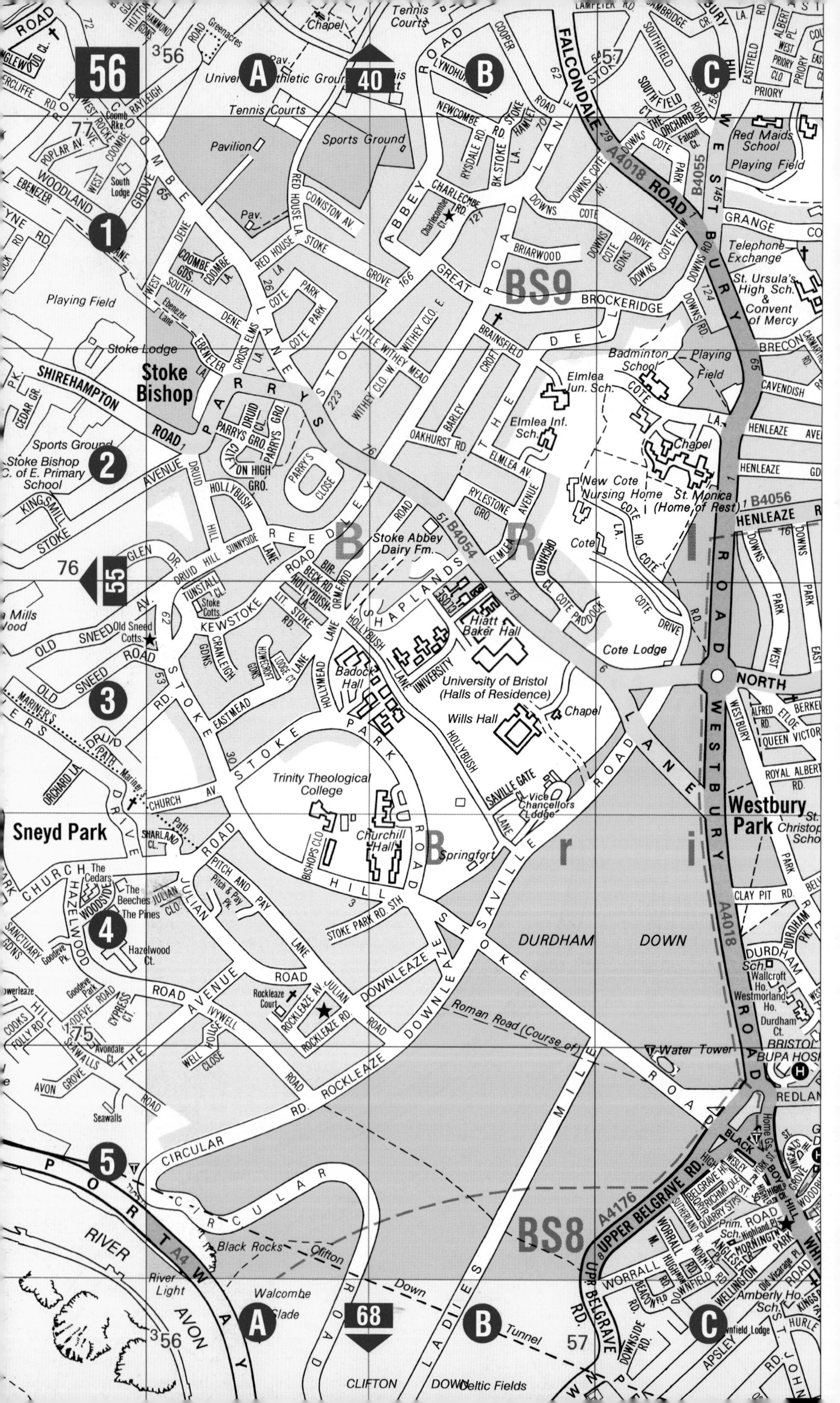
Stoke Bishop
Sneyd Park
Westbury Park
BS9
BS8
Durdham Down
University of Bristol (Halls of Residence)
Wills Hall
Badock Hall
Hiatt Baker Hall
Churchill Hall
Trinity Theological College
Badminton School
Red Maids School
St. Ursula's High Sch. & Convent of Mercy
Elmlea Jun. Sch.
Elmlea Inf. Sch.
Stoke Abbey Dairy Fm.
Cote Lodge
Water Tower
Roman Road (Course of)
Black Rocks
Clifton Down
Walcombe Slade
River Avon
Portway
A4018
B4054
B4056
A4176
Shirehampton Road
Falcondale Road
Westbury Road
Parrys Lane
Stoke Hill
Saville Road
Stoke Road
Ladies Mile
Circular Road
Upper Belgrave Rd.
Henleaze Road
North View
Sports Ground
Playing Field
Stoke Lodge
Telephone Exchange
Springfort
Vice Chancellors Lodge
40
55
68

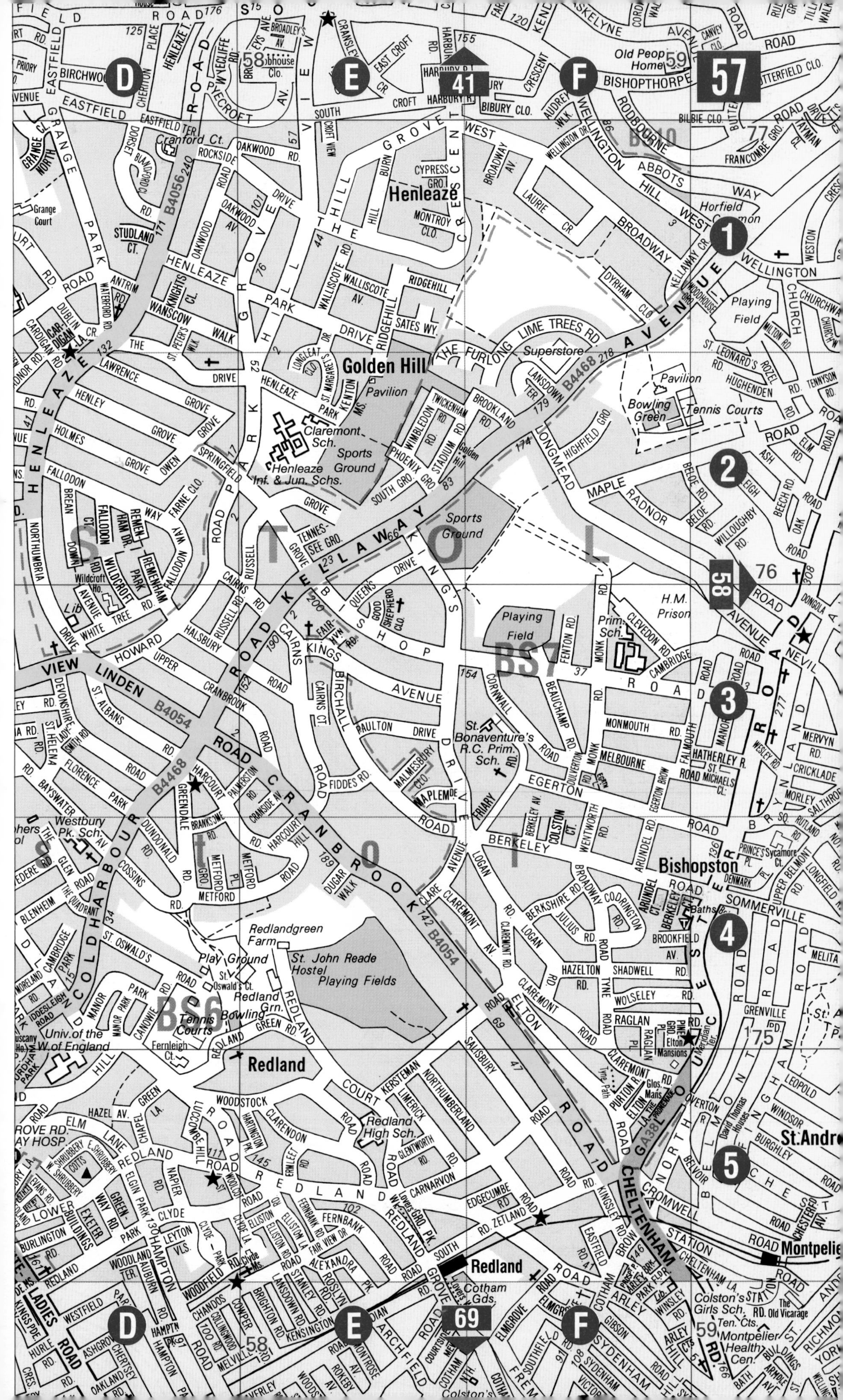
D
E
F
1
2
3
4
5
41
58
69
76
Henleaze
Golden Hill
Bishopston
Redland
St. Andrews
Montpelier
BS6
BS7
Old People's Home
Grange Court
Cranford Ct.
Claremont Sch.
Henleaze Inf. & Jun. Schs.
Sports Ground
Pavilion
Superstore
Horfield Common
Playing Field
Bowling Green
Tennis Courts
H.M. Prison
Prim. Sch.
St. Bonaventure's R.C. Prim. Sch.
Wildcroft Ho.
Westbury Pk. Sch.
Redlandgreen Farm
St. John Reade Hostel Playing Fields
Play Ground
St. Oswald's Ct.
Redland Grn.
Tennis Courts
Bowling
Univ. of the W. of England
Fernleigh Ct.
Redland High Sch.
Colston's Girls Sch.
Montpelier Health Cen.
The Old Vicarage
Elton Mansions
Sycamore Ct.
David Thomas Houses
B4056
B4468
B4054
B4052
A38
HENLEAZE ROAD
KELLAWAY AVENUE
WELLINGTON HILL WEST
BROADWAY
LINDEN ROAD
CRANBROOK ROAD
COLDHARBOUR ROAD
REDLAND ROAD
CHELTENHAM ROAD
GLOUCESTER ROAD
BISHOP ROAD
BERKELEY ROAD
EGERTON ROAD
ZETLAND ROAD
ELTON ROAD
DRIVE

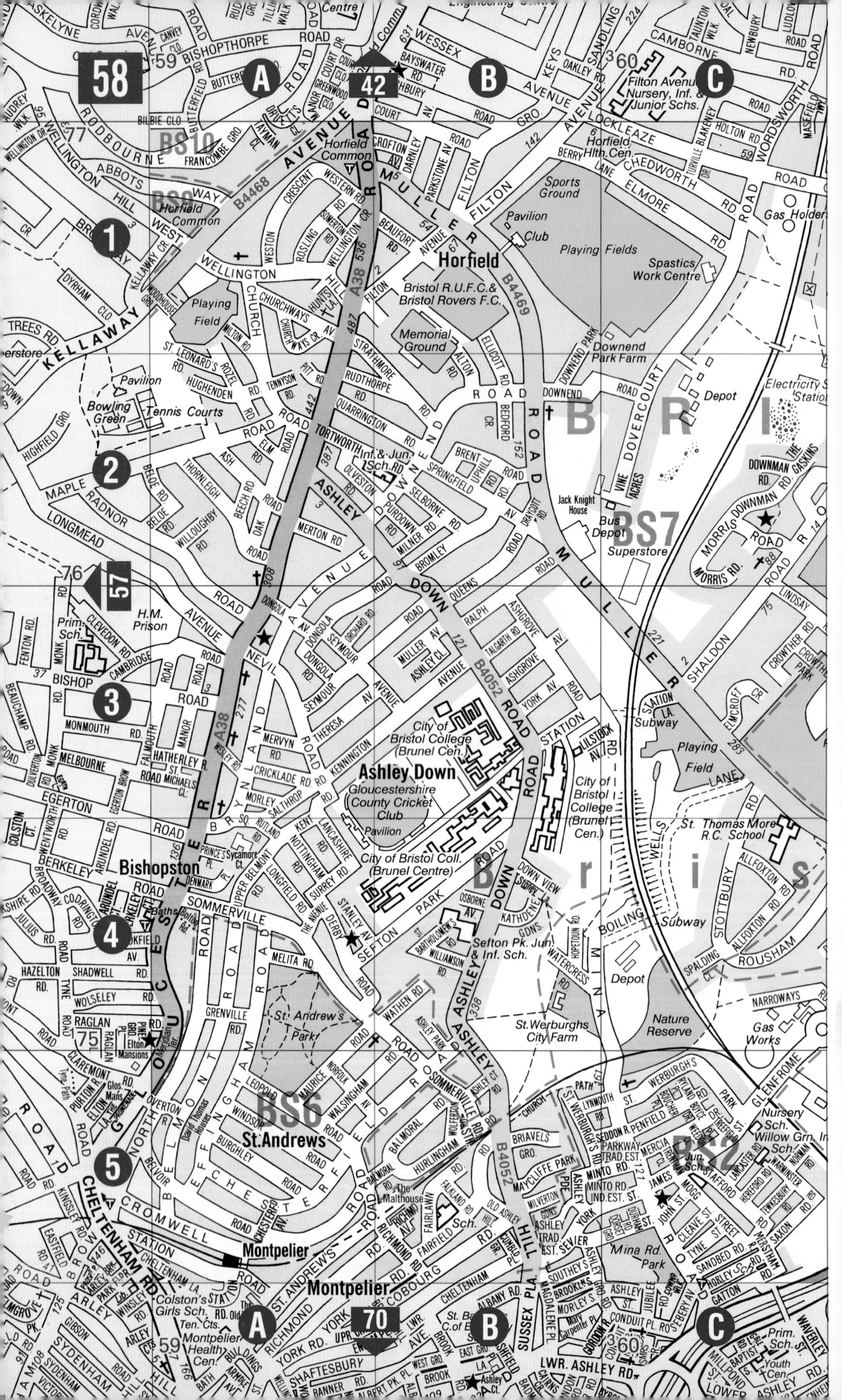

58
42
57
70
A
B
C
1
2
3
4
5
BS10
BS9
BS7
BS6
BS2
Horfield
Horfield Common
Ashley Down
Bishopston
St.Andrews
Montpelier
Bristol R.U.F.C.& Bristol Rovers F.C.
Memorial Ground
Gloucestershire County Cricket Club
City of Bristol College (Brunel Cen.)
H.M. Prison
St. Andrew's Park
Nature Reserve
St.Werburghs City Farm
Gas Works
Sports Ground
Playing Fields
Spastics Work Centre
Downend Park Farm
Electricity Station
Superstore
Bus Depot
Jack Knight House
Filton Avenue Nursery, Inf. & Junior Schs.
Horfield Hlth.Cen.
Sefton Pk. Jun. & Inf. Sch.
St. Thomas More R.C. School
Colston's Girls Sch.
Montpelier Health Cen.
Mina Rd. Park
GLOUCESTER ROAD
MULLER ROAD
ASHLEY DOWN ROAD
FILTON AVENUE
KELLAWAY AVENUE
CHELTENHAM RD.

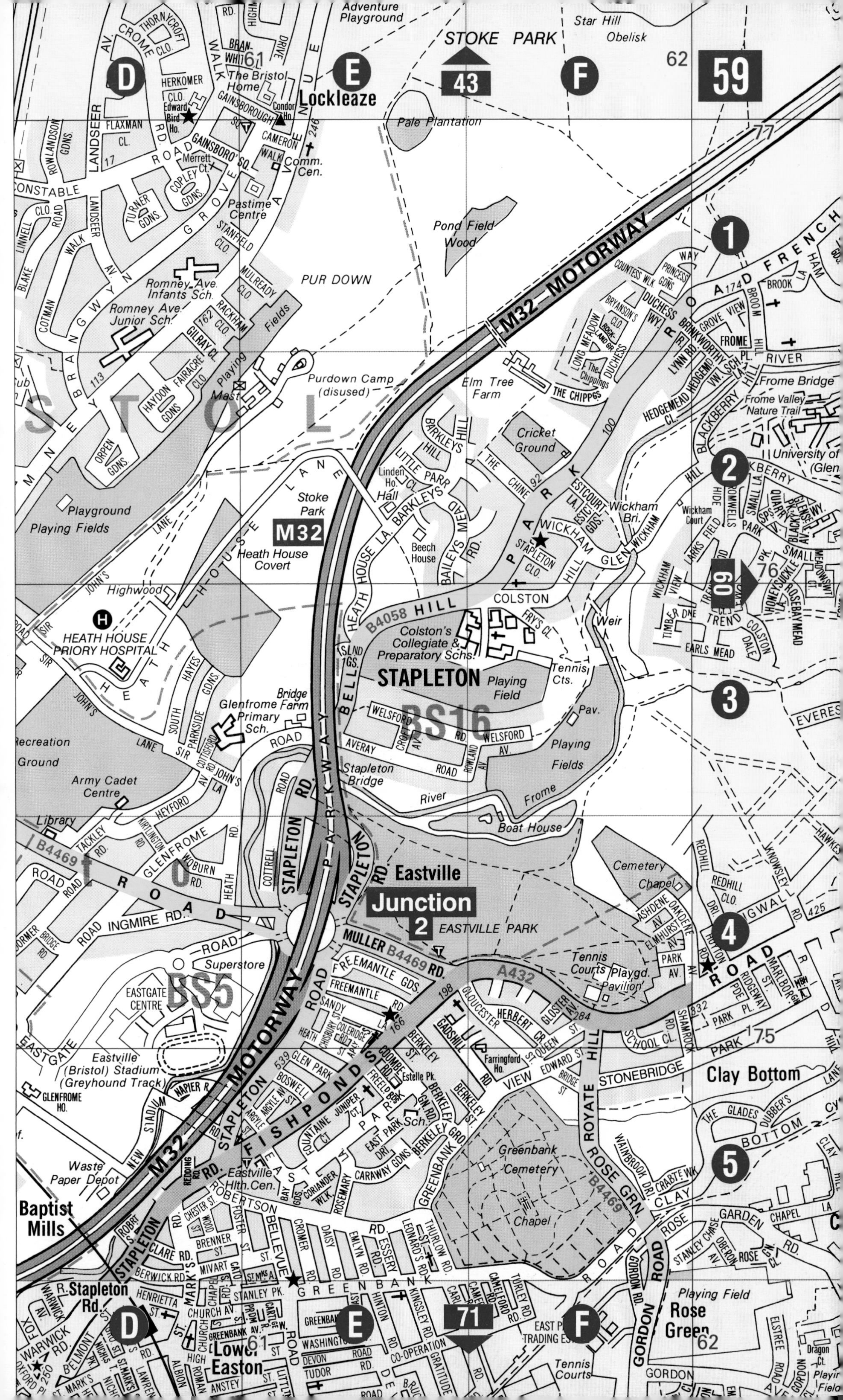

STOKE PARK
43
Lockleaze
Pale Plantation
Pond Field Wood
PUR DOWN
M32 MOTORWAY
Purdown Camp (disused)
Elm Tree Farm
Cricket Ground
Stoke Park
M32
Heath House Covert
HEATH HOUSE PRIORY HOSPITAL
Colston's Collegiate & Preparatory Schs.
STAPLETON
BS16
Playing Fields
Recreation Ground
Army Cadet Centre
Library
Eastville
Junction 2
EASTVILLE PARK
BS5
EASTGATE CENTRE
Superstore
Eastville (Bristol) Stadium (Greyhound Track)
Waste Paper Depot
Baptist Mills
Greenbank Cemetery
Clay Bottom
Rose Green
Stapleton Rd.
Lower Easton
71
60
76
75
Frome Bridge
Frome Valley Nature Trail
University of (Glen
Cemetery
Boat House
Star Hill Obelisk
Adventure Playground

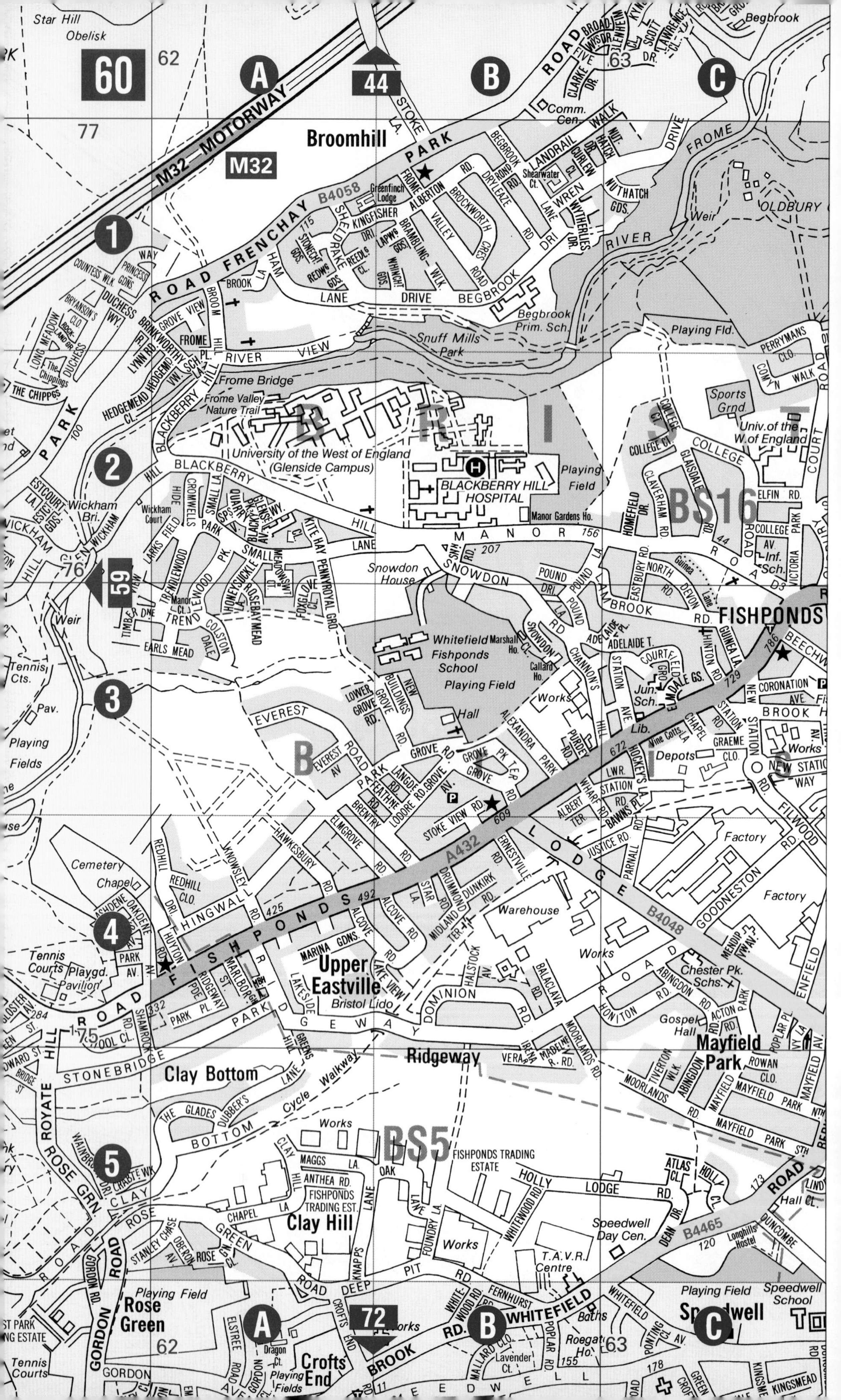
60
62
77
A
B
C
44
63
Star Hill Obelisk
M32 — MOTORWAY
M32
Broomhill
FRENCHAY PARK ROAD
B4058
Begbrook
Comm. Cen.
Begbrook Prim. Sch.
Snuff Mills Park
RIVER FROME
OLDBURY
Weir
Playing Fld.
FROME
Frome Bridge
Frome Valley Nature Trail
University of the West of England (Glenside Campus)
BLACKBERRY HILL HOSPITAL
Playing Field
Manor Gardens Ho.
BRISTOL
BS16
Sports Grnd.
Univ. of the W. of England
COLLEGE RD.
Inf. Sch.
FISHPONDS
MANOR ROAD
Snowdon House
Whitefield Fishponds School Playing Field
Marshall Ho.
Callard Ho.
Hall
Works
Jun. Sch.
Lib.
Depots
Wickham Bri.
Wickham Court
76
59
Weir
Tennis Cts.
Pav.
Playing Fields
1
2
3
4
5
Cemetery
Chapel
Tennis Courts
Playgd.
Pavilion
FISHPONDS ROAD
A432
LODGE CAUSEWAY
B4048
RIDGEWAY ROAD
Warehouse
Works
Factory
Upper Eastville
Bristol Lido
Chester Pk. Schs.
Gospel Hall
Mayfield Park
Ridgeway
Clay Bottom
Cycle Walkway
BS5
Works
FISHPONDS TRADING ESTATE
Clay Hill
Speedwell Day Cen.
T.A.V.R. Centre
B4465
Longhills Hostel
Speedwell School
Playing Field
Speedwell
Rose Green
Playing Field
62
72
Crofts End
Dragon Ct.
Playing Fields
Baths
Roegate Ho.
Lavender Ct.
WHITEFIELD ROAD
Tennis Courts
ROYATE HILL
ROSE GREEN ROAD
GORDON ROAD
CLAY HILL
DEEP PIT RD.
BROOK RD.

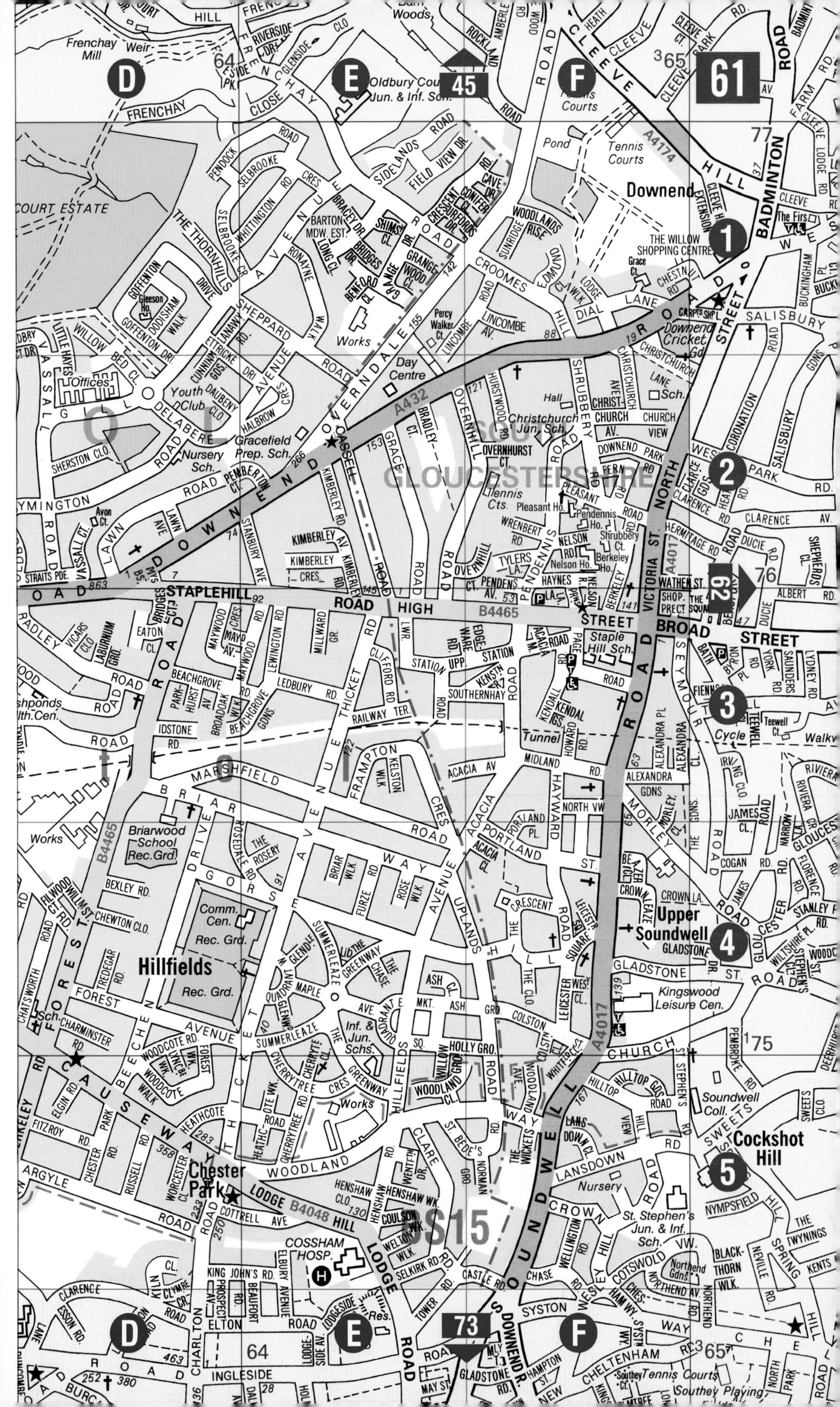

61
45
62
73
D
E
F
1
2
3
4
5
Frenchay Mill
Weir
Frenchay
Oldbury Court Jun. & Inf. Sch.
Tennis Courts
Pond
Downend
The Willow Shopping Centre
The Firs
Badminton Road
Cleeve Hill
Cleeve Rd.
Downend Cricket Gd.
Salisbury
Christchurch Jun. Sch.
South Gloucestershire
Downend Road
Overndale Road
Day Centre
Works
Percy Walker Ct.
Youth Club
Offices
Gracefield Prep. Sch.
Nursery Sch.
Staplehill
High Street
B4465
A432
A4017
A4174
Broad Street
Victoria St.
North Street
Staple Hill Sch.
Tunnel
Cycle Walkway
Pleasant Ho.
Pendennis Ho.
Nelson Ho.
Berkeley Ho.
Shrubbery Ct.
Hillfields
Rec. Grd.
Comm. Cen.
Briarwood School Rec. Grd.
Inf. & Jun. Schs.
Upper Soundwell
Kingswood Leisure Cen.
Soundwell Coll.
Cockshot Hill
Soundwell Road
Causeway
Chester Park
Lodge Hill
B4048
Cossham Hosp.
BS15
Nursery
St. Stephen's Jun. & Inf. Sch.
Northend Gdns.
Forest Road
Fishponds Hlth. Cen.
Res.
Tennis Courts
Southey Playing
64
65

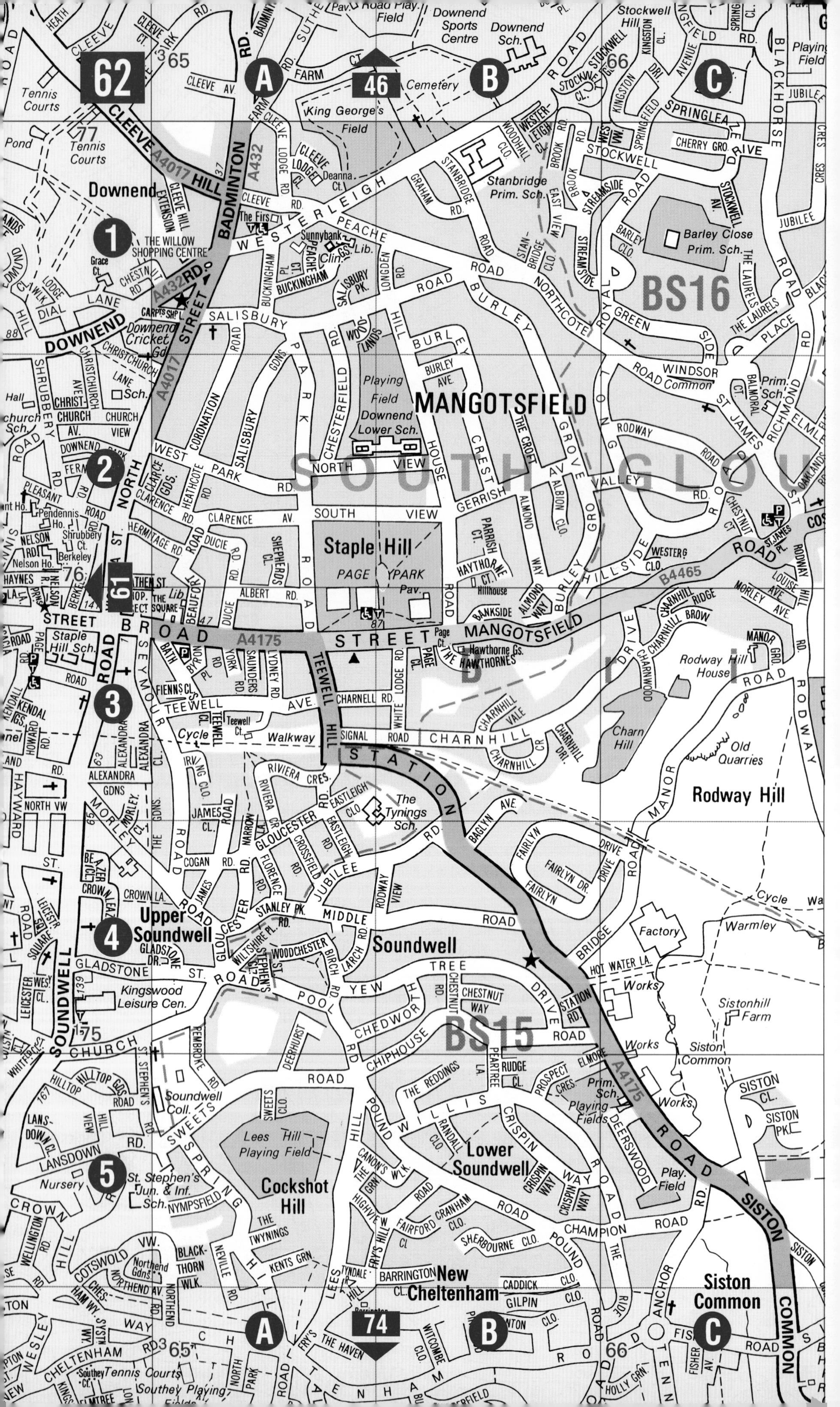
Downend
MANGOTSFIELD
Staple Hill
Upper Soundwell
Soundwell
Lower Soundwell
Cockshot Hill
New Cheltenham
Siston Common
Rodway Hill
BS16
BS15
SOUTH GLOU
46
61
74

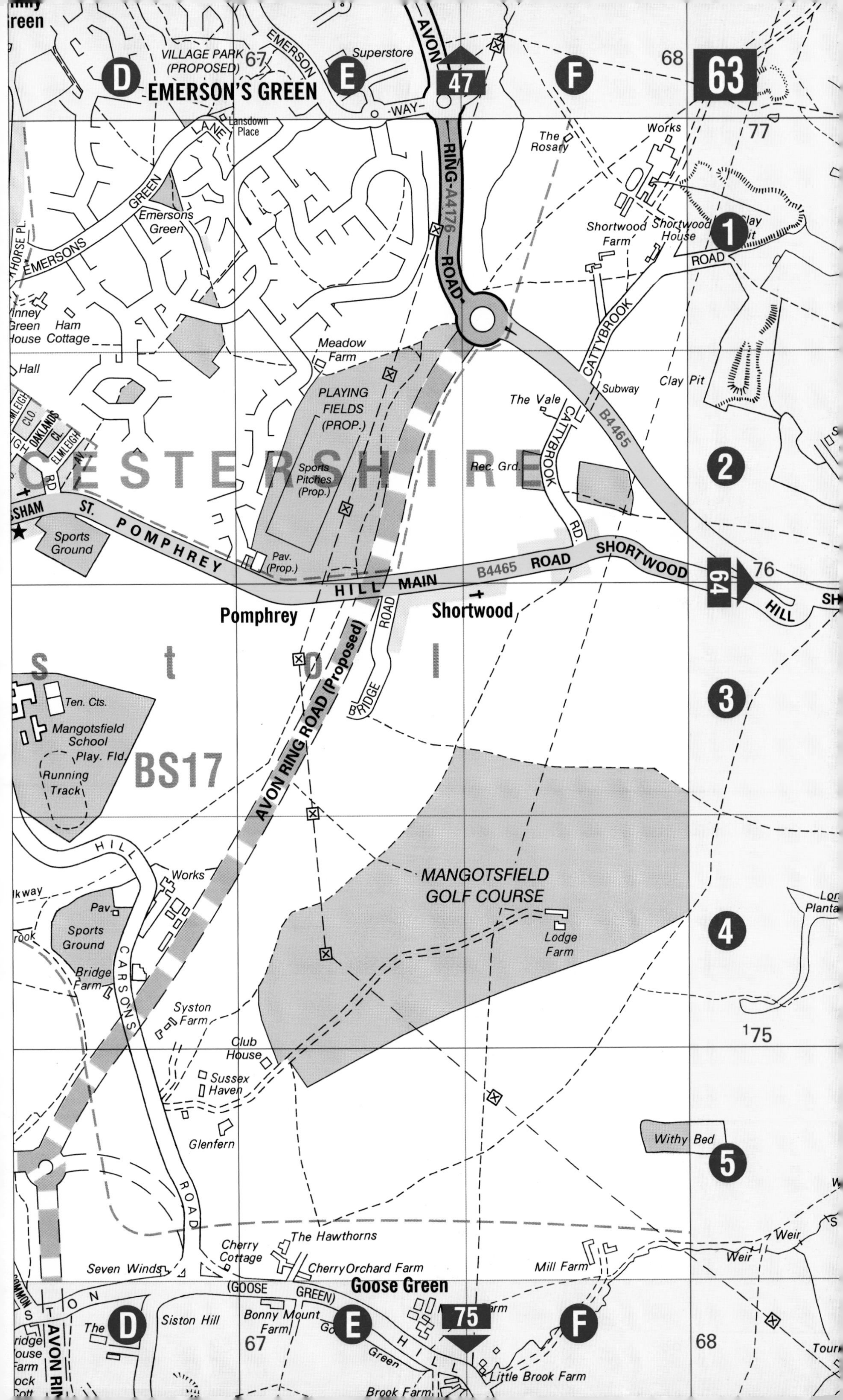

EMERSON'S GREEN
VILLAGE PARK (PROPOSED)
EMERSON WAY
Superstore
AVON RING-A4176-ROAD
47
63
68
67
77
D
E
F
The Rosary
Works
Lansdown Place
LANE
EMERSONS GREEN
Emersons Green
Shortwood Farm
Shortwood House
Clay Pit
ROAD
CATTYBROOK
Vinney Green House
Ham Cottage
Meadow Farm
Hall
PLAYING FIELDS (PROP.)
Sports Pitches (Prop.)
The Vale
Subway
Clay Pit
B4465
Rec. Grd.
CATTYBROOK RD.
OAKLANDS CL.
ELMLEIGH AV.
CESTERSHIRE
Sports Ground
POMPHREY HILL
Pav. (Prop.)
MAIN ROAD
SHORTWOOD HILL
64
76
Pomphrey
Shortwood
BRIDGE ROAD
AVON RING ROAD (Proposed)
Ten. Cts.
Mangotsfield School
Play. Fld.
Running Track
BS17
HILL
Works
Pav.
Sports Ground
Bridge Farm
CARSONS ROAD
Syston Farm
Club House
Sussex Haven
Glenfern
MANGOTSFIELD GOLF COURSE
Lodge Farm
75
Withy Bed
1
2
3
4
5
Cherry Cottage
The Hawthorns
Cherry Orchard Farm
Seven Winds
Mill Farm
Weir
Goose Green
(GOOSE GREEN)
SISTON
The
Siston Hill
Bonny Mount Farm
Green
HILL
Little Brook Farm
Brook Farm
AVON RING

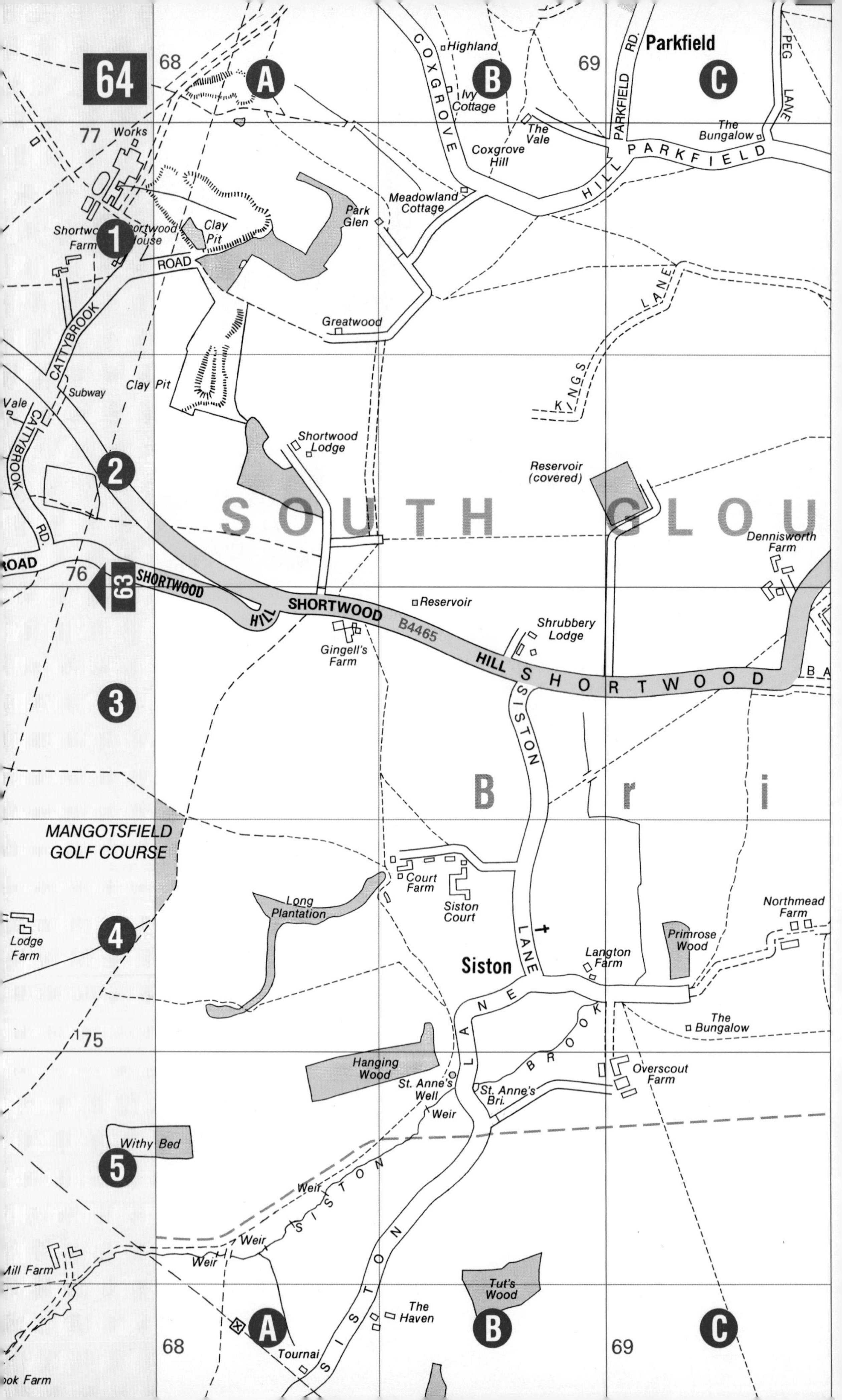

68 | **A** | **B** | **69** | **Parkfield** | **C**

Highland

Ivy Cottage

The Vale

The Bungalow

COXGROVE

PARKFIELD RD.

PEG LANE

PARKFIELD HILL

77 Works

Shortwood Farm

Shortwood House

Clay Pit

Park Glen

Meadowland Cottage

Coxgrove Hill

ROAD

KINGS LANE

1

Subway

Vale

CATTYBROOK

Clay Pit

Greatwood

Shortwood Lodge

Reservoir (covered)

2

S O U T H   G L O U

CATTYBROOK RD.

ROAD **76**

63 **SHORTWOOD**

HILL

SHORTWOOD

B4465

HILL SHORTWOOD

Reservoir

Shrubbery Lodge

Dennisworth Farm

BA

Gingell's Farm

SISTON

3

B r i

MANGOTSFIELD GOLF COURSE

Long Plantation

Court Farm

Siston Court

Northmead Farm

Primrose Wood

Lodge Farm

4

Siston

LANE

Langton Farm

The Bungalow

75

Hanging Wood

St. Anne's Well

Weir

St. Anne's Bri.

BROOK

Overscout Farm

Withy Bed

5

Weir

SISTON

Weir

Weir

SISTON

Weir

Mill Farm

Weir

A

Tournai

Tut's Wood

The Haven

B

68 | | **69** | **C**

ook Farm

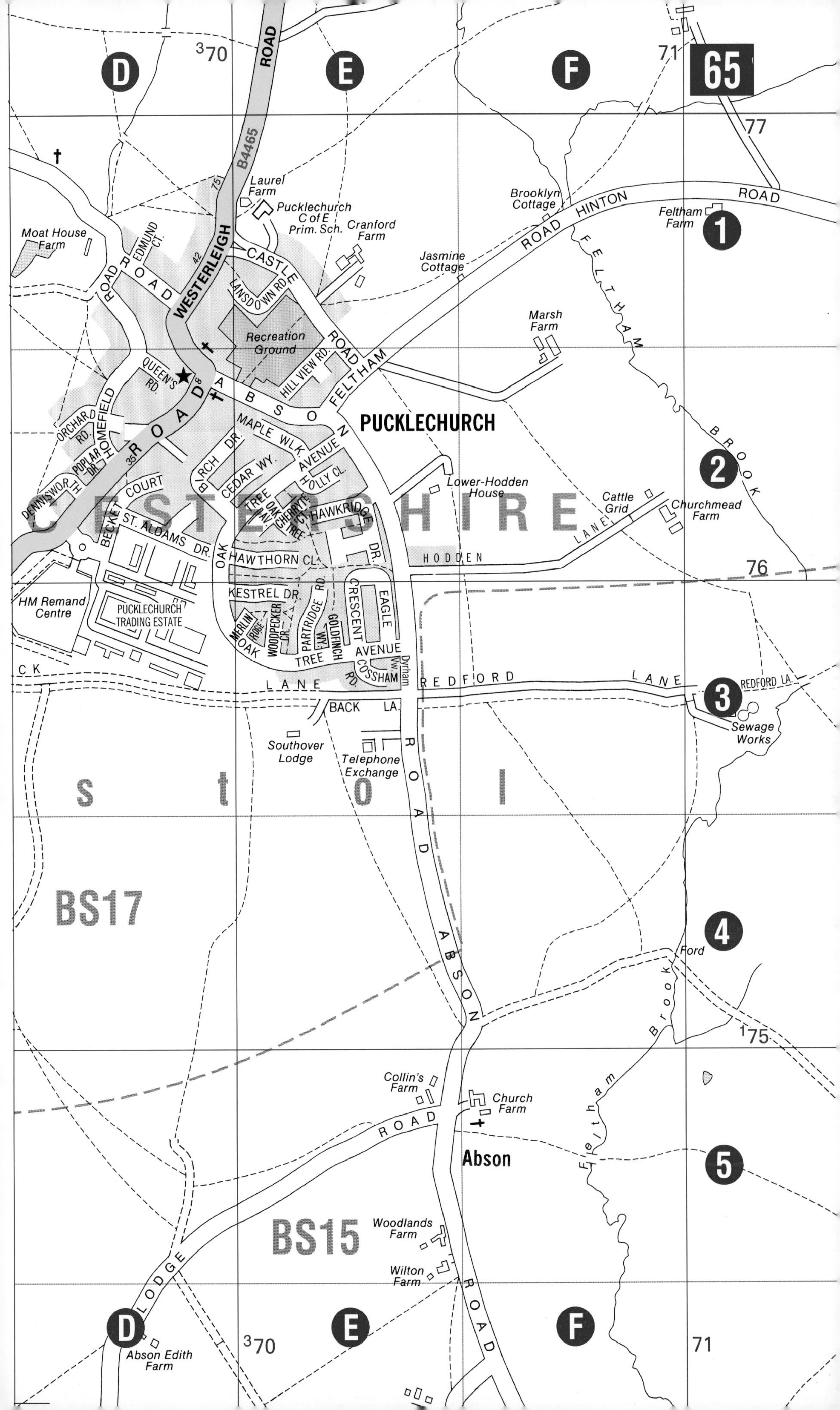

65

D E F

3⁷0

71

77

†

Moat House Farm

Laurel Farm

Pucklechurch C of E Prim. Sch.

Cranford Farm

Brooklyn Cottage

ROAD HINTON

Feltham Farm

1

EDMUND CT.

WESTERLEIGH

ROAD

CASTLE

LANSDOWN RD.

B4465

75)

Jasmine Cottage

FELTHAM

BROOK

42

†

Recreation Ground

HILL VIEW RD.

FELTHAM

Marsh Farm

ROAD

ROAD

QUEEN'S RD.

★

D8

ABSON

PUCKLECHURCH

Cattle Grid

Churchmead Farm

2

ORCHARD RD.

HOMEFIELD

POPLAR DR.

39R

MAPLE WLK.

AVENUE

HOLLY CL.

Lower-Hodden House

LANE

DENNISWORTH

BECKET COURT

ST. ALDAMS DR.

BIRCH DR.

CEDAR WY.

OAK TREE AV.

CHERRY TREE

HAWKRIDGE DR.

ⅭⅬⅭ

HAWTHORN CL.

HODDEN

76

HM Remand Centre

PUCKLECHURCH TRADING ESTATE

KESTREL DR.

MERLIN RIDGE

OAK

WOODPECKER DR.

PARTRIDGE RD.

GOLDFINCH

CRESCENT

EAGLE

AVENUE

DR.

COSSHAM

Ⅽ Ⅼ Ⅽ Ⅼ Ⅽ Ⅼ Ⅼ Ⅽ Ⅼ Ⅼ Ⅽ Ⅼ ⅬⅭ Ⅼ Ⅽ Ⅼ Ⅼ Ⅽ Ⅼ Ⅼ Ⅽ Ⅼ Ⅽ Ⅼ Ⅼ Ⅽ Ⅼ Ⅽ Ⅼ Ⅽ Ⅽ Ⅼ Ⅼ Ⅽ Ⅼ Ⅽ Ⅼ Ⅼ Ⅽ Ⅼ Ⅽ

REDFORD LA.

3

REDFORD

LANE

Sewage Works

CK

LANE

Dyrham

BACK LA.

Southover Lodge

Telephone Exchange

ABSON

ROAD

s t o l

BS17

4

Ford

Brook

¹75

Collin's Farm

Church Farm

†

Abson

5

Feltham Brook

BS15

Woodlands Farm

Wilton Farm

ROAD

LODGE

D E F

3⁷0

71

Abson Edith Farm

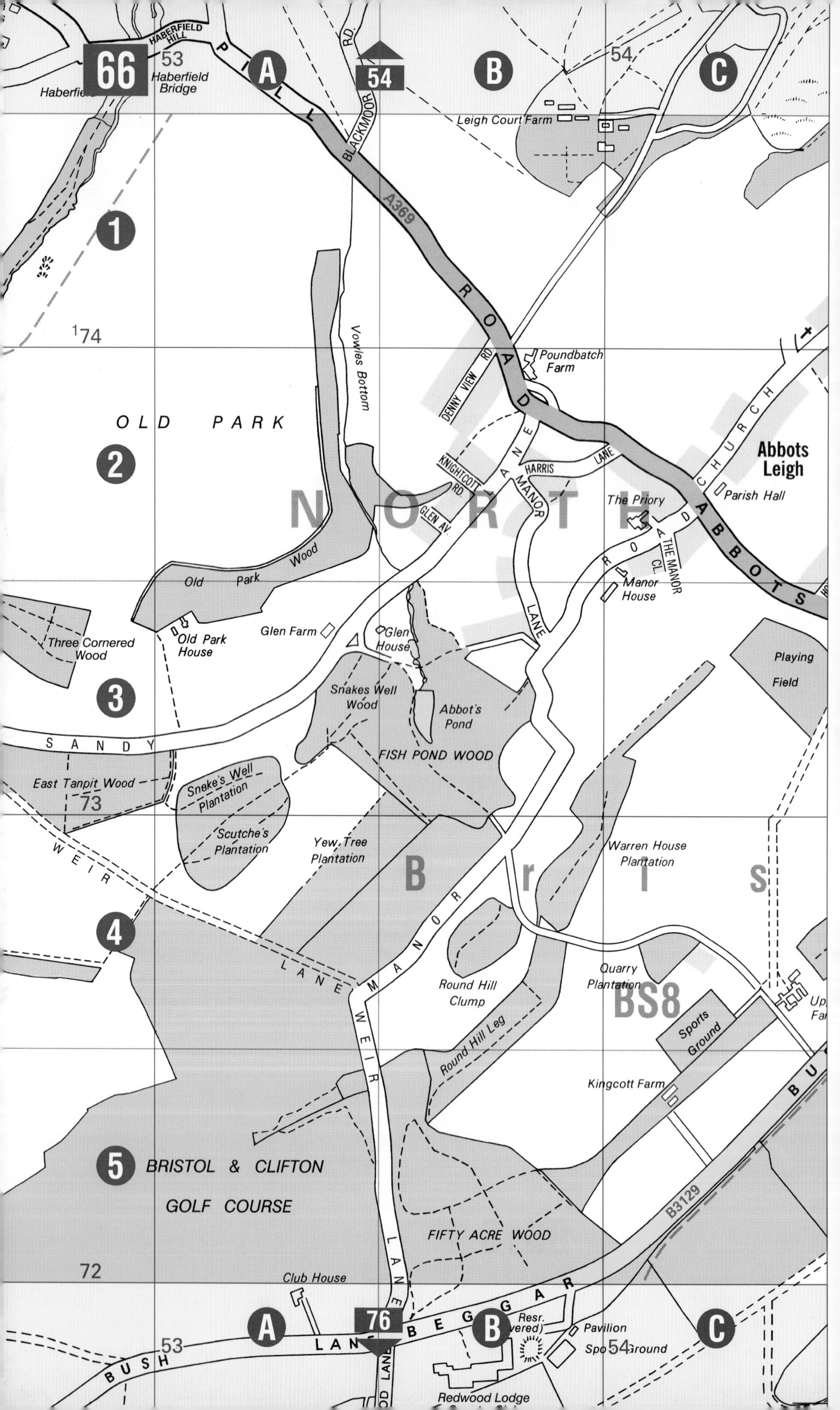

53

HABERFIELD HILL

Haberfield Bridge

Haberfield

A

P I L L

54

BLACKMOOR

ROAD

A369

B

54

Leigh Court Farm

C

1

¹74

Poundbatch Farm

O L D   P A R K

2

Abbots Leigh

DENNY VIEW RD

Vowles Bottom

KNIGHTCOTT RD

GLEN AV.

LANE

MANOR

HARRIS LANE

N   O   R   T   H

CHURCH

ROAD

The Priory

Parish Hall

A B B O T S

Park Wood

THE MANOR CL.

Old   Park

Three Cornered Wood

Old Park House

Glen Farm

Glen House

Manor House

Playing Field

3

Snakes Well Wood

Abbot's Pond

S   A   N   D   Y

LANE

East Tanpit Wood

73

Sneke's Well Plantation

FISH POND WOOD

Warren House Plantation

W   E   I   R

Scutche's Plantation

Yew Tree Plantation

B   r   i   s

4

L   A   N   E

M   A   N   O   R

Round Hill Clump

Quarry Plantation

BS8

Sports Ground

W   E   I   R

Round Hill Leg

Kingcott Farm

Up Far

BU

5   BRISTOL & CLIFTON

GOLF COURSE

FIFTY ACRE WOOD

B3129

72

Club House

LANE

A

76

OD LANE

B   E   G   G   A   R

Resr. (covered)

B

Pavilion

Spo 54 Ground

C

BUSH

53

LANE

Redwood Lodge

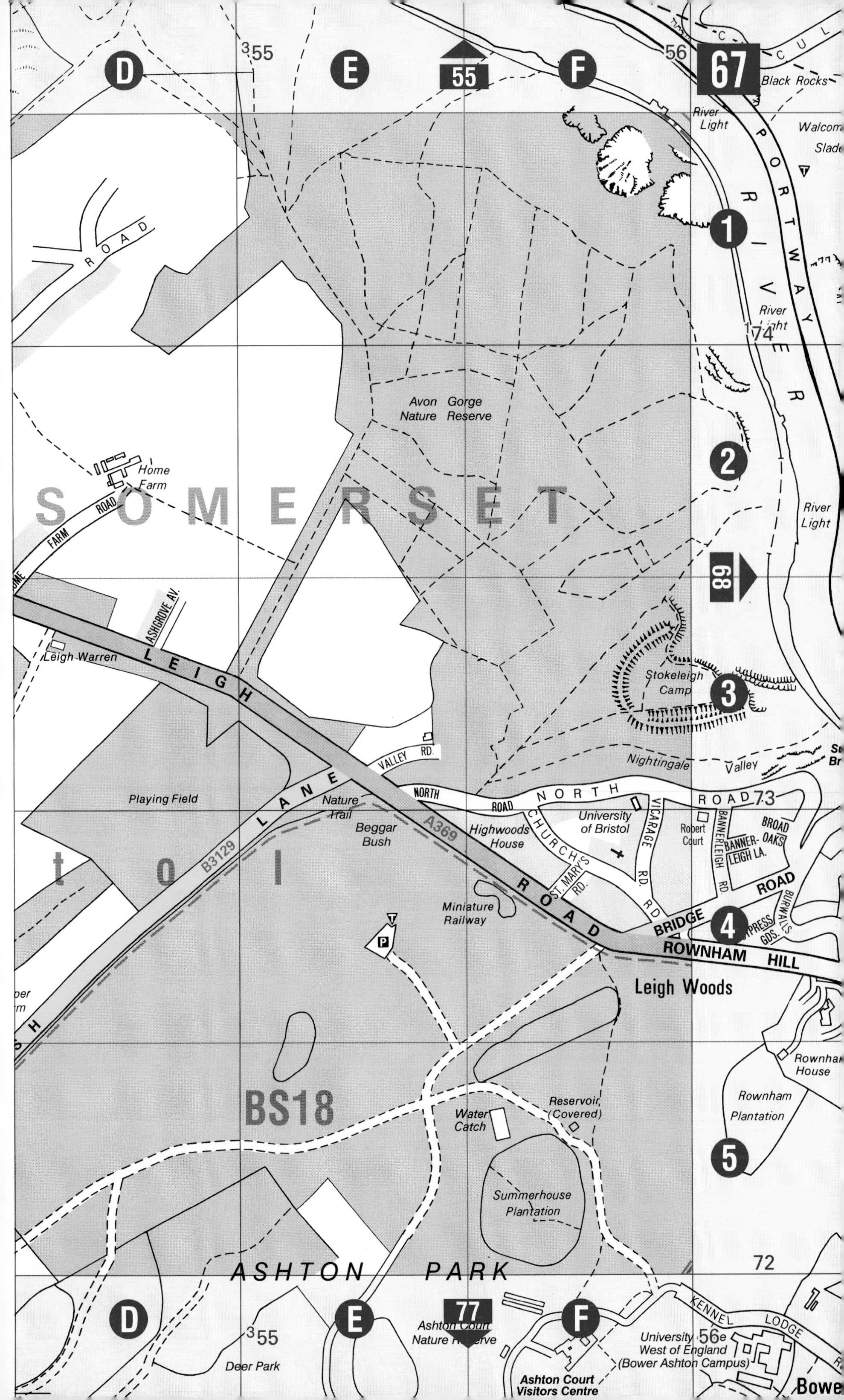

D E   55 F 67 Black Rocks

River Light

PORTWAY

C 56

CUL

Walcom
Slade

River Light

174

1

Avon Gorge
Nature Reserve

RIVER

2

River
Light

SOMERSET

Home
Farm

68

LEIGH

ASHGROVE AV.

Leigh Warren

FARM ROAD

Stokeleigh
Camp

3

Nightingale Valley

St
Br

Playing Field

Nature
Trail

VALLEY RD.

NORTH ROAD

NORTH ROAD 73

University
of Bristol

VICARAGE RD.

Robert
Court

BANNERLEIGH RD.

BROAD
OAKS

to I

B3129

LANE

Beggar
Bush

A369

Highwoods
House

CHURCHS RD.

ST. MARYS
RD.

BANNER-
LEIGH LA.

ROAD

BURWALLS

Miniature
Railway

ROAD

BRIDGE

4

RD.

ROWNHAM HILL

CYPRESS GDS.

Leigh Woods

P

BS18

Water
Catch

Reservoir
(Covered)

Rownham
House

Rownham
Plantation

5

Summerhouse
Plantation

ASHTON PARK

72

D   E 77 F University
West of England
(Bower Ashton Campus) 56e Bowe

Deer Park

Ashton Court
Nature Reserve

Ashton Court
Visitors Centre

KENNEL LODGE

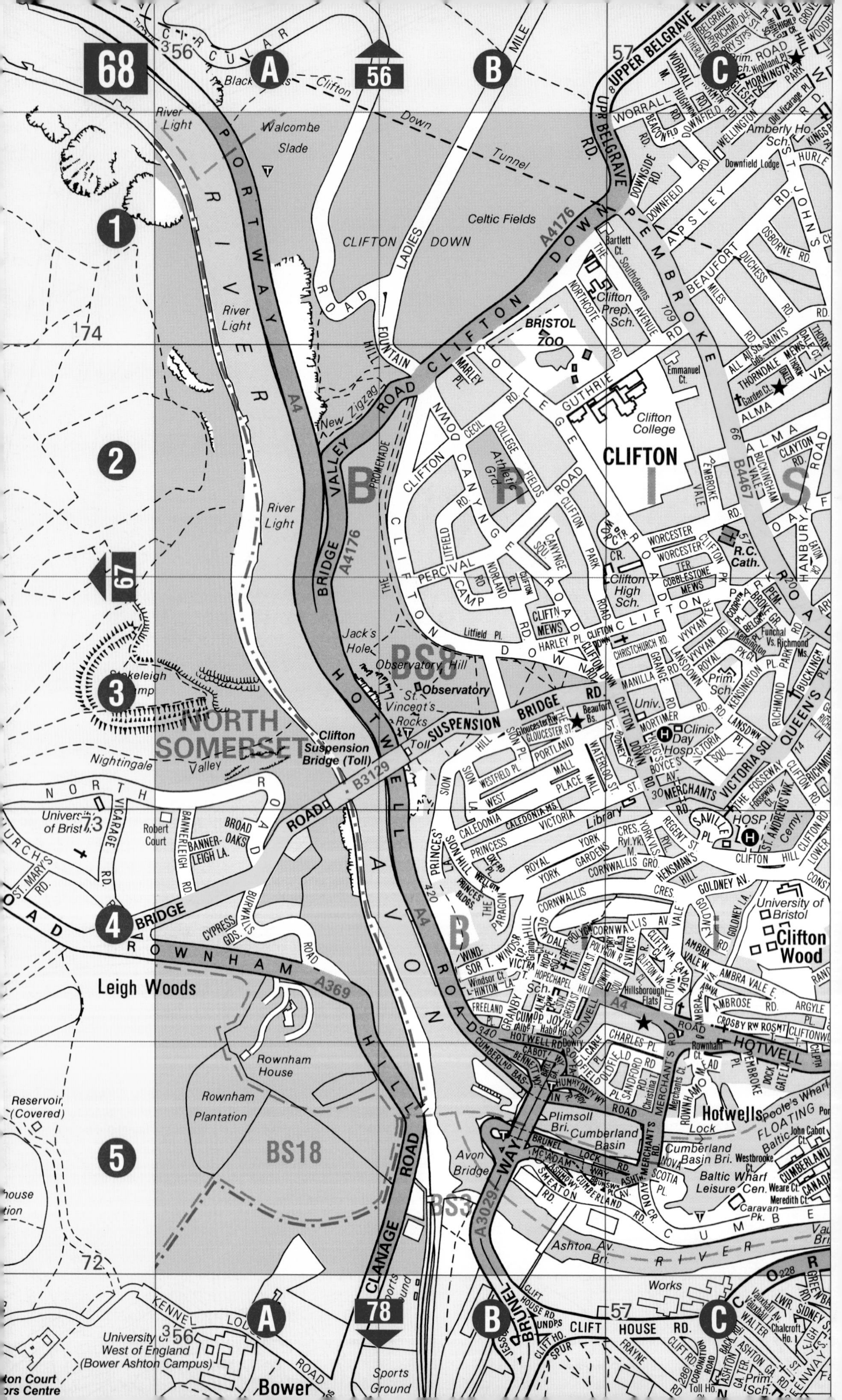
68
56
78
67
A
B
C
1
2
3
4
5
CLIFTON
BRISTOL ZOO
Clifton College
CLIFTON DOWN
Celtic Fields
Clifton Down Tunnel
Walcombe Slade
River Light
RIVER AVON
PORTWAY
A4
A4176
BRIDGE VALLEY ROAD
HOTWELL ROAD
SUSPENSION BRIDGE
Clifton Suspension Bridge (Toll)
Observatory
Observatory Hill
St. Vincent's Rocks
Jack's Hole
BS8
BS18
BS3
NORTH SOMERSET
Stokeleigh Camp
Nightingale Valley
NORTH ROAD
Leigh Woods
ROWNHAM HILL
A369
Rownham House
Rownham Plantation
Reservoir (Covered)
CLANAGE ROAD
University of the West of England (Bower Ashton Campus)
Bower
Sports Ground
Hotwells
Cumberland Basin
Plimsoll Bri.
Avon Bridge
Ashton Av. Bri.
Baltic Wharf Leisure Cen.
FLOATING HARBOUR
Clifton Wood
University of Bristol
Clifton High Sch.
R.C. Cath.
Clifton Prep. Sch.
CLIFT HOUSE RD.
BRUNEL WAY
A3029
B3129
B4467
UPPER BELGRAVE RD.
PEMBROKE RD.
QUEEN'S RD.
VICTORIA SQ.
Hospital
Library
Works

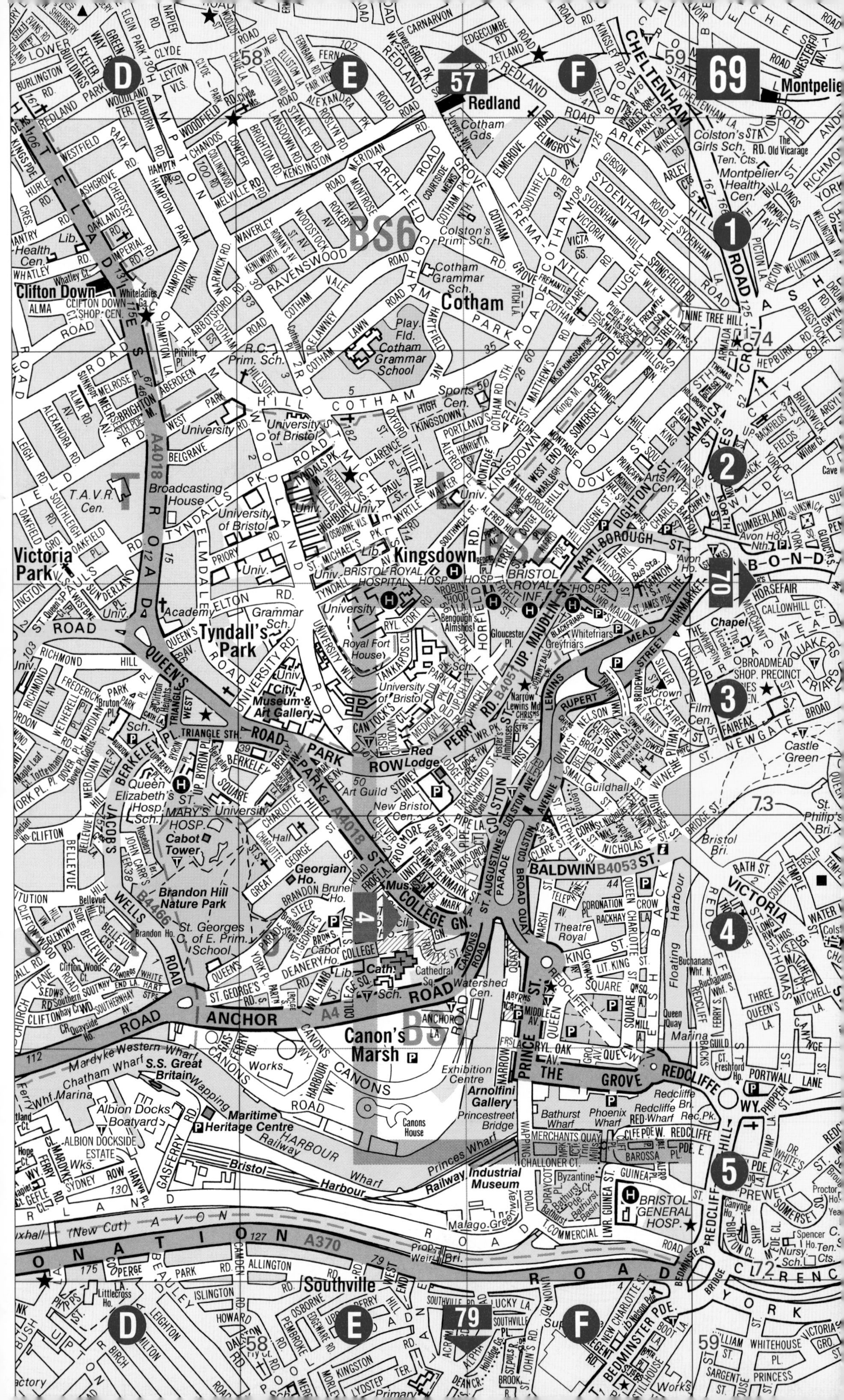

69
57
70
4
79
D
E
F
1
2
3
4
5
BS6
Redland
Montpelier
Cotham
Clifton Down
Victoria Park
Kingsdown
Tyndall's Park
Canon's Marsh
Southville
Colston's Girls Sch.
Montpelier Health Cen.
Cotham Grammar School
Colston's Prim. Sch.
University of Bristol
Broadcasting House
Bristol Royal Infirmary
Bristol Royal Hospital
Royal Fort House
City Museum & Art Gallery
Queen Elizabeth's Hosp. Sch.
Cabot Tower
Brandon Hill Nature Park
Georgian Ho.
Cathedral
Watershed Cen.
Arnolfini Gallery
Exhibition Centre
S.S. Great Britain
Maritime Heritage Centre
Industrial Museum
Bristol General Hosp.
Broadmead Shop. Precinct
Castle Green
Theatre Royal
Floating Harbour
Redcliffe Bri.
Bristol Bri.
Guildhall
Whitefriars
Greyfriars
Red Lodge
Art Guild
New Bristol Cen.
Cheltenham Road
Whiteladies Road
Queen's Road
Park Row
Park Street
College Green
Anchor Road
Cumberland Road
Coronation Road
Redcliffe Way
The Grove
Prince St.
Queen Square
King St.
Baldwin St.
Marlborough St.
Newgate
Bond St.
Horsefair
Victoria St.
Bedminster Pde.
Portwall Lane
Hotwell Road
St. Michael's Hill
Cotham Hill
Hampton Road
Belgrave Rd.
Elmdale Rd.
Tyndalls Pk. Rd.
St. Paul's Road
Berkeley Pl.
Jacob's Wells Road
Clifton Wood Rd.
Brandon Steep
Canons Road
Wapping Rd.
Gas Ferry Rd.
Avon (New Cut)
A4018
A370
A4
B4051
B4053
B4466

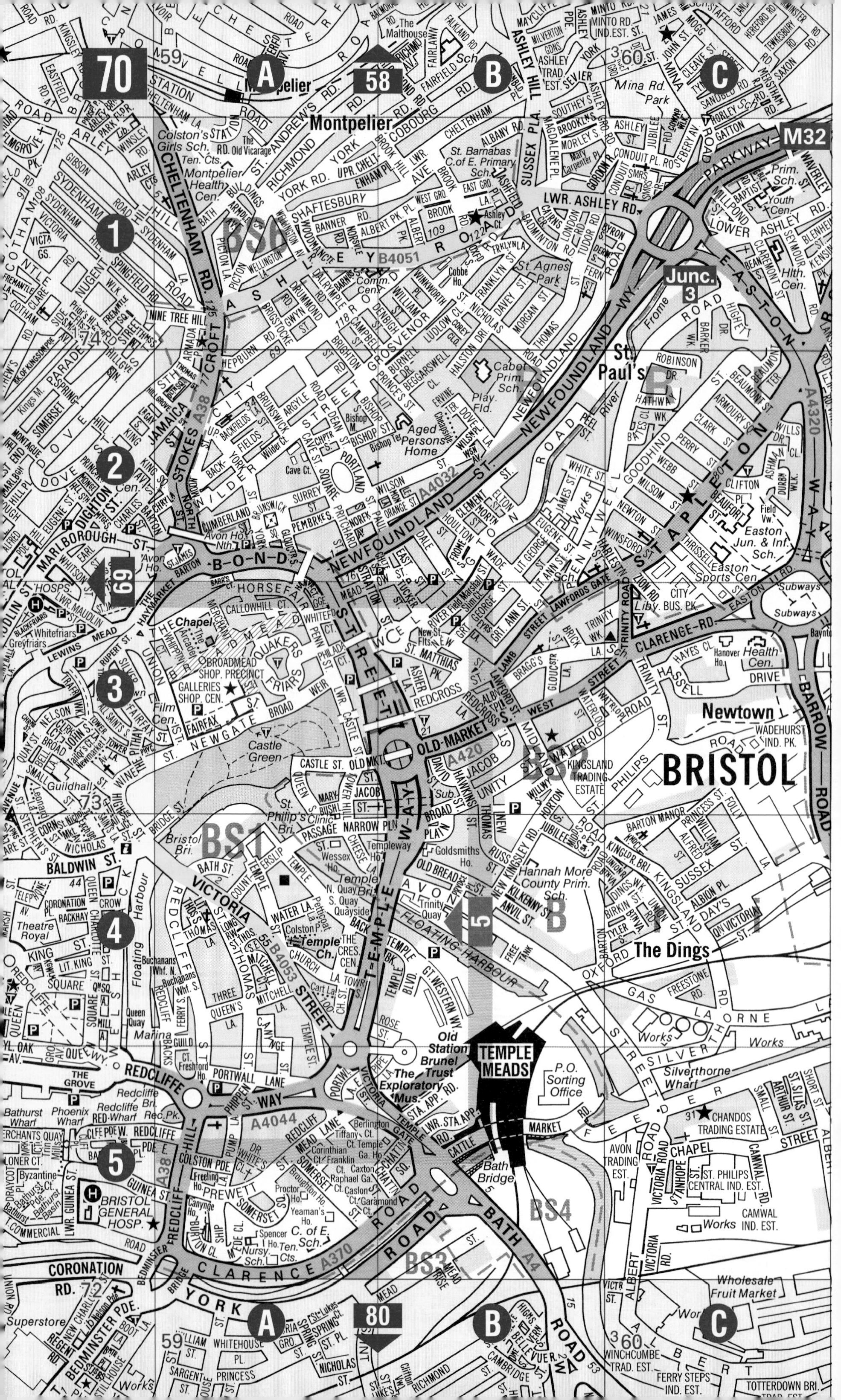

70
58
69
5
80
M32
Junc. 3
A
B
C
1
2
3
4
5
Montpelier
BS6
BS1
BS2
BS3
BS4
BRISTOL
St. Paul's
Newtown
The Dings
TEMPLE MEADS
Cheltenham Rd.
Stokes Croft
A38
Ashley Road
B4051
Newfoundland Way
Newfoundland St.
A4032
Bond St.
The Haymarket
Marlborough St.
Horsefair
Broadmead
Galleries Shop. Cen.
Broadmead Shop. Precinct
Quakers Friars
Castle Green
Old Market
A420
West St.
Lawfords Gate
Clarence Rd.
Barrow Road
Easton Way
A4320
Stapleton Road
Parkway
Temple Way
Victoria St.
B4053
Floating Harbour
Redcliffe Way
A4044
Redcliff Hill
Temple Gate
Bath Road
A4
Clarence Road
A370
York Rd.
Coronation Rd.
Bristol General Hosp.
Old Station
Brunel The Trust Exploratory Mus.
P.O. Sorting Office
Silverthorne Wharf
Chandos Trading Estate
St. Philips Central Ind. Est.
Camwal Ind. Est.
Wholesale Fruit Market
Winchcombe Trad. Est.
Ferry Steps Ind. Est.
Totterdown Bri.
Kingsland Trading Estate
Wadehurst Ind. Pk.
Hannah More County Prim. Sch.
Easton Jun. & Inf. Sch.
Easton Sports Cen.
Cabot Prim. Sch.
Aged Persons Home
St. Agnes Park
Mina Rd. Park
Theatre Royal
Queen Square
Temple Ch.
Bristol Bri.
Bath Bridge
Redcliffe Bri.
Superstore

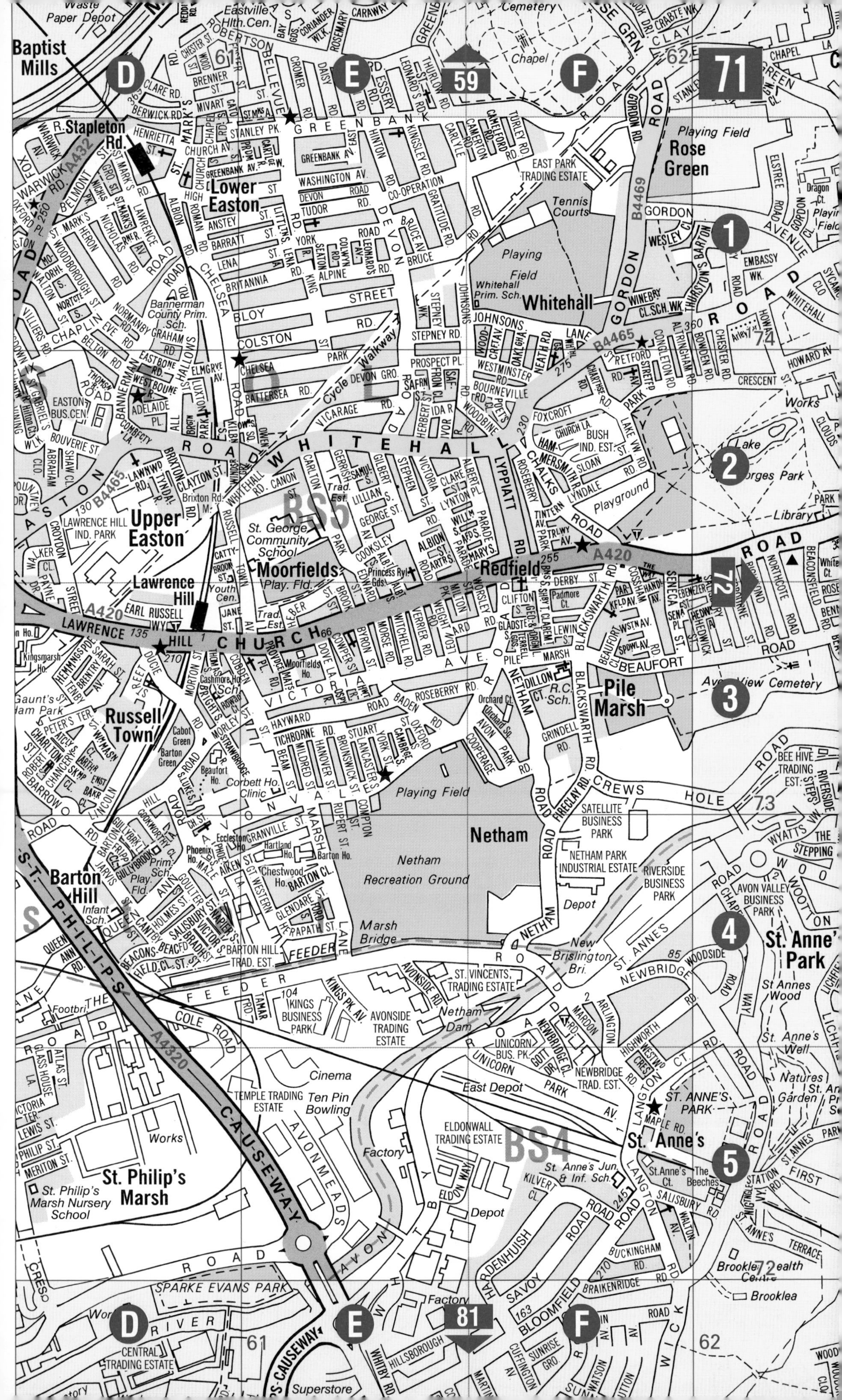

71
59
72
81
D
E
F
1
2
3
4
5
61
62
Baptist Mills
Stapleton Rd.
Lower Easton
Upper Easton
Lawrence Hill
Russell Town
Barton Hill
Redfield
Whitehall
Rose Green
Moorfields
Pile Marsh
Netham
St. Anne's Park
St. Anne's
St. Philip's Marsh
BS5
BS4
A432
A420
A4320
B4465
B4469
EAST PARK TRADING ESTATE
Playing Field
Whitehall Prim. Sch.
Easton Bus. Cen.
Bannerman County Prim. Sch.
Lawrence Hill Ind. Park
St. George Community School
Moorfields Play. Fld.
Avon View Cemetery
St. Georges Park
Netham Recreation Ground
Satellite Business Park
Netham Park Industrial Estate
Riverside Business Park
Avon Valley Business Park
Bee Hive Trading Est.
St. Vincents Trading Estate
Kings Business Park
Avonside Trading Estate
Unicorn Bus. Pk.
Newbridge Trad. Est.
Barton Hill Trad. Est.
Temple Trading Estate
Eldonwall Trading Estate
Central Trading Estate
Sparke Evans Park
St. Philip's Marsh Nursery School
St Annes Wood
Cinema
Ten Pin Bowling
Superstore
Church Road
Whitehall Road
Lawrence Hill
Easton Road
Crews Hole Road
Feeder Road
Netham Road
The Causeway
Gordon Road
Blackswarth Rd.
Victoria Ave.
Marsh Lane
Cycle Walkway

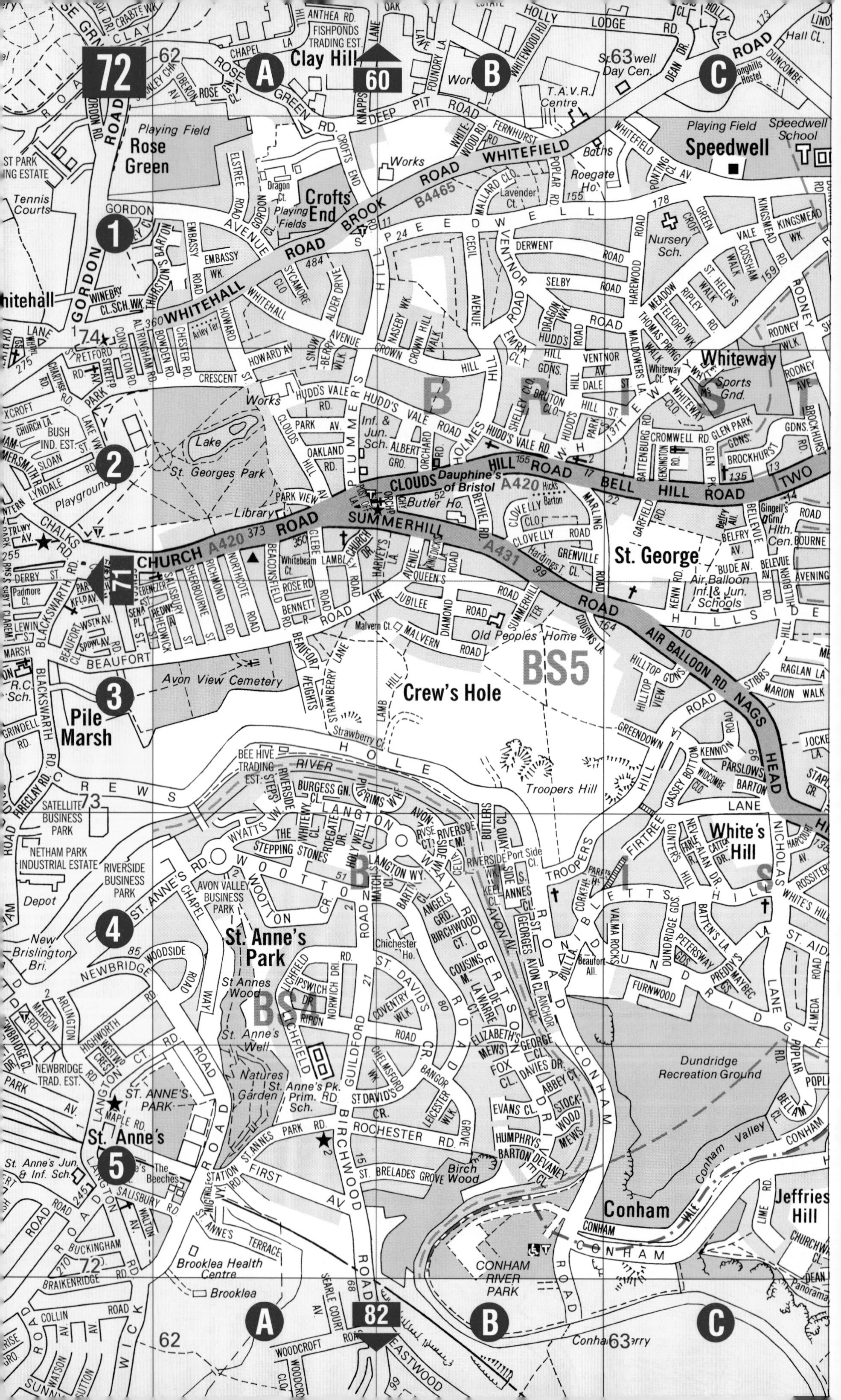
72
60
71
82
A
B
C
1
2
3
4
5
62
63
73
74
Clay Hill
Rose Green
Crofts End
Speedwell
Whitehall
Whiteway
St. George
Crew's Hole
Pile Marsh
St. Anne's Park
St. Anne's
White's Hill
Conham
Jeffries Hill
BS5
BS4
WHITEFIELD ROAD
WHITEHALL ROAD
BROOK ROAD
CHURCH ROAD
CLOUDS HILL ROAD
BELL HILL ROAD
SUMMERHILL ROAD
AIR BALLOON RD.
NAGS HEAD HILL
CREWS HOLE ROAD
CONHAM ROAD
BIRCHWOOD ROAD
GORDON ROAD
St. Georges Park
Avon View Cemetery
Troopers Hill
Dundridge Recreation Ground
CONHAM RIVER PARK
Playing Field
Fishponds Trading Est.
Satellite Business Park
Netham Park Industrial Estate
Riverside Business Park
Avon Valley Business Park
Newbridge Trad. Est.
Brooklea Health Centre
St Annes Wood
Natures Garden
Birch Wood
Old Peoples' Home
Library
Butler Ho.
Dauphine's of Bristol

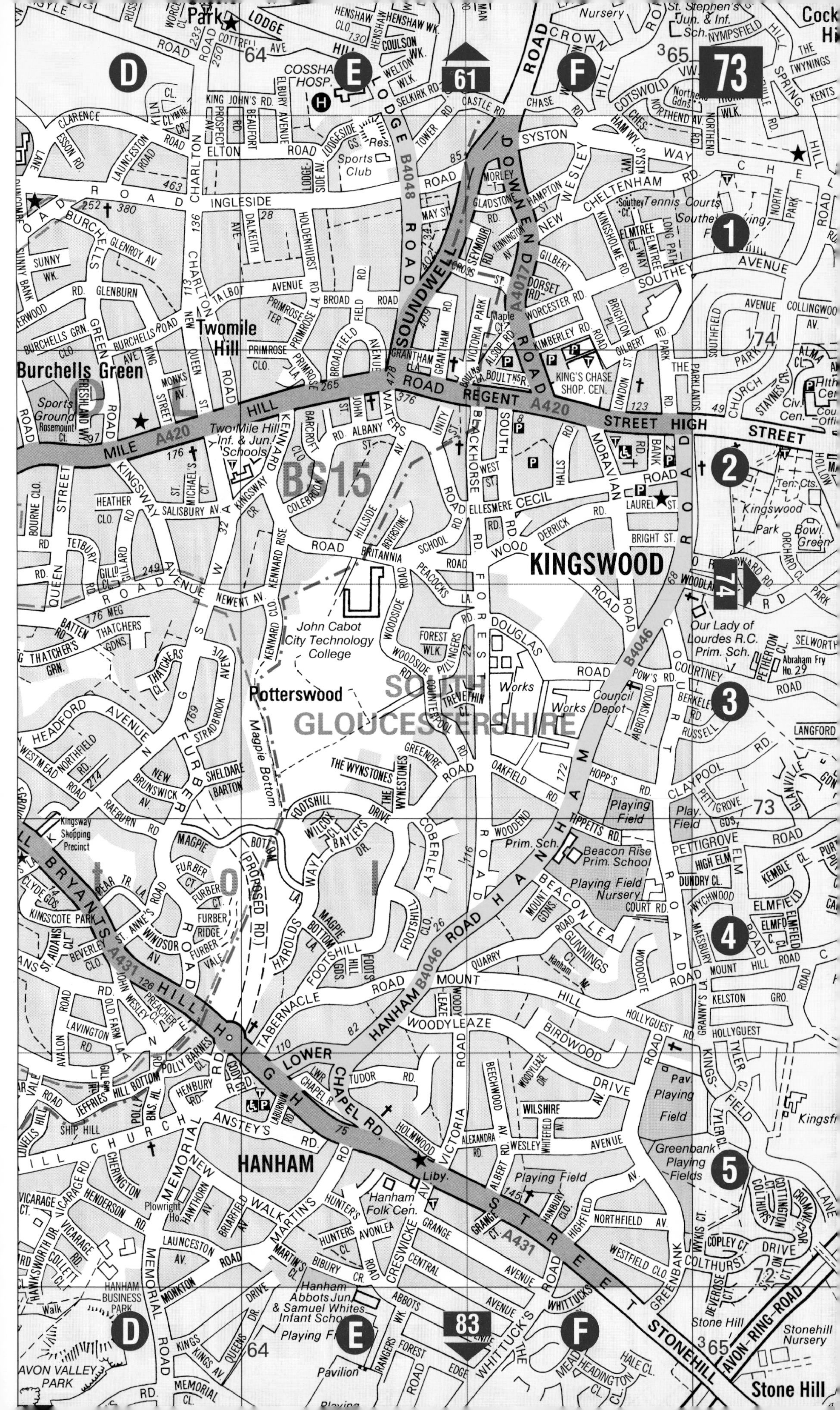
73
61
74
83
D
E
F
1
2
3
4
5
BS15
KINGSWOOD
HANHAM
SOUTH GLOUCESTERSHIRE
Twomile Hill
Burchells Green
Potterswood
Stone Hill
Magpie Bottom
John Cabot City Technology College
Two Mile Hill Inf. & Jun. Schools
King's Chase Shop. Cen.
Kingsway Shopping Precinct
Our Lady of Lourdes R.C. Prim. Sch.
Beacon Rise Prim. School
Council Depot
Works
Kingswood Park
Bowl. Green
Ten. Cts.
Tennis Courts
Sports Club
Sports Ground
Cossham Hosp.
Hanham Folk Cen.
Hanham Abbots Jun. & Samuel Whites Infant School
Hanham Business Park
Avon Valley Park
Stonehill Nursery
Greenbank Playing Fields
Playing Field
Liby.
Pavilion
Civ. Cen.
Plowright Ho.
Abraham Fry Ho.
St. Stephen's Jun. & Inf. Sch.
A420
A431
A4017
B4046
B4048
REGENT STREET
HIGH STREET
TWO MILE HILL ROAD
SOUNDWELL ROAD
DOWNEND ROAD
LODGE ROAD
HANHAM ROAD
HIGH STREET
CHURCH ROAD
BRYANTS HILL
STONEHILL
AVON RING ROAD
FOREST ROAD
COURT ROAD
CHARLTON ROAD
INGLESIDE ROAD
BURCHELLS AVENUE
NEWENT AVENUE
FURBER ROAD
MOUNT HILL ROAD
LOWER CHAPEL RD.
VICTORIA ROAD
WOODYLEAZE DRIVE
WESLEY AVENUE
TABERNACLE ROAD
FOOTSHILL ROAD
CHELTENHAM ROAD
SOUTHEY AVENUE
BRITANNIA ROAD
CECIL ROAD
WOOD ROAD
DOUGLAS ROAD
COURTNEY ROAD
CLAYPOOL ROAD
PETTIGROVE ROAD
MEMORIAL ROAD
HENDERSON RD.
MARTIN'S ROAD
CRESWICKE ROAD
WHITTUCK'S ROAD

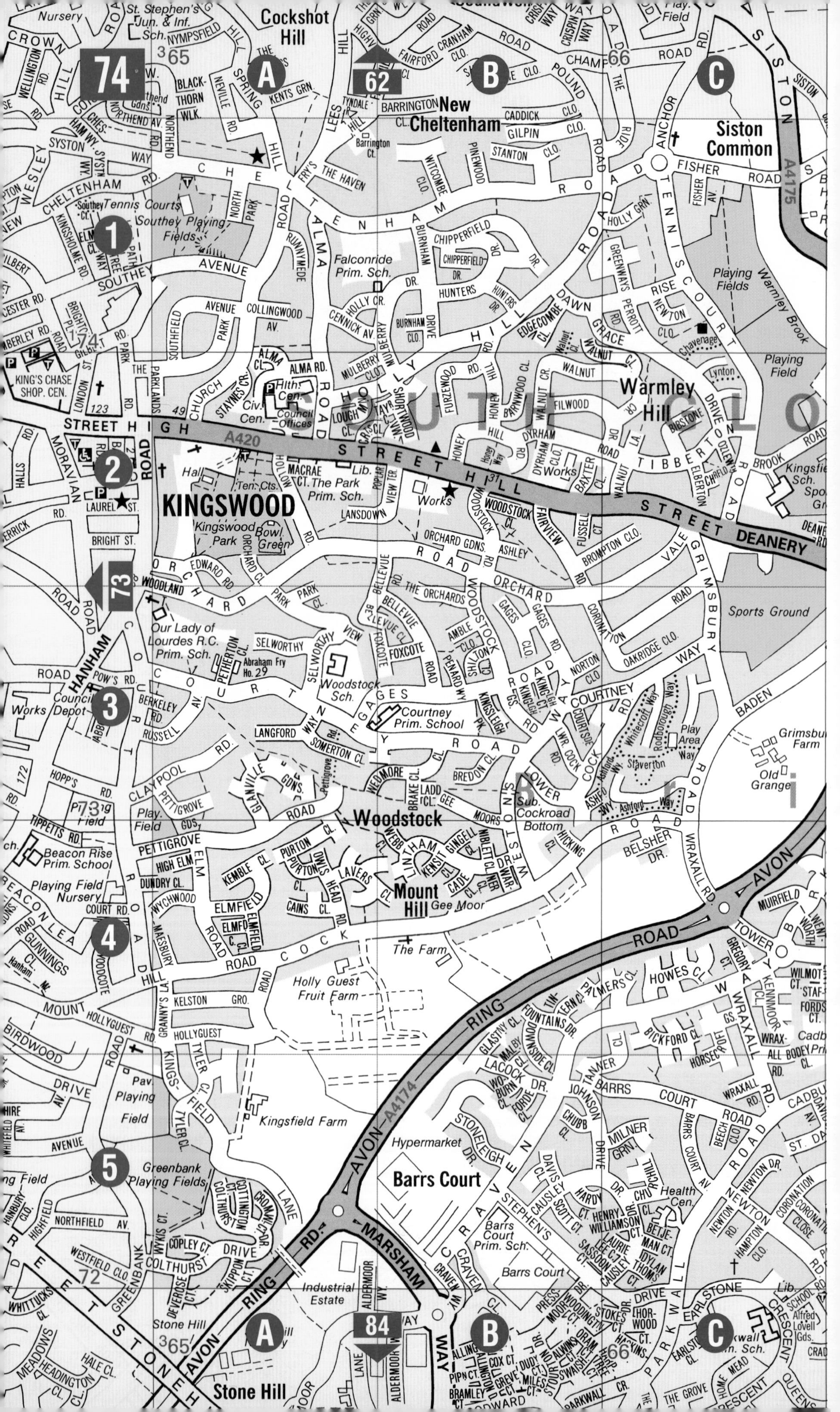
74
62
73
84
A
B
C
1
2
3
4
5
365
66
Cockshot Hill
New Cheltenham
Siston Common
Warmley Hill
KINGSWOOD
Woodstock
Mount Hill
Barrs Court
Stone Hill
St. Stephen's Jun. & Inf. Sch.
Nursery
CROWN HILL
WELLINGTON RD.
SYSTON WAY
CHELTENHAM RD.
CHELTENHAM ROAD
Tennis Courts
Southey Playing Fields
SOUTHEY AVENUE
KING'S CHASE SHOP. CEN.
HIGH STREET
A420
STREET HILL
DEANERY
Falconride Prim. Sch.
HOLLY HILL
Hlth. Cen.
Civ. Cen.
Council Offices
Lib.
The Park Prim. Sch.
Works
Kingswood Park
Bowl. Green
Ten. Cts.
Hall
ORCHARD ROAD
Our Lady of Lourdes R.C. Prim. Sch.
Abraham Fry Ho.
Woodstock Sch.
Courtney Prim. School
COURTNEY ROAD
COURTNEY WAY
HANHAM ROAD
Council Depot
Works
Beacon Rise Prim. School
Playing Field
Nursery
Play. Field
Sports Ground
Playing Fields
Warmley Brook
Playing Field
Grimsbury Farm
Old Grange
Sub. Cockroad Bottom
Gee Moor
The Farm
Holly Guest Fruit Farm
Kingsfield Farm
Greenbank Playing Fields
RING ROAD
AVON RING RD.
A4174
A4175
Hypermarket
Industrial Estate
Barrs Court Prim. Sch.
Health Cen.
SISTON
SOUTH GLO

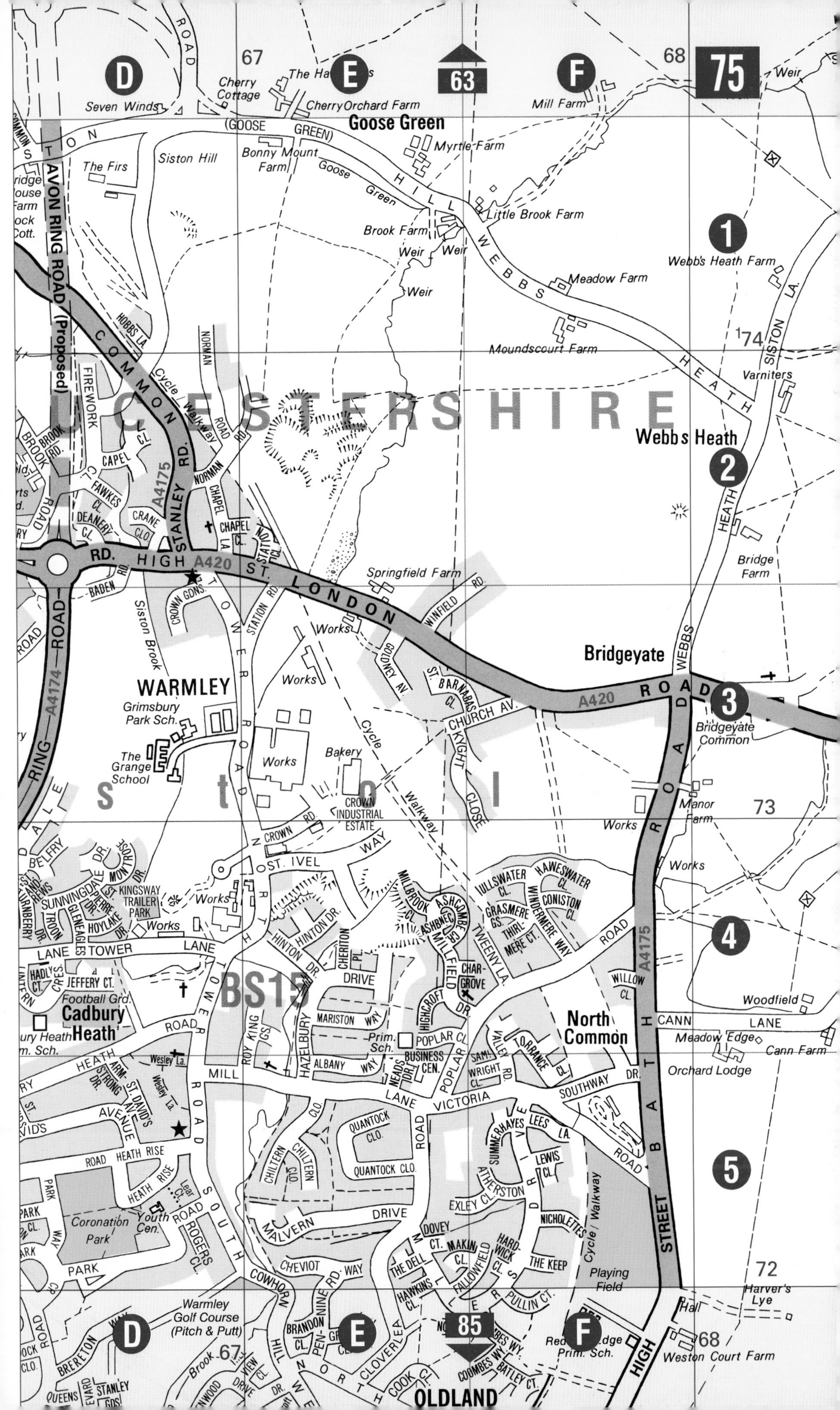
63
85
Goose Green
Cherry Cottage
Cherry Orchard Farm
Mill Farm
Seven Winds
The Firs
Siston Hill
Bonny Mount Farm
Myrtle Farm
Little Brook Farm
Brook Farm
Weir
Meadow Farm
Moundscourt Farm
Webb's Heath Farm
Varniters
Webbs Heath
Bridge Farm
Springfield Farm
Bridgeyate
Bridgeyate Common
Manor Farm
GLOUCESTERSHIRE
AVON RING ROAD (Proposed)
COMMON
STANLEY RD.
A4175
HIGH ST.
A420
LONDON ROAD
WARMLEY
Grimsbury Park Sch.
The Grange School
Works
Bakery
CROWN INDUSTRIAL ESTATE
KINGSWAY TRAILER PARK
TOWER LANE
BS15
Cadbury Heath
Football Grd.
North Common
Coronation Park
Youth Cen.
Playing Field
Cycle / Walkway
Woodfield
Meadow Edge
Cann Farm
Orchard Lodge
CANN LANE
Harver's Lye
Weston Court Farm
Warmley Golf Course (Pitch & Putt)
OLDLAND
HIGH STREET
BATH ROAD
VICTORIA ROAD
MILL LANE
SOUTHWAY DR.
Prim. Sch.
BUSINESS CEN.
67
68
74
73
72
D
E
F
1
2
3
4
5

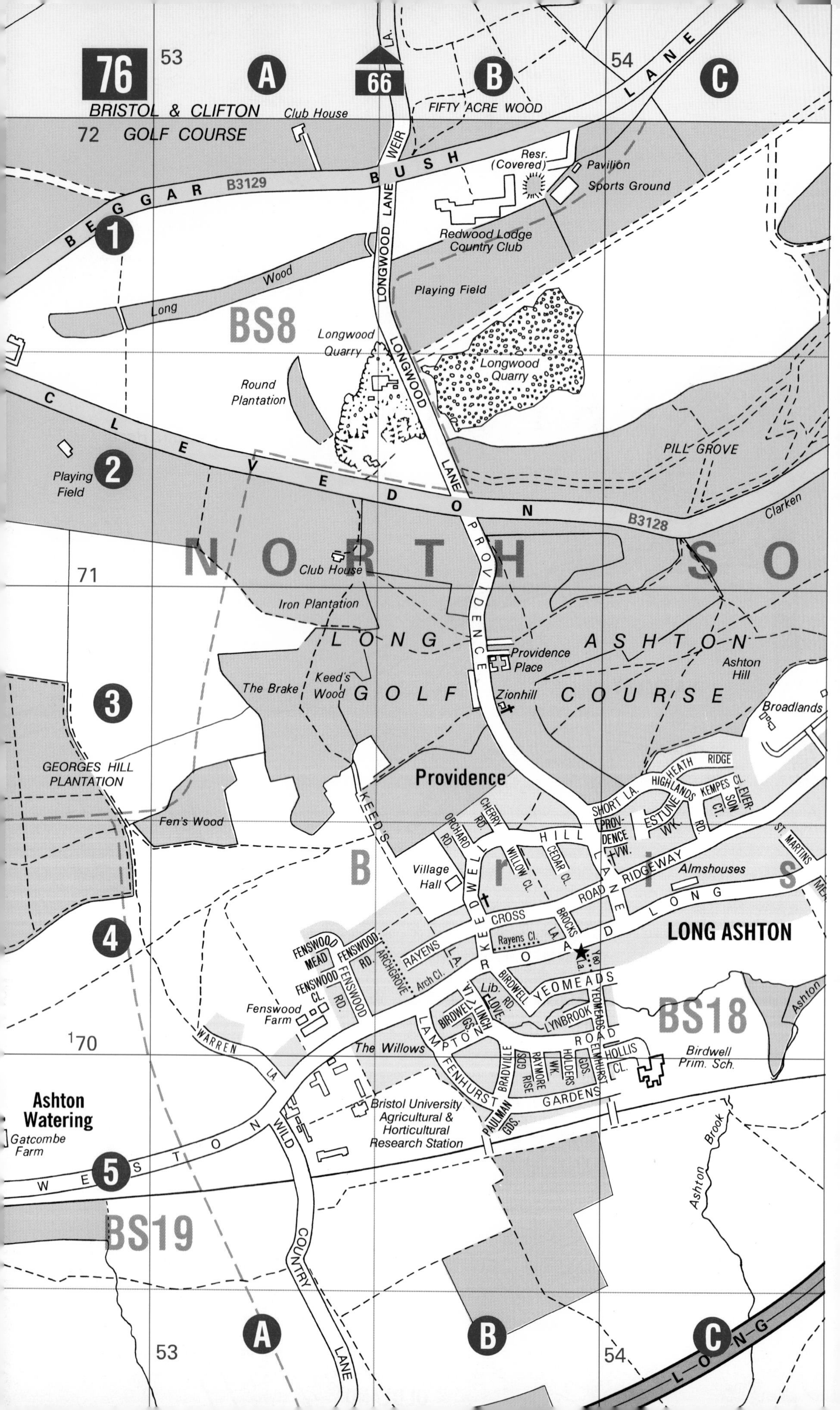

A   66   **B**   54   **C**

Club House

FIFTY ACRE WOOD

1

BEGGAR   B3129   BUSH   WEIR

Wood

Long   BS8

Resr.
(Covered)   Pavilion

Sports Ground

Redwood Lodge
Country Club

Playing Field

Longwood
Quarry

Round
Plantation

Longwood
Quarry

Longwood
Quarry

PILL GROVE

2

C L E V E D O N   LANE   B3128   Clarken

Playing
Field

LONGWOOD

PROVIDENCE

N O R T H   S O

71   Club House

Iron Plantation

L O N G   A S H T O N

Ashton
Hill

Providence
Place

Broadlands

3

The Brake   Keed's
Wood   G O L F   C O U R S E

Zionhill

GEORGES HILL
PLANTATION

Providence

HEATH RIDGE

Fen's Wood

SHORT LA.   HIGHLANDS   KEMPES CL.   CLEVER
SON CT.   ST. MARTINS

B r   i   s

CHERRY RD.   ESTUNE WK.   PROVI-
DENCE
VW.   LONG

KEED'S

ORCHARD
RD.   WILLOW CL.   CEDAR CL.   HILL   RIDGEWAY   Almshouses

4

Village
Hall   CROSS   BROCKS LA.   ROAD   **LONG ASHTON**

FENSWOOD
MEAD   FENSWOOD
RD.   RAYENS   Rayens Cl.   LA.   A   ★   Ashton

FENSWOOD
CL.   FENSWOOD
RD.   ARCHGROVE   Arch Cl.   Lib.   BIRDWELL
RD.   CLOVE   YEOMEADS   BS18

Fenswood
Farm   BIRDWELL   CL.   LINCH   LYNBROOK   ROAD

WARREN LA.   The Willows   LAMPTON   PAULMAN GDS.   BRADVILLE   RAYMORE RISE   SCG   HOLDERS   ELMHURST   HOLLIS CL.   Birdwell
Prim. Sch.

WILD   FENHURST   GARDENS

**Ashton
Watering**   Bristol University
Agricultural &
Horticultural
Research Station   Ashton
Brook

Gatcombe
Farm

W E S T O N

5

COUNTRY LANE   LONG

BS19

53   **A**   **B**   54   **C**

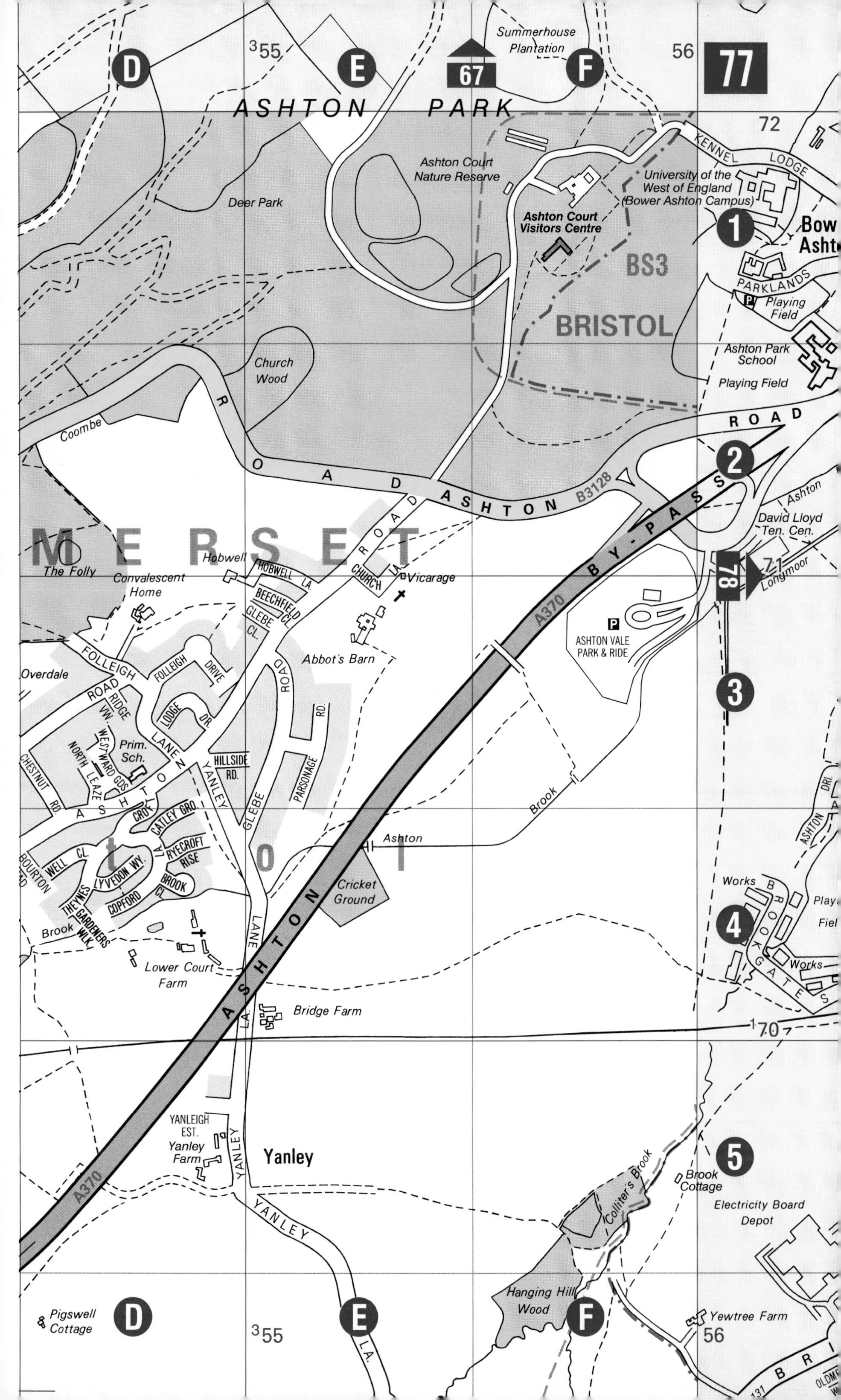

ASHTON   PARK

72

Ashton Court
Nature Reserve

University of the
West of England
(Bower Ashton Campus)

1

Bow
Asht

Deer Park

**Ashton Court
Visitors Centre**

PARKLANDS

*Playing
Field*

BS3

Ashton Park
School

Church
Wood

Playing Field

Coombe

R
O
A
D

BRISTOL

R O A D

2

M E R S E T

A S H T O N   B3128

*Ashton
David Lloyd
Ten. Cen.*

The Folly

Hobwell

ROAD

CHURCH

Vicarage

B Y - P A S S

78 *71*
Longmoor

Convalescent
Home

HOBWELL LA.

A370

3

Overdale

BEECHFIELD CL.

GLEBE CL.

Abbot's Barn

P

ASHTON VALE
PARK & RIDE

FOLLEIGH
ROAD

FOLLEIGH
DRIVE

RIDGE
VW.

LODGE
DR.

HILLSIDE
RD.

PARSONAGE RD.

PARSONAGE
RD.

Brook

LANE

WESTWARD GDS.

Prim.
Sch.

YANLEY

CHESTNUT
RD.

NORTH
LEAZE

CROFT

CATLEY GRO.

RYECROFT
RISE

GLEBE
ROAD

Ashton

Works

B
R
O
O
K
G
A
T
E
S

*Play
Fiel*

BOURTON
WELL
CL.

LYVEDON WY.

BROOK
CL.

COPFORD
CL.

Cricket
Ground

ASHTON

ROAD

4

Works

THEYNES
WELL

Brook

GARDENERS
WALK

Lower Court
Farm

LANE

Bridge Farm

`70

5

A370

YANLEIGH
EST.
*Yanley
Farm*

YANLEY
LANE

Yanley

YANLEY

Coliter's Brook

Brook
Cottage

Electricity Board
Depot

Pigswell
Cottage

YANLEY
LA.

Hanging Hill
Wood

Yewtree Farm

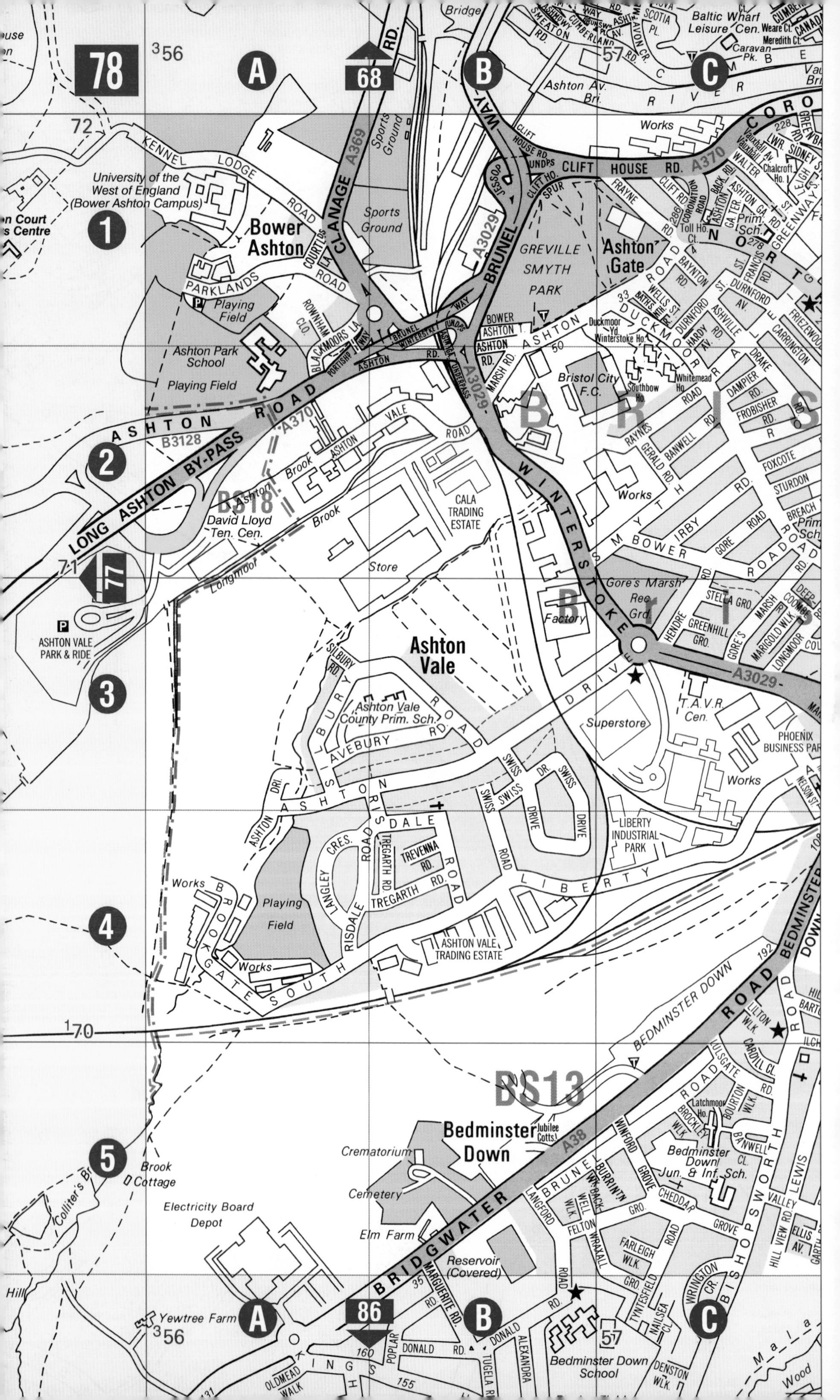
78
A
B
C
1
2
3
4
5
68
77
86
Bower Ashton
Ashton Gate
Ashton Vale
Bedminster Down
University of the West of England (Bower Ashton Campus)
Ashton Park School
Playing Field
Sports Ground
GREVILLE SMYTH PARK
Bristol City F.C.
CALA TRADING ESTATE
David Lloyd Ten. Cen.
ASHTON VALE PARK & RIDE
Store
Superstore
T.A.V.R. Cen.
PHOENIX BUSINESS PARK
LIBERTY INDUSTRIAL PARK
ASHTON VALE TRADING ESTATE
Ashton Vale County Prim. Sch.
Crematorium
Cemetery
Elm Farm
Reservoir (Covered)
Electricity Board Depot
Brook Cottage
Yewtree Farm
Bedminster Down Jun. & Inf. Sch.
Bedminster Down School
Baltic Wharf Leisure Cen.
BS18
BS13
LONG ASHTON BY-PASS
ASHTON ROAD
CLANAGE RD.
BRUNEL WAY
WINTERSTOKE ROAD
CLIFT HOUSE RD.
BRIDGWATER ROAD
BEDMINSTER DOWN
A370
A369
A3029
A38
B3128

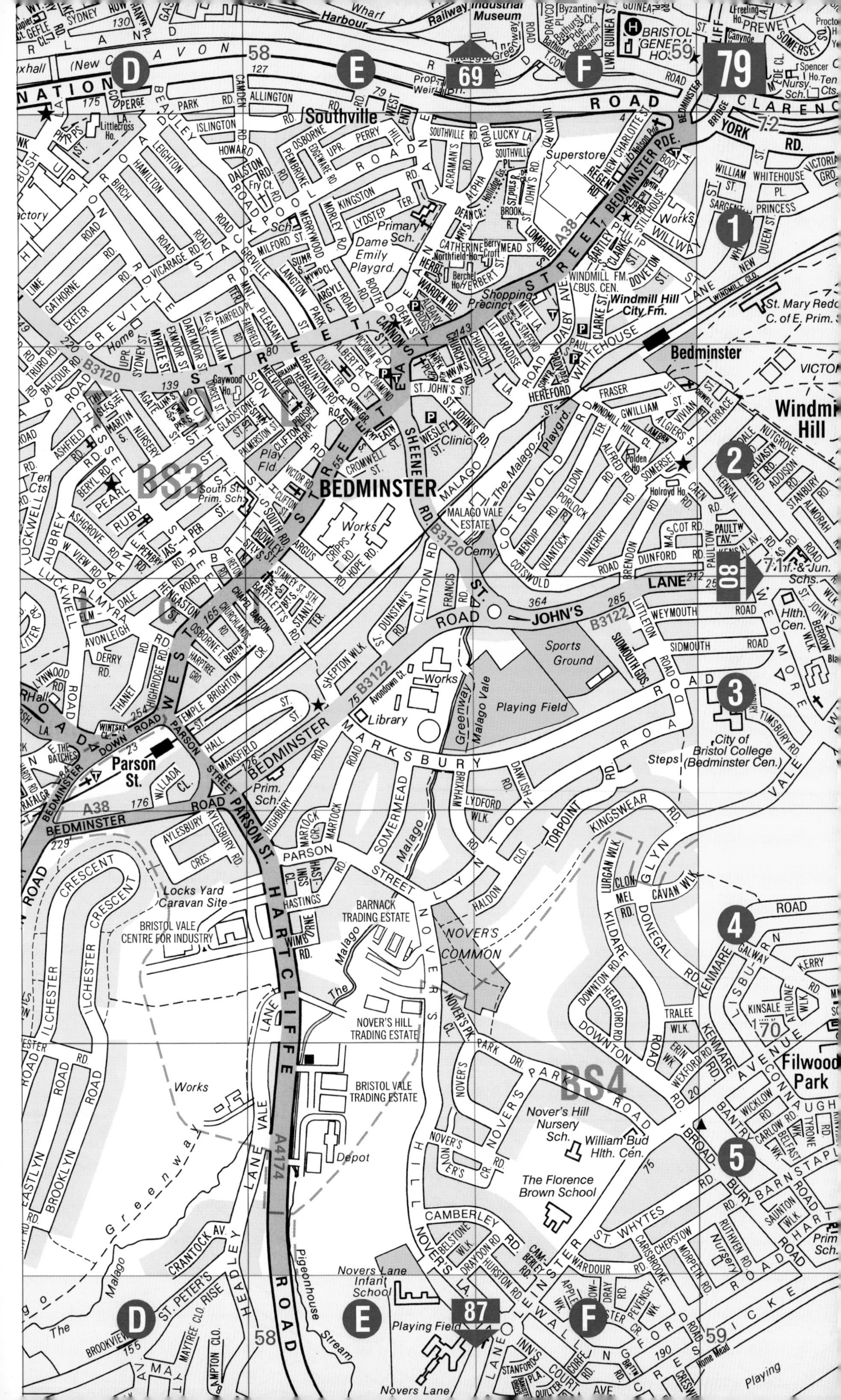
79
69
80
87
D
E
F
1
2
3
4
5
58
59
Industrial Museum
Harbour
Wharf
Railway
BRISTOL GENERAL HO.
AVON
(New Cut)
Prop. Weir
Greenway
Malago
Southville
Superstore
BEDMINSTER PDE.
BEDMINSTER
BS3
BS4
Bedminster
Windmill Hill
Windmill Hill City Fm.
St. Mary Redcliffe C. of E. Prim. Sch.
Dame Emily Playgrd.
Primary Sch.
Shopping Precinct
Works
Clinic
Play. Fld.
South St. Prim. Sch.
Gaywood Ho.
Parson St.
Library
Sports Ground
Playing Field
Malago Vale
MALAGO VALE ESTATE
Cemy.
City of Bristol College (Bedminster Cen.)
Steps
Hlth. Cen.
Holroyd Ho.
Polden Ho.
Prim. Sch.
Locks Yard Caravan Site
BRISTOL VALE CENTRE FOR INDUSTRY
BARNACK TRADING ESTATE
NOVER'S HILL TRADING ESTATE
BRISTOL VALE TRADING ESTATE
NOVER'S COMMON
Depot
Nover's Hill Nursery Sch.
William Budd Hlth. Cen.
The Florence Brown School
Novers Lane Infant School
Playing Field
Filwood Park
Nursery
Novers Lane
Pigeonhouse Stream
The Malago
A38
A4174
B3120
B3122
CLARENCE ROAD
YORK RD.
EAST STREET
WEST STREET
NORTH STREET
SOUTH ST.
COTSWOLD RD.
ST. JOHN'S LANE
MARKSBURY ROAD
SHEENE RD.
HARTCLIFFE ROAD
PARSON STREET
BEDMINSTER ROAD
BEDMINSTER DOWN ROAD
WHITEHOUSE LANE
NOVER'S HILL
NOVER'S LANE
NOVER'S PARK ROAD
HEADLEY LANE
KENMARE RD.
CONNAUGHT ROAD
BARNSTAPLE ROAD
WELLS ROAD
WEDMORE VALE
ILCHESTER CRESCENT
CAMBERLEY RD.
ST. WHYTES RD.

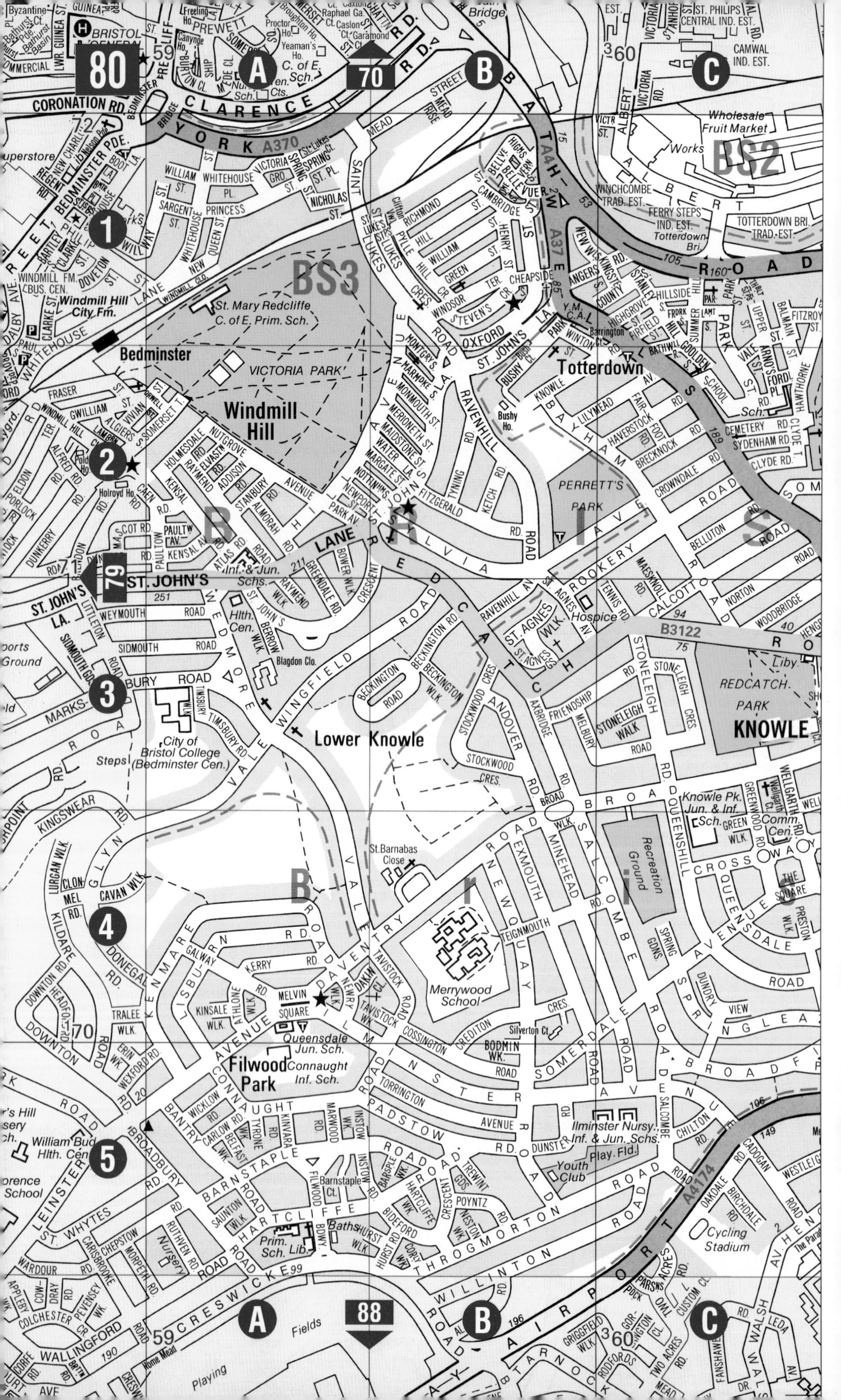
70
79
88
A
B
C
1
2
3
4
5
BS2
BS3
Windmill Hill
Bedminster
Totterdown
Lower Knowle
KNOWLE
Filwood Park
VICTORIA PARK
PERRETT'S PARK
REDCATCH PARK
Recreation Ground
Wholesale Fruit Market
CORONATION RD.
CLARENCE RD.
YORK RD.
BATH RD.
WELLS RD.
ST. JOHN'S LANE
REDCATCH RD.
WEDMORE VALE
BROADWALK
AIRPORT ROAD
A370
A4
A37
B3122
A4174
St. Mary Redcliffe C. of E. Prim. Sch.
City of Bristol College (Bedminster Cen.)
Merrywood School
Queensdale Jun. Sch.
Connaught Inf. Sch.
Ilminster Nursy. Inf. & Jun. Schs.
Knowle Pk. Jun. & Inf. Sch.
Cycling Stadium
Hospice
Windmill Hill City Fm.
WINCHCOMBE TRAD. EST.
FERRY STEPS IND. EST.
TOTTERDOWN BRI. TRAD. EST.
ST. PHILIPS CENTRAL IND. EST.
CAMWAL IND. EST.
Youth Club
Play. Fld.
Playing Fields

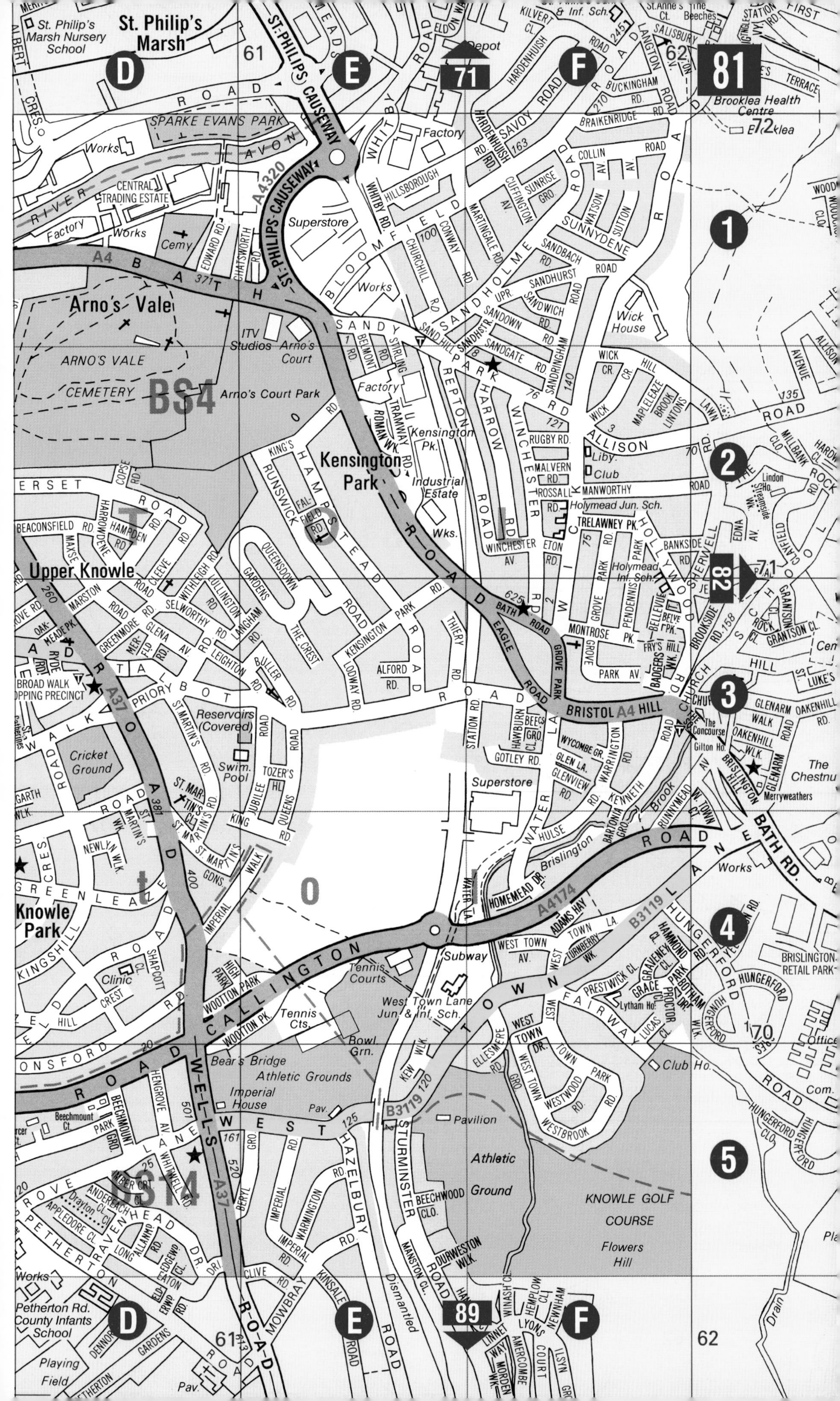
St. Philip's Marsh
St. Philip's Marsh Nursery School
ST. PHILIPS CAUSEWAY
Depot
71
Brooklea Health Centre
72
SPARKE EVANS PARK
RIVER AVON
CENTRAL TRADING ESTATE
Factory
Works
Superstore
Cemy
BATH ROAD
A4
A4320
Arno's Vale
ARNO'S VALE CEMETERY
BS4
ITV Studios
Arno's Court
Arno's Court Park
Kensington Park
Kensington Pk. Industrial Estate
Wick House
ALLISON ROAD
Liby.
Club
Holymead Jun. Sch.
Holymead Inf. Sch.
Upper Knowle
BROAD WALK SHOPPING PRECINCT
Reservoirs (Covered)
Swim. Pool
Cricket Ground
BRISTOL HILL
The Concourse
Gilton Ho.
The Chestnuts
Merryweathers
Superstore
BATH RD.
Works
Brislington Brook
A4174
CALLINGTON ROAD
B3119
Subway
Tennis Courts
West Town Lane Jun. & Inf. Sch.
Tennis Cts.
Bowl. Grn.
Knowle Park
Clinic
Bear's Bridge Athletic Grounds
Imperial House
Pav.
Pavilion
Athletic Ground
KNOWLE GOLF COURSE
Flowers Hill
BRISLINGTON RETAIL PARK
Office
Club Ho.
Lytham Ho.
WELLS ROAD
A37
BS14
Petherton Rd. County Infants School
Playing Field
Dismantled
89
82
61
62
1
2
3
4
5
D
E
F

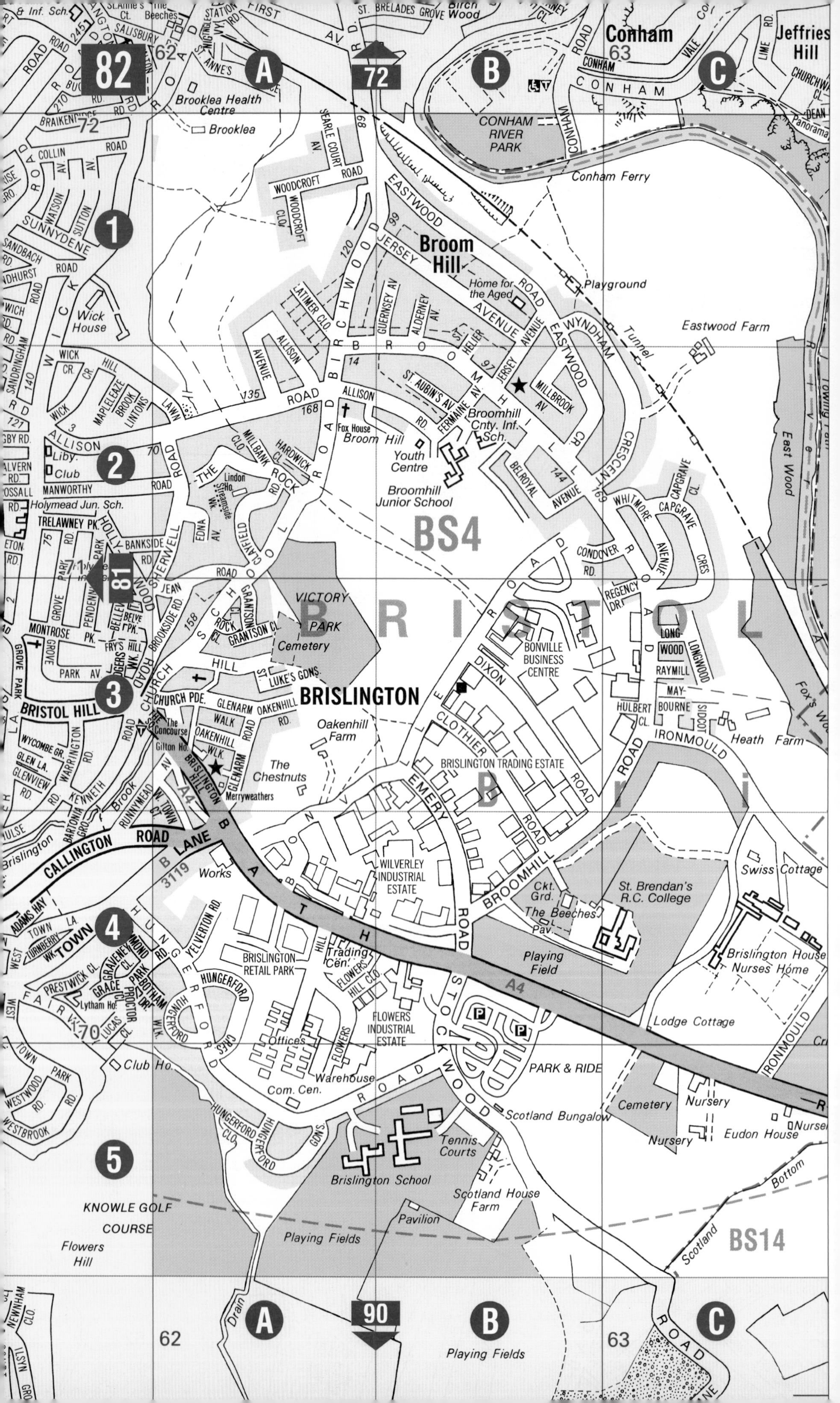
72
81
90
A
B
C
1
2
3
4
5
62
63
Conham
Jeffries Hill
Broom Hill
BS4
BRISTOL
BRISLINGTON
BS14
CONHAM RIVER PARK
Conham Ferry
Brooklea Health Centre
Brooklea
Wick House
Home for the Aged
Playground
Eastwood Farm
Tunnel
East Wood
Broomhill Cnty. Inf. Sch.
Fox House
Broom Hill
Youth Centre
Broomhill Junior School
VICTORY PARK
Cemetery
BONVILLE BUSINESS CENTRE
BRISLINGTON TRADING ESTATE
WILVERLEY INDUSTRIAL ESTATE
BRISLINGTON RETAIL PARK
FLOWERS INDUSTRIAL ESTATE
Trading Cen.
Oakenhill Farm
The Chestnuts
Merryweathers
Holymead Jun. Sch.
Liby.
Club
Works
Offices
Warehouse
Com. Cen.
Club Ho.
KNOWLE GOLF COURSE
Flowers Hill
Brislington School
Tennis Courts
Scotland House Farm
Scotland Bungalow
Pavilion
Playing Fields
Playing Field
PARK & RIDE
Cemetery
Nursery
Eudon House
Lodge Cottage
Brislington House Nurses Home
Swiss Cottage
St. Brendan's R.C. College
Ckt. Grd.
The Beeches
Pav.
Heath Farm
Scotland Bottom
Lytham Ho.
The Concourse
Gilton Ho.
Lindon Ho.
Drain
BATH ROAD
A4
B 3119
CALLINGTON ROAD
BROOMHILL ROAD
BIRCHWOOD ROAD
STOCKWOOD ROAD
IRONMOULD LANE
EASTWOOD CRESCENT
WYNDHAM CRESCENT
JERSEY AVENUE
ALLISON ROAD
ALLISON AVENUE
SCHOOL ROAD
WICK ROAD
SUNNYDENE
HUNGERFORD ROAD
HUNGERFORD CRES.
DIXON ROAD
CLOTHIER ROAD
EMERY ROAD
CONHAM ROAD
CONHAM VALE
CHURCH HILL
BRISTOL HILL
SHERWELL ROAD
HOLLYWOOD ROAD
BROOKSIDE RD.

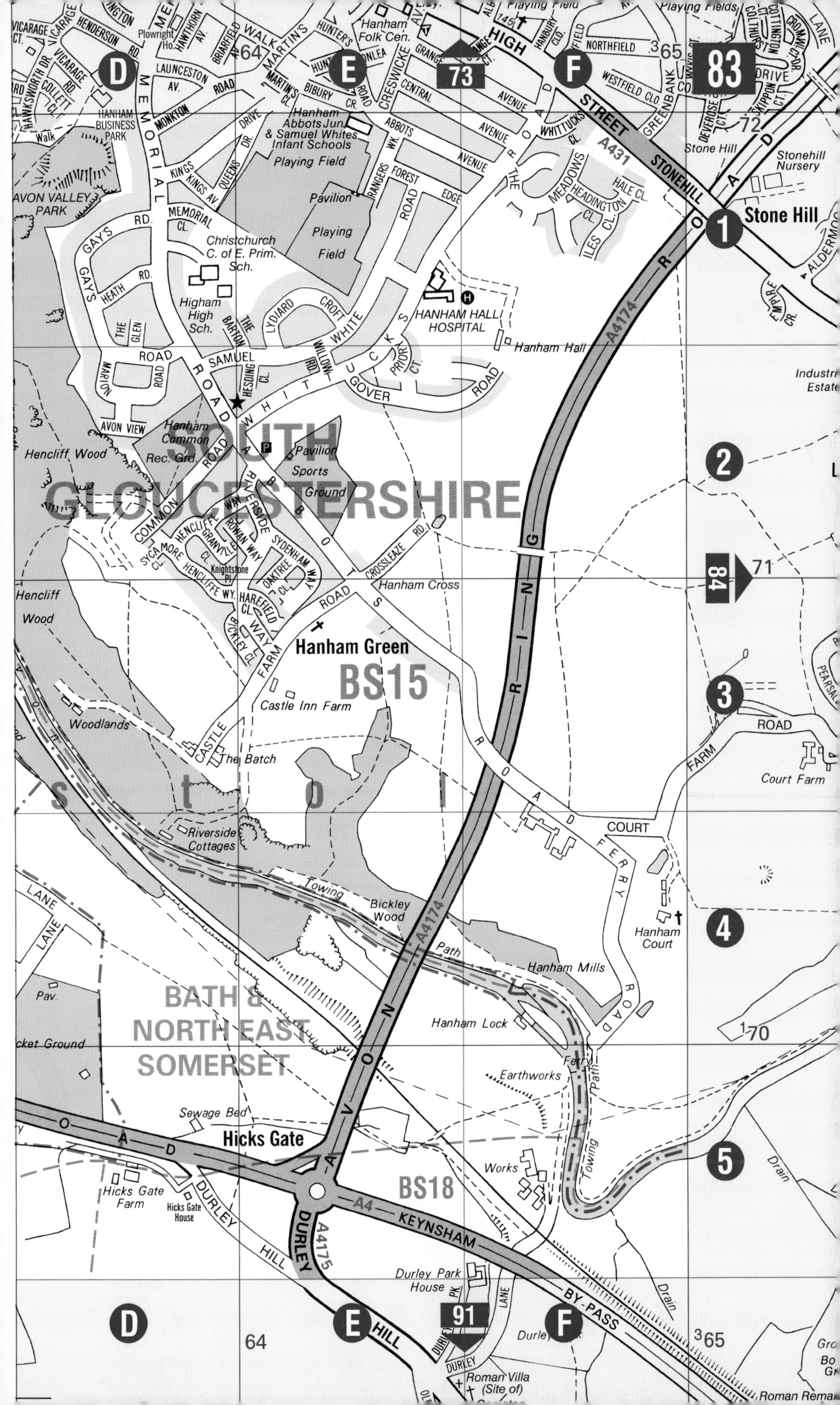

83
73
84
71
91
D
E
F
1
2
3
4
5
64
365
70
72
SOUTH GLOUCESTERSHIRE
BS15
BS18
BATH & NORTH EAST SOMERSET
Hanham Green
Hicks Gate
Stone Hill
Hanham Folk Cen.
Hanham Business Park
Avon Valley Park
Hanham Abbots Jun. & Samuel Whites Infant Schools
Playing Field
Pavilion
Christchurch C. of E. Prim. Sch.
Higham High Sch.
Hanham Hall Hospital
Hanham Hall
Hanham Common Rec. Grd.
Sports Ground
Hencliff Wood
Knightstone Pl.
Hanham Cross
Castle Inn Farm
Woodlands
The Batch
Riverside Cottages
Towing Path
Bickley Wood
Hanham Mills
Hanham Lock
Hanham Court
Court Farm
Earthworks
Ferry
Works
Sewage Bed
Hicks Gate Farm
Hicks Gate House
Durley Park House
Roman Villa (Site of)
Stonehill Nursery
Industrial Estate
Pav.
Cricket Ground
Drain
A4174
A431
A4
A4175
RING ROAD
AVON RING ROAD
STONEHILL
HIGH STREET
KEYNSHAM BY-PASS
DURLEY HILL
ABBOTS ROAD
COURT FARM ROAD
FERRY ROAD
CASTLE FARM ROAD
WHITTUCKS ROAD
MEMORIAL ROAD
COMMON ROAD
SAMUEL ROAD
GOVER ROAD
CROSSLEAZE RD.
CRESWICKE ROAD
CENTRAL AVENUE
NORTHFIELD
GREENBANK
WESTFIELD CLO.
HENDERSON
VICARAGE RD.
LAUNCESTON AV.
MONKTON
HAWTHORN AV.
BRIARFIELD
MARTIN'S
HUNTER'S
BIBURY CR.
GRANGE
HANBURY CLO.
COTTINGTON CT.
COLTHURST
CROMWELL DR.
SKIPPON CT.
DEVEROSE CT.
WHITTUCKS CL.
MEADOWS
HEADINGTON CL.
HALE CL.
FOREST EDGE
RANGERS WK.
KINGS AV.
QUEENS DR.
GAY'S RD.
HEATH RD.
THE GLEN
MARION ROAD
AVON VIEW
THE BARTON
LYDIARD CROFT
WILLOW RD.
PRIORY CT.
HESDING CL.
RIVERSIDE
HENCLIFFE WAY
GRANVILLE
ROWAN WAY
SYDENHAM WAY
SYCAMORE CL.
HENCLIFFE WY.
OAKTREE CL.
HAREFIELD CL.
BICKLEY CL.
EMPIRE CR.
ALDERMOOR
DURLEY LANE
DURLEY PK.
Plowright Ho.
Playing Fields

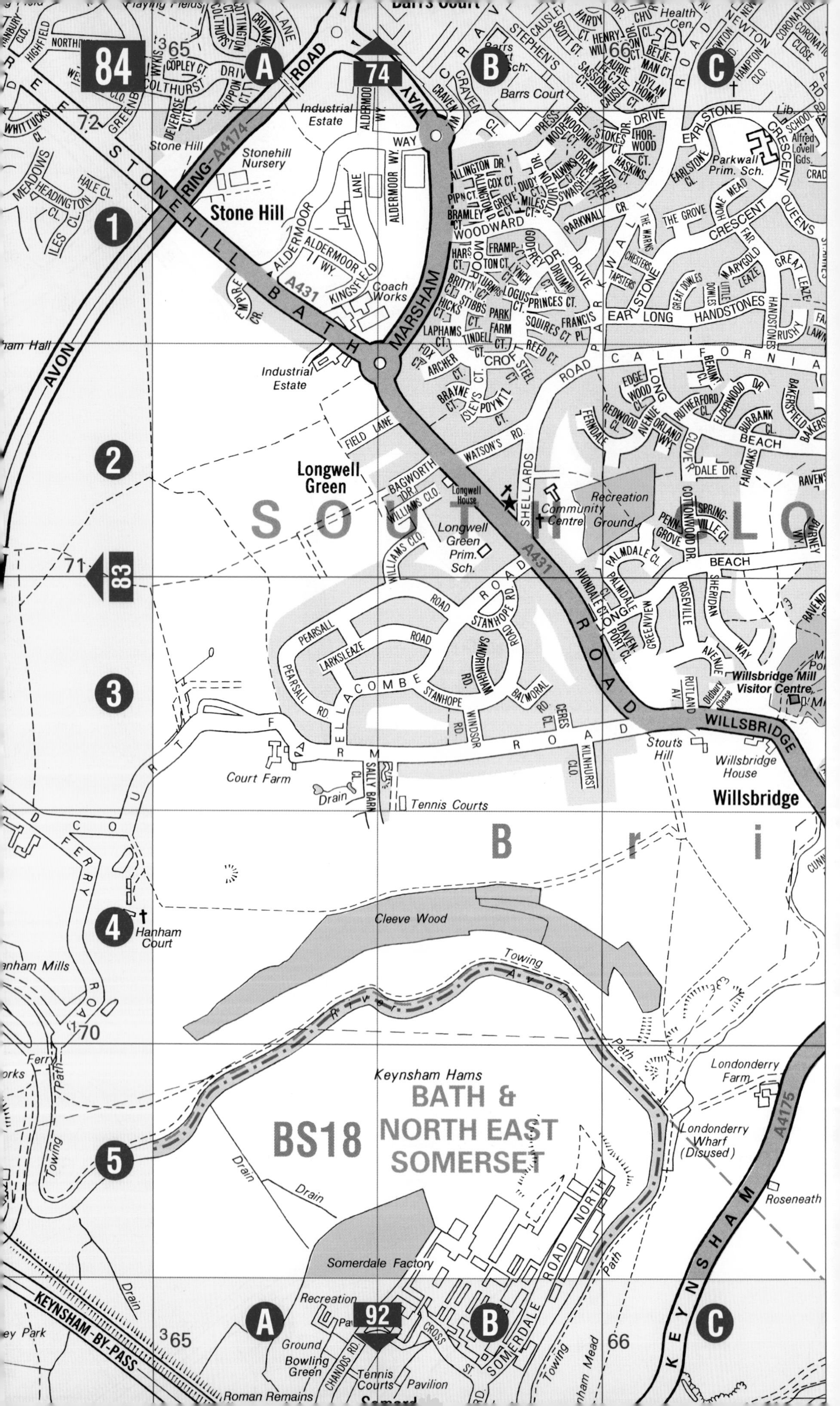

74
83
92
A
B
C
1
2
3
4
5
Stone Hill
Longwell Green
Willsbridge
SOUTH GLO
Bri
BATH & NORTH EAST SOMERSET
BS18
Barrs Court
Industrial Estate
Stonehill Nursery
Coach Works
Longwell House
Longwell Green Prim. Sch.
Community Centre
Recreation Ground
Parkwall Prim. Sch.
Willsbridge Mill Visitor Centre
Willsbridge House
Court Farm
Hanham Court
Cleeve Wood
Keynsham Hams
Londonderry Farm
Londonderry Wharf (Disused)
Roseneath
Somerdale Factory
Tennis Courts
Bowling Green
Pavilion
Roman Remains
STONEHILL
BATH ROAD
RING ROAD
AVON
MARSHAM WAY
CALIFORNIA ROAD
PARKWALL DRIVE
EARLSTONE CRESCENT
LONG BEACH ROAD
COURT FARM ROAD
ELLACOMBE ROAD
STANHOPE ROAD
WILLSBRIDGE
KEYNSHAM ROAD
KEYNSHAM-BY-PASS
SOMERDALE ROAD NORTH
FERRY ROAD
A4174
A431
A4175
River Avon
Towing Path

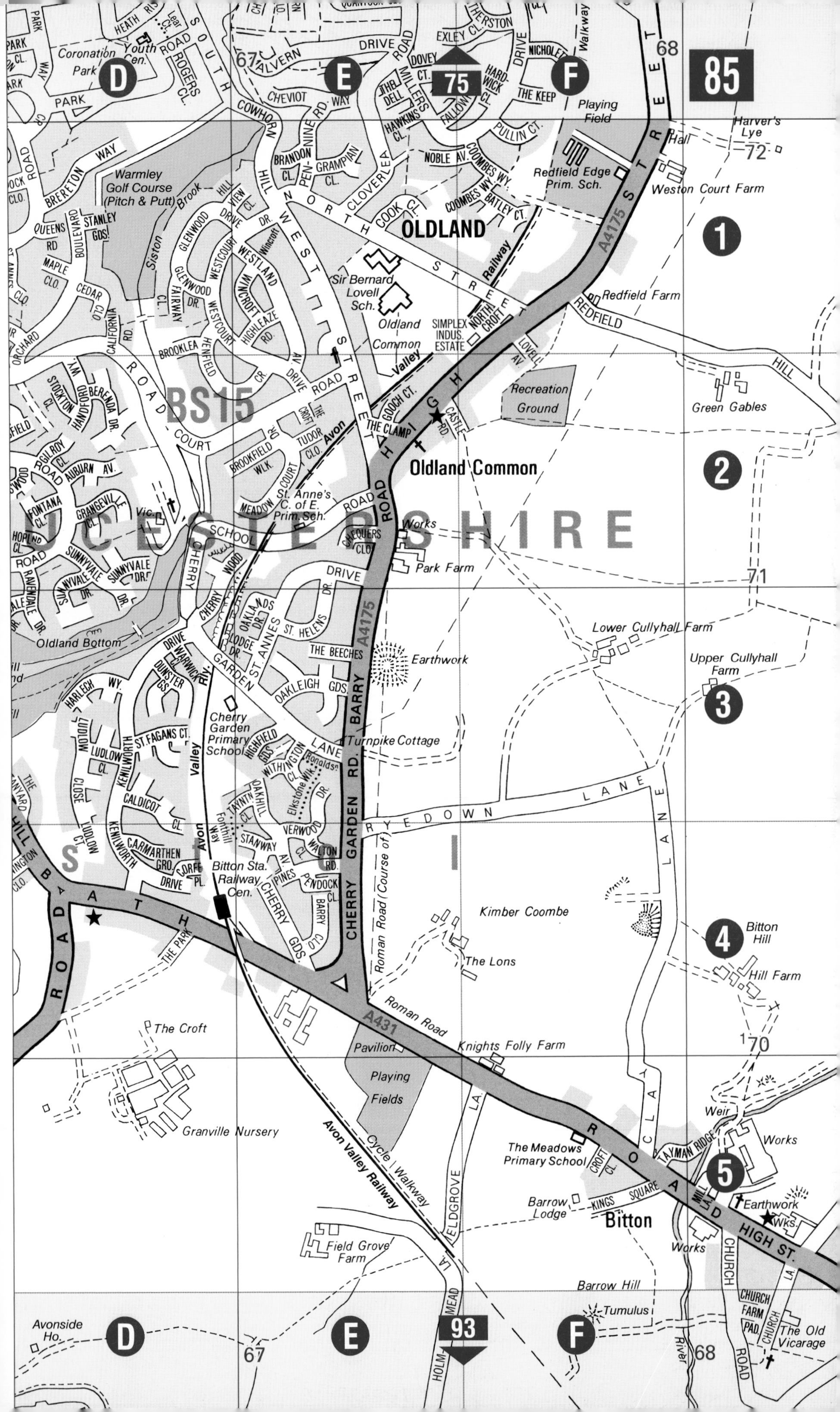
D
E
F
75
68
67
1
2
3
4
5
72
71
70
OLDLAND
Oldland Common
Bitton
BS15
GLOUCESTERSHIRE
A4175
A431
Coronation Park
Youth Cen.
Warmley Golf Course (Pitch & Putt)
Siston Brook
Playing Field
Redfield Edge Prim. Sch.
Weston Court Farm
Harver's Lye
Hall
Sir Bernard Lovell Sch.
Oldland Common
SIMPLEX INDUS. ESTATE
Redfield Farm
Recreation Ground
Green Gables
Avon Valley Railway
St. Anne's C. of E. Prim. Sch.
Vic.
Works
Park Farm
Oldland Bottom
Lower Cullyhall Farm
Upper Cullyhall Farm
Earthwork
Turnpike Cottage
Cherry Garden Primary School
Bitton Sta. Railway Cen.
Kimber Coombe
The Lons
Bitton Hill
Hill Farm
Roman Road (Course of)
Roman Road
Knights Folly Farm
Pavilion
Playing Fields
The Croft
Granville Nursery
Avon Valley Cycle / Walkway
The Meadows Primary School
Barrow Lodge
Weir
Works
Earthwork
Wks.
Field Grove Farm
Barrow Hill
Tumulus
River
Avonside Ho.
The Old Vicarage
93
NORTH STREET
HIGH STREET
BATH ROAD
HIGH ST.
CHERRY GARDEN RD.
BARRY ROAD
WEST STREET
CHURCH ROAD
CLAY LANE
RYEDOWN LANE
REDFIELD HILL
CHURCH FARM PAD.
KINGS SQUARE
TAYMAN RIDGE
MILL LA.
ELDGROVE
HOLMMEAD LA.

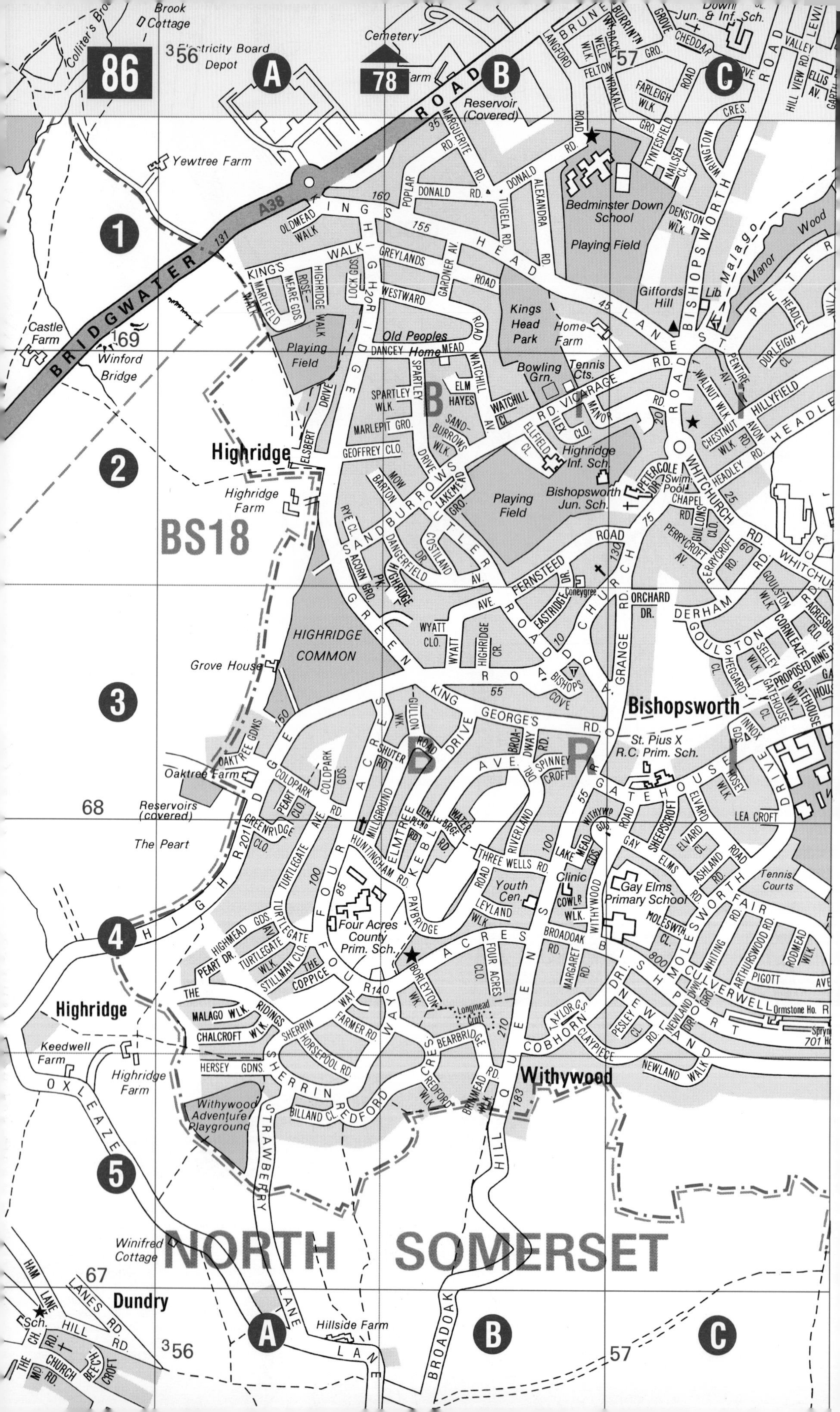

86
78
A
B
C
1
2
3
4
5
356
57
169
68
67
Colliter's Brook
Brook Cottage
Electricity Board Depot
Cemetery
Farm
Reservoir (Covered)
Yewtree Farm
Castle Farm
Winford Bridge
BRIDGWATER ROAD
A38
131
KINGS HEAD LANE
160
155
45
OLDMEAD WALK
KING'S WALK
MARLFIELD WALK
McLARE GDS.
ROSE-HIGHRIDGE WALK
HIGHRIDGE ROAD
LOCK GDS.
GREYLANDS
WESTWARD
GARDNER AV.
ROAD
POPLAR RD.
DONALD RD.
MARGUERITE RD.
TUGELA RD.
ALEXANDRA RD.
BRUNEL
BURRINGTON WLK.
BACK WELL WLK.
WRAXALL
LANGFORD ROAD
FELTON GRO.
FARLEIGH WLK.
GRO.
TYNTESFIELD
NAILSEA CL.
WRINGTON CRES.
GROVE
CHEDDAR
VALLEY
HILL VIEW RD.
ELLIS AV.
Jun. & Inf. Sch.
Bedminster Down School
Playing Field
DENSTON WLK.
BISHOPSWORTH
Malago
Manor Wood
PETER
HEADLEY
DURLEIGH CL.
PENTIRE AV.
Gifford's Hill
Lib
Kings Head Park
Home Farm
Bowling Grn.
Tennis Cts.
Old Peoples Home
Playing Field
DANCEY MEAD
SPARTLEY DRIVE
SPARTLEY WLK.
ELBERT DRIVE
ELM HAYES
WATCHILL AV.
WATCHILL CL.
MARLEPIT GRO.
SANDBURROWS WLK.
VICARAGE RD.
ILEX CLO.
MANOR
ELLFIELD CL.
Highridge Inf. Sch.
WALNUT WLK.
CHESTNUT WLK.
AVON RD.
HILLYFIELD
HEADLEY RD.
Highridge
Highridge Farm
BS18
GEOFFREY CLO.
BARTON MOW
SANDBURROWS
CUTLER
LAKEMEAD GRO.
Playing Field
Bishopsworth Jun. Sch.
PETERCOLE DR.
Swim Pool
WHITCHURCH
CHAPEL RD.
GULLONS CLO.
PERRYCROFT AV.
PERRYCROFT RD.
60
75
25
RYE CL.
ACORN GRO.
DANGERFIELD
HIGHRIDGE PK.
COSTILAND DR.
FERNSTEED ROAD
EASTRIDGE DR.
Coneygree
CHURCH ROAD
130
ORCHARD DR.
GRANGE RD.
DERHAM
GOULSTON
CORNLEAZE
ACRESBUSH CLO.
WHITCHURCH RD.
HIGHRIDGE GREEN
HIGHRIDGE COMMON
WYATT CLO.
WYATT AV.
HIGHRIDGE CR.
Grove House
KING GEORGE'S ROAD
55
BISHOPS COVE
Bishopsworth
SELLEY WLK.
HEGGARD CL.
GATEHOUSE
PROPOSED RING ROAD
OAKTREE GDNS.
150
GULLON WK.
SHUTER RD.
BROADWAY
SPINNEY CROFT
St. Pius X R.C. Prim. Sch.
INNOX GDS.
HOSEY WLK.
ELVARD
LEA CROFT
Oaktree Farm
COLDPARK
COLDPARK GDS.
PEART CLO.
FOUR ACRES
Reservoirs (covered)
The Peart
GREENRIDGE CLO.
TURTLEGATE AV.
MILLGROUND RD.
HUNTINGHAM RD.
ELMTREE
KEBLE AV.
WATERBRIDGE RD.
RIVERLAND DR.
THREE WELLS RD.
100
LAKE MEAD GDS.
WITHYWOOD GDS.
WITHYWOOD RD.
GAY ELMS
SHEEPSCROFT
ASHLAND RD.
Tennis Courts
Youth Cen.
Clinic
COWLER WLK.
Gay Elms Primary School
MOLESWORTH
FAIR
LEYLAND WLK.
PAYBRIDGE
Four Acres County Prim. Sch.
85
HIGH RIDGE
201
HIGHMEAD GDS.
TURTLEGATE WLK.
STILLMAN CLO.
THE COPPICE
PEART DR.
BORLEYTON WK.
FOUR ACRES CLO.
BROADOAK RD.
MARGARET RD.
WHITING
ARTHURSWOOD RD.
RODMEAD WLK.
PIGOTT AV.
CULVERWELL
Ormstone Ho.
701
800
Highridge
THE RIDINGS
MALAGO WLK.
CHALCROFT WLK.
SHERRIN WAY
FARMER RD.
HORSEPOOL RD.
R140
Longmead Croft
210
LAYLOR
COBHORN DR.
CLAYPIECE
PESLEY CL.
NEWLAND RD.
NEWLAND WALK
Keedwell Farm
Highridge Farm
HERSEY GDNS.
BEARBRIDGE
REDFORD CRES.
BRINMEAD WLK.
Withywood
QUEENS RD.
183
OXLEAZE
Withywood Adventure Playground
BILLAND CL.
REDFORD WLK.
STRAWBERRY LANE
HILL
NORTH SOMERSET
Winifred Cottage
Dundry
HAM LANE
LANES RD.
HILL RD.
Sch.
CH. RD.
CHURCH RD.
BEECH CROFT
THE
Hillside Farm
LANE
BROADOAK

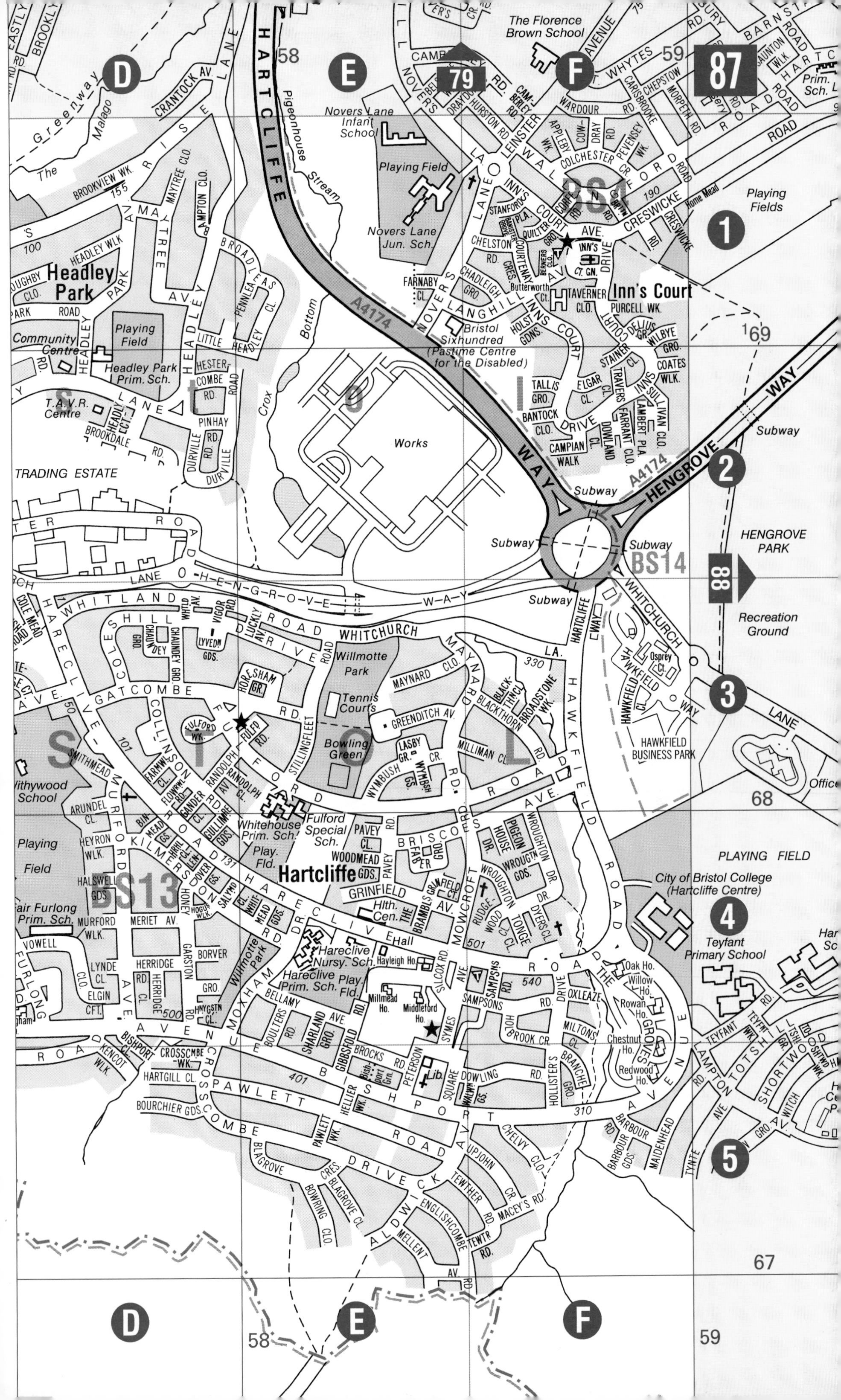
79
88
D
E
F
1
2
3
4
5
58
59
67
68
69
BS4
BS13
BS14
The Florence Brown School
Novers Lane Infant School
Playing Field
Novers Lane Jun. Sch.
HARTCLIFFE WAY
A4174
HENGROVE WAY
Pigeonhouse Stream
Bottom
Crox
The Malago Greenway
Headley Park
Playing Field
Headley Park Prim. Sch.
Community Centre
T.A.V.R. Centre
TRADING ESTATE
Works
Inn's Court
Bristol Sixhundred (Pastime Centre for the Disabled)
Playing Fields
Subway
HENGROVE PARK
Recreation Ground
HAWKFIELD BUSINESS PARK
PLAYING FIELD
City of Bristol College (Hartcliffe Centre)
Teyfant Primary School
Willmotte Park
Tennis Courts
Bowling Green
Withywood School
Playing Field
Fair Furlong Prim. Sch.
Whitehouse Prim. Sch.
Fulford Special Sch.
Play. Fld.
Hartcliffe
Hlth. Cen.
Hall
Hareclive Nursy. Sch.
Hareclive Prim. Sch.
Play. Fld.
Hayleigh Ho.
Millmead Ho.
Middleford Ho.
Lib.
Oak Ho.
Willow Ho.
Rowan Ho.
Chestnut Ho.
Redwood Ho.
WHITCHURCH LA.
HAREWOOD / WHITLAND ROAD
GATCOMBE DRIVE
FULFORD ROAD
HAREWOOD ROAD
BISHPORT AVENUE
HAWKFIELD ROAD
CRESWICKE ROAD
WALFORD ROAD
CROSSCOMBE DRIVE
PAWLETT ROAD
MOXHAM DR.
HEADLEY LANE
MAYTREE AV.
BROADLEAS
DURVILLE RD.
HESTERCOMBE RD.
COLESHILL DRIVE
STILLINGFLEET RD.
MAYNARD RD.
BRISCOES AVE.
GRINFIELD AV.
MOWCROFT RD.
SAMPSONS RD.
TEYFANT RD.
TOTSHILL DR.
SHORTWOOD RD.
DOWLING RD.
MACEY'S RD.
ALDWICK AV.
HAWKFIELD WAY
INNS COURT DRIVE
LANGHILL AV.
CAMPIAN WALK
BANTOCK CLO.

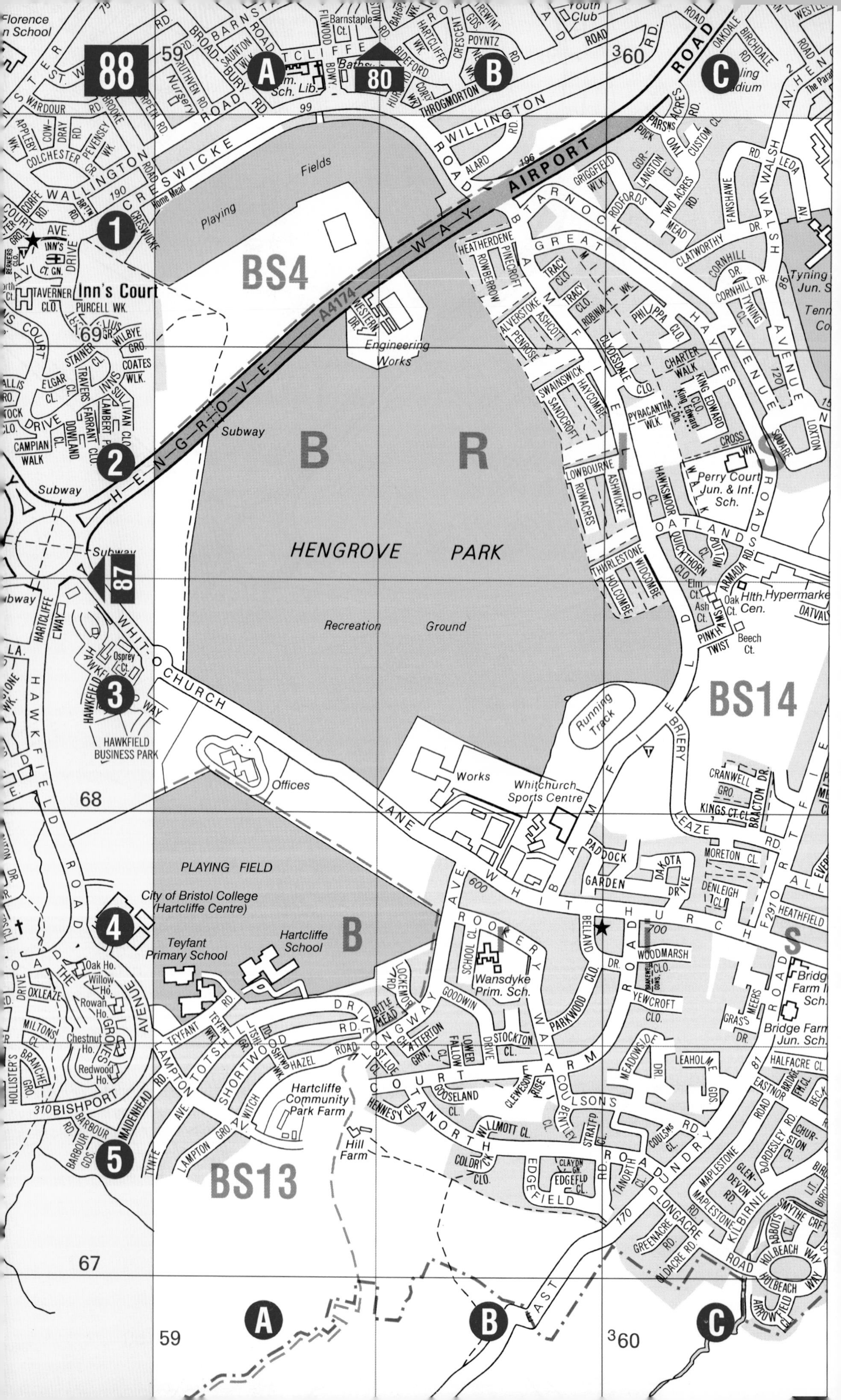

BS4
BS14
BS13
HENGROVE PARK
Recreation Ground
Playing Fields
PLAYING FIELD
HENGROVE WAY
AIRPORT ROAD
A4174
Engineering Works
Subway
Inn's Court
HAWKFIELD BUSINESS PARK
Offices
Works
Whitchurch Sports Centre
Running Track
City of Bristol College (Hartcliffe Centre)
Teyfant Primary School
Hartcliffe School
Wansdyke Prim. Sch.
Perry Court Jun. & Inf. Sch.
Hlth. Cen.
Hypermarke
Hartcliffe Community Park Farm
Hill Farm
Bridge Farm Jun. Sch.
WHITCHURCH LANE
HAWKFIELD ROAD
WILLINGTON ROAD
CRESWICKE ROAD
WHITCHURCH ROAD
BISHPORT AVENUE
EAST DUNDRY ROAD
HARTCLIFFE WAY
GREAT MEAD
HAYLES AVENUE
WALSH AVENUE
HENGROVE AVENUE
TWO ACRES ROAD
ROOKERY WAY
FARM COURT
COULSONS ROAD
TANORTH ROAD
LONGACRE ROAD
BRIERY LEAZE ROAD
OATLANDS AVENUE
HOLBEACH WAY
FIELD ROAD
80
87
Barnstaple Ct.
Florence School
Youth Club
Baths
Prim. Sch. Lib.
Oak Ho.
Willow Ho.
Rowan Ho.
Chestnut Ho.
Redwood Ho.
Osprey Ct.
Elm Ct.
Ash Ct.
Oak Ct.
Beech Ct.
Home Mead

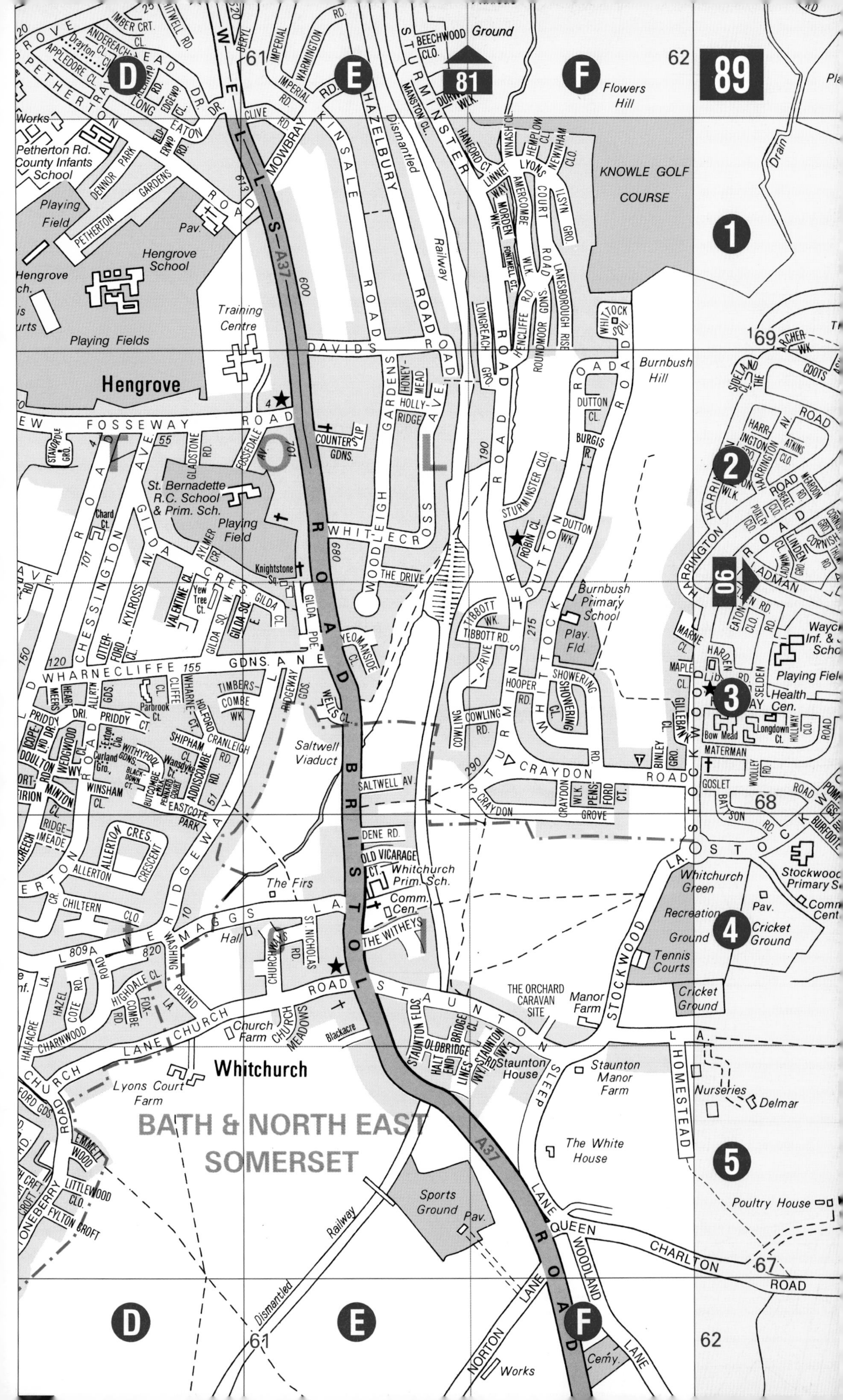
Hengrove
Whitchurch
BATH & NORTH EAST SOMERSET
KNOWLE GOLF COURSE
Flowers Hill
Burnbush Hill
Hengrove School
Petherton Rd. County Infants School
Playing Fields
Training Centre
St. Bernadette R.C. School & Prim. Sch.
Burnbush Primary School
Whitchurch Prim. Sch.
Saltwell Viaduct
Whitchurch Green
Recreation Ground
Cricket Ground
Tennis Courts
Stockwood Primary Sch.
Health Cen.
Lyons Court Farm
Church Farm
Staunton House
Staunton Manor Farm
Manor Farm
The Orchard Caravan Site
The White House
Nurseries
Delmar
Poultry House
Sports Ground
Cemy.
Works
Railway
Dismantled Railway
The Firs
WELLS ROAD
BRISTOL ROAD
A37
FOSSEWAY ROAD
WHARNECLIFFE GDNS.
MAGGS LA.
STAUNTON LA.
CHURCH LANE
CHURCH ROAD
STOCKWOOD LA.
STOCKWOOD ROAD
CRAYDON ROAD
STURMINSTER ROAD
WHITTOCK ROAD
DUTTON ROAD
DAVIDS ROAD
HAZELBURY ROAD
KINSALE ROAD
MOWBRAY ROAD
HARRINGTON ROAD
LADMAN ROAD
QUEEN CHARLTON ROAD
WOODLAND ROAD
NORTON LANE
SLEEP LANE
HOMESTEAD
RIDGEWAY
81
90
D
E
F
1
2
3
4
5
61
62

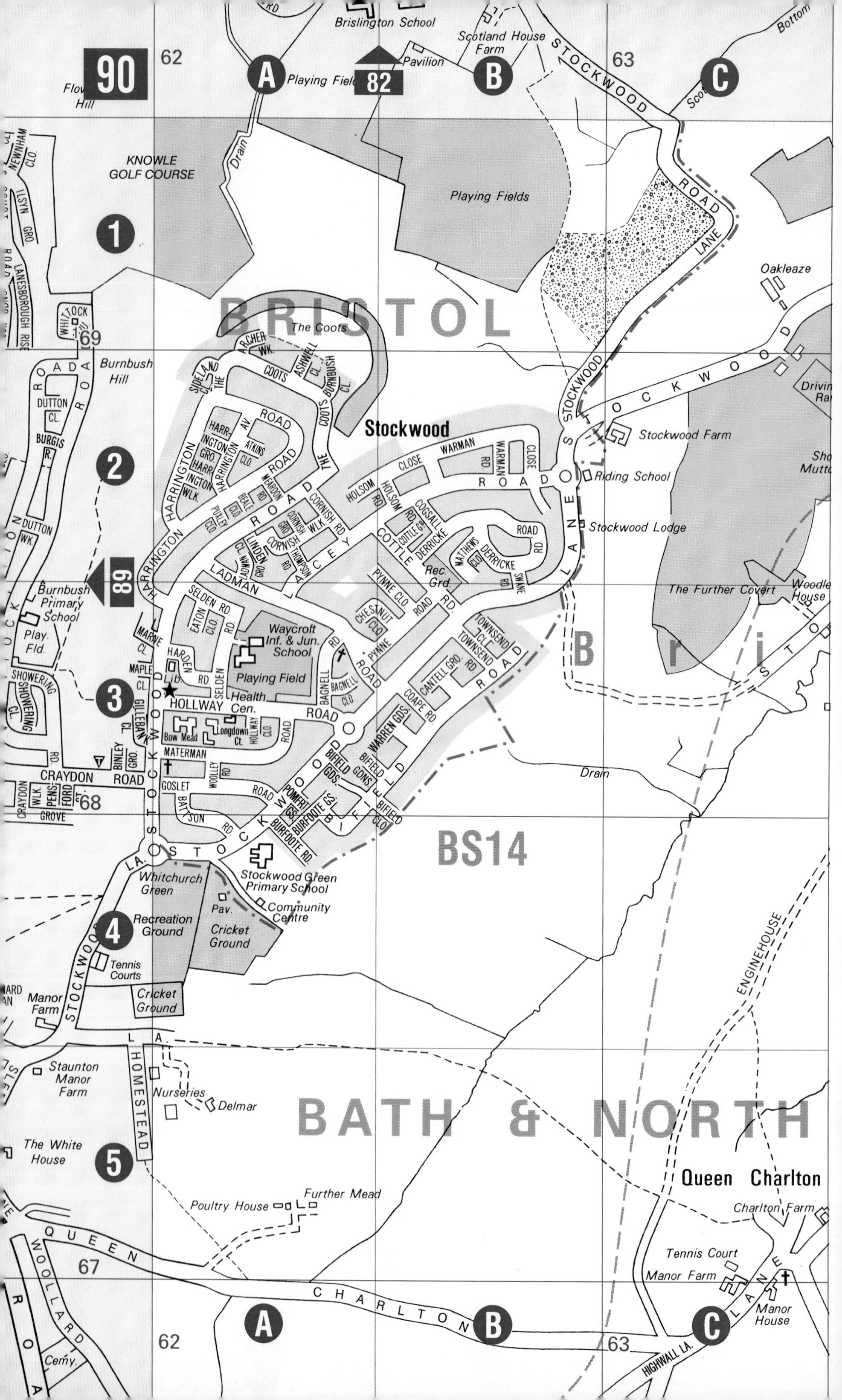

Brislington School
Scotland House Farm
Pavilion
Playing Fields
82
STOCKWOOD
KNOWLE GOLF COURSE
Playing Fields
ROAD
LANE
BRISTOL
The Coots
Oakleaze
Burnbush Hill
Stockwood
Stockwood Farm
Riding School
Stockwood Lodge
Rec. Grd.
The Further Covert
Woodle House
89
Burnbush Primary School
Play. Fld.
Waycroft Inf. & Jun. School
Playing Field
Health Cen.
Lib.
HOLLWAY
CRAYDON ROAD
Bow Mead
Longdown Ct.
Drain
BS14
Whitchurch Green
Stockwood Green Primary School
Community Centre
Recreation Ground
Pav.
Cricket Ground
Tennis Courts
Manor Farm
Staunton Manor Farm
HOMESTEAD
Nurseries
Delmar
BATH & NORTH
The White House
Poultry House
Further Mead
QUEEN CHARLTON
Queen Charlton
Charlton Farm
ENGINEHOUSE
Tennis Court
Manor Farm
Manor House
HIGHWALL LA.
WOOLLARD
Cemy.

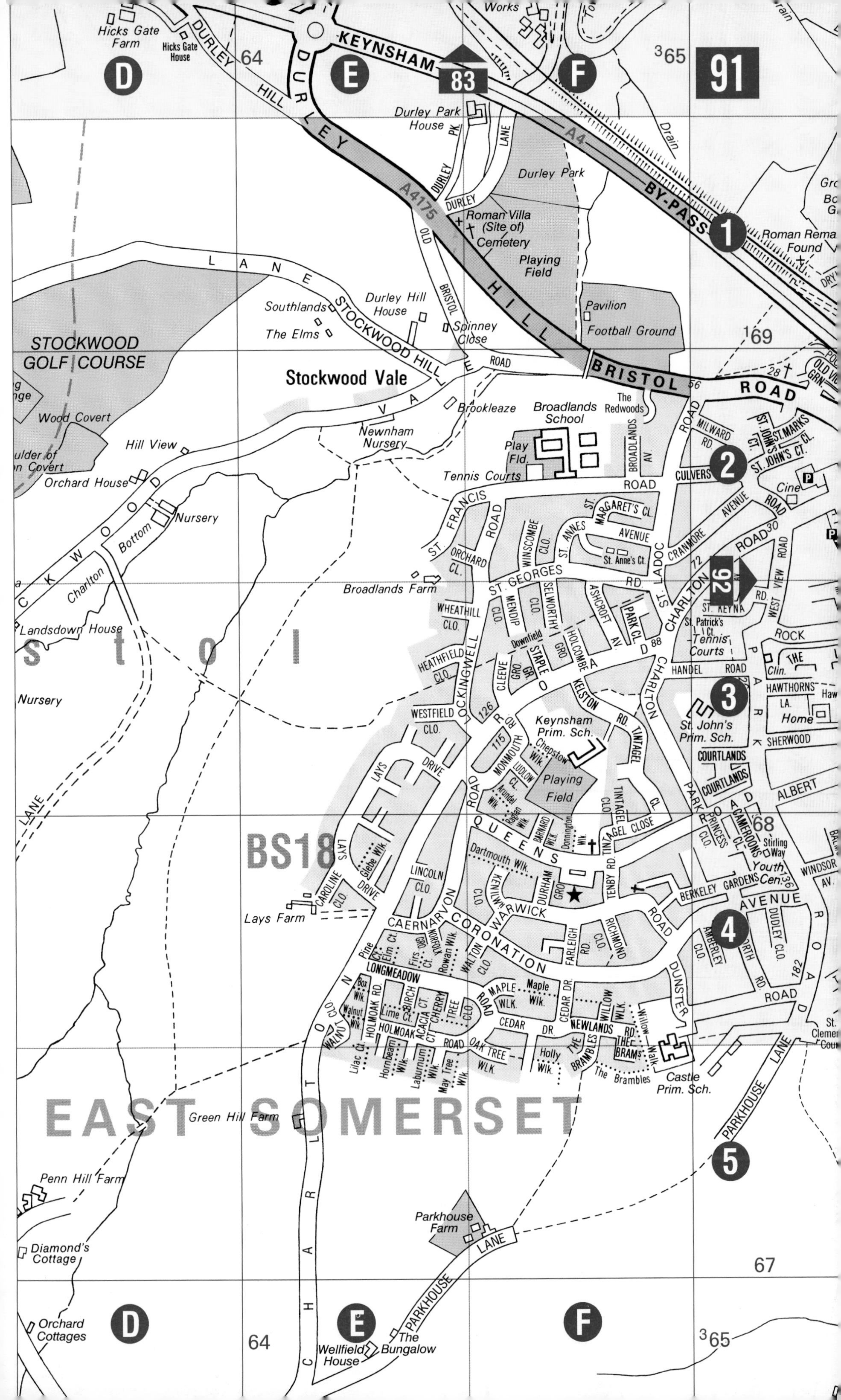

91
83
92
D
E
F
1
2
3
4
5
64
365
169
67
Hicks Gate Farm
Hicks Gate House
DURLEY HILL
KEYNSHAM BY-PASS
A4
A4175
Durley Park House
Durley Park
Roman Villa (Site of)
Cemetery
Playing Field
Pavilion
Football Ground
Roman Remains Found
Drain
STOCKWOOD GOLF COURSE
Stockwood Vale
STOCKWOOD HILL
STOCKWOOD LANE
Southlands
The Elms
Durley Hill House
Spinney Close
BRISTOL ROAD
Brookleaze
Broadlands School
The Redwoods
Newnham Nursery
Wood Covert
Hill View
Orchard House
Nursery
Charlton Bottom
Landsdown House
Play Fld.
Tennis Courts
ST. FRANCIS ROAD
ORCHARD CL.
WINSCOMBE CLO.
ST. ANNES AVENUE
MARGARET'S CL.
St. Anne's Ct.
ST. GEORGES RD
ST. LADOC
CULVERS
CRANMORE AVENUE
CHARLTON ROAD
MILWARD RD.
ST. JOHN'S CT.
ST. MARKS CL.
Cine
WEST VIEW ROAD
Broadlands Farm
WHEATHILL CLO.
MENDIP CLO.
SELWORTHY CLO.
ASHCROFT AV.
PARK CL.
HEATHFIELD CLO.
LOCKINGWELL
Downfield
CLEEVE GRO.
STAPLE GR.
HOLCOMBE GRO.
KELSTON RD.
TINTAGEL CL.
St. Patrick's Ct.
Tennis Courts
HANDEL ROAD
ROCK
Clin.
HAWTHORNS LA.
Home
St. John's Prim. Sch.
SHERWOOD
COURTLANDS
ALBERT
PARK ROAD
WESTFIELD CLO.
LAYS DRIVE
Keynsham Prim. Sch.
Chepstow Wlk.
MONMOUTH RD.
LUDLOW CL.
Arundel Wlk.
Raglan Wlk.
Playing Field
QUEENS ROAD
BARNARD WLK.
Donnington Wlk.
TINTAGEL CLOSE
PRINCESS CLO.
CAMERONS CL.
Stirling Way
Youth Cen.
WINDSOR AV.
BS18
Glebe Wlk.
Dartmouth Wlk.
LINCOLN CLO.
KENILWORTH CLO.
DURHAM GRO.
TENBY RD.
BERKELEY GARDENS
AVENUE
CAROLINE CLO.
Lays Farm
CAERNARVON
CORONATION
WARWICK
RICHMOND CLO.
FARLEIGH RD.
ROAD
AMBERLEY CLO.
DUDLEY CLO.
Pine Ct.
Elm Ct.
Firs Ct.
NORFOLK GRO.
Rowan Wlk.
WALTON CLO.
LONGMEADOW
MAPLE ROAD
Maple Wlk.
CEDAR DR.
WILLOW WLK.
DUNSTER ROAD
Box Wlk.
Walnut Wlk.
HOLMOAK RD.
BIRCH
Lime Ct.
ACACIA CT.
CHERRY TREE CLO.
OAK TREE WLK.
NEWLANDS RD.
THE BRAMBLES
THE BRAMS
Willow Walk
Holly Wlk.
The Brambles
Lilac Ct.
Hornbeam Wlk.
Laburnum Wlk.
May Tree Wlk.
WALNUT CLO.
Castle Prim. Sch.
St. Clement Ct.
PARKHOUSE LANE
EAST SOMERSET
Green Hill Farm
CHARLTON
Penn Hill Farm
Parkhouse Farm
Diamond's Cottage
Orchard Cottages
Wellfield House
The Bungalow

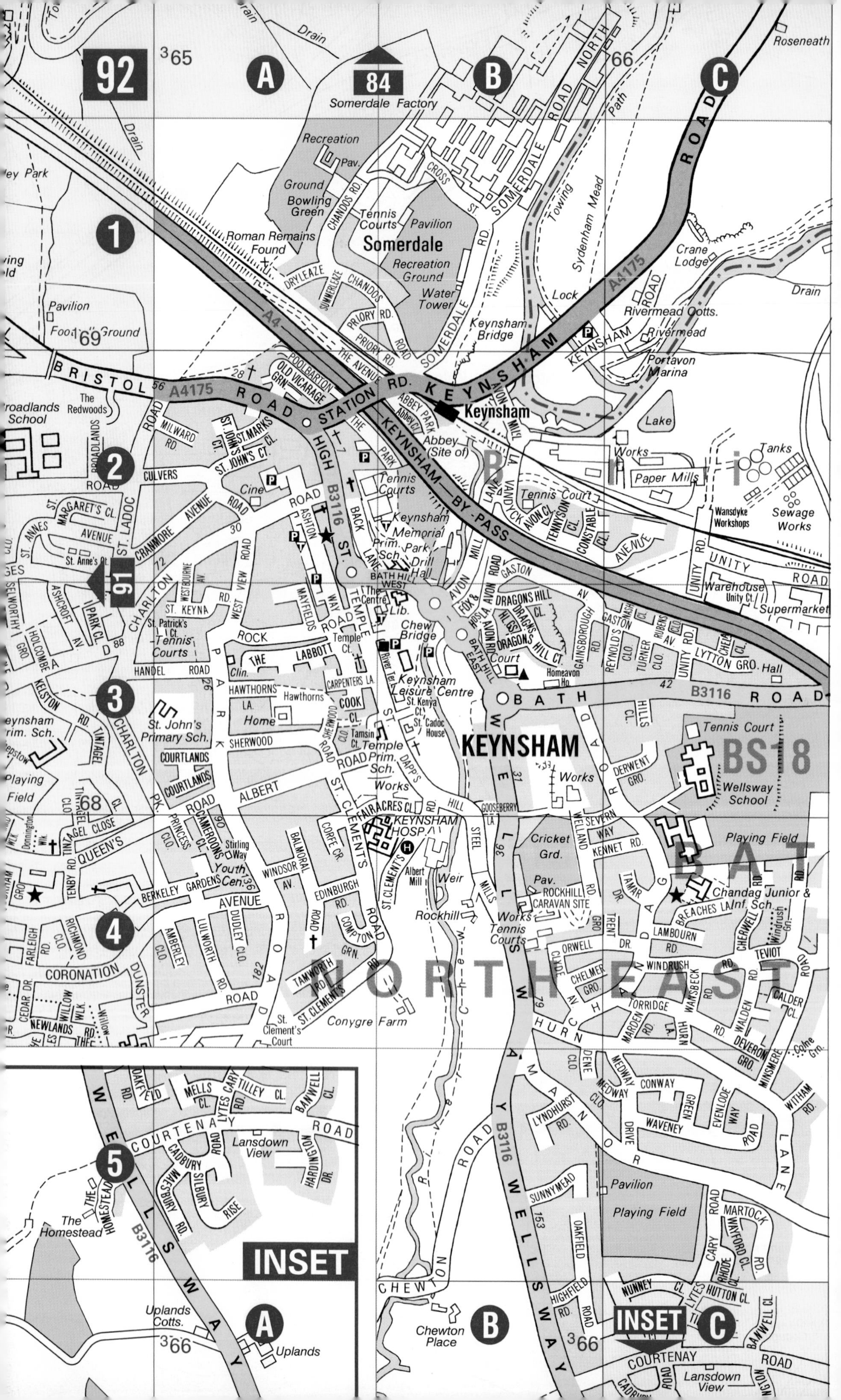

84
91
Somerdale Factory
Recreation Ground
Bowling Green
Somerdale
Somerdale Recreation Ground
Tennis Courts
Pavilion
Water Tower
Roman Remains Found
Football Ground
The Redwoods
Broadlands School
Keynsham
Abbey (Site of)
Keynsham Memorial Park
Drill Hall
Paper Mills
Sewage Works
Wansdyke Workshops
Warehouse
Supermarket
Crane Lodge
Rivermead Cotts.
Rivermead
Portavon Marina
Lake
Keynsham Bridge
KEYNSHAM
St. John's Primary Sch.
Keynsham Prim. Sch.
Keynsham Leisure Centre
Temple Prim. Sch.
Keynsham Hosp.
Albert Mill
Weir
Rockhill
Rockhill Caravan Site
Cricket Grd.
Wellsway School
Playing Field
Chandag Junior & Inf. Sch.
Conygre Farm
St. Clement's Court
Chewton Place
BS18
BATH
NORTH EAST
A4175
A4
B3116
BRISTOL ROAD
STATION RD.
KEYNSHAM ROAD
KEYNSHAM BY-PASS
BATH ROAD
WELLSWAY
River Chew
INSET
The Homestead
Lansdown View
Uplands
Uplands Cotts.

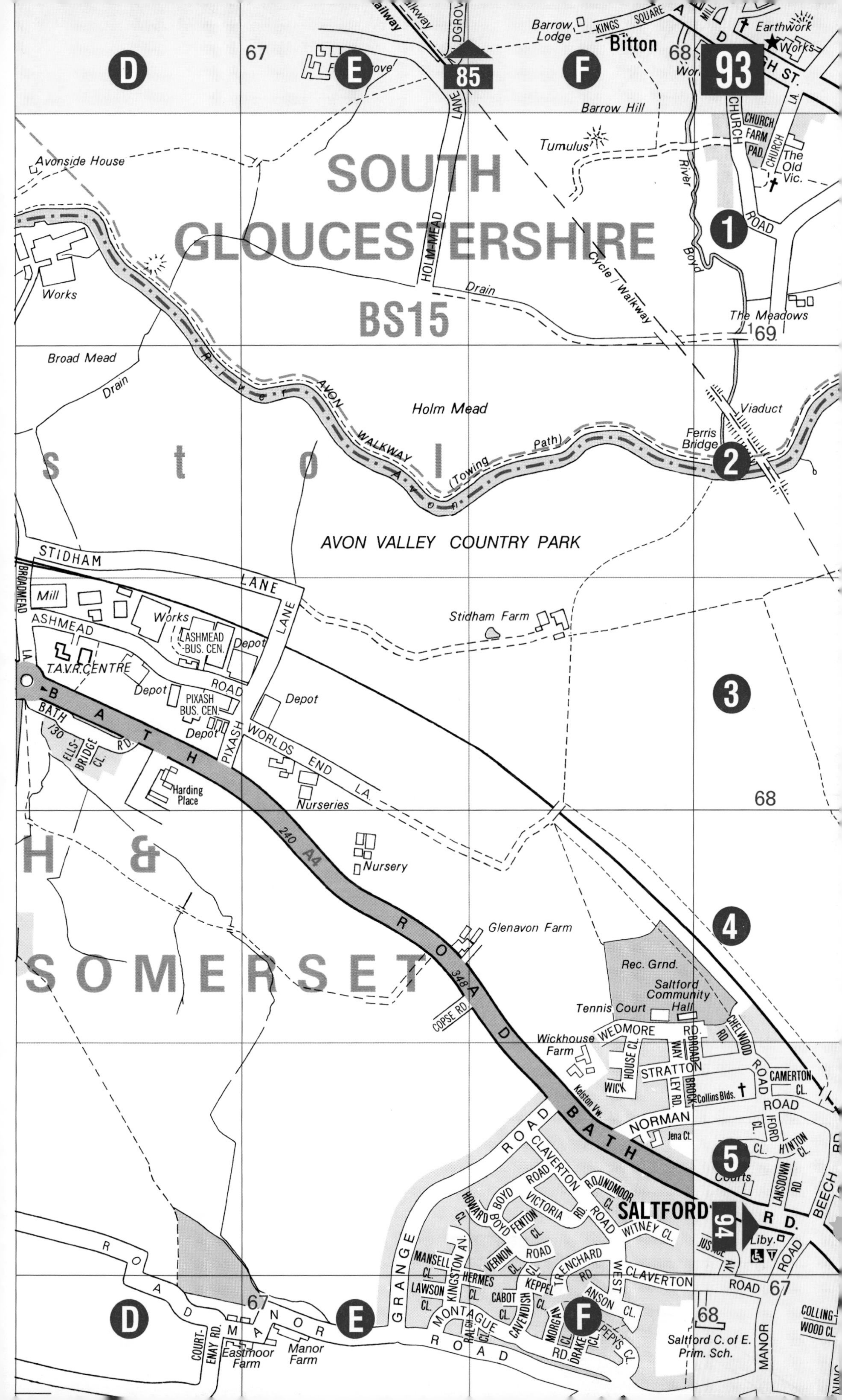

SOUTH GLOUCESTERSHIRE
BS15
BATH & NORTH EAST SOMERSET
93
85
94
D
E
F
1
2
3
4
5
67
68
69
Bitton
Barrow Lodge
KINGS SQUARE
Barrow Hill
Tumulus
Earthwork
Works
CHURCH FARM PAD.
CHURCH RD.
CHURCH LA.
The Old Vic.
ROAD
River Boyd
The Meadows
HOLM-MEAD LANE
Drain
Cycle / Walkway
Avonside House
Works
Broad Mead
Drain
River Avon
AVON WALKWAY (Towing Path)
Holm Mead
Viaduct
Ferris Bridge
AVON VALLEY COUNTRY PARK
STIDHAM LANE
BROADMEAD LA.
Mill
Works
ASHMEAD ROAD
LASHMEAD BUS. CEN.
Depot
T.A.V.R. CENTRE
PIXASH BUS. CEN.
PIXASH LANE
WORLDS END LA.
Stidham Farm
BATH ROAD
A4
ELLSBRIDGE CL.
Harding Place
Nurseries
Nursery
Glenavon Farm
COPSE RD.
Rec. Grnd.
Saltford Community Hall
Tennis Court
WEDMORE RD.
Wickhouse Farm
WICK HOUSE CL.
BROADWAY
STRATTON RD.
LEY RD.
BROCK
Collins Blds.
CHELWOOD ROAD
CAMERTON CL.
Kelston Vw.
NORMAN ROAD
Jena Ct.
IFORD CL.
HINTON CL.
LANSDOWN RD.
BEECH RD.
Courts
CLAVERTON ROAD
ROUNDMOOR CL.
SALTFORD
HOWARD CL.
BOYD RD.
FENTON CL.
VICTORIA RD.
WITNEY CL.
Liby.
JUSTICE AV.
GRANGE ROAD
MANSELL CL.
KINGSTON AV.
VERNON CL.
HERMES CL.
LAWSON CL.
CABOT CL.
KEPPEL CL.
TRENCHARD RD.
WEST CLAVERTON ROAD
ANSON CL.
CAVENDISH CL.
MONTAGUE RD.
RALEIGH CL.
MORGAN CL.
DRAKE RD.
PEPYS CL.
MANOR ROAD
COURTENAY RD.
Eastmoor Farm
Manor Farm
Saltford C. of E. Prim. Sch.
COLLINGWOOD CL.

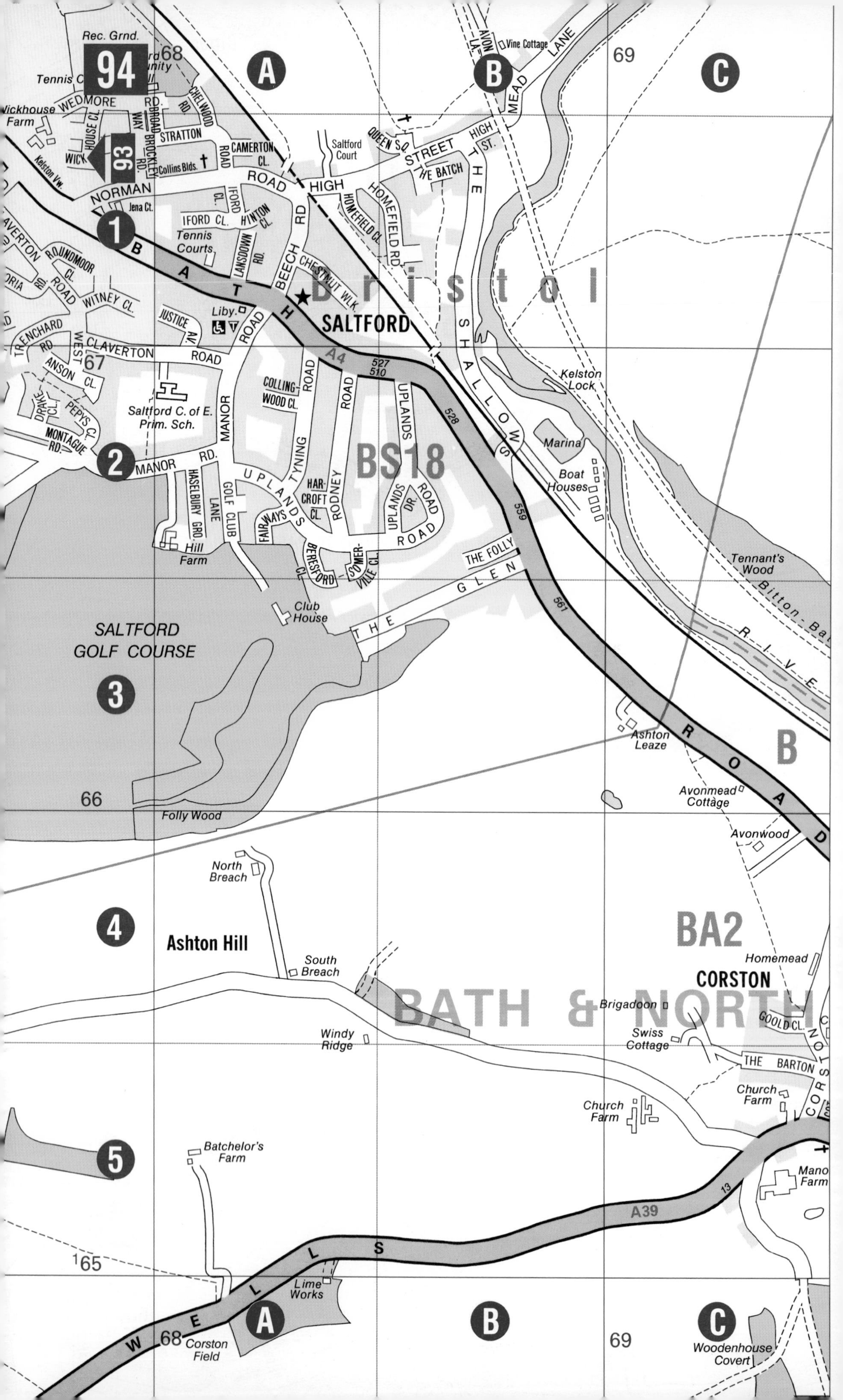
94
93
SALTFORD
BS18
Bristol
SALTFORD GOLF COURSE
Ashton Hill
BA2
CORSTON
BATH & NORTH
BATH ROAD
A4
A39
WELLS ROAD
THE SHALLOWS
HIGH STREET
NORMAN ROAD
CLAVERTON ROAD
MANOR ROAD
UPLANDS ROAD
TYNING ROAD
RODNEY ROAD
THE GLEN
THE FOLLY
Kelston Lock
Marina
Boat Houses
Tennant's Wood
Ashton Leaze
Avonmead Cottage
Avonwood
North Breach
South Breach
Windy Ridge
Brigadoon
Swiss Cottage
Church Farm
Homemead
THE BARTON
GOOLD CL.
Batchelor's Farm
Lime Works
Corston Field
Woodenhouse Covert
Folly Wood
Club House
Hill Farm
Saltford C. of E. Prim. Sch.
Saltford Court
Vine Cottage
MEAD LANE
Rec. Grnd.

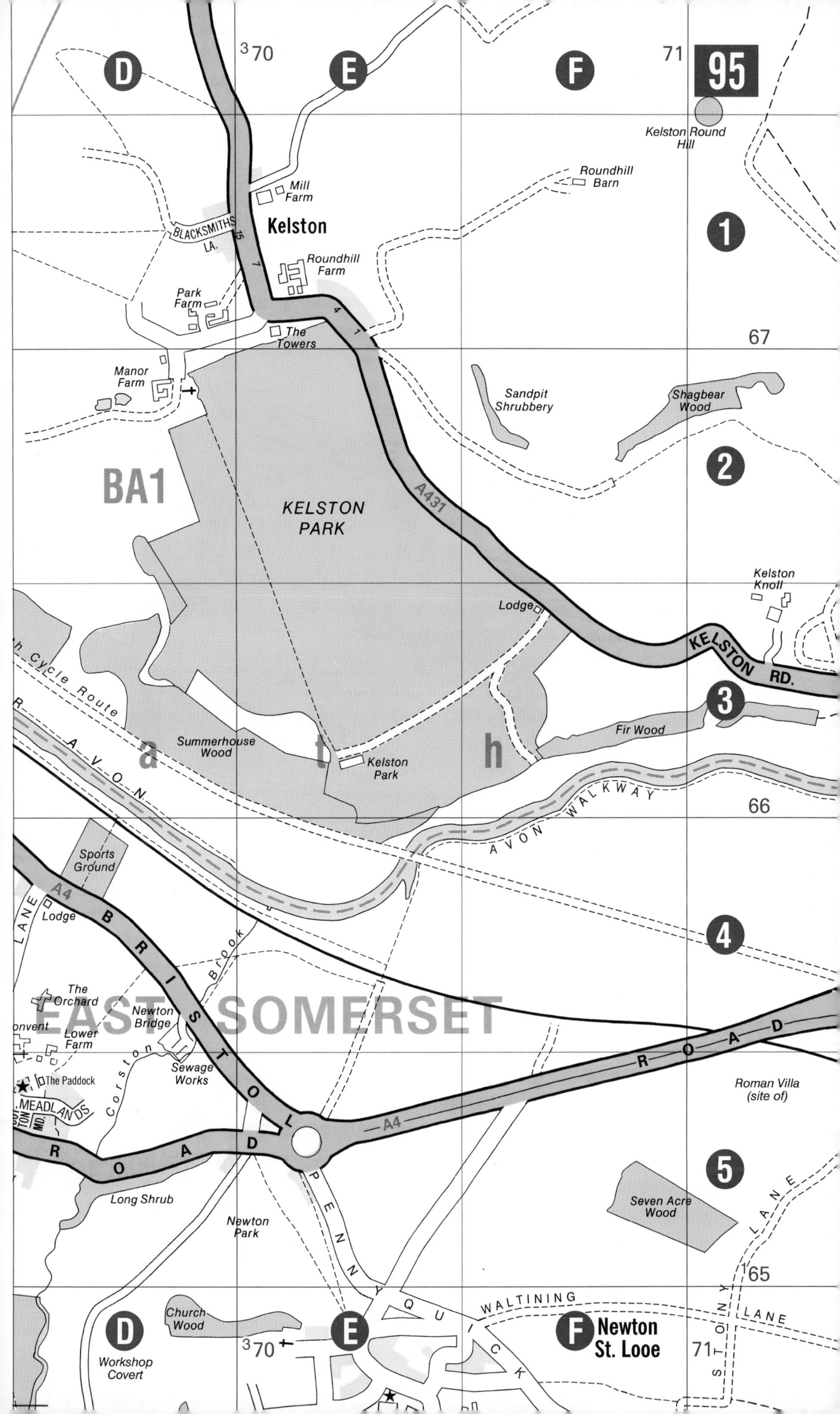

D
E
F
370
71
Kelston Round Hill
Roundhill Barn
Mill Farm
Kelston
BLACKSMITHS LA.
Roundhill Farm
Park Farm
The Towers
67
Manor Farm
Sandpit Shrubbery
Shagbear Wood
BA1
KELSTON PARK
A431
Kelston Knoll
Lodge
KELSTON RD.
Cycle Route
R. AVON
Fir Wood
Summerhouse Wood
Kelston Park
a
t
h
AVON WALKWAY
66
Sports Ground
A4
LANE
Lodge
BRISTOL
Brook
The Orchard
EAST SOMERSET
Newton Bridge
Lower Farm
Convent
Sewage Works
ROAD
The Paddock
Corston
MEADLANDS
Roman Villa (site of)
Long Shrub
Newton Park
PENNY QUICK
Seven Acre Wood
STONY LANE
65
WALTINING LANE
Church Wood
Newton St. Looe
Workshop Covert
1
2
3
4
5

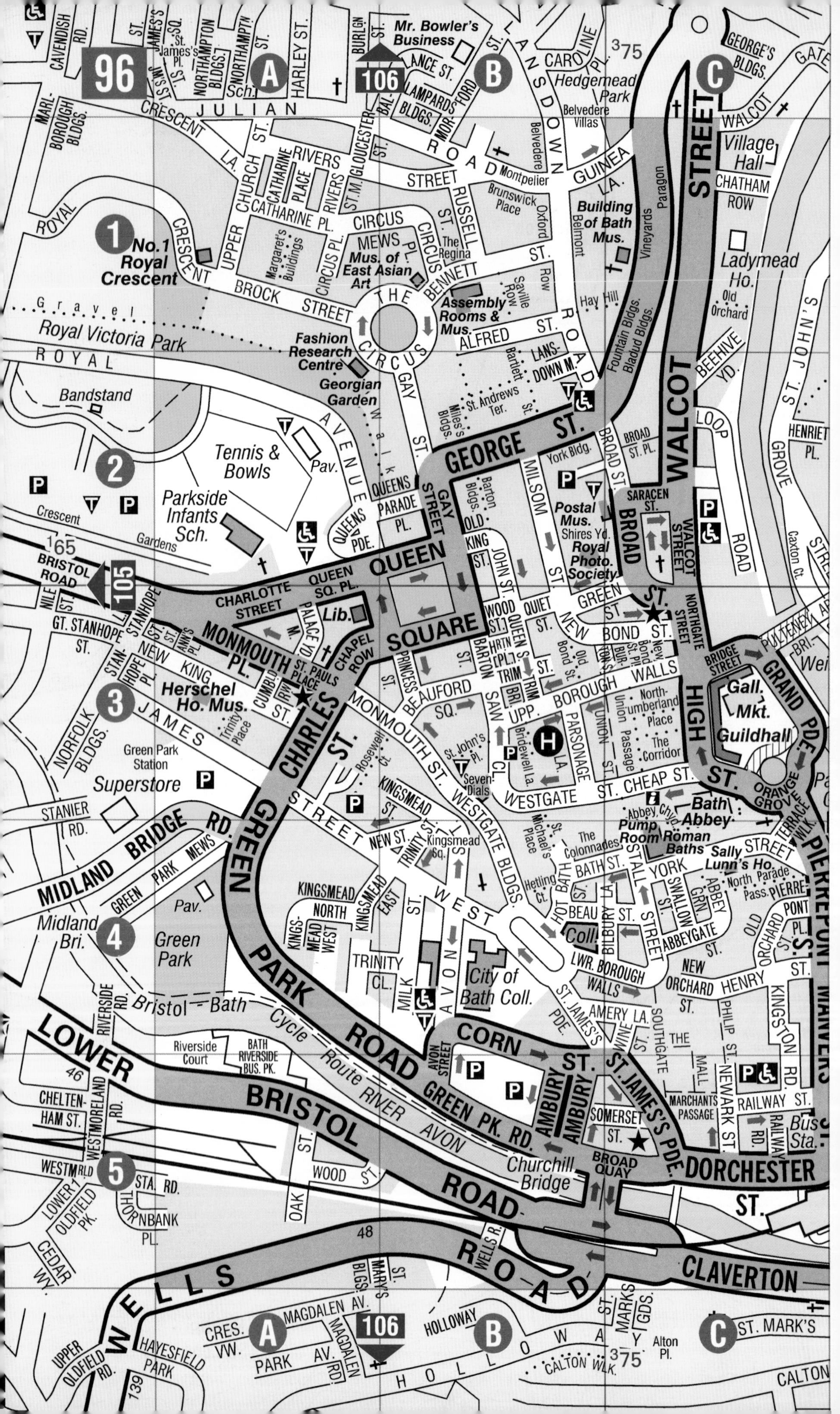
A
B
C
106
105
1
2
3
4
5
Mr. Bowler's Business
No.1 Royal Crescent
Royal Victoria Park
Bandstand
Tennis & Bowls
Pav.
Parkside Infants Sch.
Crescent Gardens
BRISTOL ROAD
CHARLOTTE STREET
QUEEN SQ. PL.
Lib.
QUEEN SQUARE
MONMOUTH PL.
Herschel Ho. Mus.
Green Park Station
Superstore
MIDLAND BRIDGE RD.
GREEN PARK MEWS
Midland Bri.
Green Park
LOWER BRISTOL ROAD
Bristol - Bath Cycle Route
RIVER AVON
Riverside Court
BATH RIVERSIDE BUS. PK.
CHARLES ST.
GREEN PARK ROAD
GREEN PK. RD.
CORN ST.
AMBURY
SOMERSET ST.
BROAD QUAY
Churchill Bridge
DORCHESTER ST.
CLAVERTON
WELLS ROAD
HOLLOWAY
MAGDALEN AV.
CALTON WLK.
ST. MARK'S
Alton Pl.
JULIAN
CAVENDISH RD.
HARLEY ST.
LANSDOWN ROAD
CAROLINE PL.
Hedgemead Park
Belvedere Villas
GUINEA LA.
Building of Bath Mus.
Paragon
Vineyards
WALCOT STREET
Village Hall
CHATHAM ROW
Ladymead Ho.
Old Orchard
ST. JOHN'S
BEEHIVE YD.
HENRIETTA PL.
GROVE
LOOP
CATHARINE PLACE
RIVERS ST.
CIRCUS MEWS
Mus. of East Asian Art
BROCK STREET
THE CIRCUS
BENNETT ST.
Assembly Rooms & Mus.
ALFRED ST.
Fashion Research Centre
Georgian Garden
GAY ST.
Gravel Walk
ROYAL AVENUE
QUEENS PARADE PL.
GEORGE ST.
MILSOM ST.
Postal Mus.
Shires Yd.
Royal Photo. Society
SARACEN ST.
BROAD ST.
NEW BOND ST.
GREEN ST.
QUIET ST.
JOHN ST.
OLD KING ST.
NORTHGATE STREET
BRIDGE STREET
GRAND PDE.
Gall. Mkt. Guildhall
HIGH ST.
ORANGE GROVE
UPP. BOROUGH WALLS
Northumberland Place
Union Passage
The Corridor
CHEAP ST.
WESTGATE ST.
SAW CL.
PARSONAGE LA.
Seven Dials
MONMOUTH ST.
WESTGATE BLDGS.
BEAUFORD SQ.
KINGSMEAD ST.
KINGSMEAD SQ.
NEW ST.
KINGSMEAD NORTH
KINGSMEAD EAST
TRINITY CL.
MILK ST.
AVON ST.
City of Bath Coll.
WEST ST.
HOT BATH ST.
BATH ST.
The Colonnades
Pump Room
Roman Baths
Bath Abbey
Sally Lunn's Ho.
YORK STREET
STALL ST.
BEAU ST.
Coll.
BILBURY LA.
SWALLOW ST.
ABBEYGATE ST.
LWR. BOROUGH WALLS
ST. JAMES'S PDE.
AMERY LA.
SOUTHGATE
THE MALL
NEW ORCHARD ST.
HENRY ST.
PIERREPONT ST.
MANVERS ST.
KINGSTON RD.
RAILWAY ST.
MARCHANTS PASSAGE
NEWARK ST.
Bus Sta.
JAMES ST.
NORFOLK BLDGS.
STANIER RD.
WESTMORELAND RD.
CHELTENHAM ST.
OLDFIELD PK.
THORNBANK PL.
CEDAR WY.
UPPER OLDFIELD RD.
HAYESFIELD PARK
OAK ST.
WOOD ST.

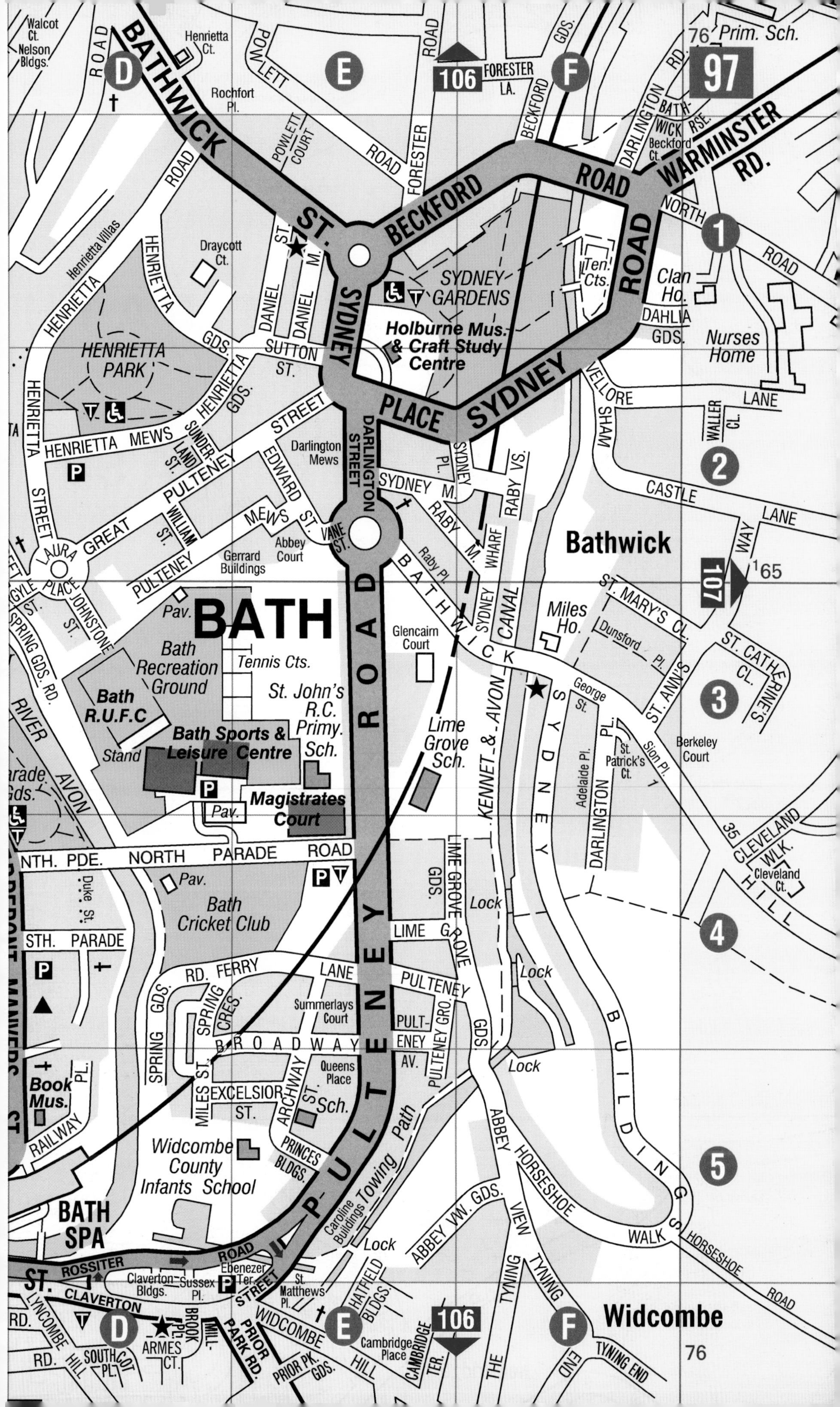

97
76 Prim. Sch.
106
107
165
BATH
Bathwick
Widcombe
BATHWICK ST.
BECKFORD ROAD
WARMINSTER RD.
SYDNEY ROAD
SYDNEY PLACE
PULTENEY ROAD
GREAT PULTENEY STREET
HENRIETTA PARK
SYDNEY GARDENS
Holburne Mus. & Craft Study Centre
Bath Recreation Ground
Bath R.U.F.C
Bath Sports & Leisure Centre
Magistrates Court
Bath Cricket Club
St. John's R.C. Primy. Sch.
Lime Grove Sch.
Widcombe County Infants School
Nurses Home
Clan Ho.
Miles Ho.
KENNET & AVON CANAL
SYDNEY BUILDINGS
NORTH PARADE ROAD
BATH SPA
Book Mus.
Darlington Mews
Gerrard Buildings
Abbey Court
Glencairn Court
Summerlays Court
Queens Place
Berkeley Court
Caroline Buildings
Towing Path
Lock
Cambridge Place
76

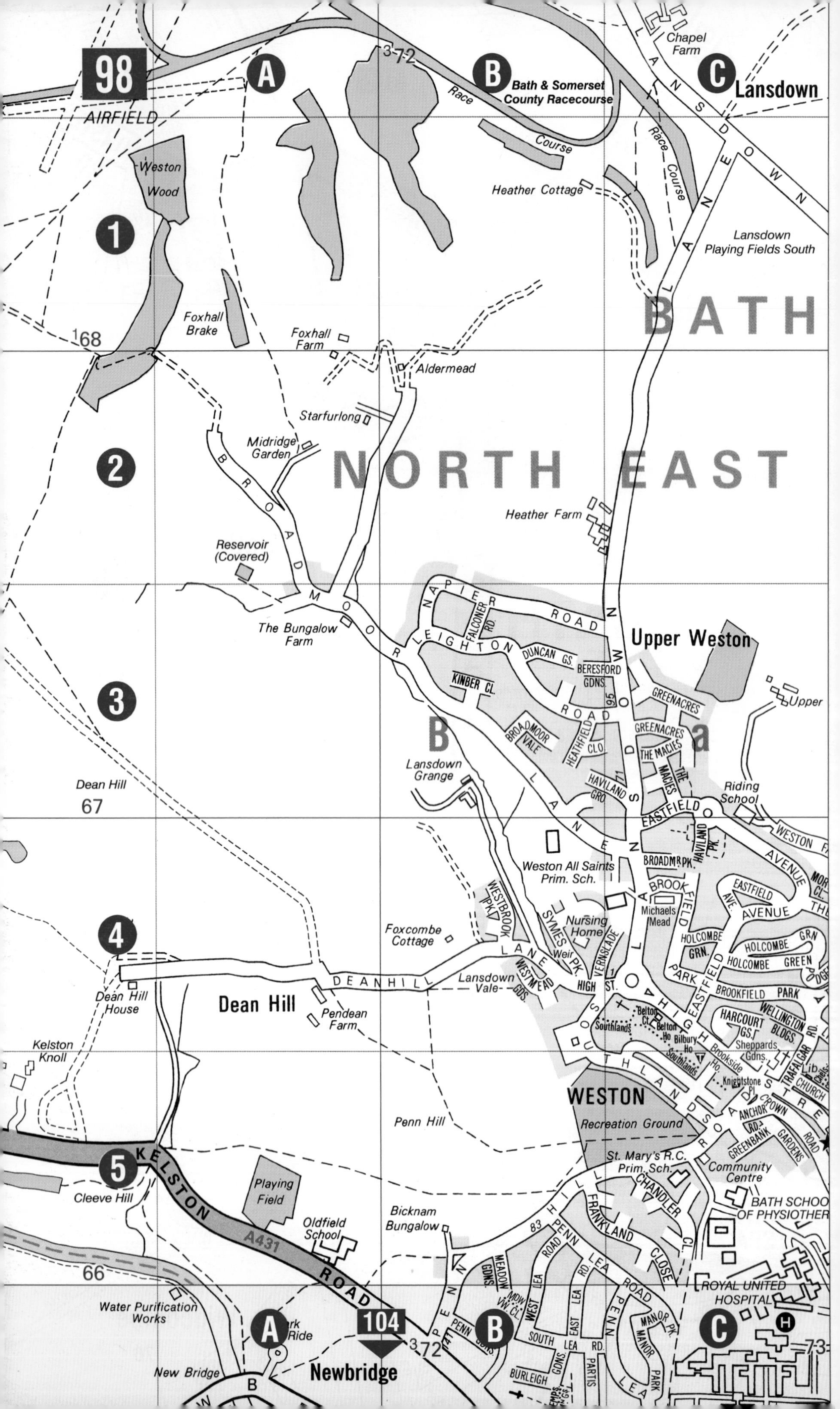

98

AIRFIELD

A B Bath & Somerset County Racecourse C Lansdown

Chapel Farm

Weston Wood

Race Course

Lansdown Playing Fields South

1

Foxhall Brake

Foxhall Farm

Heather Cottage

BATH

168

Aldermead

Starfurlong

Midridge Garden

NORTH EAST

2

Heather Farm

BROADMOOR

Reservoir (Covered)

The Bungalow Farm

NAPIER ROAD

LEIGHTON ROAD

FALCONER RD.

DUNCAN GS.

BERESFORD GDNS.

Upper Weston

KINBER CL.

Upper

B

BROADMOOR VALE

HEATHFIELD CLO.

GREENACRES

GREENACRES

THE MACIES

a

3

Dean Hill 67

Lansdown Grange

HAVILAND GRO.

THE MACIES

Riding School

EASTFIELD

WESTON FA

AVENUE

Weston All Saints Prim. Sch.

BROADMR PK.

HAVILAND PK.

MOR CL.

THE

WESTBROOK PK.

BROOK AVE.

EASTFIELD AVENUE

4

Foxcombe Cottage

SYMES PK.

Nursing Home

VERNSLADE

Weir PK.

Michaels Mead

HOLCOMBE GRN.

HOLCOMBE GREEN

EASTFIELD PARK

HOLCOMBE GRN.

ODG

Dean Hill House

DEANHILL

LANE

Lansdown Vale

WESTMEAD GDNS.

HIGH ST.

BROOKFIELD PARK

WELLINGTON BLDGS.

Dean Hill

Pendean Farm

WESTMEAD

Belton CL. Belton Ho.

HARCOURT GS.

Kelston Knoll

Southlands

Bilbury Ho. Southlands

Sheppards Gdns.

Brookside

TRAFALGAR

CHURCH

Lib.

Knightstone

STREE

WESTON

ANCHOR RD.

Penn Hill

Recreation Ground

St. Mary's R.C. Prim. Sch.

GREENBANK GARDENS

Community Centre

5 KELSTON

Cleeve Hill

Playing Field

Bicknam Bungalow

HILL

83 PENN ROAD

FRANKLAND

CHANDLER CL.

BATH SCHOOL OF PHYSIOTHER

66

Oldfield School

A431 ROAD

MEADOW GDNS.

MDW VW CL.

WEST LEA

PENN GDNS.

LEA ROAD

CLOSE

ROYAL UNITED HOSPITAL

Water Purification Works

A Park Ride

104

B

WEST LEA SOUTH

PENN LEA RD.

EAST LEA RD.

MANOR PK.

MANOR PARK

C

H

New Bridge

Newbridge

3·72

SOUTHLANDS

PENN

BURLEIGH

PARTIS

73

B

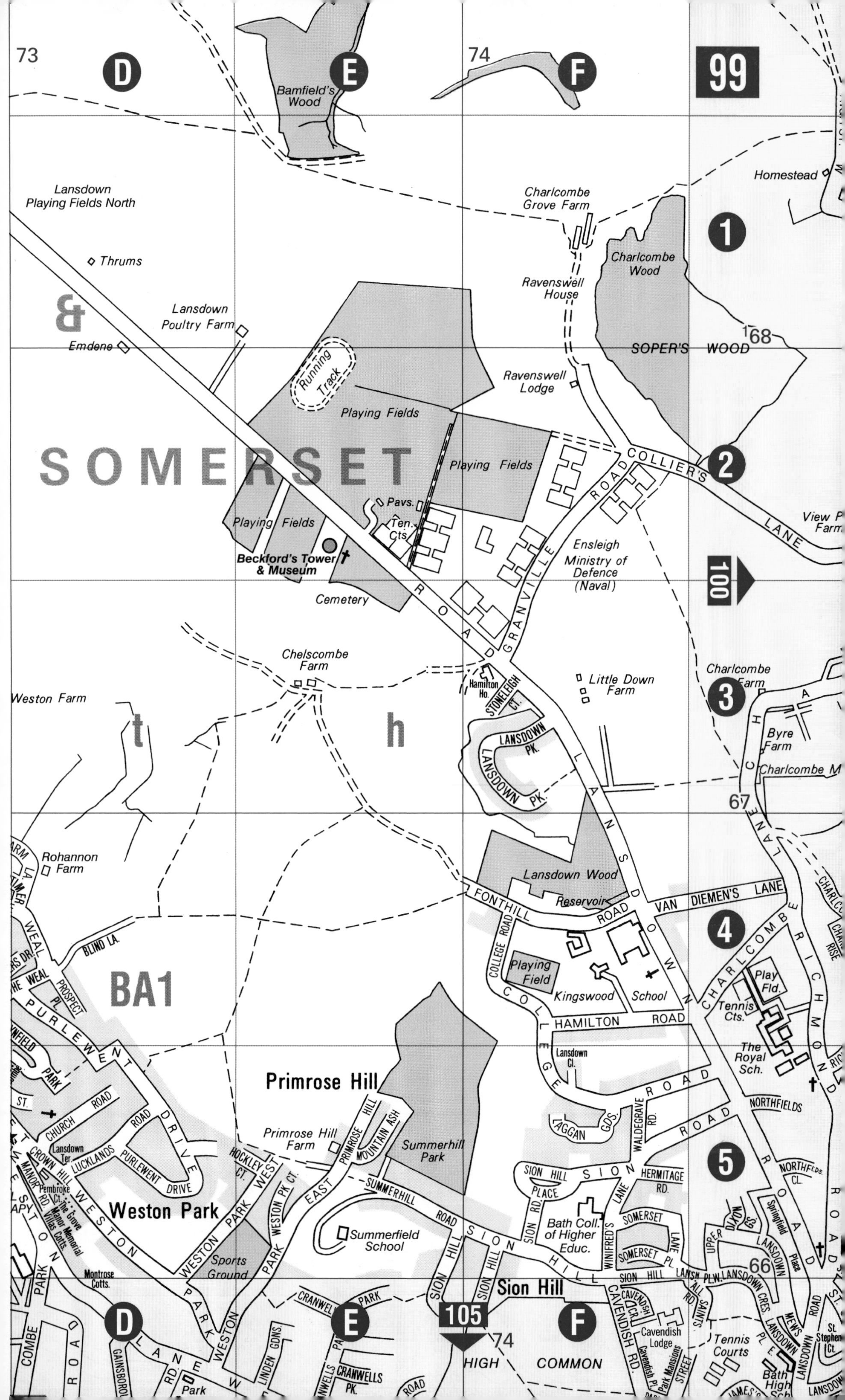

99
Lansdown Playing Fields North
Thrums
Lansdown Poultry Farm
Emdene
Bamfield's Wood
Charlcombe Grove Farm
Charlcombe Wood
Ravenswell House
SOPER'S WOOD
Ravenswell Lodge
Homestead
Running Track
Playing Fields
SOMERSET
COLLIER'S LANE
Pavs.
Ten. Cts.
Beckford's Tower & Museum
Cemetery
GRANVILLE ROAD
Ensleigh Ministry of Defence (Naval)
100
Chelscombe Farm
Hamilton Ho.
STONELEIGH CT.
Little Down Farm
Charlcombe Farm
Weston Farm
Bath
LANSDOWN PK.
Byre Farm
Charlcombe M
Rohannon Farm
Lansdown Wood
Reservoir
FONTHILL ROAD
VAN DIEMEN'S LANE
COLLEGE ROAD
Playing Field
Kingswood School
BLIND LA.
BA1
HAMILTON ROAD
CHARLCOMBE
RICHMOND
Play Fld.
Tennis Cts.
The Royal Sch.
PURLEWENT DRIVE
Lansdown Cl.
NORTHFIELDS
Primrose Hill
Primrose Hill Farm
Summerhill Park
LAGGAN GDS.
WALDEGRAVE RD.
CHURCH ROAD
Lansdown Ter.
LUCKLANDS ROAD
HOCKLEY CT.
MOUNTAIN ASH
SION HILL PLACE
HERMITAGE RD.
NORTHFIELDS CL.
Weston Park
WESTON PARK WEST
WESTON PK CT.
SUMMERHILL ROAD
Bath Coll. of Higher Educ.
SOMERSET LANE
Summerfield School
Sports Ground
SION HILL
WINIFRED'S LANE
SOMERSET PL.
LANSDOWN CRES.
Montrose Cotts.
Sion Hill
CAVENDISH CR.
CAVENDISH RD.
Cavendish Lodge
ALL SAINTS RD.
Tennis Courts
105
HIGH COMMON
CRANWELLS PARK
LINDEN GDNS.
GAINSBOROUGH
WESTON LANE
St. Stephen's Ct.
Bath High Sch.

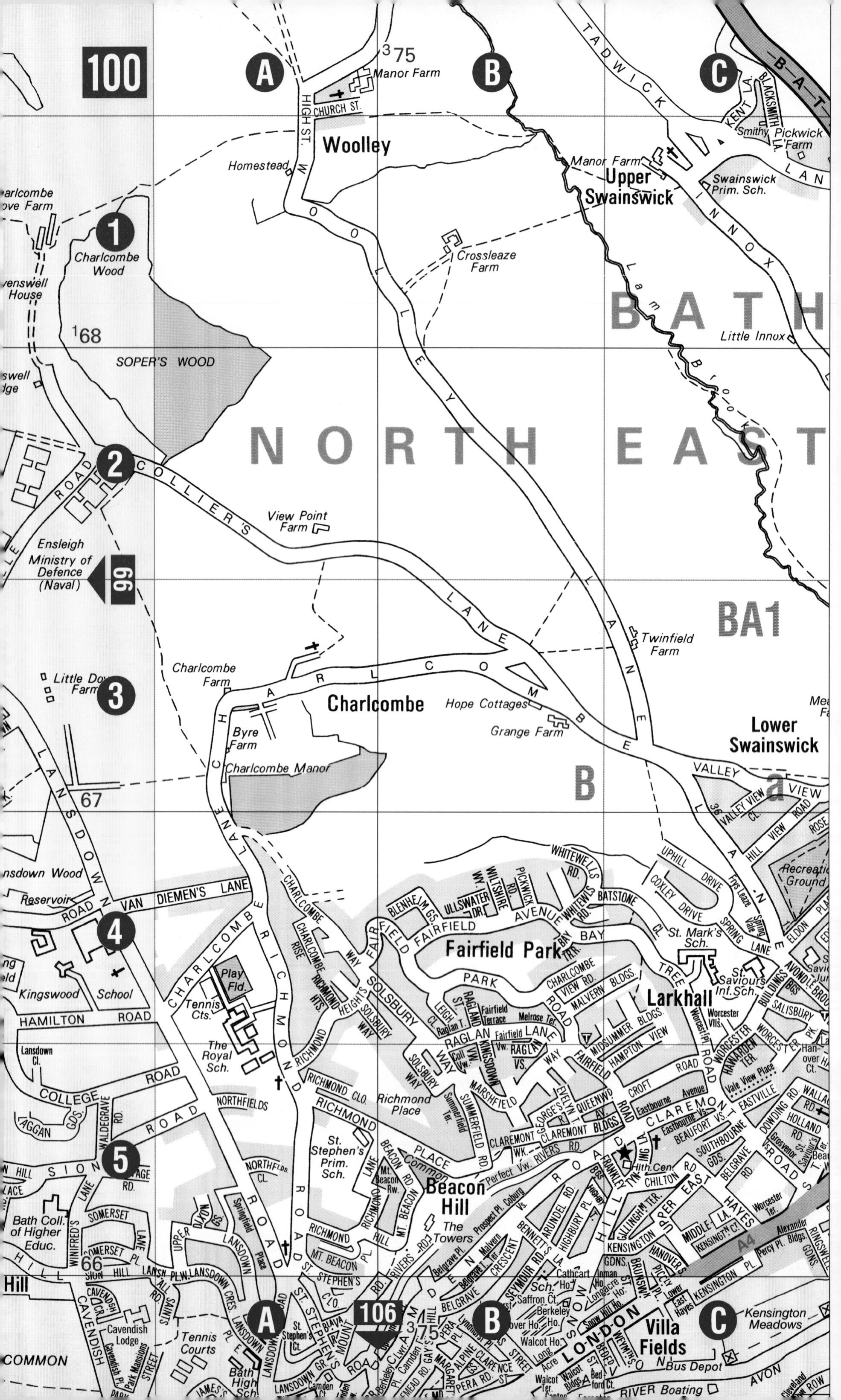

Woolley
Manor Farm
Homestead
Upper Swainswick
Crossleaze Farm
Charlcombe Wood
SOPER'S WOOD
NORTH EAST
BATH
Little Innox
View Point Farm
Ensleigh Ministry of Defence (Naval)
Twinfield Farm
BA1
Charlcombe Farm
Charlcombe
Hope Cottages
Grange Farm
Byre Farm
Charlcombe Manor
Lower Swainswick
Fairfield Park
Larkhall
Kingswood School
The Royal Sch.
Richmond Place
St. Stephen's Prim. Sch.
Beacon Hill
The Towers
Bath Coll. of Higher Educ.
Cavendish Lodge
Tennis Courts
Bath High Sch.
Villa Fields
Kensington Meadows
Bus Depot
COLLIER'S LANE
CHARLCOMBE LANE
WOOLLEY LANE
LANSDOWN ROAD
VAN DIEMEN'S LANE
HAMILTON ROAD
COLLEGE ROAD
NORTHFIELDS
SION HILL
RICHMOND ROAD
CAMDEN ROAD
LONDON ROAD
CLAREMONT ROAD
FAIRFIELD AVENUE
VALLEY VIEW ROAD

99
106

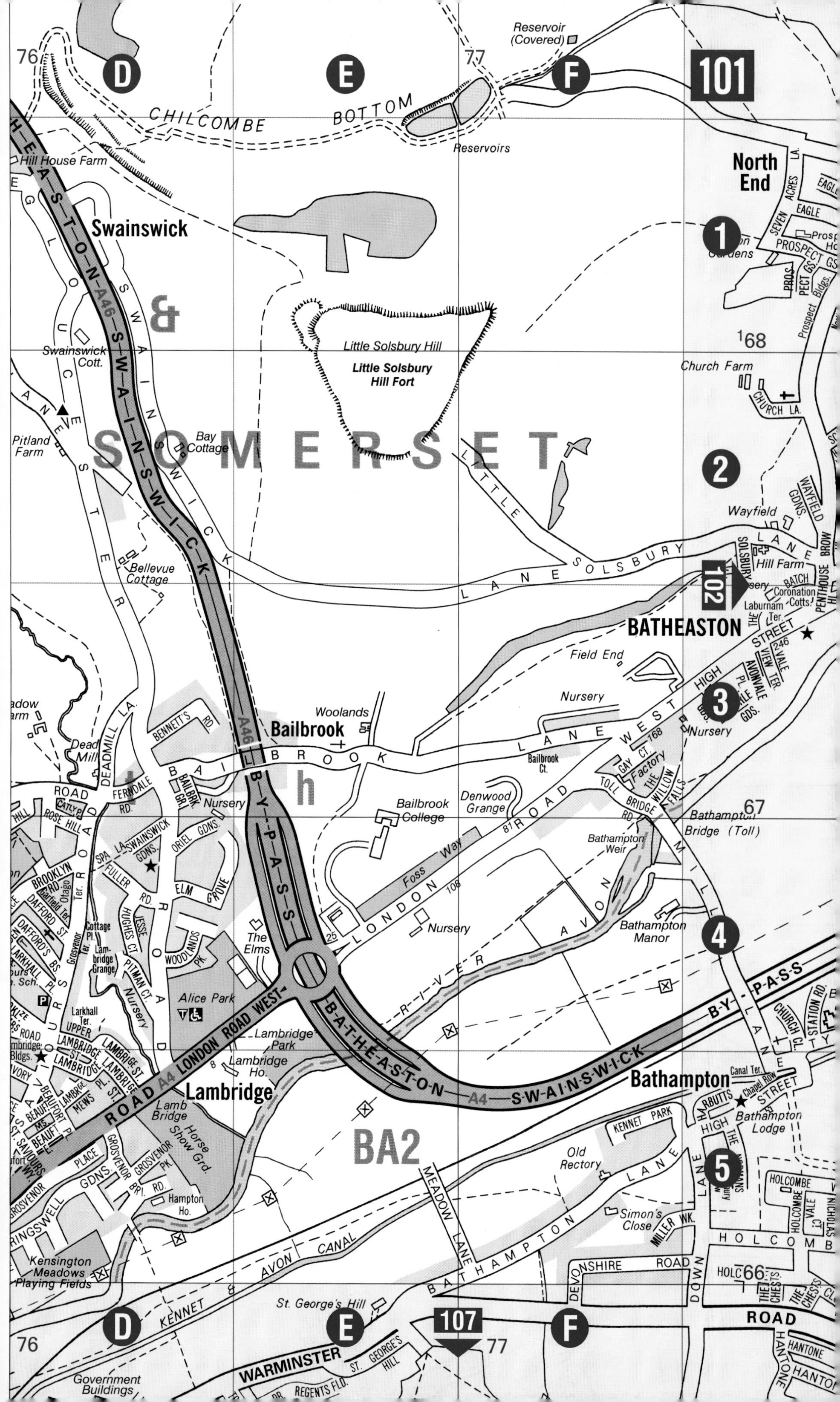

Reservoir
(Covered)

**North
End**

CHILCOMBE BOTTOM

Reservoirs

1

76

Hill House Farm

SEVEN ACRES LA.
EAGLE
PROSPECT
Prospect
PROS.
PECT GS.
Bldgs.
Prospect
Gardens

Swainswick

168

Church Farm

CHURCH LA.

&

WAYFIELD GDNS.

Swainswick
Cott.

PENTHOUSE BROW

2

Little Solsbury Hill

**Little Solsbury
Hill Fort**

Wayfield

SOLSBURY LANE

Hill Farm

Pitland
Farm

Bay
Cottage

S O M E R S E T

Nursery

BATCH
Coronation
Cotts.

AVONVALE TER.
246

Laburnam
Ter.

VIEW TER.
AVONVALE PL.
AVONVALE GDNS.

102

Bellevue
Cottage

LITTLE SOLSBURY LANE

BATHEASTON

HIGH STREET

Field End

Nursery

3

dow
arm

Nursery

WEST LANE

168

Nursery

THE WILLOW

Dead
Mill

BENNETT'S RD.

Bailbrook

Woolands

Bailbrook
Ct.

Toll
Bridge

GAY CT.
Factory
THE

Bathampton
Bridge (Toll)

67

ROAD

B-Y-P-A-S-S

BAILBROOK

BROOK

Nursery

Bailbrook
College

Denwood
Grange

LONDON ROAD

Bathampton
Weir

MILL LANE

DEADMILL LA.

FERNDALE RD.

BAILBR. GR.

SWAINSWICK GDNS.

SPA LA.

ORIEL GDNS.

Foss Way

81

Bathampton
Manor

4

ROSE HILL

CATLEY

BROOKLYN RD.

OTAGO TER.
FULLER RD.

ELM GROVE

HUGHES CT.

WOODLANDS PK.

PITMAN CT.

The
Elms

25

Nursery

R-I-V-E-R AVON

BY-PASS

DAFFORD ST.

Cottage
Pl.
Lam-
bridge
Grange

Nursery

108

CHURCH CL.

STATION RD.

DAFFORD'S BS.

Alice Park

Canal Ter.

LARKHALL PL.

Larkhall
Ter.
UPPER

Lambridge
Park

BATHEASTON

Bathampton

KENNET PARK

Chapel Row

5

ROAD

LAMBRIDGE ST.

Lambridge
Ho.

A4 SWAINSWICK

HIGH ST.

ROW

Bathampton
Lodge

IVORY

LAMBRIDGE
LAMBRIDGE
MEWS
PL.
LAMBRIDGE ST.

Lambridge

ROAD A4 LONDON ROAD WEST

Lamb
Bridge

Horse
Show Grd

Old
Rectory

DOWN LANE

BUTTS

HANTONE

HOLCOMBE VALE

BEAUFORT

GROSVENOR BRI.

GROSVENOR PK.

GROSVENOR RD.

BA2

Hampton
Ho.

Simon's
Close

NICHOLAS RD.

HOLCOMBE RD.

THE CHESTS

RINGSWELL GDNS.

SANDYS
WAY

GROSVENOR
PLACE

AVON CANAL

MEADOW LANE

DEVONSHIRE ROAD

HOLC.
66

ROAD

Kensington
Meadows
Playing Fields

KENNET

BATHAMPTON LANE

MILLER WK.

HANTONE

Government
Buildings

St. George's Hill

ST. GEORGE'S HILL

REGENTS FLD.

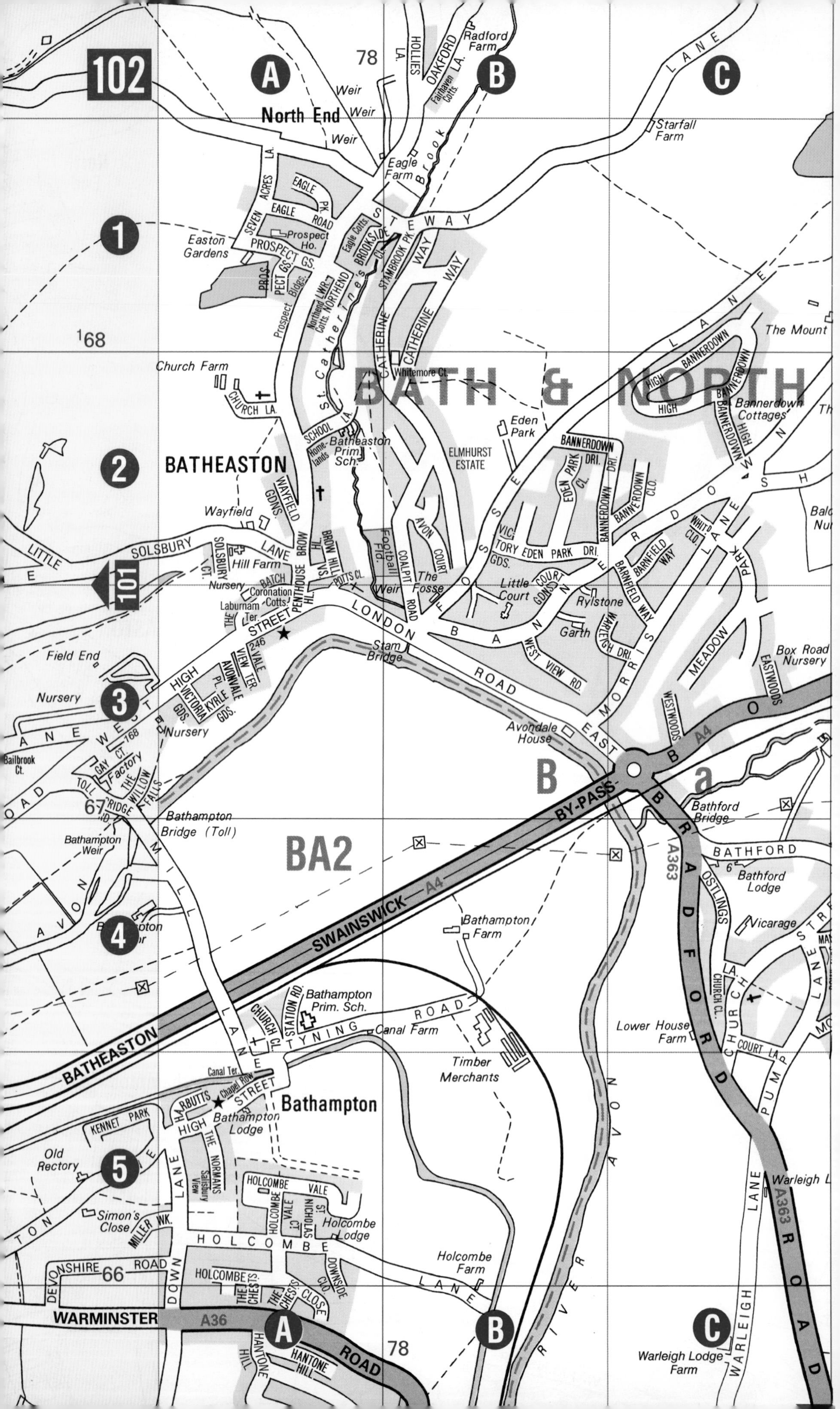

102
A
B
C
78
North End
Weir
Radford Farm
OAKFORD LA.
HOLLIES LA.
Fairhaven Cotts.
Starfall Farm
Eagle Farm
Brook
SEVEN ACRES LA.
EAGLE PK.
EAGLE ROAD
Prospect Ho.
PROSPECT GS.
Easton Gardens
STEWAY
LANE
BROOKSIDE
Eagle Cotts.
STAMBROOK PK.
WAY
CATHERINE WAY
Prospect Bldgs.
Northend Cotts.
LWR. NORTHEND
St. Catherine's Cl.
1
168
The Mount
Church Farm
CHURCH LA.
Whitemore Ct.
BATH & NORTH
HIGH BANNERDOWN
Bannerdown Cottages
SCHOOL LA.
Homelands
Batheaston Prim. Sch.
Eden Park
ELMHURST ESTATE
BANNERDOWN DRI.
EDEN PARK CL.
BANNERDOWN CLO.
2
BATHEASTON
WAYFIELD GDNS.
Wayfield
BROW HILL
AVON COURT
VICTORY GDS.
EDEN PARK DRI.
BARNFIELD WAY
WHITE CLO.
LITTLE SOLSBURY LANE
SOLSBURY CT.
Hill Farm
101
Nursery
BATCH
Coronation Cotts.
PENTHOUSE HL
POTTS CL.
Football Fld.
Weir
COALPIT ROAD
The Fosse
Little Court
COURT GDNS.
Rylstone
Garth
WARLEIGH DRI.
Laburnam Ter.
THE STREET
LONDON ROAD
Stam Bridge
WEST VIEW RD.
MEADOW PARK
Box Road Nursery
EASTWOODS
WESTWOODS
Field End
HIGH STREET
VALE VIEW TER.
VICTORIA PL.
KYRLE GDS.
AVONVALE
3
Nursery
WEST LANE
Avondale House
EAST
FOSSE
BANNERDOWN
MORRIS
Bailbrook Ct.
GAY CT.
Factory
THE WILLOW FALLS
TOLL BRIDGE
ROAD
67
B
a
A4
BY-PASS
Bathford Bridge
BATHFORD
Bathford Lodge
Bathampton Bridge (Toll)
Bathampton Weir
BA2
MILL LANE
AVON
SWAINSWICK
A4
A363
BRADFORD ROAD
OSTLINGS
Vicarage
4
Bathampton Farm
BATHEASTON
CHURCH CL.
STATION RD.
Bathampton Prim. Sch.
TYNING ROAD
Canal Farm
Timber Merchants
Lower House Farm
CHURCH LA.
CHURCH CL.
COURT LA.
PUMP
Canal Ter.
Chapel Row
HARBUTTS
STREET
Bathampton
Bathampton Lodge
HIGH
KENNET PARK
THE NORMANS
Salisbury View
Old Rectory
5
HOLCOMBE VALE
HOLCOMBE VALE
ST. NICHOLAS CT.
Holcombe Lodge
Simon's Close
MILLER WK.
HOLCOMBE
RIVER AVON
Warleigh L
A363 ROAD
DEVONSHIRE ROAD
66
HOLCOMBE STS.
DOWNSIDE CLO.
DOWN LANE
Holcombe Farm
LANE
THE CHESTS
THE CHESTS CLOSE
WARMINSTER
A36
ROAD
HANTONE HILL
78
C
Warleigh Lodge Farm
WARLEIGH LANE

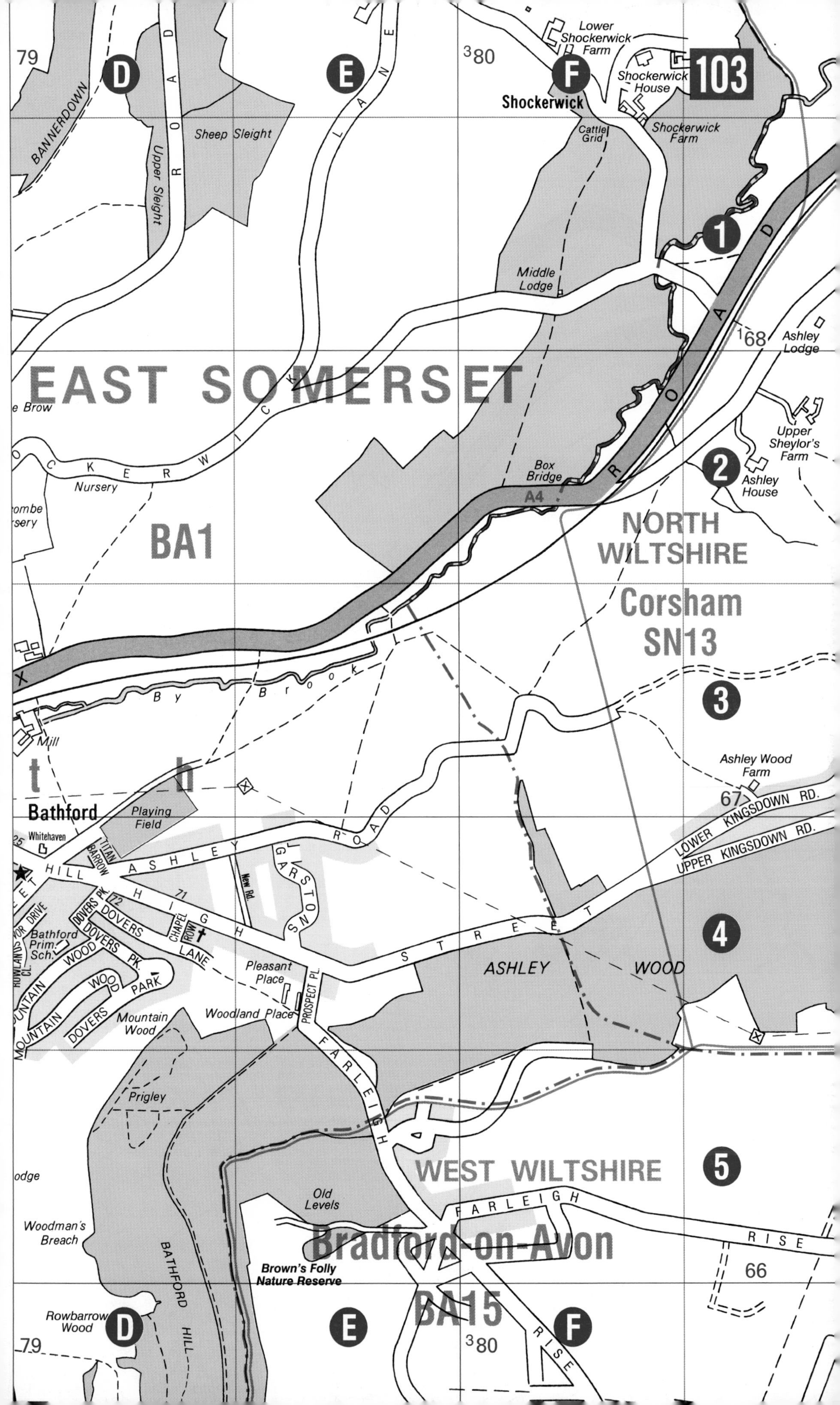

79   **D**   **E**   ³80   **F**

BANNERDOWN

Sheep Sleight

Upper Sleight

Lower
Shockerwick
Farm

Shockerwick House

Shockerwick

Cattle
Grid

Shockerwick
Farm

1

Middle
Lodge

168

Ashley
Lodge

EAST SOMERSET

e Brow

Nursery

ombe
rsery

Box
Bridge

A4

Upper
Sheylor's
Farm

2

Ashley
House

BA1

NORTH
WILTSHIRE

Corsham
SN13

3

Mill

By Brook

Ashley Wood
Farm

67

LOWER KINGSDOWN RD.

t   b

Bathford

Playing
Field

Whitehaven

HILL

TITAN
BARROW

ASHLEY

71

New Rd.

GARSTON

ROAD

STREET

UPPER KINGSDOWN RD.

4

HIGH

72

DOVERS PK.

DOVERS

Chapel
Row

Pleasant
Place

Prospect Pl.

ASHLEY   WOOD

Bathford
Prim. Sch.

WOOD

DOVERS PK.

LANE

Woodland Place

OR DRIVE

ROWLANDS CL.

MOUNTAIN

WOOD

DOVERS

PARK

Mountain
Wood

MOUNTAIN

Prigley

FARLEIGH

Woodman's
Breach

Old
Levels

WEST WILTSHIRE

5

BATHFORD HILL

FARLEIGH   RISE

Bradford-on-Avon

odge

Brown's Folly
Nature Reserve

66

BA15

Rowbarrow
Wood

D

E

F

79   ³80

RISE

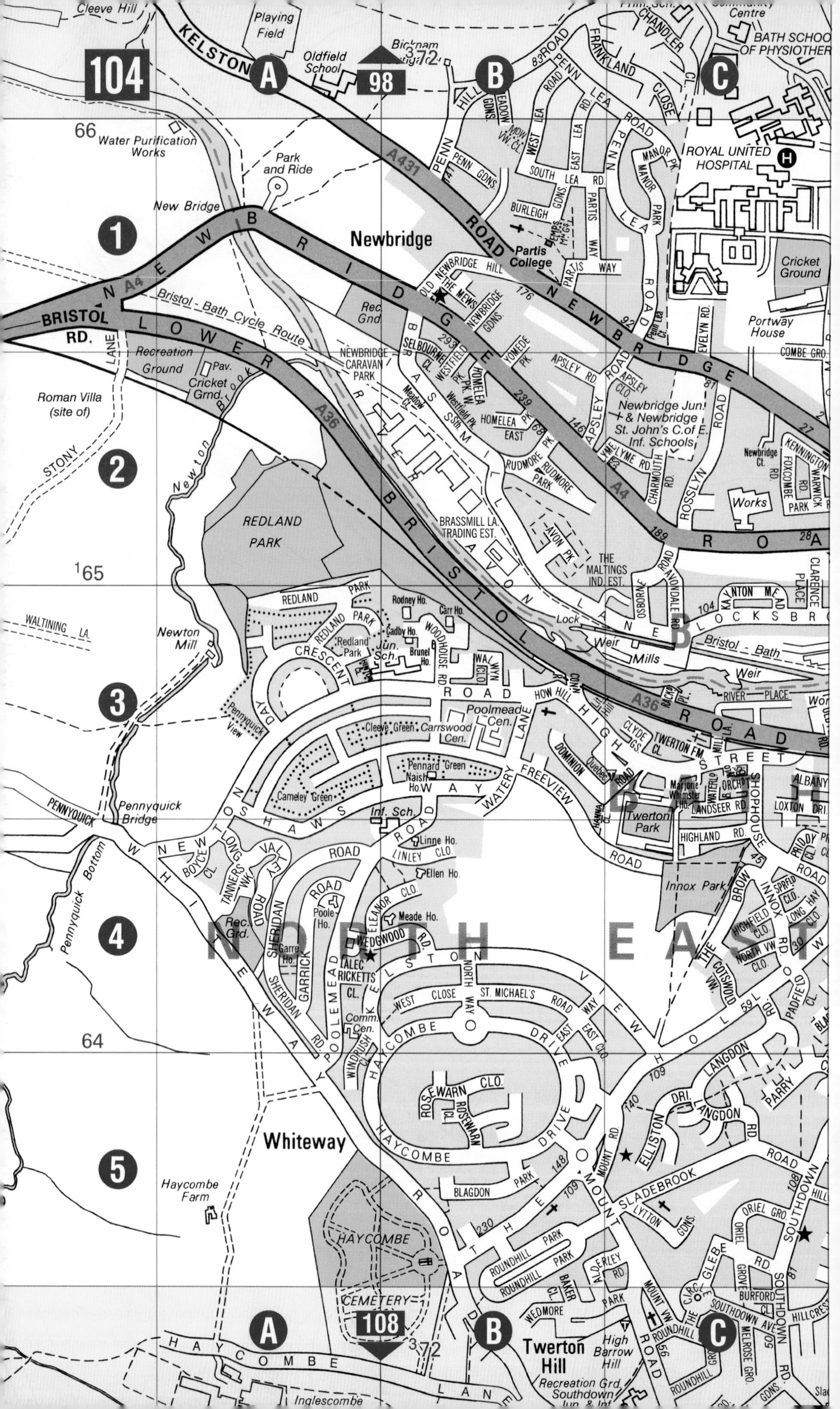

104
98
108
Newbridge
Whiteway
Twerton Hill
Royal United Hospital
Redland Park
Haycombe Cemetery
Newton Mill
Pennyquick Bridge
Kelston Road
Newbridge Road
Lower Bristol Road
Bristol Road
Haycombe Drive
Whiteway Road
Haycombe Lane
Bristol - Bath Cycle Route

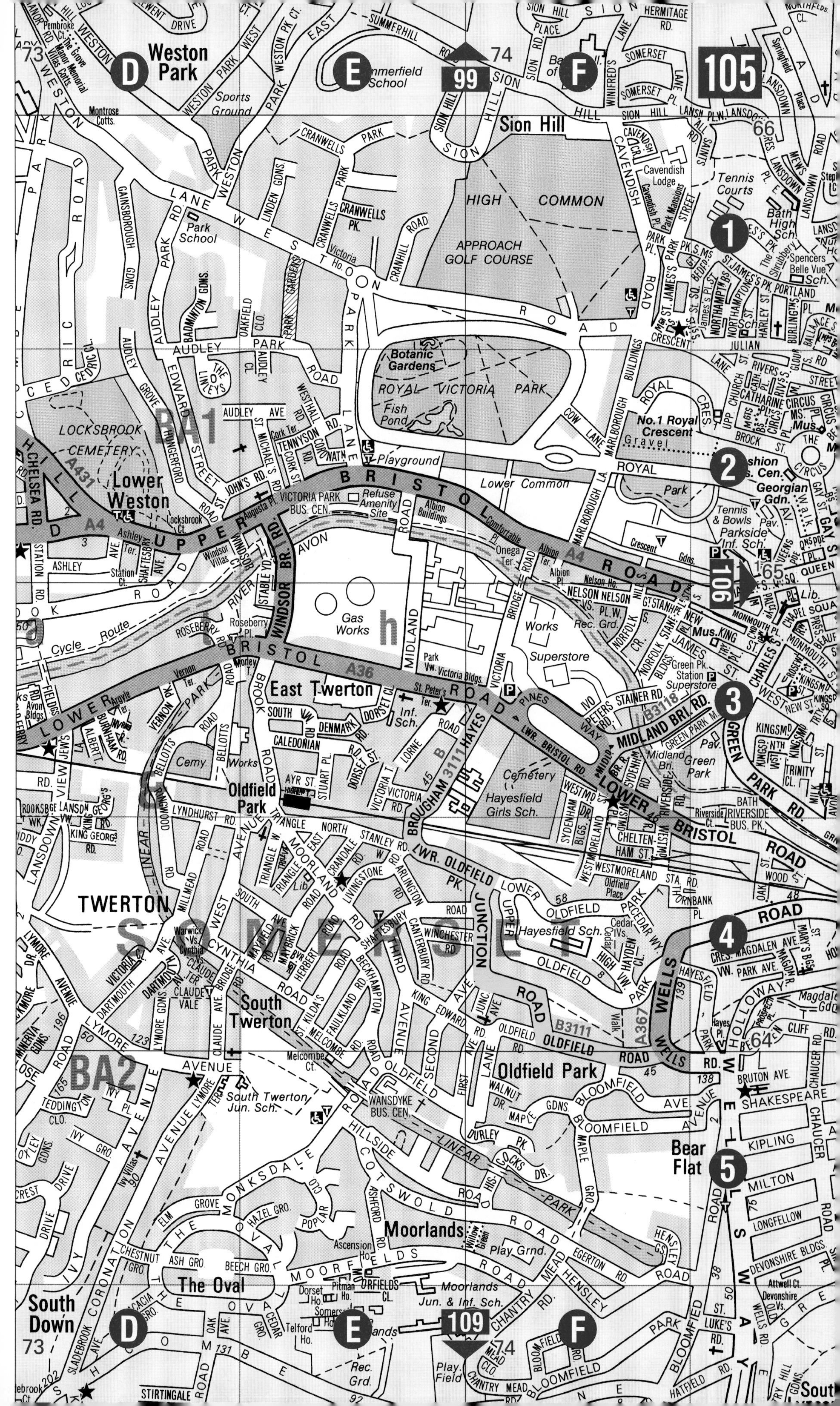
Weston Park
Sion Hill
HIGH COMMON
APPROACH GOLF COURSE
Botanic Gardens
ROYAL VICTORIA PARK
No.1 Royal Crescent
Lower Weston
LOCKSBROOK CEMETERY
BA1
UPPER BRISTOL ROAD
Gas Works
East Twerton
Oldfield Park
TWERTON
SOMERSET
South Twerton
BA2
Oldfield Park
Bear Flat
Moorlands
The Oval
South Down
Hayesfield Girls Sch.
Lower Common
99
106
109
73
74
65
64

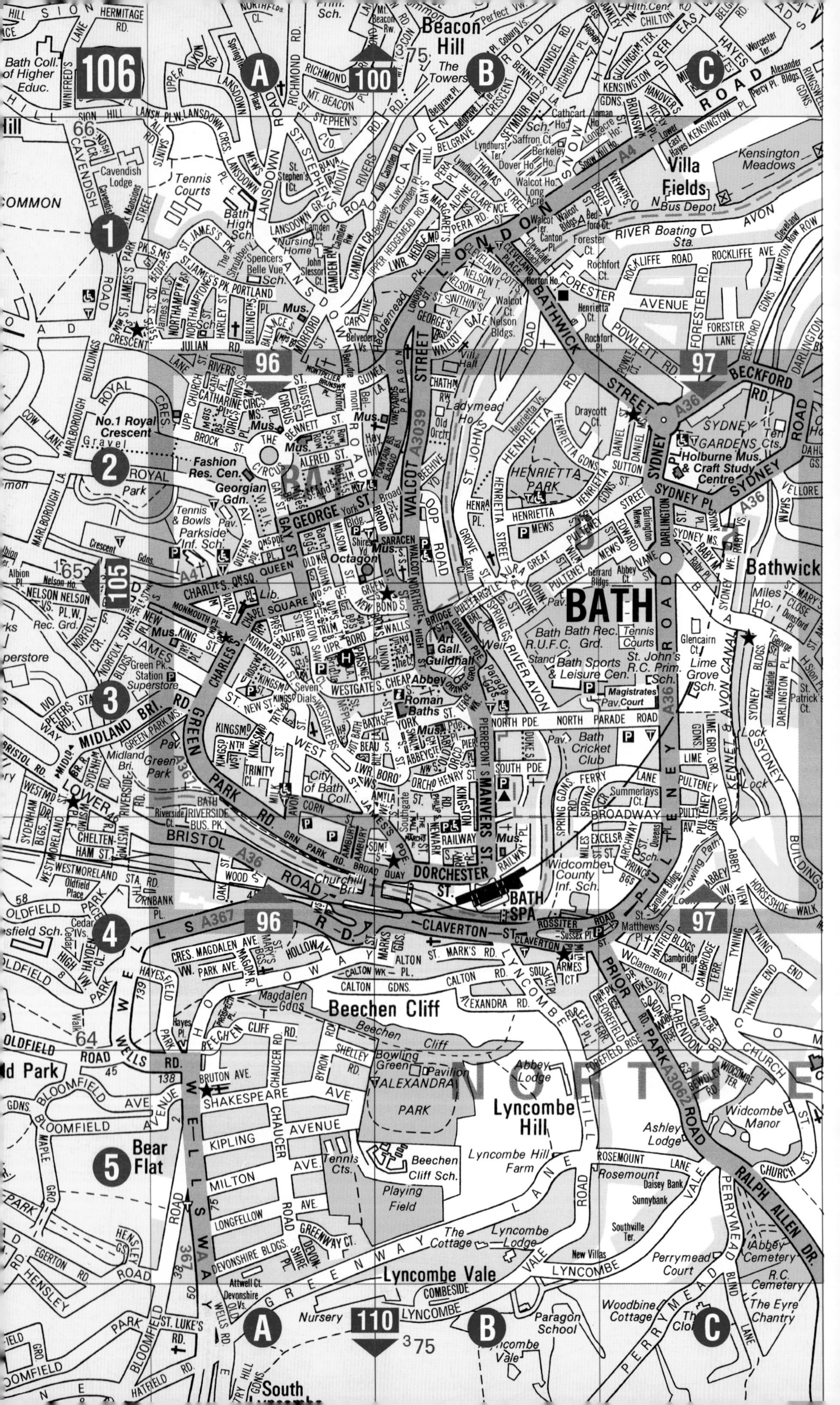

106
A
B
C
100
Beacon Hill
The Towers
Bath Coll. of Higher Educ.
SION HILL
HERMITAGE RD.
LANSDOWN RD.
RICHMOND PL.
MT. BEACON
CAMDEN RD.
CAMDEN CRES.
BELGRAVE CRESCENT
BENNETT'S LA.
ARUNDEL RD.
HIGHBURY PL.
SEYMOUR RD.
CHILTON RD.
UPPER EAST HAYES
KENSINGTON GDNS.
KENSINGTON PL.
LONDON ROAD
A4
Villa Fields
Kensington Meadows
Bus Depot
RIVER AVON
Boating Sta.
ROCKLIFFE ROAD
ROCKLIFFE AVE.
HAMPTON ROW
FORESTER AVENUE
FORESTER RD.
FORESTER LANE
POWLETT RD.
BECKFORD RD.
DARLINGTON ST.
BATHWICK STREET
97
96
COMMON
CAVENDISH RD.
Cavendish Lodge
Tennis Courts
Bath High Sch.
ST. JAMES'S PK.
ST. JAMES'S SQ.
PORTLAND PL.
JULIAN RD.
ROYAL CRESCENT
No.1 Royal Crescent
MARLBOROUGH LANE
ROYAL AVENUE
Royal Victoria Park
Gravel Walk
THE CIRCUS
BROCK ST.
BENNETT ST.
ALFRED ST.
Fashion Res. Cen.
Georgian Gdn.
GEORGE ST.
GAY ST.
MILSOM ST.
QUEEN SQUARE
CHARLES ST.
MONMOUTH ST.
Octagon
Mus.
BROAD ST.
WALCOT STREET
A3039
PARAGON
LANSDOWN RD.
HENRIETTA PARK
HENRIETTA ST.
GREAT PULTENEY ST.
SYDNEY GARDENS
Holburne Mus. & Craft Study Centre
SYDNEY RD.
SYDNEY PL.
A36
Bathwick
105
BATH
Bath Rec. Grd.
Bath R.U.F.C.
Bath Sports & Leisure Cen.
St. John's R.C. Prim. Sch.
Magistrates Court
Art Gall.
Guildhall
Abbey
Roman Baths
WESTGATE ST.
CHEAP ST.
NORTH PARADE ROAD
Bath Cricket Club
PIERREPONT ST.
MANVERS ST.
KENNET & AVON CANAL
Lime Grove Sch.
GREEN PARK RD.
Green Pk. Station
Superstore
MIDLAND BRI. RD.
JAMES ST. WEST
KINGSMEAD
City of Bath Coll.
Southgate
BRISTOL ROAD
LOWER BRISTOL RD.
DORCHESTER ST.
BATH SPA
Widcombe County Inf. Sch.
CLAVERTON ST.
ROSSITER ROAD
WELLS RD.
A367
HOLLOWAY
Magdalen Gdns.
Beechen Cliff
ALEXANDRA PARK
Lyncombe Hill
PRIOR PARK ROAD
A3062
Widcombe Manor
NORTH
Bear Flat
BLOOMFIELD AVE.
SHAKESPEARE AVE.
KIPLING AVENUE
MILTON AVE.
LONGFELLOW AVE.
CHAUCER ROAD
Beechen Cliff Sch.
Playing Field
Lyncombe Hill Farm
Rosemount
ROSEMOUNT LANE
Daisey Bank
Sunnybank
Southville Ter.
GREENWAY LANE
The Cottage
Lyncombe Lodge
Lyncombe Vale
LYNCOMBE VALE
Perrymead Court
PERRYMEAD
RALPH ALLEN DR.
Abbey Cemetery
R.C. Cemetery
The Eyre Chantry
Woodbine Cottage
Paragon School
110
375
South Lyncombe

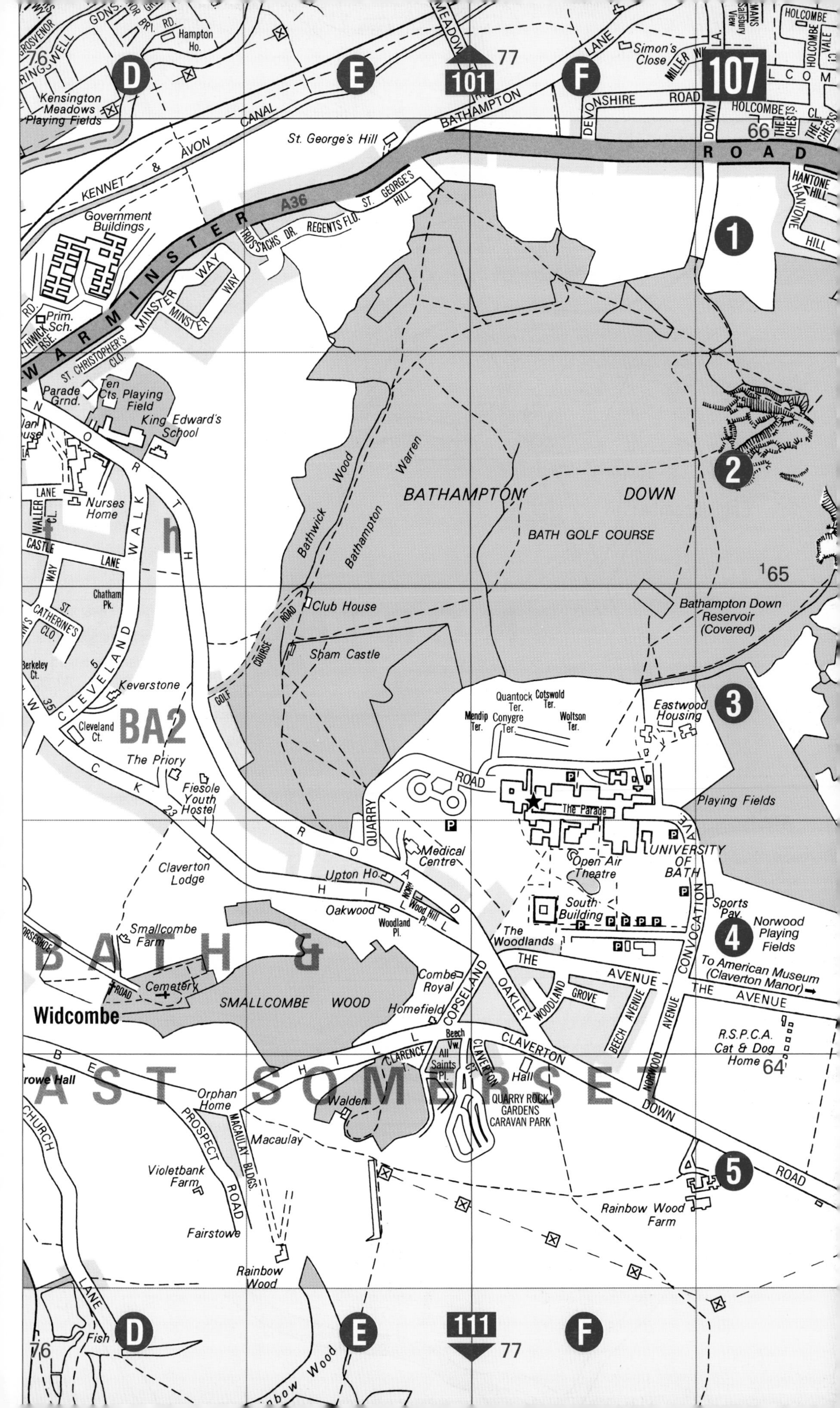
101
111
77
76
66
65
64
D
E
F
1
2
3
4
5
BA2
BATH & NORTH EAST SOMERSET
BATHAMPTON DOWN
BATH GOLF COURSE
Bathampton Down Reservoir (Covered)
Bathwick Wood
Bathampton Warren
Club House
Sham Castle
GOLF COURSE ROAD
KENNET & AVON CANAL
WARMINSTER ROAD
A36
BATHAMPTON LANE
DEVONSHIRE ROAD
St. George's Hill
ST. GEORGE'S HILL
REGENTS FLD.
SACHS DR.
Government Buildings
MINSTER WAY
ST. CHRISTOPHER'S CLO.
Prim. Sch.
Parade Grnd.
Ten Cts.
Playing Field
King Edward's School
NORTH ROAD
Nurses Home
CLEVELAND WALK
WALLER CL.
CASTLE LANE
Chatham Pk.
ST. CATHERINE'S CLO.
Berkeley Ct.
Keverstone
Cleveland Ct.
The Priory
Fiesole Youth Hostel
Kensington Meadows Playing Fields
Hampton Ho.
Simon's Close
MILLER WALK
HOLCOMBE
HOLCOMBE CL.
HANTONE HILL
Eastwood Housing
Quantock Ter.
Cotswold Ter.
Mendip Ter.
Conygre Ter.
Woltson Ter.
The Parade
UNIVERSITY OF BATH
Playing Fields
Medical Centre
Open Air Theatre
South Building
Sports Pav.
Norwood Playing Fields
To American Museum (Claverton Manor)
CONVOCATION AVE.
THE AVENUE
QUARRY ROAD
Upton Ho.
Oakwood
Woodland Pl.
Wood Hill Pl.
NORTH ROAD
The Woodlands
Claverton Lodge
Smallcombe Farm
Cemetery
SMALLCOMBE WOOD
Widcombe
Combe Royal
Homefield
COPSELAND
OAKLEY
WOODLAND GROVE
BEECH AVENUE
NORWOOD AVENUE
R.S.P.C.A. Cat & Dog Home
CLAVERTON DOWN ROAD
CLARENCE T.
Beech Vw.
All Saints Pl.
CLAVERTON CT.
Hall
QUARRY ROCK GARDENS CARAVAN PARK
Walden
Orphan Home
PROSPECT ROAD
MACAULAY BLDGS.
Macaulay
Violetbank Farm
Fairstowe
Rainbow Wood
Rainbow Wood Farm
CHURCH LANE
Fish
Rainbow Wood

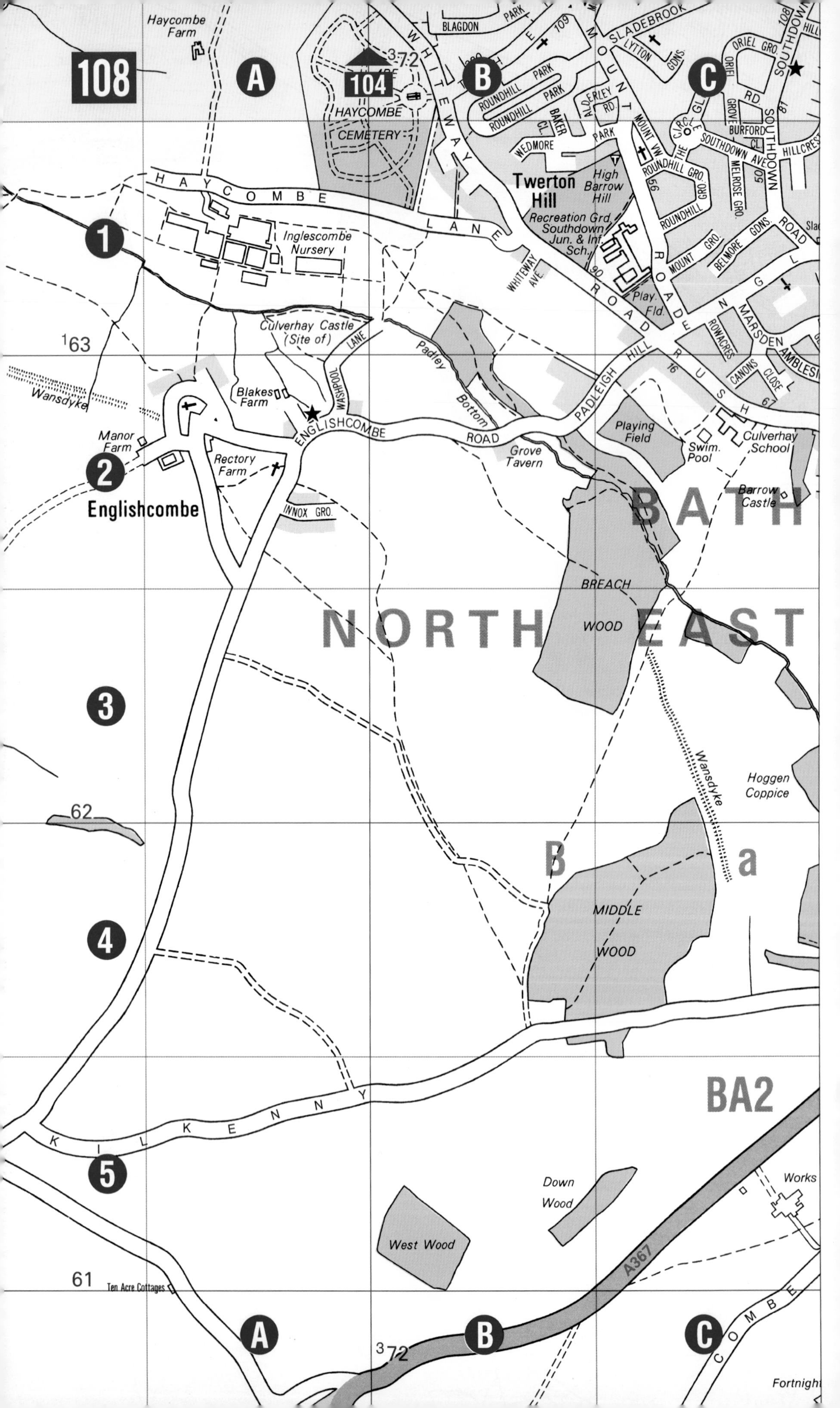

A **B** **C**

Haycombe Farm

WHITEWAY

BLAGDON PARK

SLADEBROOK

HILL

104

HAYCOMBE CEMETERY

LYTTON GDNS

ORIEL GRO.

ORIEL

SOUTHDOWN

HILL

ROUNDHILL PARK

ROUNDHILL PARK

BAKER CL.

ALDERLEY RD.

MOUNT VW.

BURFORD CL.

GROVE

BURFORD

HILLCREST

1

HAYCOMBE LANE

WEDMORE

Inglescombe Nursery

Twerton Hill

High Barrow Hill

ROUNDHILL GRO.

SOUTHDOWN AVE.

MELROSE GRO.

WHITEWAY AVE.

Recreation Grd. Southdown Jun. & Inf. Sch.

ROUNDHILL GRO.

MOUNT GRO.

BELMORE GDNS.

SOUTHDOWN ROAD

163

Culverhay Castle (Site of)

WASHPOOL LANE

Padley Bottom

Play. Fld.

ROAD

MARSDEN ROAD

ROWACRES

CANONS

CLOSE

AMBLESI

Wansdyke

Blakes Farm

THE CIRCLE

Manor Farm

ENGLISHCOMBE

Grove Tavern

ROAD

PADLEIGH HILL

Playing Field

Swim. Pool

Culverhay School

BATH

2

Rectory Farm

Englishcombe

LINNOX GRO.

Barrow Castle

BREACH WOOD

NORTH EAST

3

62

Wansdyke

Hoggen Coppice

B   a

4

MIDDLE WOOD

BA2

KILKENNY

5

Down Wood

Works

61

Ten Acre Cottages

West Wood

A367

A

B

C

372

COMBE

Fortnigh

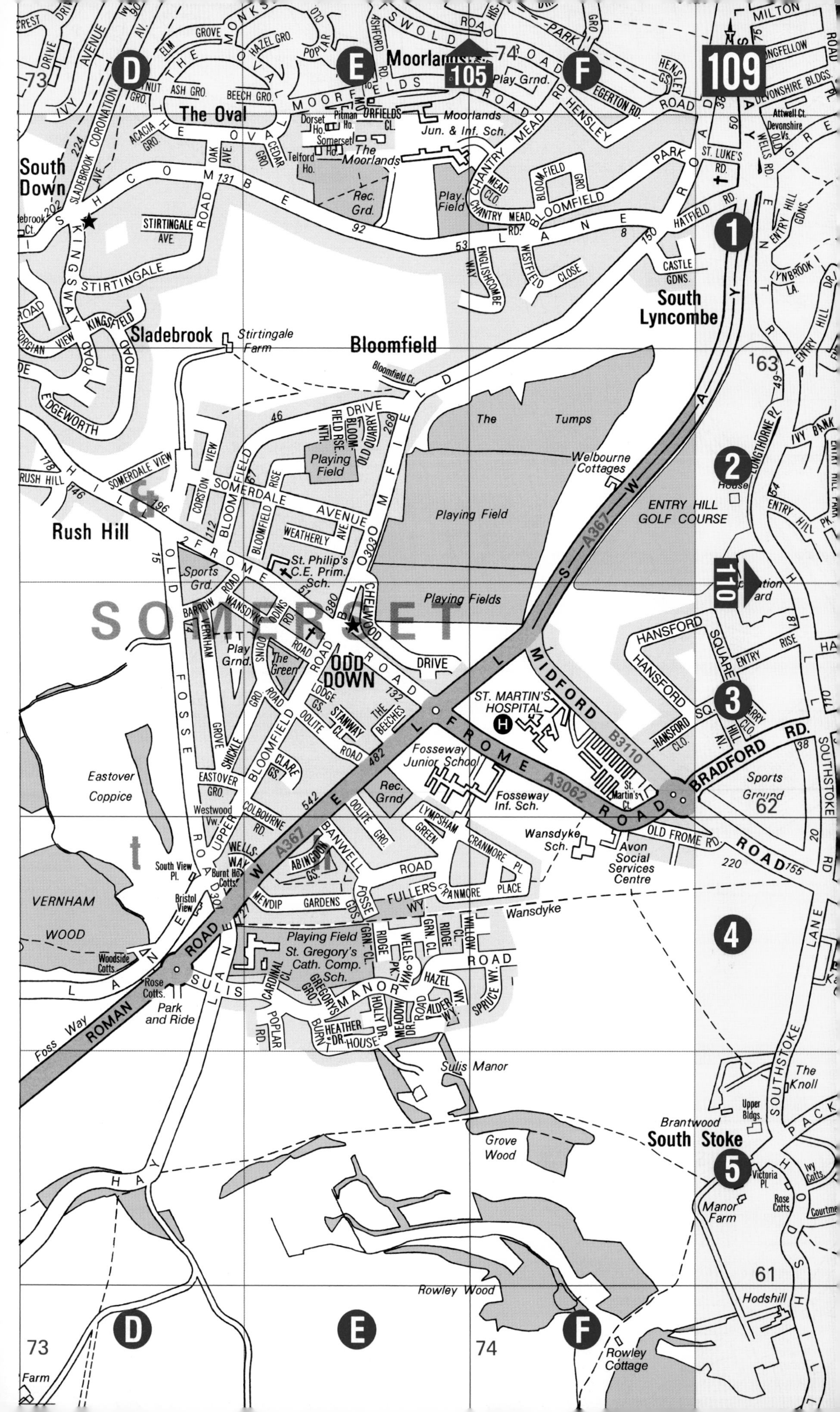
105
110
D
E
F
1
2
3
4
5
73
74
63
62
61
Moorlands
The Oval
South Down
Sladebrook
Bloomfield
South Lyncombe
Rush Hill
ODD DOWN
SOMERSET
South Stoke
The Tumps
Welbourne Cottages
ENTRY HILL GOLF COURSE
Playing Field
Playing Fields
ST. MARTIN'S HOSPITAL
Fosseway Junior School
Fosseway Inf. Sch.
Wansdyke Sch.
Avon Social Services Centre
Moorlands Jun. & Inf. Sch.
The Moorlands
Rec. Grd.
Play. Field
Play Grnd.
Stirtingale Farm
Sports Grd.
St. Philip's C.E. Prim. Sch.
The Green
Rec. Grnd
Eastover Coppice
VERNHAM WOOD
Park and Ride
Playing Field
St. Gregory's Cath. Comp. Sch.
Sulis Manor
Grove Wood
Rowley Wood
Rowley Cottage
Hodshill
Manor Farm
The Knoll
Brantwood
Upper Bldgs.
Sports Ground
Wansdyke
Foss Way
ROMAN ROAD
WELLSWAY A367
FROME ROAD A3062
MIDFORD ROAD B3110
BRADFORD RD.
OLD FROME RD.
ROAD
SOUTHSTOKE LANE
SOUTHSTOKE RD.
ENTRY HILL
HANSFORD SQUARE
ENTRY RISE
COMBE HAY LANE
OLD FOSSE ROAD
UPPER ROAD
SULIS MANOR ROAD
FULLERS WY.
MENDIP GARDENS
BANWELL ROAD
CRANMORE PLACE
LYMPSHAM GREEN
SHICKLE GROVE
BLOOMFIELD ROAD
OOLITE ROAD
STANWAY CL.
THE BEECHES
LODGE GS.
CLARE GS.
COLBOURNE RD.
WELLS WAY
ABINGDON GS.
EASTOVER GRO.
Westwood Vw.
South View Pl.
Burnt Ho. Cotts.
Bristol View
Woodside Cotts.
Rose Cotts.
SOMERDALE AVENUE
SOMERDALE VIEW
WEATHERLY AVE.
BLOOMFIELD RISE
BLOOMFIELD DRIVE
BLOOMFIELD RSE. NTH.
OLD QUARRY
CHELWOOD DRIVE
CORSTON VIEW
BARROW ROAD
VERNHAM GRO.
WANSDYKE RD.
ODINS RD.
RUSH HILL
EDGEWORTH
KINGSWAY
KINGSFIELD
GEORGIAN VIEW
STIRTINGALE ROAD
STIRTINGALE AVE.
COMBE
SLADEBROOK AVE.
CORONATION AVENUE
IVY AVENUE
THE OVAL
ACACIA GRO.
ASH GRO.
BEECH GRO.
OAK AVE.
CEDAR GRO.
ELM GROVE
HAZEL GRO.
THE MONKS
POPLAR
ASHFORD RD.
MOORFIELDS ROAD
ORFIELDS CL.
Dorset Ho.
Pitman Ho.
Somerset Ho.
Telford Ho.
CHANTRY MEAD RD.
MEAD CLO.
BLOOMFIELD GRO.
BLOOMFIELD PARK
ENGLISHCOMBE WAY
WESTFIELD CLOSE
HATFIELD RD.
CASTLE GDNS.
ST. LUKE'S RD.
HENSLEY ROAD
EGERTON RD.
HENSLEY GS.
MILTON
LONGFELLOW
DEVONSHIRE BLDGS.
Attwell Ct.
Devonshire Vs.
WELLS RD.
ENTRY HILL GDNS.
LYNBROOK LA.
LONGTHORNE PL.
IVY BANK
ENTRY HILL PK.
HANSFORD CLO.
HANSFORD SQ.
QUARRY CLO.
HILL AV.
St. Martin's Ct.
Bloomfield Cr.
Sladebrook Ct.
CARDINAL CL.
GREGORY'S GRO.
MANOR ROAD
POPLAR RD.
BURNT HOUSE
HEATHER DR.
HOLLY DR.
MEADOW DR.
ALDER WY.
HAZEL WY.
SPRUCE WY.
WELLS-WAY PK.
GRN. CL.
RIDGE GRN. CL.
WILLOW CL.
Victoria Pl.
Ivy Cotts.
Rose Cotts.
Courtme
HODSHILL
PACK
Farm

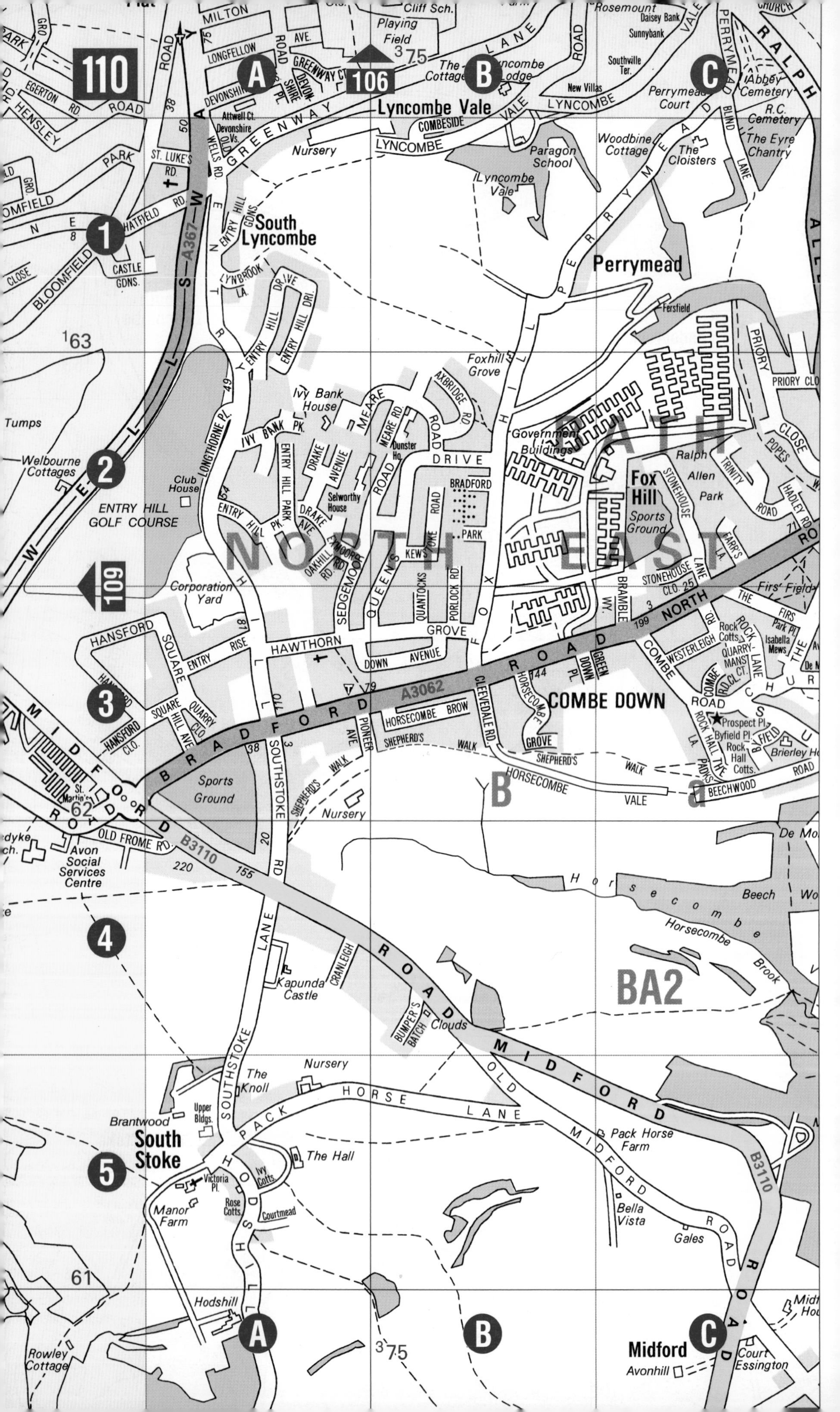

106
109
Lyncombe Vale
South Lyncombe
Perrymead
Fox Hill
COMBE DOWN
BATH
NORTH EAST
BA2
South Stoke
Midford
ENTRY HILL GOLF COURSE
Corporation Yard
Sports Ground
Nursery
Paragon School
The Cloisters
Abbey Cemetery
R.C. Cemetery
The Eyre Chantry
Woodbine Cottage
Perrymead Court
Ralph Allen Park
Government Buildings
Foxhill Grove
Ivy Bank House
Selworthy House
Welbourne Cottages
Club House
Avon Social Services Centre
Kapunda Castle
Clouds
The Knoll
The Hall
Pack Horse Farm
Bella Vista
Gales
Manor Farm
Hodshill
Rowley Cottage
Court Essington
Avonhill
Horsecombe Brook
BRADFORD ROAD
MIDFORD ROAD
A3062
B3110
A367
WELLS ROAD
ENTRY HILL
PERRYMEAD
LYNCOMBE VALE
GREENWAY LANE
HAWTHORN GROVE
SOUTHSTOKE RD
SOUTHSTOKE LANE
PACK HORSE LANE
OLD MIDFORD ROAD
HORSECOMBE VALE
SHEPHERD'S WALK
COMBE ROAD
NORTH ROAD

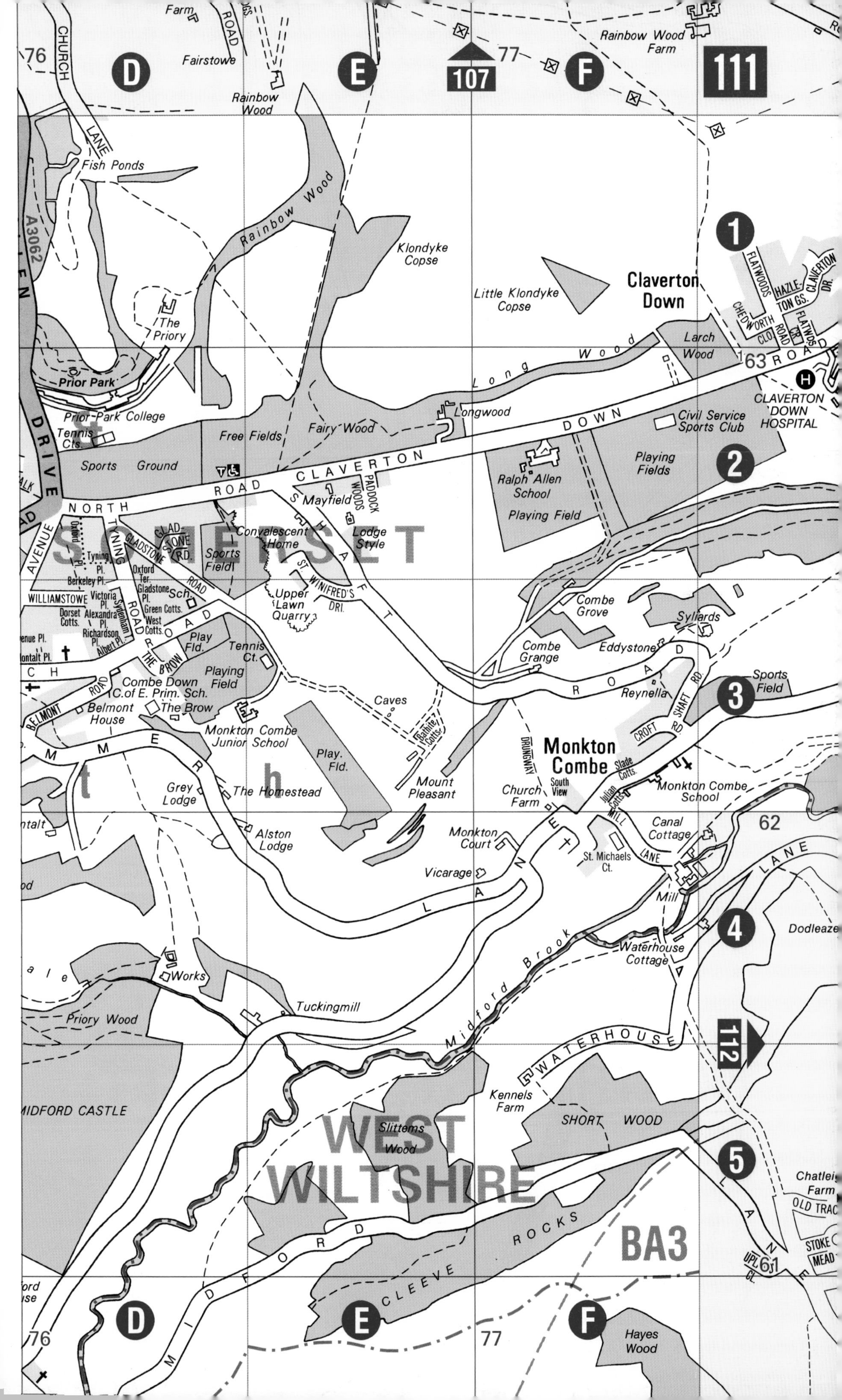
Claverton Down
Monkton Combe
SOMERSET
WEST WILTSHIRE
BA3
Rainbow Wood Farm
Rainbow Wood
Fairstowe
Fish Ponds
Klondyke Copse
Little Klondyke Copse
The Priory
Prior Park
Prior Park College
Tennis Cts.
Sports Ground
Free Fields
Fairy Wood
Longwood
Long Wood
Larch Wood
Civil Service Sports Club
CLAVERTON DOWN HOSPITAL
Ralph Allen School
Playing Field
Playing Fields
CLAVERTON DOWN ROAD
NORTH ROAD
Mayfield
Lodge Style
Convalescent Home
Sports Field
Upper Lawn Quarry
ST. WINIFRED'S DRI.
SHAFT
Combe Grove
Combe Grange
Eddystone
Sylvards
Reynella
Sports Field
CROFT RD.
SHAFT RD.
Caves
Bathite Cotts.
Play. Fld.
Mount Pleasant
Church Farm
South View
Slade Cotts.
Julian Cotts.
Monkton Combe School
Canal Cottage
MILL LANE
St. Michaels Ct.
Mill
Monkton Court
Vicarage
Waterhouse Cottage
Dodleaze
WATERHOUSE LANE
Kennels Farm
SHORT WOOD
Slittems Wood
CLEEVE ROCKS
MIDFORD ROAD
Hayes Wood
Chatlei Farm
OLD TRAC
STOKE MEAD
UPL. CL.
Midford Brook
Tuckingmill
Works
Priory Wood
MIDFORD CASTLE
Grey Lodge
The Homestead
Alston Lodge
Monkton Combe Junior School
Combe Down C.of E. Prim. Sch.
Belmont House
The Brow
Playing Field
Play Fld.
Tennis Ct.
Gladstone Sch.
WILLIAMSTOWE
Victoria Pl.
Alexandra Pl.
Richardson Pl.
Albert Pl.
Dorset Cotts.
Sydenham
Green Cotts.
West Cotts.
Oxford Ter.
Gladstone Pl.
Tyning Pl.
Berkeley Pl.
Oxford Pl.
TYNING ROAD
GLADSTONE ROAD
GLADSTONE RD.
AVENUE
THE BROW
BELMONT ROAD
DRUNGWAY
PADDOCK WOODS
CHURCH LANE
A3062
DRIVE
FLATWOODS
HAZLETON GS.
CLAVERTON DR.
CHEDWORTH CLO.
FLATWDS. CR.
63 ROAD
62
61
76
77
D
E
F
1
2
3
4
5
107
112

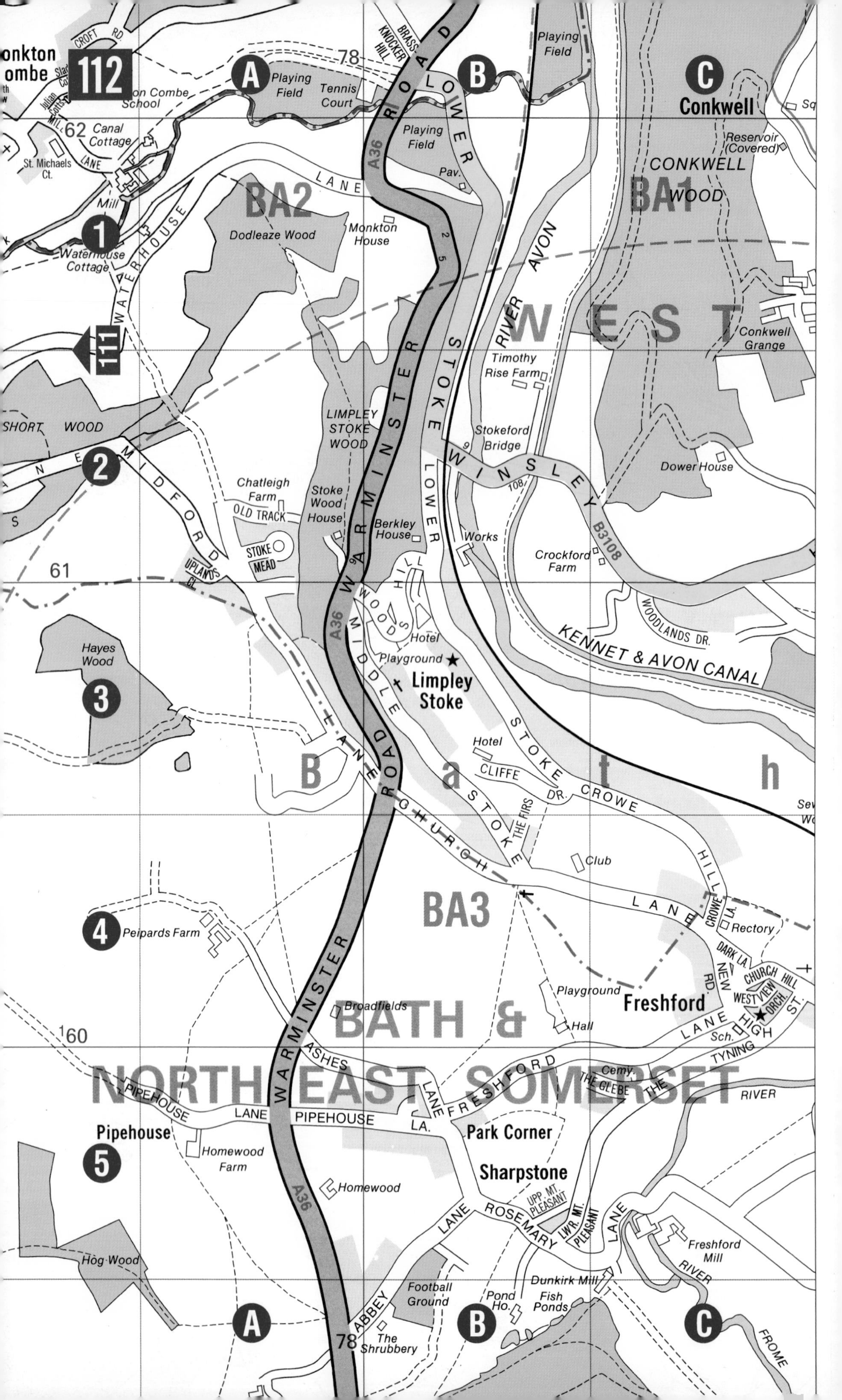

A

B

C
Conkwell

Monkton
Combe

CROFT RD.

78

BRASS KNOCKER HILL

LOWER ROAD

Playing Field

Playing Field

Julian Cotts

St.

62
Canal Cottage

on Combe School

Playing Field

Tennis Court

Playing Field

Pav.

Reservoir (Covered)

Sq

St. Michaels Ct.

MILL LANE

Mill

WATERHOUSE LANE

Mill

LANE

BA2

Dodleaze Wood

Monkton House

A36

STOKE LOWER LANE

RIVER AVON

2 5

WEST

CONKWELL WOOD

BA1

Conkwell Grange

1
Waterhouse Cottage

111

SHORT WOOD

MIDFORD

LIMPLEY STOKE WOOD

Chatleigh Farm

OLD TRACK

Stoke Wood House

STOKE MEAD

Timothy Rise Farm

Stokeford Bridge

WINSLEY

9

108

Dower House

B3108

2

61

UPLANDS CL.

Berkley House

Works

Crockford Farm

WOODLANDS DR.

KENNET & AVON CANAL

Hayes Wood

A36

WARMINSTER

MIDDLE LANE ROAD

WOODS HILL

Hotel

Playground ★

Limpley Stoke

Hotel

CLIFFE DR.

STOKE

CROWE

t

h

Sew Wo

3

B

CHURCHURGH ROAD

THE FIRS

Club

HILL LANE

CROWE LA.

Rectory

DARK LA.

NEW RD.

4
Peipards Farm

BA3

Playground

Hall

Freshford

WEST VIEW

CHURCH HILL

ORCH.

HIGH ST.

Sch.

LANE

TYNING

THE

160

Broadfields

ASHES LANE

FRESHFORD LANE

THE GLEBE

Cemy.

RIVER

BATH &

WARMINSTER ROAD

NORTH EAST SOMERSET

PIPEHOUSE LANE

PIPEHOUSE LA.

Park Corner

Sharpstone

UPP. MT. PLEASANT

ROSEMARY LANE

LWR. MT. PLEASANT

LANE

Freshford Mill

Pipehouse

5
Homewood Farm

A36

Homewood

Hog Wood

Football Ground

Pond Ho.

Dunkirk Mill
Fish Ponds

RIVER

FROME

A

ABBEY

78

The Shrubbery

B

C

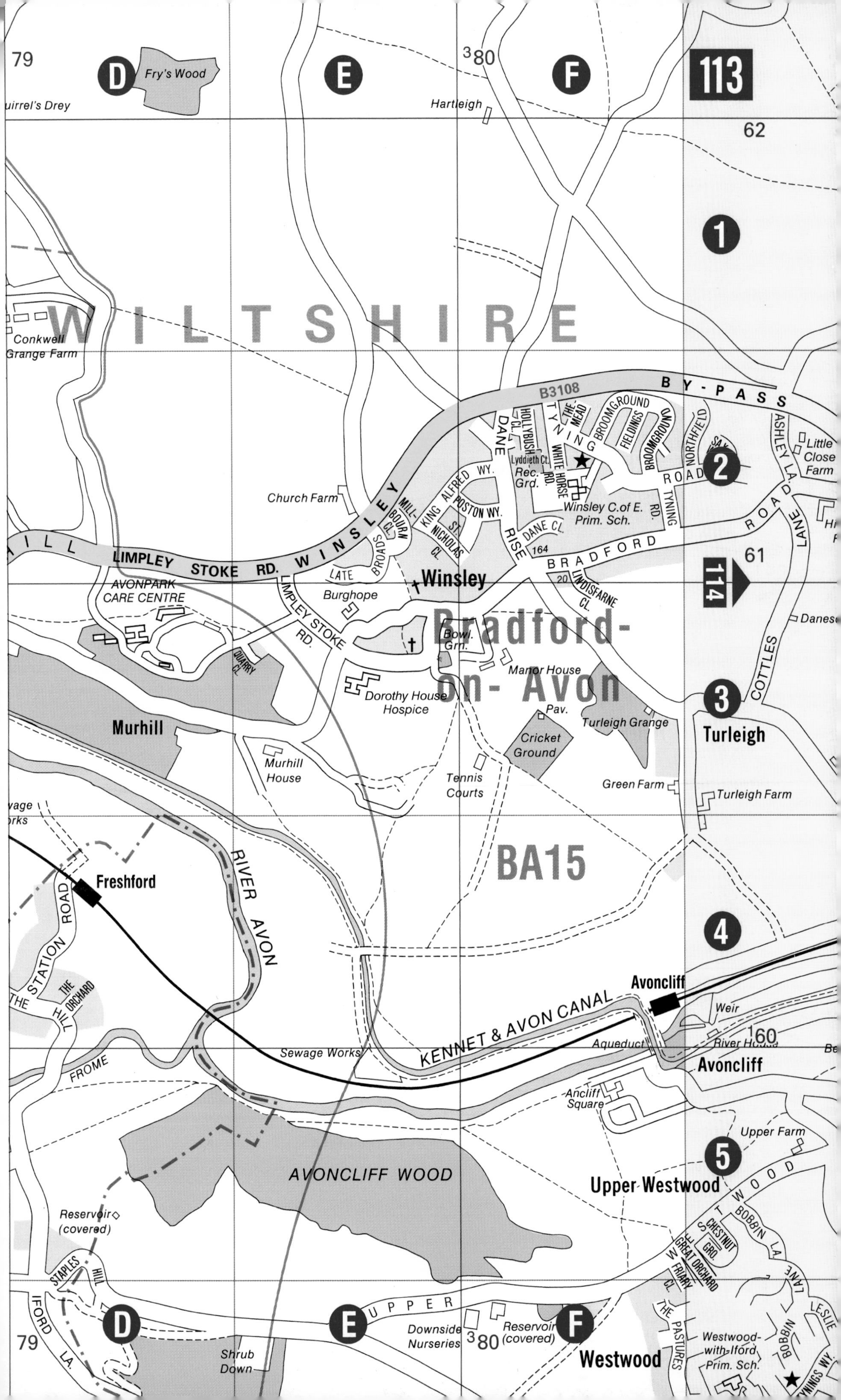

D Fry's Wood

Squirrel's Drey

E

³80

Hartleigh

F

62

1

W I L T S H I R E

Conkwell
Grange Farm

B3108   B Y - P A S S

THE MEAD   Broomground

DANE   HOLLYBUSH CL.   TYNING   FIELDINGS   Broomground   Northfield

WINSLEY

Church Farm

Lyddieth Ct.
WHITE HORSE RD.
Winsley C.of E.
Prim. Sch.

ASHLEY LA.

Little
Close
Farm

2

Winsley Rec. Grd.

MILL   KING ALFRED WY.   POSTON WY.

BROADS

ST. NICHOLAS CL.

RISE

DANE CL.

BRADFORD

TYNING RD.

ROAD

ROAD

COTTLES   LANE

LIMPLEY STOKE RD.   WINSLEY

† Winsley

164

20

LINDISFARNE CL.

114 ▶ 61

AVONPARK
CARE CENTRE

Burghope

Bradford-
on- Avon

Danes

3

Turleigh

LIMPLEY STOKE RD.

QUARRY CL.

Bowl.
Grn.

†

Manor House

Pav.

Turleigh Grange

Murhill

Dorothy House
Hospice

Cricket
Ground

Green Farm

Turleigh Farm

Murhill
House

Tennis
Courts

BA15

Sewage
Works

RIVER AVON

Freshford

STATION ROAD

THE HILL

THE
ORCHARD

4

KENNET & AVON CANAL

Avoncliff

Weir

60

River House

Be

FROME

Sewage Works

Aqueduct

Avoncliff

Ancliff
Square

Upper Farm

5

AVONCLIFF WOOD

Upper Westwood

WOOD

BOBBIN LA.

Reservoir ◇
(covered)

CHESTNUT GRO.

GREAT ORCHARD

STAPLES   HILL

IFORD LA.

D

E U P P E R

³80

Downside
Nurseries

Reservoir
(covered)

F

Shrub
Down

Westwood

THE PASTURES

BOBBIN LANE

LESLIE

Westwood-
with-Iford
Prim. Sch.

WINGS WY.

S. FRIARY CL.

GREAT ORCHARD

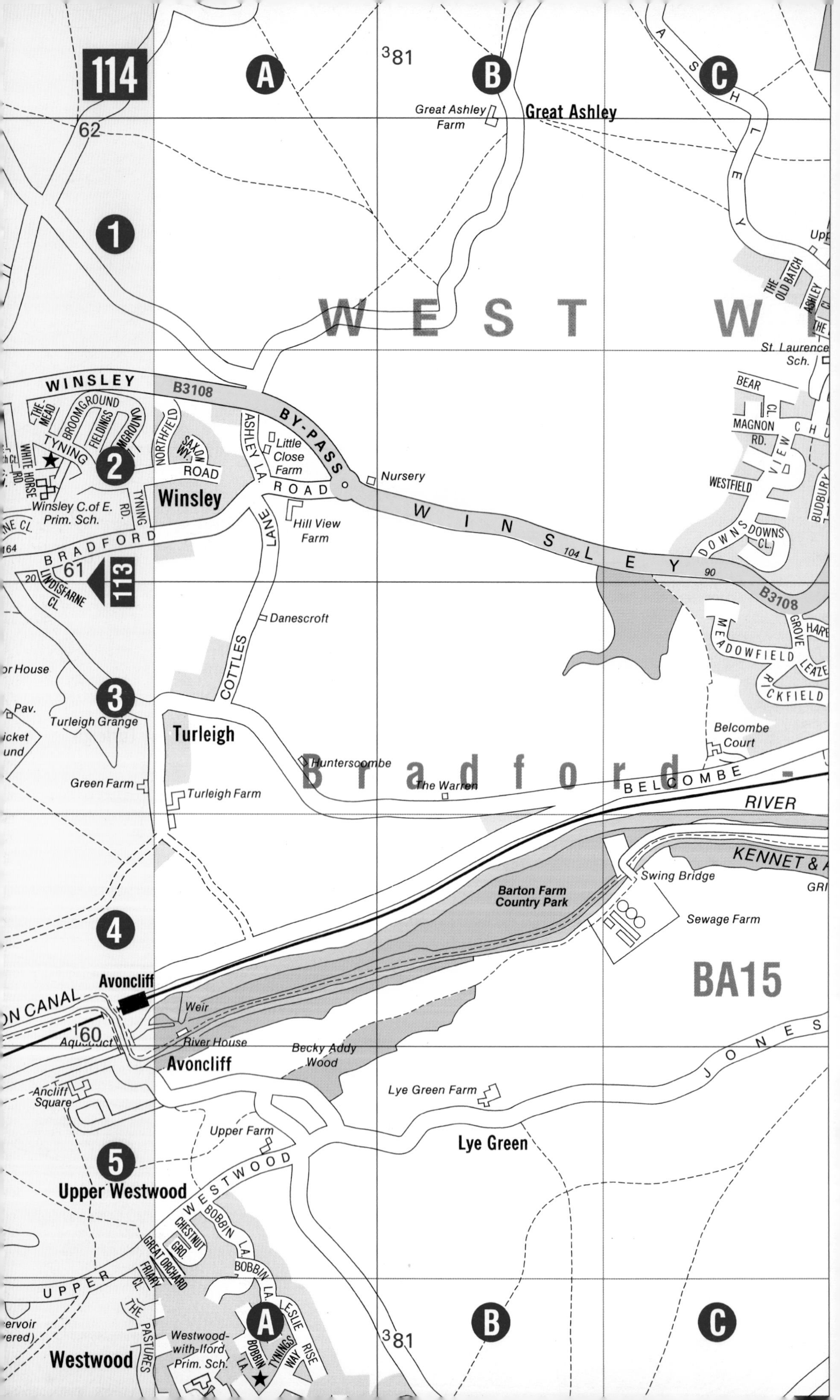

114

62

A ³81 B C

Great Ashley Farm **Great Ashley**

A S H L E Y

1

THE OLD BATCH

ASHLEY

St. Laurence Sch.

W E S T   W I

BEAR CL.
MAGNON RD.

WINSLEY
B3108
THE MEAD
BROOMGROUND
FIELDINGS
MOGROUND
NORTHFIELD
TYNING
WHITE HORSE
SAXON WY.
ROAD
ASHLEY LA.
BY-PASS
Little Close Farm
Nursery
ROAD

WESTFIELD
DOWNS
DOWNS CL.
BUDBURY
CH.VIEW
GROVE
HARE

2
Winsley C.of E. Prim. Sch.
Winsley
TYNING RD.
Hill View Farm
W I N S L E Y
104 90
B3108

MEADOWFIELD
LEAZE
CKFIELD

LINDISFARNE CL.
20
61 ◀ **113**
BRADFORD
LANE CL.
64
COTTLES LANE
Danescroft

Belcombe Court

or House
Pav.
3
Turleigh Grange
Turleigh
Huntercombe
B r a d f o r d
The Warren
B E L C O M B E
RIVER

cket und
Green Farm
Turleigh Farm

KENNET & A

Swing Bridge
GR

4
Barton Farm Country Park
Sewage Farm

Avoncliff

BA15

ON CANAL
Weir
60
Aqueduct
River House
Avoncliff
Becky Addy Wood

J O N E S

Ancliff Square
Upper Farm
Lye Green Farm
Lye Green

5
Upper Westwood
WESTWOOD
CHESTNUT
GREAT ORCHARD
FRIARY CL.
BOBBIN LA.
GRO.
BOBBIN LA.
LESLIE RISE

UPPER
THE PASTURES
Westwood
Westwood-with-Iford Prim. Sch.
A
BOBBIN LA.
TYNINGS WAY
³81 B C

rvoir ered)

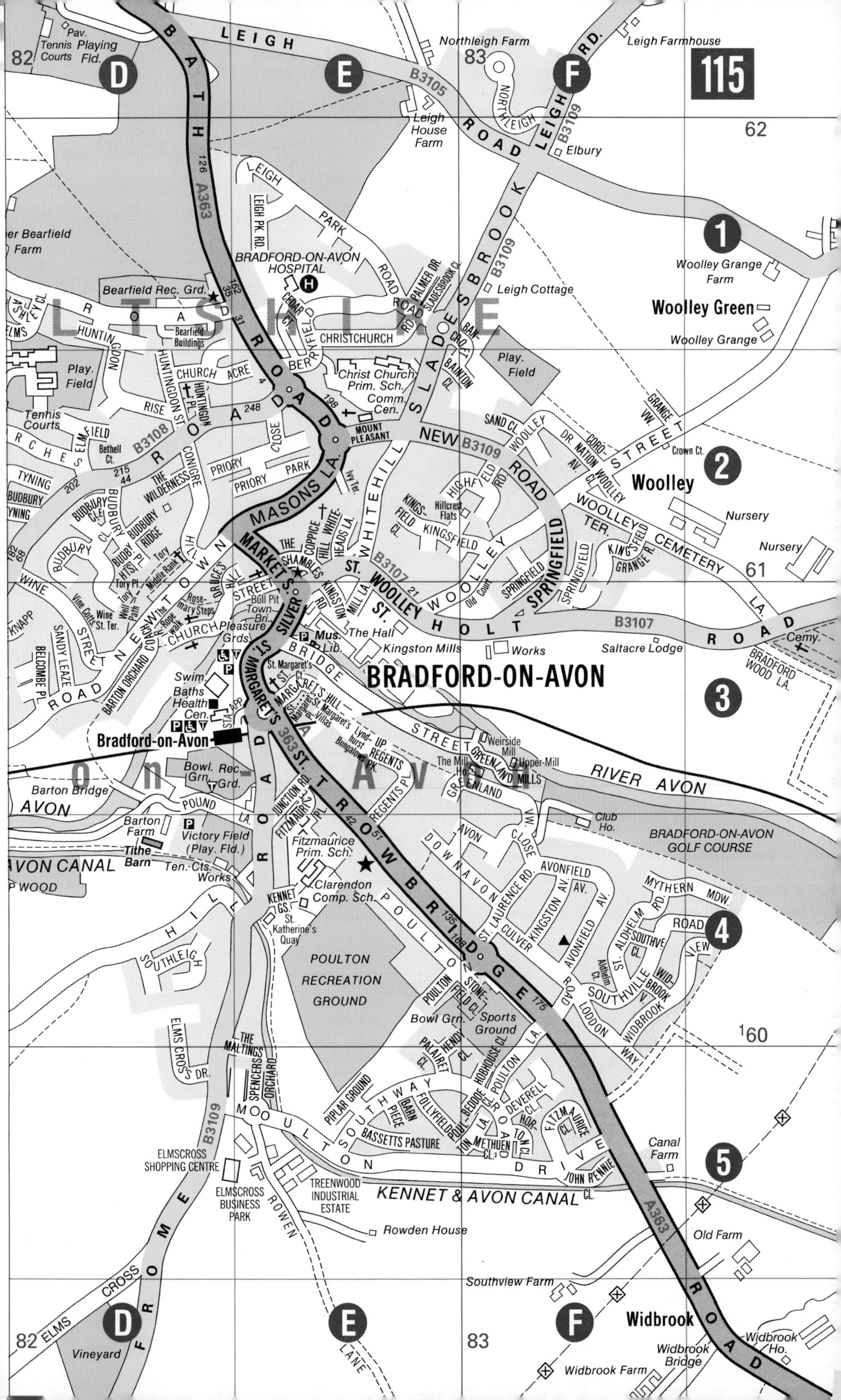
BRADFORD-ON-AVON
Bradford-on-Avon
Woolley Green
Woolley
Widbrook
BATH ROAD
LEIGH ROAD
TROWBRIDGE ROAD
FROME ROAD
ELMS CROSS
MOULTON DRIVE
KENNET & AVON CANAL
RIVER AVON
BRADFORD-ON-AVON GOLF COURSE
POULTON RECREATION GROUND
BRADFORD-ON-AVON HOSPITAL
ELMSCROSS SHOPPING CENTRE
ELMSCROSS BUSINESS PARK
TREENWOOD INDUSTRIAL ESTATE
Northleigh Farm
Leigh Farmhouse
Leigh House Farm
Elbury
Leigh Cottage
Woolley Grange Farm
Woolley Grange
Saltacre Lodge
Canal Farm
Old Farm
Southview Farm
Widbrook Farm
Widbrook Bridge
Widbrook Ho.
Rowden House
Vineyard
Barton Farm
Tithe Barn
Barton Bridge
Kingston Mills
The Hall
Christ Church Prim. Sch.
Fitzmaurice Prim. Sch.
Clarendon Comp. Sch.
Victory Field (Play. Fld.)
Sports Ground

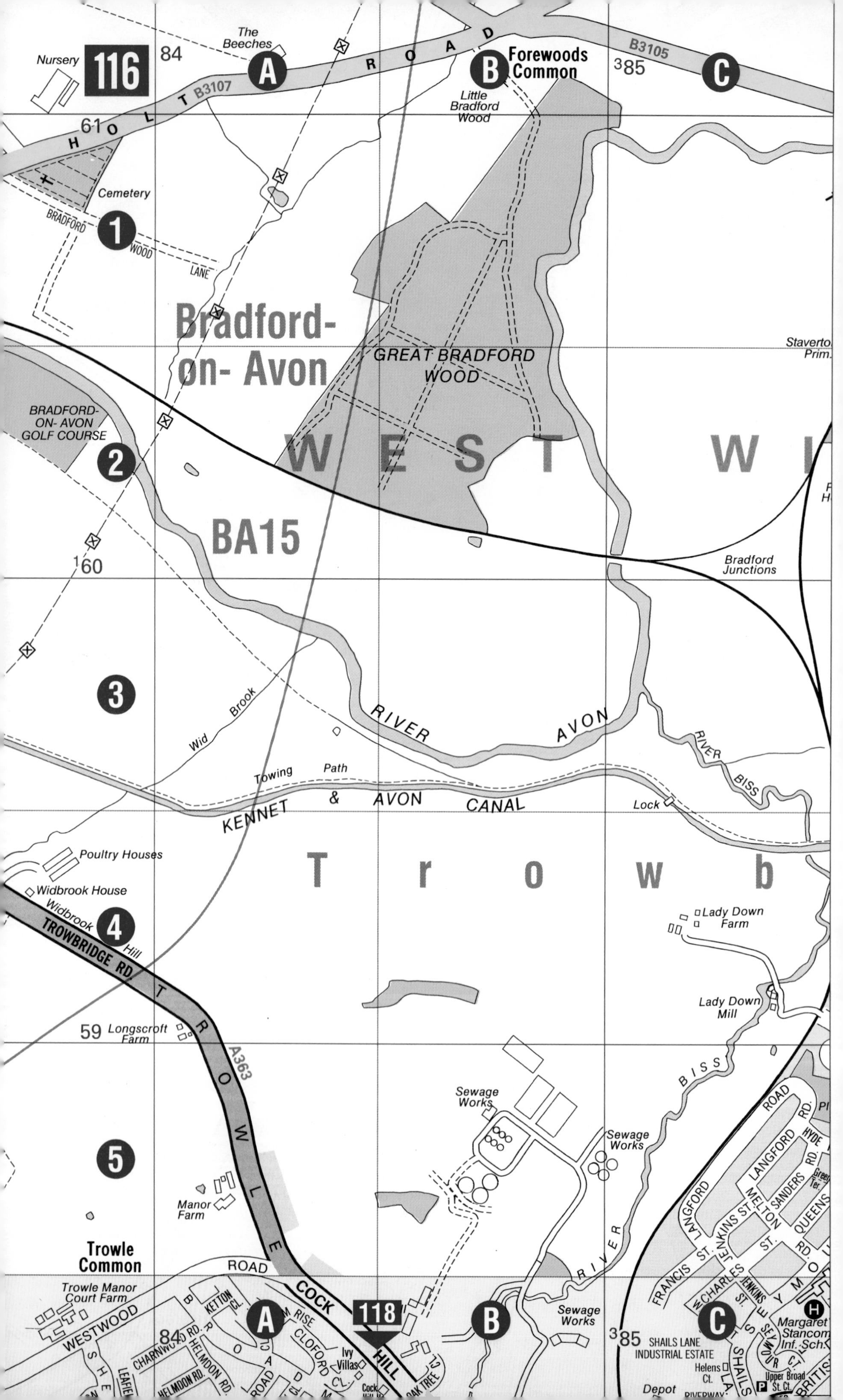
Nursery
The Beeches
HOLT ROAD
B3107
Forewoods Common
B3105
Little Bradford Wood
Cemetery
BRADFORD WOOD LANE
Bradford-on-Avon
GREAT BRADFORD WOOD
BRADFORD-ON-AVON GOLF COURSE
WEST WI
BA15
Bradford Junctions
RIVER AVON
Wid Brook
Towing Path
KENNET & AVON CANAL
Lock
RIVER BISS
Poultry Houses
Widbrook House
Widbrook Hill
TROWBRIDGE RD.
Trowb
Lady Down Farm
Lady Down Mill
Longscroft Farm
A363
TROWLE
Sewage Works
BISS
Manor Farm
Trowle Common
ROAD
Trowle Manor Court Farm
WESTWOOD
COCK HILL
CLOFORD CL.
Ivy Villas
OAK TREE CL.
HELMDON RD.
KETTON CL.
SHAILS LANE INDUSTRIAL ESTATE
LANGFORD ROAD
LANGFORD RD.
HYDE RD.
JENKINS ST.
MELTON RD.
SANDERS RD.
QUEENS
FRANCIS ST.
CHARLES ST.
SEYMOUR
Margaret Stancomb Inf. Sch.
Helens Ct.
Depot
Upper Broad St. Ct.
Staverton Prim.
84
385
61
160
59

118

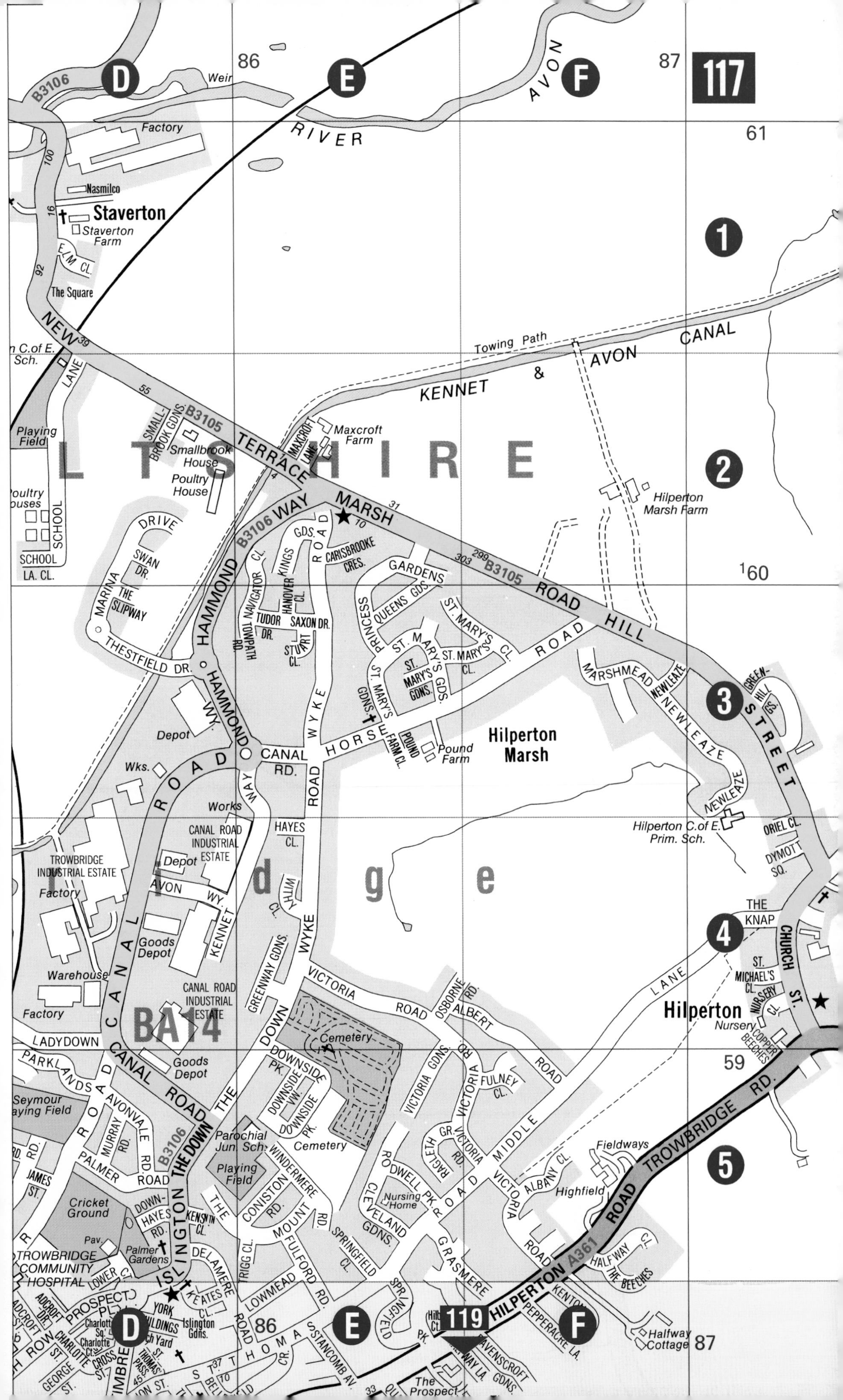

Staverton
Hilperton Marsh
Hilperton
Factory
Nasmilco
Staverton Farm
The Square
RIVER AVON
KENNET & AVON CANAL
Towing Path
Maxcroft Farm
Smallbrook House
Poultry House
Hilperton Marsh Farm
Pound Farm
Hilperton C.of E. Prim. Sch.
TROWBRIDGE INDUSTRIAL ESTATE
CANAL ROAD INDUSTRIAL ESTATE
Cemetery
Parochial Jun. Sch.
Playing Field
Cricket Ground
TROWBRIDGE COMMUNITY HOSPITAL
Nursing Home
Fieldways
Highfield
Halfway Cottage
BA14
B3105
B3106
A361
NEW TERRACE
MARSH ROAD
HILL STREET
CHURCH ST.
HORSE ROAD
WYKE ROAD
CANAL ROAD
HAMMOND WAY
VICTORIA ROAD
MIDDLE LANE
TROWBRIDGE ROAD
HILPERTON ROAD
THE DOWN
ISLINGTON
119

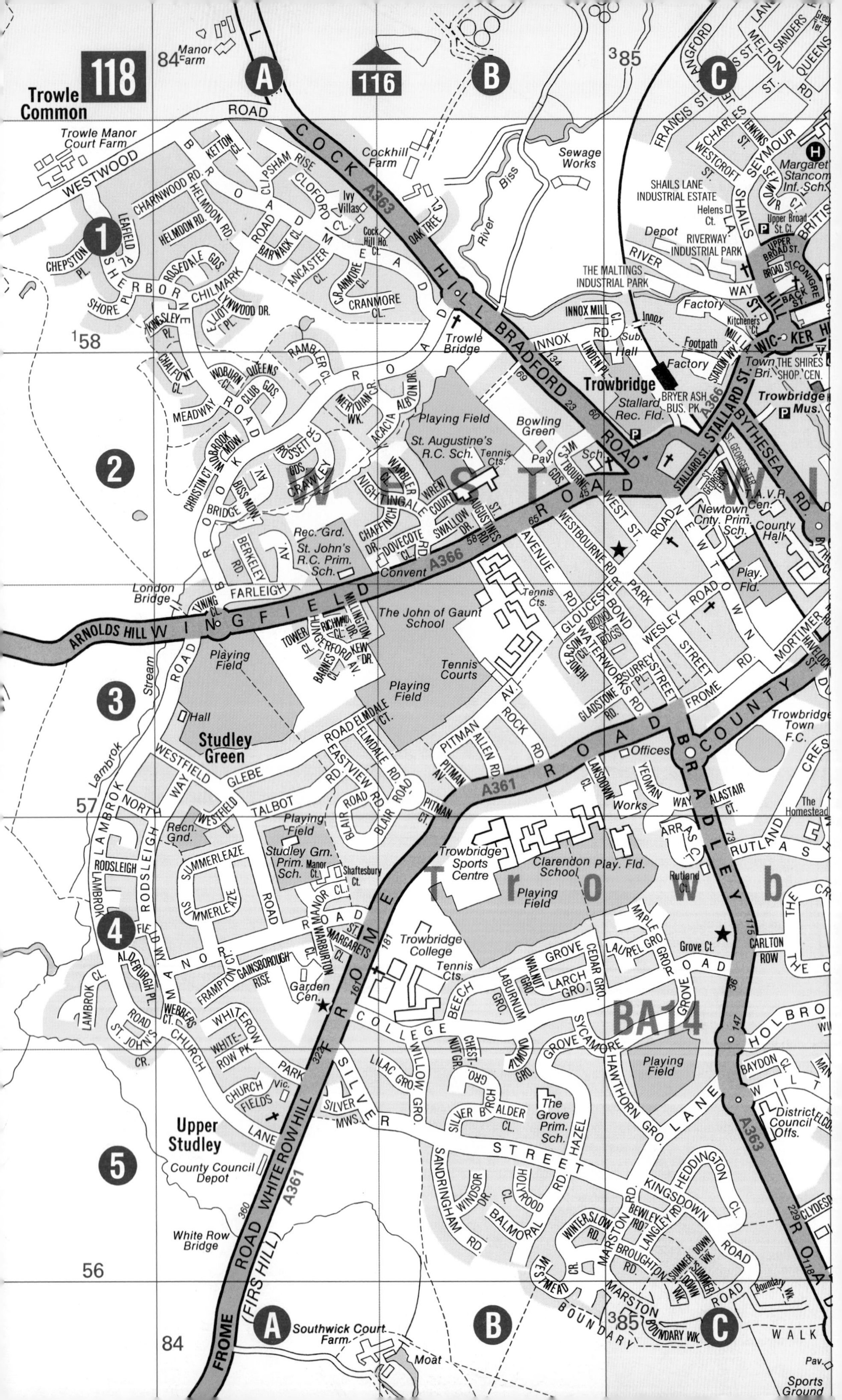

Manor Farm
84
Trowle Manor Court Farm
Westwood
Trowle Common

A ROAD
COCK
HILL A363 ROAD BRADFORD

116

Cockhill Farm

River Biss

Sewage Works

B

385

Francis St.
Westcroft
Seymour St.
C
Jenkins St.
Charles St.
Melton St.
Sanders St.
Queens St.

H
Margaret Stancomb Inf. Sch.

Shails Lane Industrial Estate

Helens Ct.

Depot

Riverway Industrial Park

Upper Broad St. Ct.
Upper Broad St.

Shails St.

Hill St.

Back St.

Wicker Hill

British

Chepston Pl.
1
Sherborne
Shore
Lenfield
Charnwood Rd.
Ketton Cl.
Clipsham Rise
Helmdon Rd.
Cloford Road
Barwick Cl.
Ancaster Cl.
Ivy Villas
Cock Hill Ho.
Oak Tree Ct.
Rosedale Gdns.
Chilmark
Cranmore Cl.

158

The Maltings Industrial Park

Innox Mill Cl.
Innox
Linden Pl.
Sub.
Hall
Factory
Kitcheners Ct.

INNOX MILL
134
Factory
Station Rd.
Mill St.

Trowbridge

Bryer Ash Bus Pk.
Stallard Rec. Fld.

Town Br.

The Shires Shop. Cen.

Trowbridge Mus.

P

Kingsley Pl.
Elliott
Lynwood Dr.
Woburn Cl.
Queens Club Gdns.
Chalfont Cl.
Christin Ct.
Brook Mead
Meadway
Rambler Cl.
2
Meridian Dr.
Acacia
Albion
Crawley
Rossett Gdns.
Wren Ct.
Wabler
Nightingale
Chaffinch
Swallow Dr.
Dovecote Cl.
St. Augustines Rd.

WEST

Trowle Bridge
169
60
23

Playing Field
St. Augustine's R.C. Sch.
Tennis Cts.
Bowling Green
Pav.
Sch.
Bournemouth Rd.
West St.
Roadz
A.V.R. Cen.
Newtown Cnty. Prim. Sch.
County Hall

STON

ROAD

London Bridge
Vyning Cl.
Farleigh
Berkeley Rd.
Biss Mead
3
Stream
Lambrok
Hall
Studley Green
Westfield Way
Westfield Glebe
Talbot
Tower
Hungerford Av.
Richmond
Barnes Cl.
Kew Dr.
Millington
Elmdale Ct.
Eastview Rd.
Elmdale Rd.
Blair Road
Blair Rd.
Pitman Ct.
Pitman
Allen Rd.
Rock Rd.
Gladstone Rd.
Waterworks Rd.
Bond St.
Bugs
Surrey St.
Wesley Street
Frome Rd.
Lansdown Cl.
Offices
Yeoman Works
Mortimer St.
Havelock St.

Arnolds Hill
WINGFIELD
Rec. Grd.
St. John's R.C. Prim. Sch.
Convent
A366
The John of Gaunt School
Tennis Cts.
Playing Field
Tennis Courts
Avenue
Gloucester Rd.
Park
Road
TOWN
Play. Fld.

57

A361
Pitman Av.

BRADLEY
COUNTY

Trowbridge Town F.C.

Lambrok North
Rodsleigh
Summerleaze
Recn. Gnd.
Studley Grn. Prim. Sch.
Manor Ct.
Shaftesbury Ct.
4
Aldeburgh Pl.
Lambrok Cl.
Rodsleigh
Field Way
St. John's Cr.
Webbers Ct.
Frampton
Gainsborough Rise
Garden Cen.
Warburton
Margarets Rd.
Manor Road
Whiterow Rd.
White-row Pk.
Trowbridge Sports Centre
Playing Field
Clarendon School
Play. Fld.
Trowbridge College
Tennis Cts.
Beech
Willow Gro.
College
Grove
Walnut Gro.
Laburnum Gro.
Larch Gro.
Cedar Gro.
Grove Ct.
Arras Cl.
Rutland Cl.
Laurel Gro.
Grove
Sycamore
Hawthorn Gro.
Maple Gro.
Carlton Row
Rutland
The Homestead
The Cres.

BA14

Upper Studley
5
County Council Depot
Church Lane
Church Fields
Vic.
Silver MWS.
Whiterow Hill
Park Road
SILVER STREET
Lilac Gro.
Sandringham Rd.
Windsor Dr.
Holyrood
Balmoral
Silver Birch Cl.
Alder Cl.
The Grove Prim. Sch.
Chestnut Gro.
Nut Gro.
Almond Gro.
Hazel Rd.
Kingsdown Cl.
Heddington Cl.
Winterslow Rd.
Bewley Rd.
Langley Rd.
Marston Rd.
Broughton Rd.
Down Rd.
Summer Down Wk.
Boundary Wk.
District Council Offs.
Baydon Cl.
Holbrook
A363

White Row Bridge

Southwick Court Farm
A
FROME ROAD (FIRS HILL) WHITEROW HILL A361
Moat
B
385
BOUNDARY
Marston
West Mead
C
ROAD A363
WALK
Pav.
Sports Ground

56

84

84

385

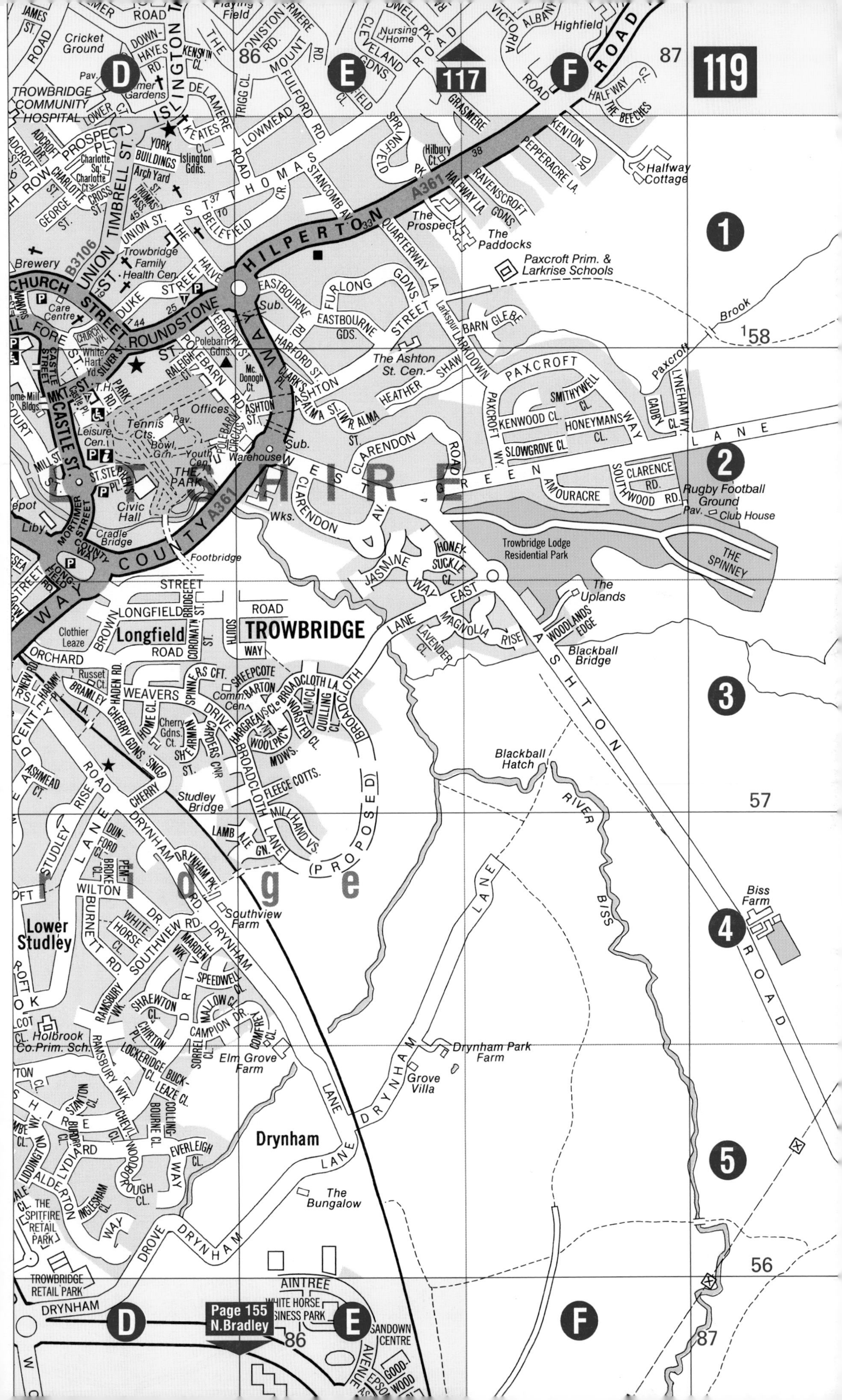

117
Page 155
N.Bradley
TROWBRIDGE
Longfield
Lower Studley
Drynham
Trowbridge Lodge Residential Park
Rugby Football Ground
Paxcroft Prim. & Larkrise Schools
Halfway Cottage
The Prospect
The Paddocks
The Ashton St. Cen.
Blackball Bridge
Blackball Hatch
Biss Farm
Drynham Park Farm
Grove Villa
Elm Grove Farm
Southview Farm
The Bungalow
THE SPITFIRE RETAIL PARK
TROWBRIDGE RETAIL PARK
WHITE HORSE BUSINESS PARK
SANDOWN CENTRE
Holbrook Co.Prim. Sch.
TROWBRIDGE COMMUNITY HOSPITAL
Cricket Ground
Civic Hall
HILPERTON ROAD
COUNTY WAY
WEST ASHTON ROAD
GREEN LANE
DRYNHAM LANE
RIVER BISS

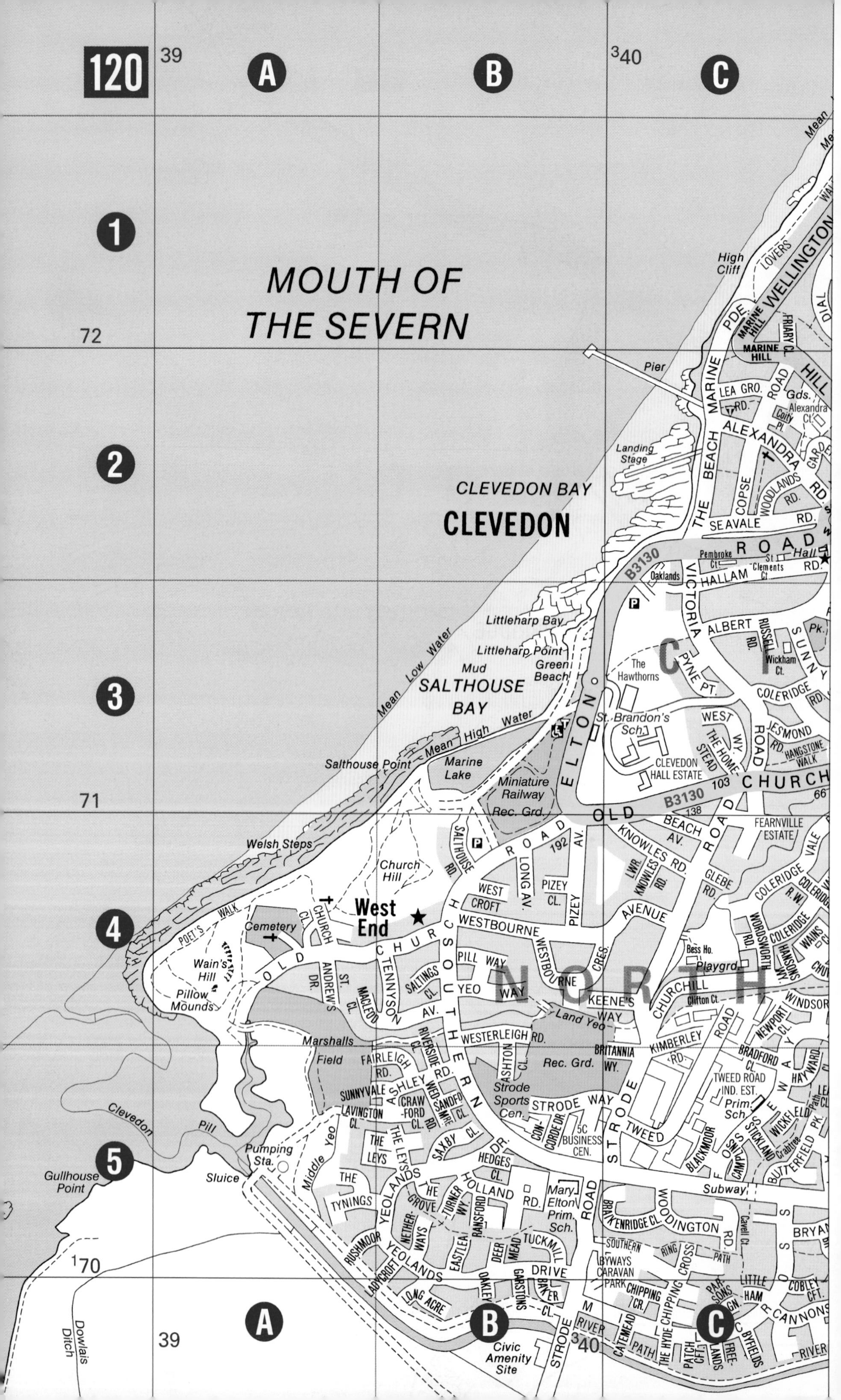

Ⓐ   Ⓑ ³40   Ⓒ

❶

MOUTH OF THE SEVERN

72

❷

CLEVEDON BAY
CLEVEDON

❸

Littleharp Bay

Littleharp Point
Green Beach

Mean Low Water

Mud
SALTHOUSE BAY

Mean High Water

Salthouse Point

Marine Lake

Miniature Railway
Rec. Grd.

71

Welsh Steps

Church Hill

West End ★

Cemetery ✝

Wain's Hill

Pillow Mounds

POET'S WALK

❹

Marshalls Field

Clevedon Pill

Pumping Sta.

Sluice

Gullhouse Point

❺

Dowlais Ditch

¹70

39

Ⓐ   Ⓑ ³40   Ⓒ

Civic Amenity Site

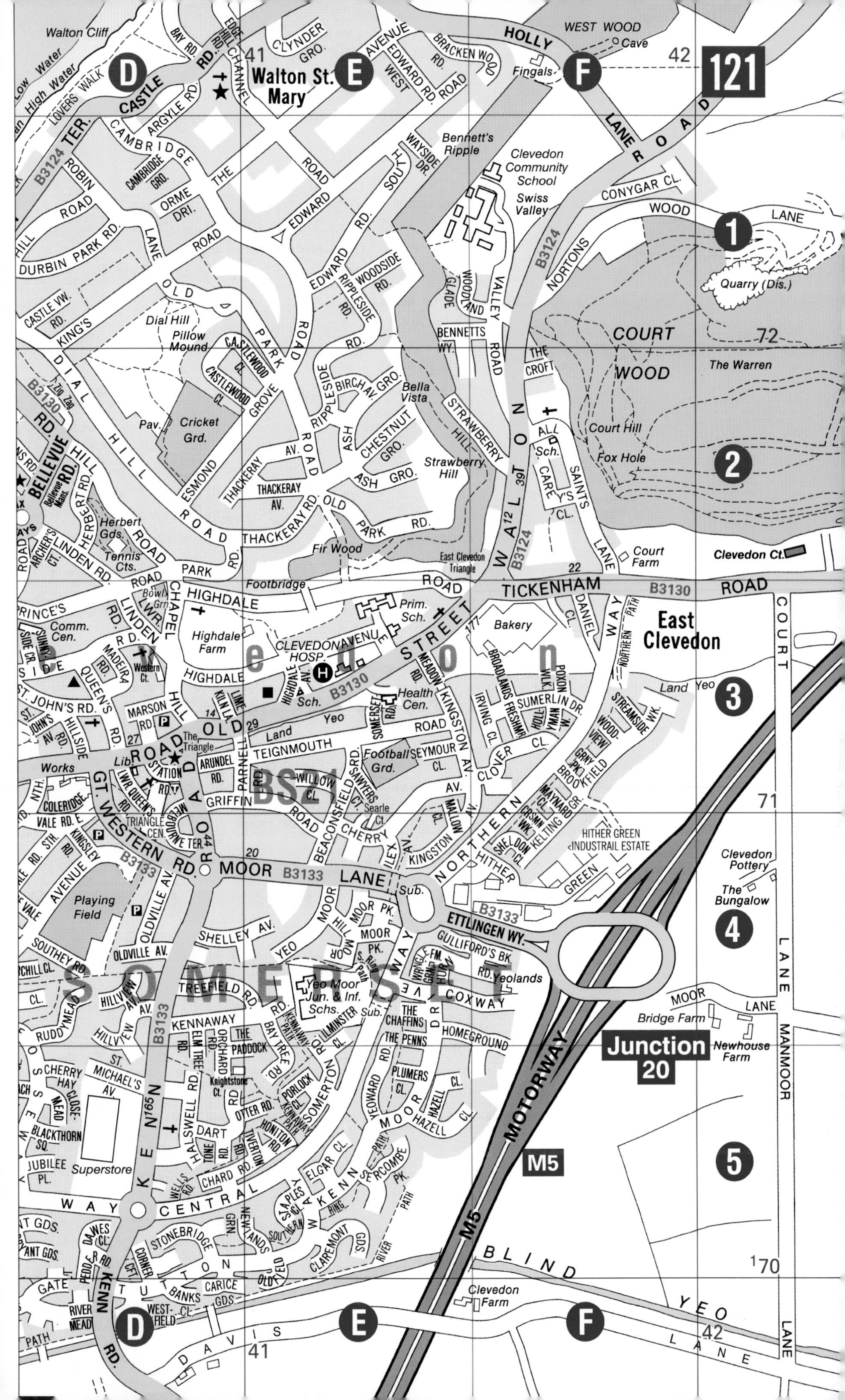
Walton Cliff
Low Water
High Water
LOVERS WALK
CASTLE RD.
BAY RD.
EDGE HILL RD.
CHANNEL
CLYNDER GRO.
AVENUE
Walton St. Mary
EDWARD RD. WEST
BRACKEN WOOD RD.
HOLLY LANE
WEST WOOD
Cave
Fingals
42
TER.
B3124
ARGYLE RD.
CAMBRIDGE
CAMBRIDGE GRO.
ROBIN
THE
ROAD
SOUTH
WAYSIDE DR.
Bennett's Ripple
Clevedon Community School
ROAD
CONYGAR CL.
WOOD LANE
ORME DRI.
EDWARD
Swiss Valley
B3124
HILL
ROAD
DURBIN PARK RD.
LANE
ROAD
EDWARD RD.
WOODSIDE RD.
RIPPLESIDE RD.
GLADE
WOODLAND
VALLEY ROAD
NORTONS
Quarry (Dis.)
CASTLE VW. RD.
KING'S
OLD PARK ROAD
Dial Hill
Pillow Mound
CASTLEWOOD CL.
BENNETTS WY.
COURT WOOD
THE CROFT
72
The Warren
DIAL
B3130
Zig Zag
CASTLEWOOD CL.
GROVE
RIPPLESIDE
BIRCH AV.
GRO.
Bella Vista
STRAWBERRY HILL
WALTON
ALL SAINTS
Court Hill
Pav.
Cricket Grd.
ASH
CHESTNUT GRO.
Sch.
CAREY'S CL.
Fox Hole
HILL
BELLEVUE RD.
Bellevue Mans.
HERBERT RD.
ESMOND
THACKERAY AV.
ROAD
ASH GRO.
Strawberry Hill
THACKERAY AV.
OLD PARK RD.
Herbert Gds.
Tennis Cts.
ROAD
ARCHER'S CT.
LINDEN RD.
ROAD
THACKERAY RD.
Fir Wood
East Clevedon Triangle
LANE
Court Farm
Clevedon Ct.
PARK
ROAD
RD.
Footbridge
ROAD
22
TICKENHAM ROAD
B3130
PRINCE'S
Bowl Grn.
LWR. LINDEN RD.
CHAPEL
HIGHDALE
Prim. Sch.
DANIEL CL.
WAY
NORTHERN PATH
COURT
Comm. Cen.
Highdale Farm
CLEVEDON AVENUE
HOSP.
STREET
Bakery
East Clevedon
SUNNYSIDE CR.
MADEIRA RD.
Western Ct.
HIGHDALE
HIGHDALE AV.
Sch.
B3130
MEADOW RD.
BROADLANDS
POXON WLK.
Land Yeo
ST. JOHN'S RD.
QUEEN'S RD.
HILL
KILN LA.
LIME
Health Cen.
KINGSTON AV.
IRVING CL.
FRESHMR.
HOLLYMAN W.
SUMERLIN DR.
STREAMSIDE WK.
WOODVIEW
ST. JOHN'S AV.
HILLSIDE RD.
MARSON RD.
27
14
29
Land Yeo
ROAD
SOMERSET RD.
CLOVER CL.
The Triangle
OLD ROAD
TEIGNMOUTH ROAD
Football Grd.
SEYMOUR CL.
Works
Lib
STATION RD.
ARUNDEL RD.
PARNELL RD.
BS21
SAWYERS CT.
BEACONSFIELD RD.
GRNY PK.
BROOKFIELD
NORTHERN
MAYNARD CL.
NTH.
COLERIDGE
GT. WESTERN RD.
LWR QUEEN'S RD.
MELBOURNE TER.
WILLOW CL.
MALLOW CL.
AV.
GRSMR WK.
KELTING GR.
VALE RD.
TRIANGLE CEN.
GRIFFIN ROAD
CHERRY
Searle Ct.
ILEX AV.
KINGSTON
SHELDON CL.
HITHER GREEN INDUSTRAIL ESTATE
71
KINGSLEY RD.
B3133
ROAD
44
20
MOOR LANE
B3133
Sub.
HITHER GREEN
Clevedon Pottery
The Bungalow
AVENUE
Playing Field
OLDVILLE AV.
SHELLEY AV.
MOOR PK.
HILL MOOR
MOOR PK.
WAY
B3133
ETTLINGEN WY.
GULLIFORD'S BK. RD.
SOUTHEY RD.
OLDVILLE AV.
YEO MOOR
S. Ring Path
WRNGLE GRN. FM. HURN
Yeolands
MOOR LANE
TREEFIELD RD.
Yeo Moor Jun. & Inf. Schs.
DRIVE
COXWAY
SOMERSET
Bridge Farm
LANE
HILLVIEW AV.
KENNAWAY RD.
THE PADDOCK
BAY TREE RD.
KENNAWAY PATH
ILMINSTER CL.
Sub.
THE CHAFFINS
THE PENNS
HOMEGROUND
MOTORWAY
Junction 20
Newhouse Farm
MANMOOR
RUDDYMEAD
B3133
ELM TREE RD.
ORCHARD RD.
KENN
CHERRY HAY CLOSE
MEAD
ST. MICHAEL'S AV.
Knightstone Ct.
PORLOCK CL.
YEOWARD RD.
PLUMERS CL.
HAZELL CL.
SOMERTON
OTTER RD.
HONITON RD.
MOOR HAZELL CL.
BLACKTHORN SQ.
HALSWELL RD.
DART RD.
TONE RD.
TIVERTON RD.
KENNAWAY PATH
M5
5
JUBILEE PL.
Superstore
WELLS RD.
CHARD RD.
ELGAR CL.
SERCOMBE PK.
PATH
WAY
CENTRAL
STAPLES CL.
GRN.
NEWLANDS
SOUTHERN RING
PATH
GDS.
STONEBRIDGE
CLAREMONT GDS.
RIVER
BLIND YEO
DAWES CL.
CORNER CFT.
TUTTON
OLDFIELD
170
Clevedon Farm
GATE
KENN RD.
RIVER MEAD
WEST-FIELD CL.
BANKS CL.
CARICE GDS.
DAVIS LANE
PATH
41
42
LANE

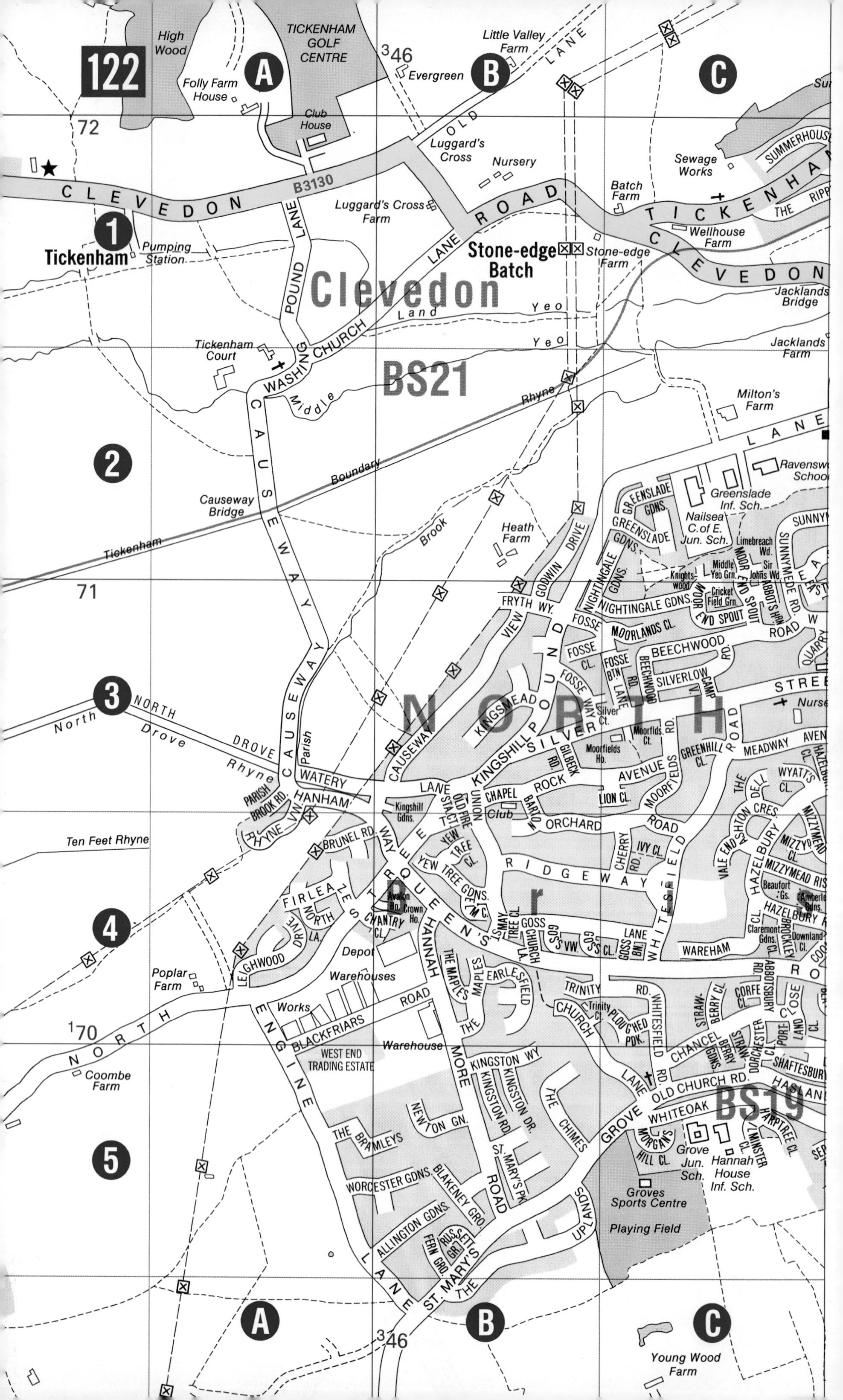

122

72

A TICKENHAM GOLF CENTRE 346

B Little Valley Farm

C

High Wood

Folly Farm House

Club House

Evergreen

Luggard's Cross

Nursery

Sewage Works

SUMMERHOUSE

Batch Farm

TICKENHAM

THE RIP

Wellhouse Farm

1 Tickenham

Pumping Station

C L E V E D O N B3130

Luggard's Cross Farm

R O A D

Stone-edge Batch

Stone-edge Farm

C L E V E D O N

Clevedon

LANE

Land

Yeo

Jacklands Bridge

WASHING CHURCH

Yeo

Jacklands Farm

Tickenham Court

Middle

BS21

Rhyne

Milton's Farm

2 Causeway Bridge

Boundary

LANE

Ravenswood School

POUND LANE

OLD

LANE

Brook

Heath Farm

Greenslade Inf. Sch.

Greenslade GDNS.

Nailsea C. of E. Jun. Sch.

Middle Yeo Grn.

Limebreach Wd.

Sir Johns Wd.

SUNNYM

Tickenham

71

CAUSEWAY

GODWIN DRIVE

Knights wood

Cricket Field Grn.

MOOR END SPOUT

ABBOTS HM

SUNNYMEDE RD.

FRYTH WY.

NIGHTINGALE GDNS.

MOOR END SPOUT

ROAD

QUARRY

Silver Ct.

FOSSE CL.

BEECHWOOD

SILVERLOW

CAMP

3 NORTH

North Drove Rhyne

DROVE

CAUSEWAY

Parish

WATERY

VIEW

FOSSE WAY

FOSSE BTN

BEECHWOOD RD.

S T R E E T

Nurser

N O R T H

KINGSMEAD

SILVER

Moorflds.

Moorfields Ho.

GREENHILL CL.

THE DELL

MEADWAY

AVEN

WYATT'S CL.

HAZELB

PARISH BROOK RD.

HANHAM

RHYNE VW.

CAUSEWA

Kingshill Gdns.

LANE

OLD FIRE

STA. CT.

UNION

ROCK

BARTON

Chapel Club

ORCHARD

LION CL.

AVENUE

MOORFIELDS

GREENHILL CL.

ASHTON CRES.

MIZZYMEAD CL.

MIZZYMEAD RIS

Ten Feet Rhyne

RHYNE VW.

BRUNEL RD.

YEW TREE CL.

YEW TREE GDNS.

R I D G E W A Y

R O A D

CHERRY RD.

IVY CL.

VALE END

HAZELBURY

Beaufort Gs.

Camberle Gdns.

HAZELBURY R

4

Poplar Farm

FIRLEA

LEIGHWOOD DRIVE

NORTH

CHANTRY LA.

Avalon Ho.

Crown Ho.

QUEEN'S

HANNAH

CHURCH

GOSS

GOSS CL.

WAREHAM

Claremont Gdns.

Downland CL.

CORFE CL.

70

Depot

Warehouses

THE MAPLES

EARLESFIELD

TRINITY RD.

Trinity Ct.

TRINITY CHURCH

PLOUGHED PDK.

WHITESFIELD

STRAW-

BERRY CL.

STRAW BERRY GDNS.

DORCHESTER

PORTL

LAND CL.

N O R T H

BLACKFRIARS

Works

Warehouse

ROAD

THE MORE

CHANCEL LANE

OLD CHURCH RD.

HARPTREE CL.

SHAFTESBUR

HASLAND

BS19

WEST END TRADING ESTATE

Coombe Farm

ENGINE

Kingston wy.

KINGSTON DR.

KINGSTON RD.

GROVE

WHITEOAK

MORGAN'S

HILL CL.

Grove Jun. Sch.

Hannah House Inf. Sch.

HARPTREE CL.

MINSTER

5

THE BRAMLEYS

NEWTON GN.

ST. MARY'S PK.

THE CHIMES

Groves Sports Centre

WORCESTER GDNS.

BLAKENEY GRO.

FERN GRO.

ALLINGTON GDNS.

RUSS ETT GR.

ST. MARY'S

THE

Playing Field

UPLANDS

A

346

B ST. MARY'S

C

Young Wood Farm

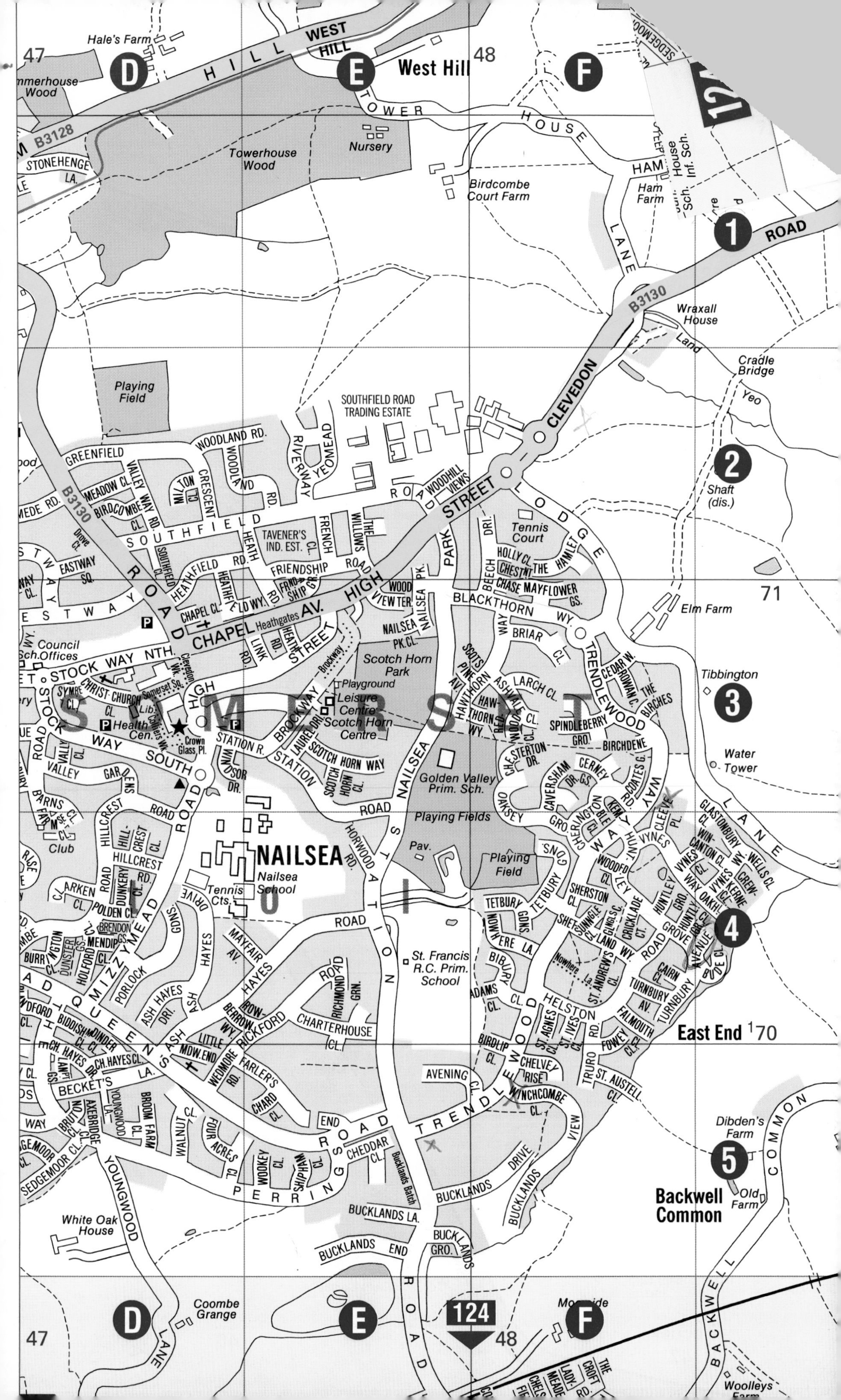

West Hill
NAILSEA
Nailsea School
Southfield Road Trading Estate
Scotch Horn Park
Golden Valley Prim. Sch.
St. Francis R.C. Prim. School
East End
Backwell Common
Birdcombe Court Farm
Towerhouse Wood
Wraxall House
Elm Farm
Tibbington
Coombe Grange
White Oak House
Dibden's Farm
Old Farm
Woolleys Farm
Clevedon Road
High Street
Station Road
Queen's Road
Stock Way South
Trendlewood Way
B3130
B3128
124

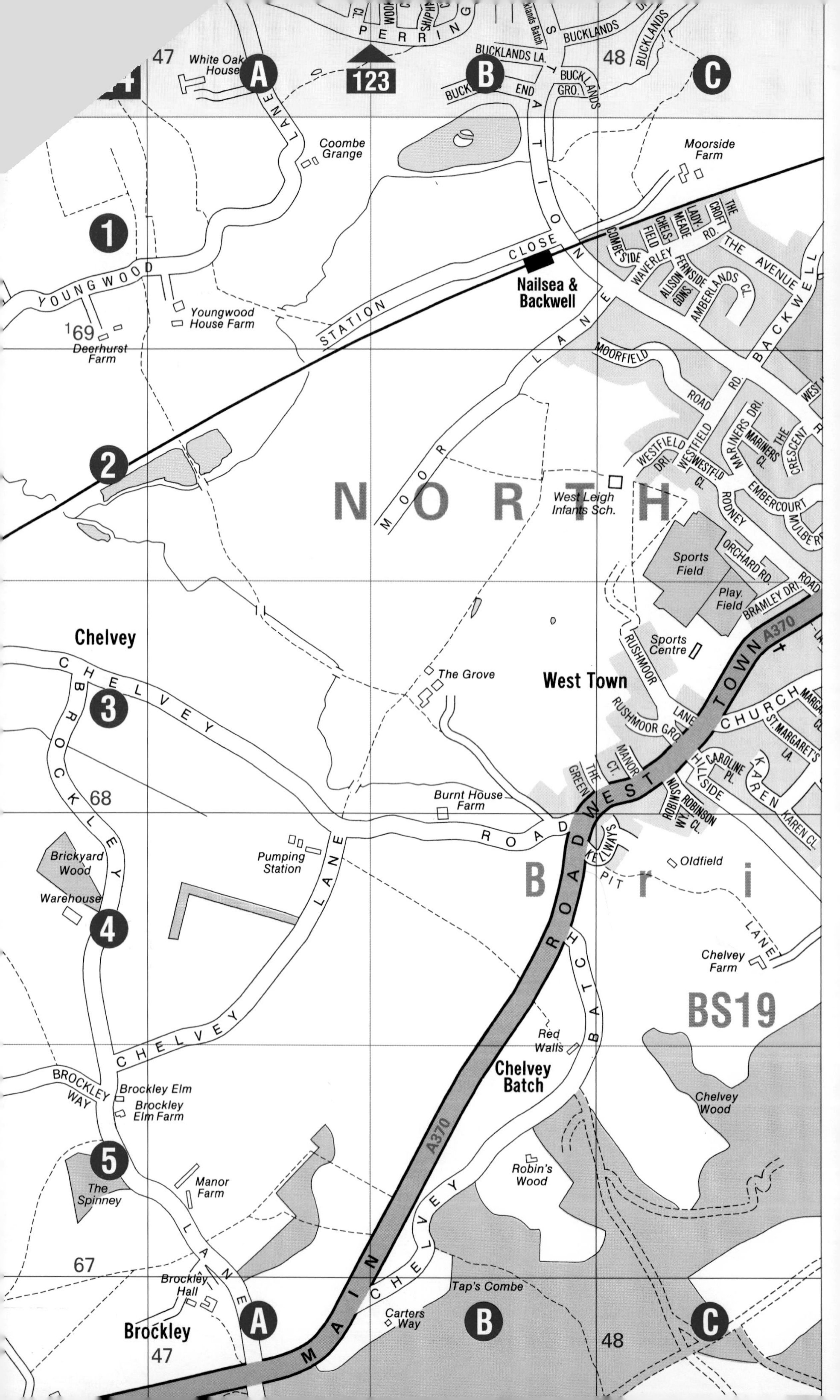

124
47
48
123
A
B
C
1
2
3
4
5
68
67
169
White Oak House
Coombe Grange
Moorside Farm
BUCKLANDS LA.
BUCKLANDS END
BUCKLANDS GRO.
BUCKLANDS
Bucklands Batch
PERRING
STATION ROAD
STATION CLOSE
Nailsea & Backwell
YOUNGWOOD LANE
Youngwood House Farm
Deerhurst Farm
COMBE SIDE
CHELSFIELD
LADYMEADE
THE CROFT
RD.
WAVERLEY
FERNSIDE
ALISON GDNS.
AMBERLANDS CL.
THE AVENUE
BACKWELL
MOORFIELD ROAD
RD.
MOOR LANE
NORTH
West Leigh Infants Sch.
WESTFIELD DRI.
WESTFIELD
WESTFIELD CL.
MARINERS DRI.
MARINERS CL.
THE CRESCENT
RODNEY
EMBERCOURT
ORCHARD RD.
Sports Field
Play. Field
BRAMLEY DRI.
ROAD
A370
Sports Centre
RUSHMOOR LANE
RUSHMOOR GRO.
Chelvey
CHELVEY ROAD
BROCKLEY LANE
The Grove
West Town
WEST TOWN ROAD
CHURCH
ST. MARGARET'S LA.
MANOR CT.
THE GREEN
CAROLINE PL.
HILLSIDE
KAREN
KAREN CL.
ROBINSON WY.
ROBINSON CL.
Burnt House Farm
KELLWAYS
Oldfield
Brickyard Wood
Pumping Station
CHELVEY LANE
PIT LANE
B r i
Warehouse
Chelvey Farm
BATCH
BS19
Red Walls
Chelvey Batch
Chelvey Wood
BROCKLEY WAY
Brockley Elm
Brockley Elm Farm
Robin's Wood
The Spinney
Manor Farm
MAIN ROAD
CHELVEY
Brockley Hall
Tap's Combe
Carters Way
Brockley

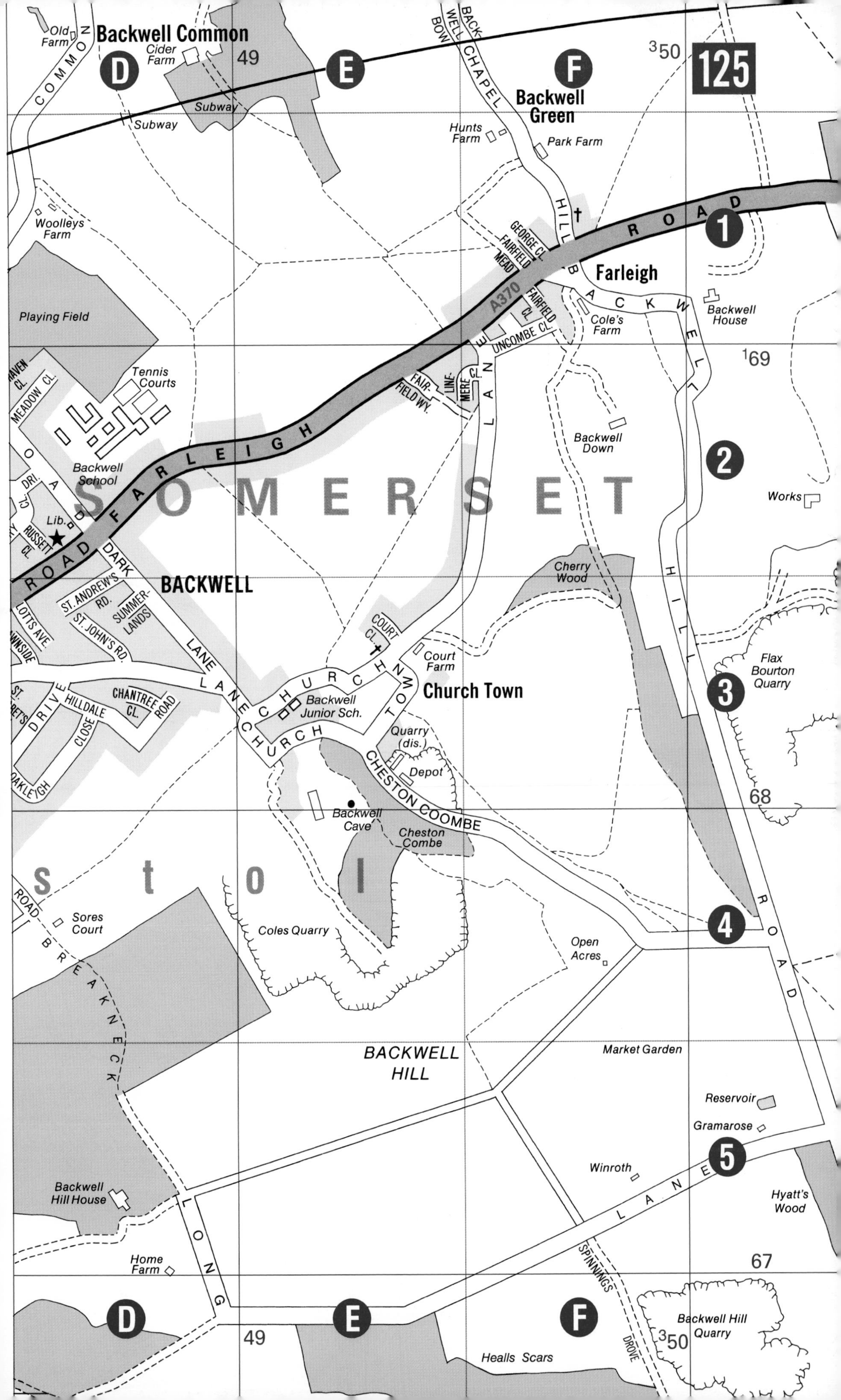

Backwell Common
Old Farm
Cider Farm
Subway
Subway
Backwell Green
Hunts Farm
Park Farm
Woolleys Farm
Playing Field
Tennis Courts
Backwell School
Lib.
Farleigh
Backwell House
Cole's Farm
Backwell Down
Works
SOMERSET
BACKWELL
Cherry Wood
Court Farm
Church Town
Backwell Junior Sch.
Flax Bourton Quarry
Quarry (dis.)
Depot
Backwell Cave
Cheston Combe
Coles Quarry
Sores Court
Open Acres
BACKWELL HILL
Market Garden
Reservoir
Gramarose
Winroth
Hyatt's Wood
Backwell Hill House
Home Farm
Backwell Hill Quarry
Healls Scars
FARLEIGH ROAD
A370
BACKWELL HILL
BACKWELL HILL ROAD
CHAPEL HILL
BACK WELL BOW
COMMON
CHURCH LANE
CHURCH TOWN
CHESTON COMBE
DARK LANE
LONG LANE
BREAKNECK
SPINNINGS DROVE
GEORGE CL.
FAIRFIELD MEAD
FAIRFIELD CL.
UNCOMBE CL.
FAIRFIELD WY.
LINEMERE CL.
COURT CL.
ST. ANDREW'S RD.
SUMMERLANDS
ST. JOHN'S RD.
LOTTS AVE
RUSSETT CL.
MEADOW CL.
CHANTREE CL.
CHANTREE ROAD
HILLDALE CLOSE
OAKLEIGH
STOI

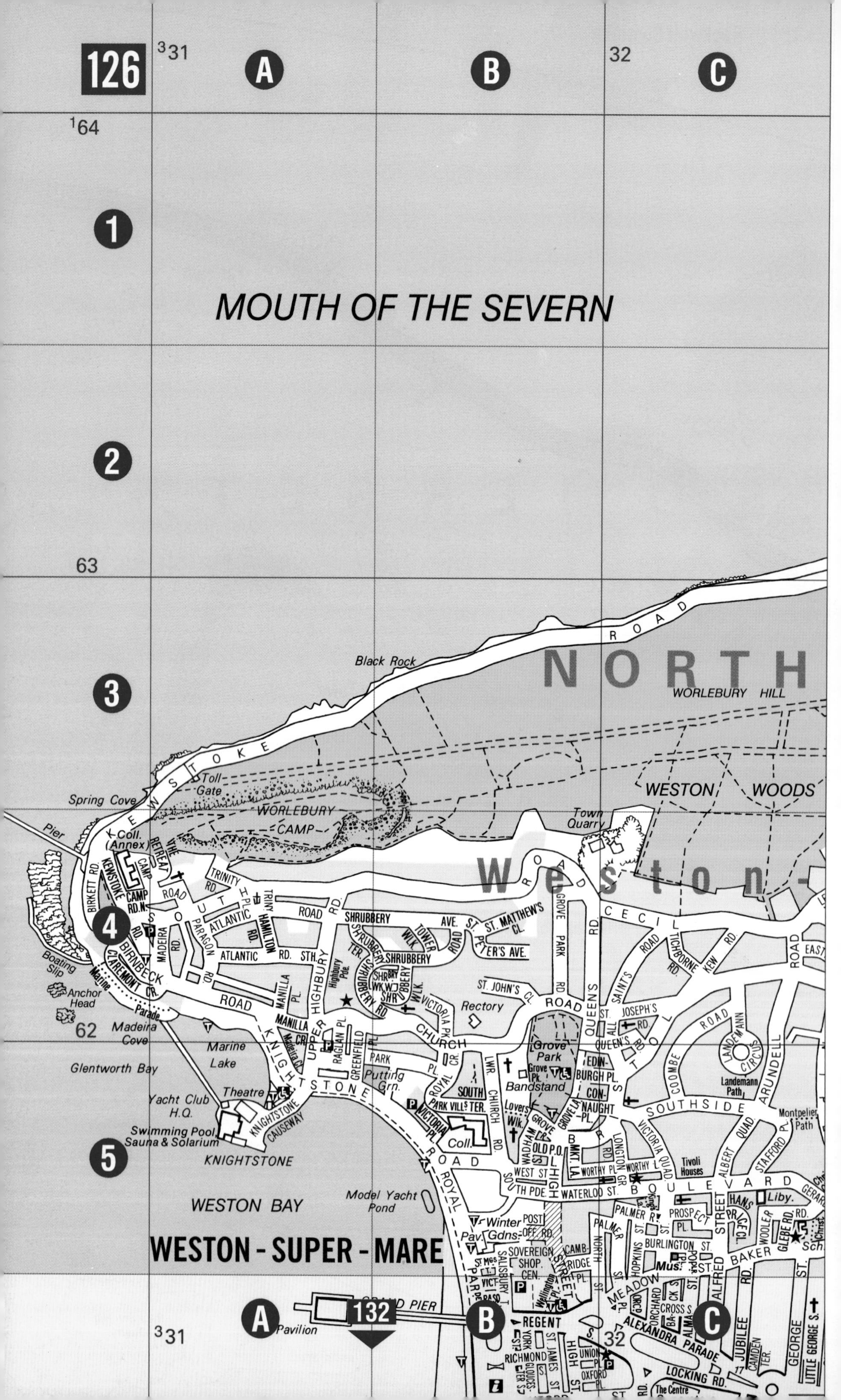

A
B
C
1
2
3
4
5
MOUTH OF THE SEVERN
NORTH
WORLEBURY HILL
WESTON WOODS
Weston-
Black Rock
KEWSTOKE ROAD
Toll Gate
WORLEBURY CAMP
Spring Cove
Pier
Town Quarry
Coll. (Annex)
Boating Slip
Anchor Head
Madeira Cove
Glentworth Bay
Marine Lake
Theatre
Yacht Club H.Q.
Swimming Pool, Sauna & Solarium
KNIGHTSTONE
WESTON BAY
Model Yacht Pond
WESTON - SUPER - MARE
Rectory
Grove Park
Bandstand
Putting Grn.
Coll.
Winter Gdns.
Pav.
Tivoli Houses
Liby.
Mus.
Landemann Path
Montpelier Path
Pavilion
GRAND PIER
132

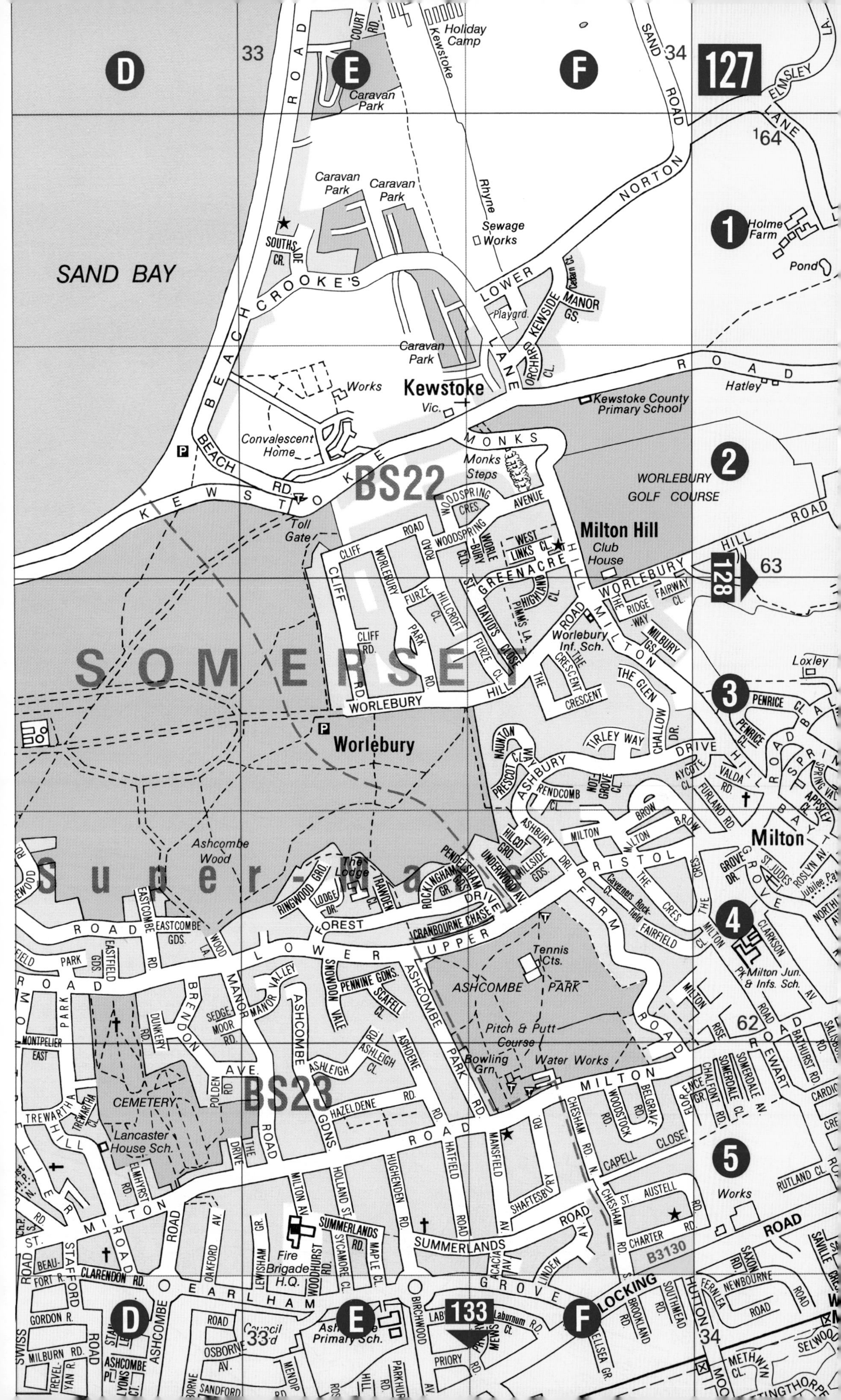
D
E
F
33
34
SAND BAY
SOMERSET
Super-Mare
BS22
BS23
Kewstoke
Worlebury
Milton Hill
Milton
Holiday Camp
Caravan Park
Sewage Works
Convalescent Home
Works
Toll Gate
Monks Steps
Kewstoke County Primary School
WORLEBURY GOLF COURSE
Club House
Worlebury Inf. Sch.
Holme Farm
Pond
Hatley
Loxley
Ashcombe Wood
The Lodge
ASHCOMBE PARK
Tennis Cts.
Pitch & Putt Course
Bowling Grn.
Water Works
CEMETERY
Lancaster House Sch.
Fire Brigade H.Q.
Milton Jun. & Infs. Sch.
Ashcombe Primary Sch.
Council Yd
SAND BAY
SAND ROAD
NORTON LANE
LOWER NORTON LANE
KEWSTOKE ROAD
BEACH RD.
CROOKE'S LANE
SOUTHSIDE
MONKS AVENUE
WORLEBURY HILL ROAD
MILTON HILL
MILTON ROAD
BRISTOL ROAD
LOWER BRISTOL ROAD
UPPER BRISTOL ROAD
LOCKING ROAD
EARLHAM GROVE
MILTON AV.
SUMMERLANDS ROAD
ASHCOMBE PARK RD.
ASHCOMBE ROAD
B3130
128
63
133
62
164

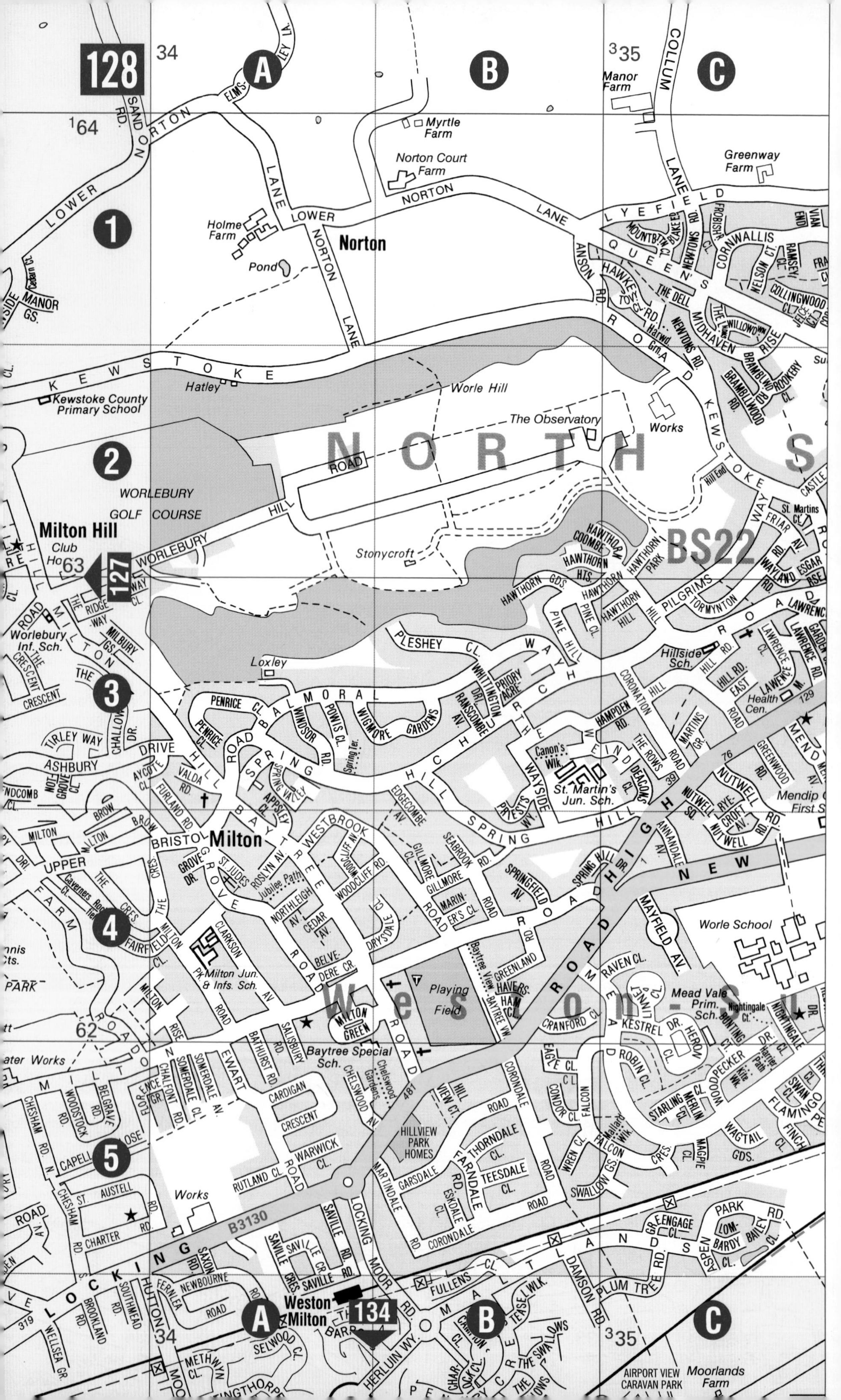
Norton
Lower Norton Lane
Norton Lane
Manor Farm
Myrtle Farm
Norton Court Farm
Greenway Farm
Holme Farm
Pond
Collum Lane
Lyefield Rd.
Queen's Road
Kewstoke Road
Hatley
Kewstoke County Primary School
Worle Hill
The Observatory
Works
NORTH
BS22
WORLEBURY GOLF COURSE
Worlebury Hill Road
Milton Hill
Club Ho.
Stonycroft
Hawthorn Hill
Pilgrims Way
Tormynton Road
Pleshey Cl.
Loxley
Balmoral Way
Church Road
Hillside Sch.
Health Cen.
Worlebury Inf. Sch.
Milton Road
Spring Hill
St. Martin's Jun. Sch.
Canon's Wlk.
Milton
Baytree Road
Upper Milton
Jubilee Path
New Road
High Road
Worle School
Mendip First Sch.
Mayfield Av.
Mead Vale Prim. Sch.
Playing Field
Milton Green
Milton Jun. & Infs. Sch.
Weston-super-Mare
Baytree Special Sch.
Chelswood Gardens
Hillview Park Homes
Locking Moor Rd.
Works
B3130
Locking Road
Milton Road
Waterworks
Weston Milton
Herluin Wy.
Airport View Caravan Park
Moorlands Farm
Maltlands
Plum Tree Rd.
Damson Rd.
The Swallows
Fullens Cl.
Saville Cr.
Newbourne Road
Southmead Rd.
Brookland Rd.
Wellsea Gr.
Selwood Cl.
Methwyn Cl.
A
B
C
1
2
3
4
5
34
335
164
63
62
481
129
76
39
319

127
134

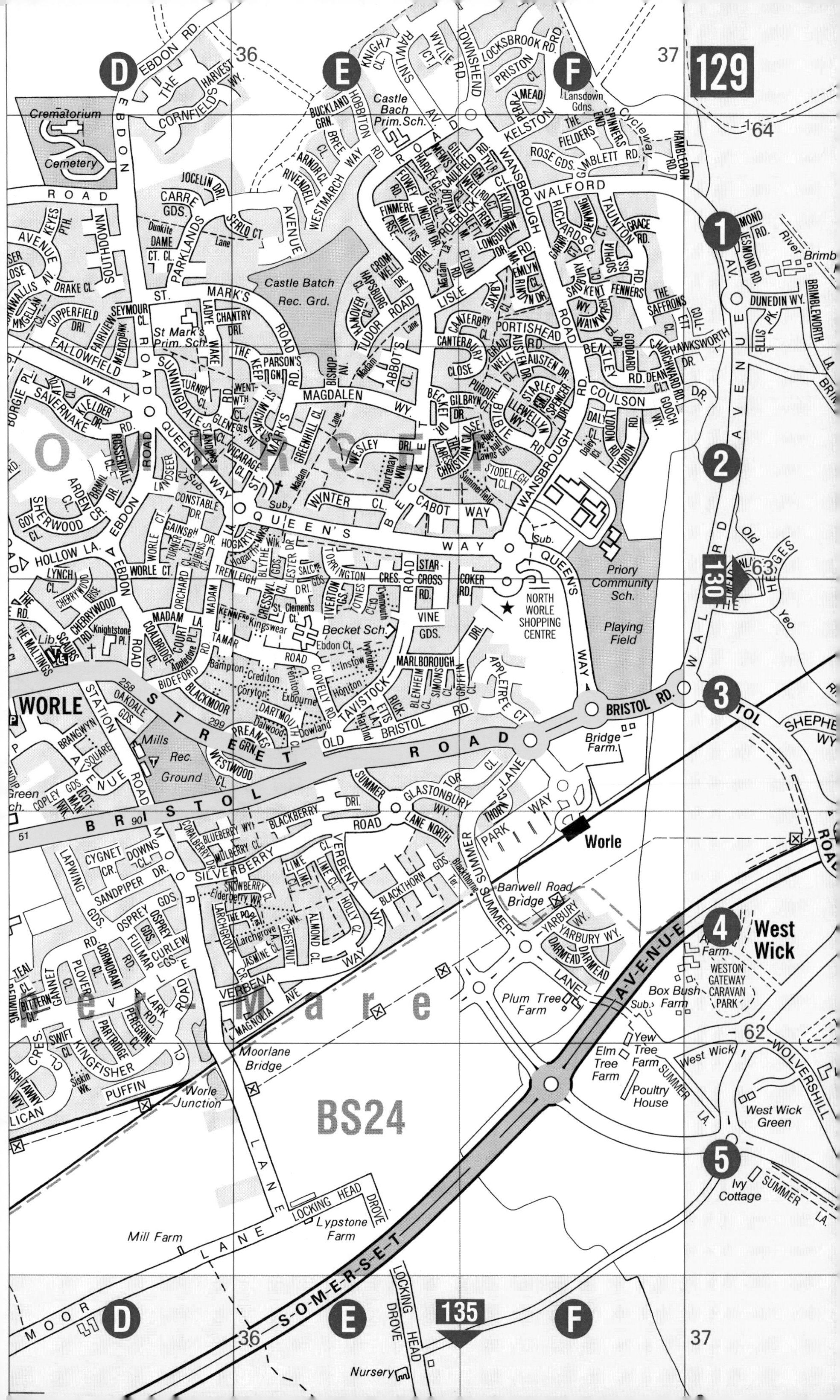

WORLE
Crematorium
Cemetery
Castle Batch Rec. Grd.
St Mark's Prim. Sch.
Castle Bach Prim.Sch.
Becket Sch.
Priory Community Sch.
Playing Field
NORTH WORLE SHOPPING CENTRE
Worle
Bridge Farm.
Mills
Rec. Ground
Worle Junction
Moorlane Bridge
Banwell Road Bridge
Plum Tree Farm
Box Bush Farm
WESTON GATEWAY CARAVAN PARK
West Wick
Yew Tree Farm
Elm Tree Farm
Poultry House
West Wick Green
Ivy Cottage
Lypstone Farm
Mill Farm
Nursery
BS24
QUEEN'S WAY
BRISTOL ROAD
WALFORD AVENUE
SOMERSET AVENUE
MOOR LANE
LOCKING HEAD DROVE
WANSBROUGH ROAD
STATION ROAD
EBDON ROAD
130
135

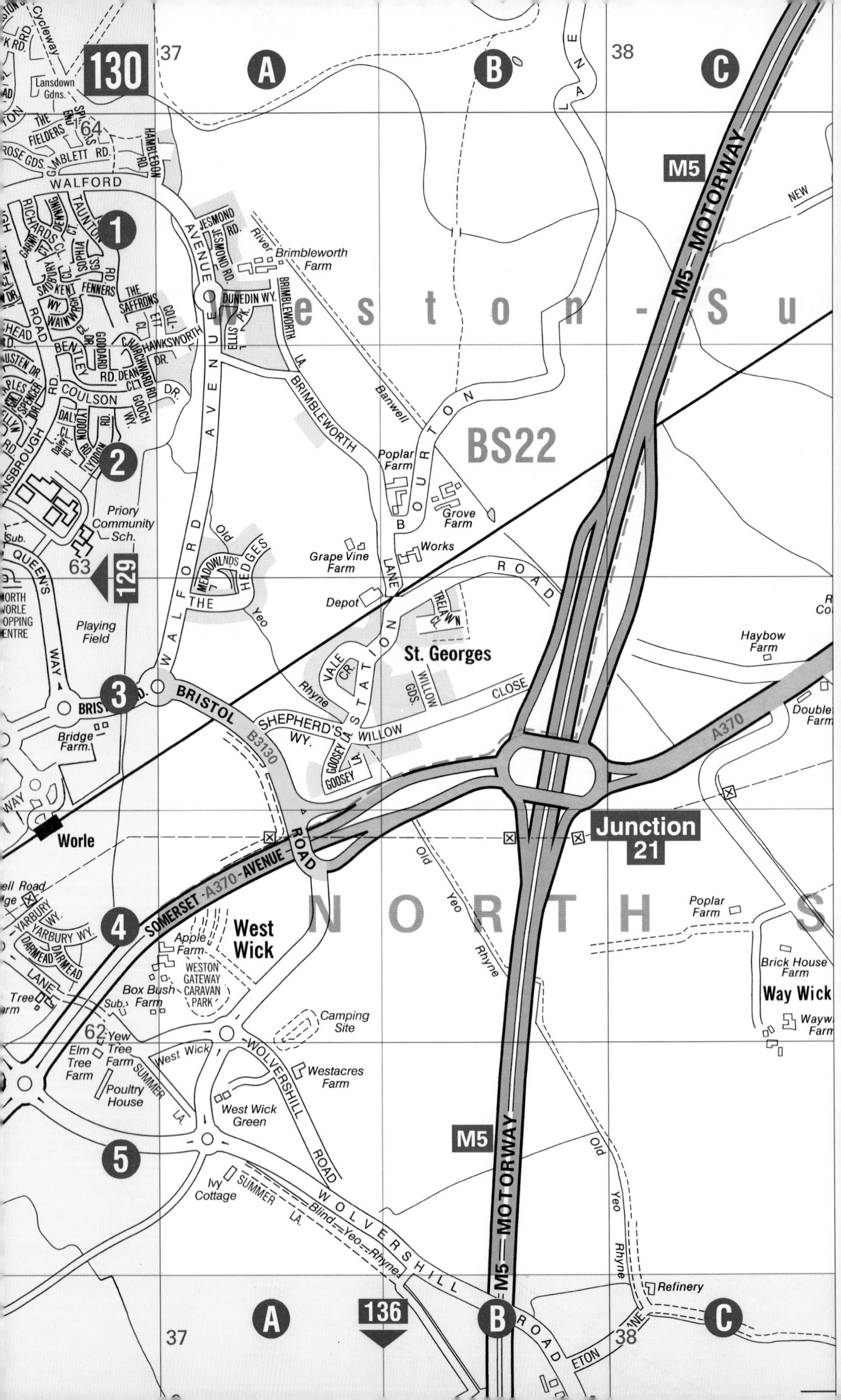

130
A
B
C
37
38
Weston-Su
BS22
St. Georges
West Wick
Way Wick
Worle
Junction 21
M5 MOTORWAY
A370
B3130
SOMERSET AVENUE
BRISTOL ROAD
WALFORD AVENUE
BRIMBLEWORTH LA.
BOURTON LANE
STATION ROAD
WOLVERSHILL ROAD
Brimbleworth Farm
Poplar Farm
Grove Farm
Grape Vine Farm
Works
Depot
Priory Community Sch.
Playing Field
Bridge Farm
Haybow Farm
Double Farm
Apple Farm
WESTON GATEWAY CARAVAN PARK
Box Bush Farm
Camping Site
Westacres Farm
West Wick Green
Yew Tree Farm
Elm Tree Farm
Poultry House
Ivy Cottage
Brick House Farm
Refinery
NORTH S
129
136
1
2
3
4
5

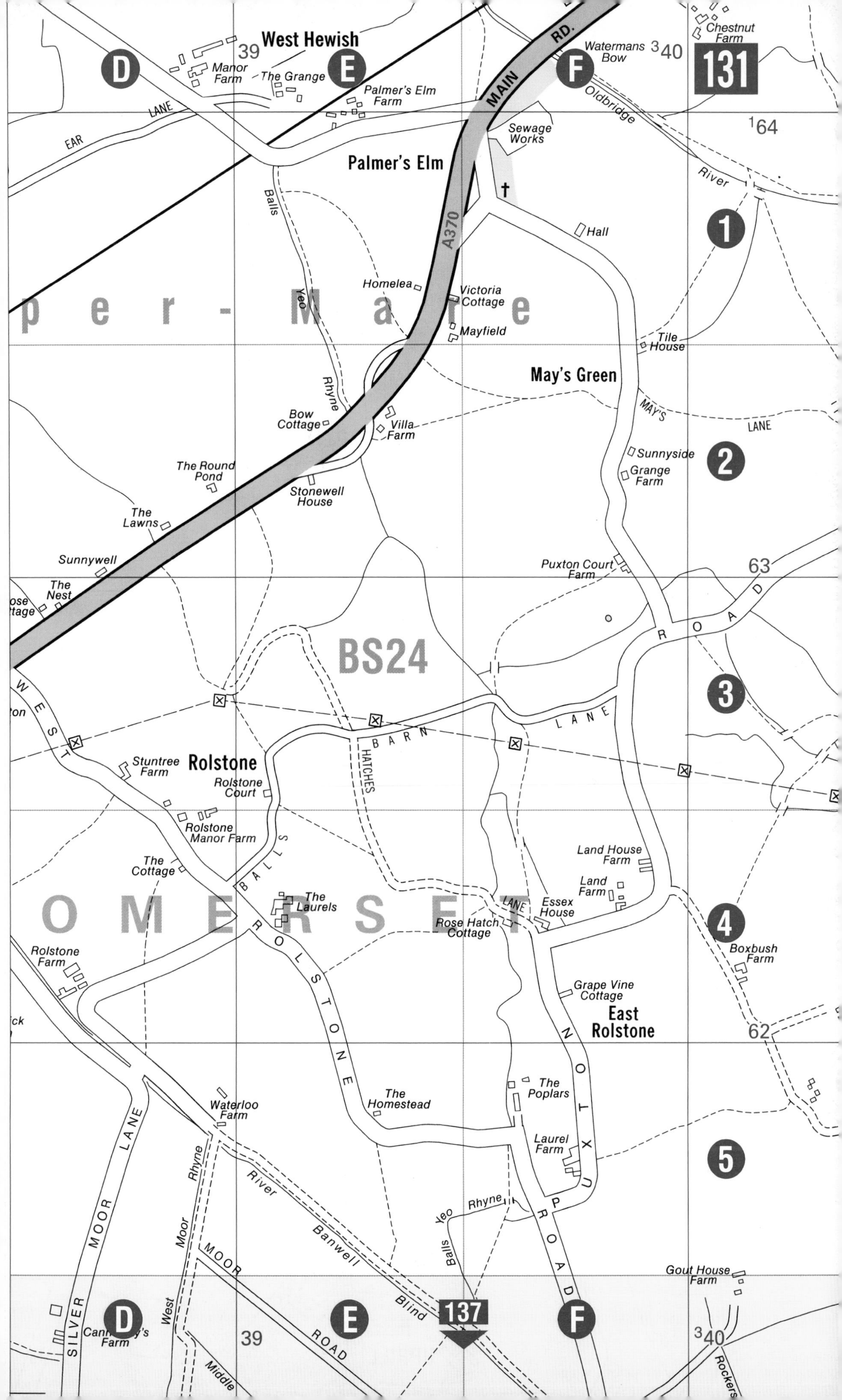

West Hewish
Manor Farm
The Grange
Palmer's Elm Farm
Watermans Bow
Chestnut Farm
131
MAIN RD.
Oldbridge River
EAR LANE
Sewage Works
Palmer's Elm
Balls Yeo Rhyne
A370
Hall
Homelea
Victoria Cottage
Mayfield
Tile House
May's Green
MAY'S LANE
Bow Cottage
Villa Farm
Sunnyside
Grange Farm
The Round Pond
Stonewell House
The Lawns
Sunnywell
The Nest
Puxton Court Farm
63
ROAD
BS24
WEST
BARN LANE
HATCHES LANE
Stuntree Farm
Rolstone
Rolstone Court
Rolstone Manor Farm
The Cottage
BALLS
The Laurels
Land House Farm
Land Farm
Essex House
Rose Hatch Cottage
SOMERSET
Rolstone Farm
ROLSTONE
Boxbush Farm
Grape Vine Cottage
East Rolstone
PUXTON ROAD
62
The Poplars
The Homestead
Waterloo Farm
Laurel Farm
SILVER MOOR LANE
Moor Rhyne
River Banwell
Yeo Rhyne
Balls
West Moor
MOOR ROAD
Blind
Gout House Farm
Middle
Rockers
137
39
340
164
D
E
F
1
2
3
4
5

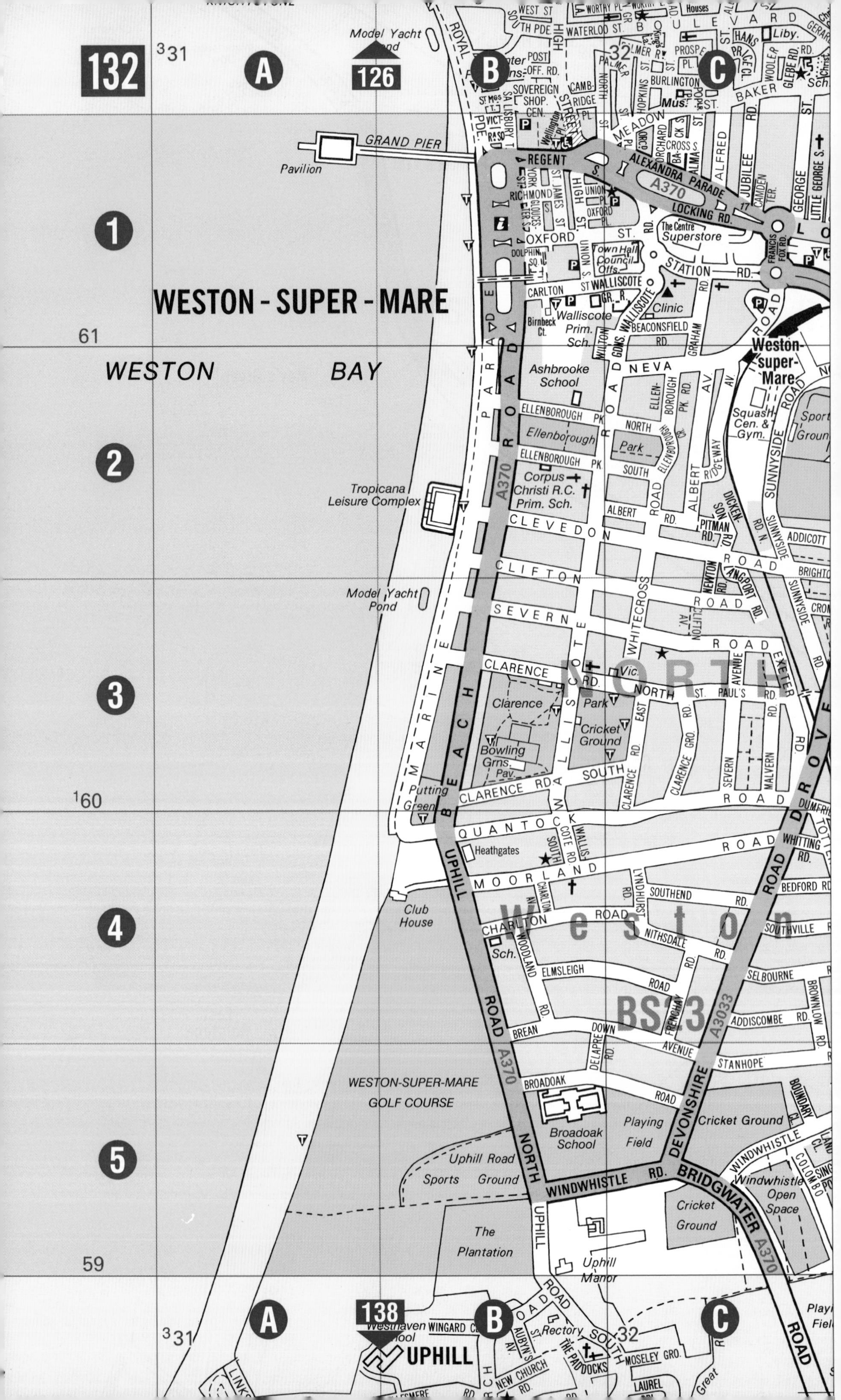

WESTON-SUPER-MARE

GRAND PIER

Pavilion

Model Yacht Pond

1

61

WESTON BAY

2

Tropicana Leisure Complex

Model Yacht Pond

3

¹60

4

Club House

WESTON-SUPER-MARE GOLF COURSE

Uphill Road Sports Ground

5

The Plantation

59

³31

Westhaven School WINGARD CL

UPHILL

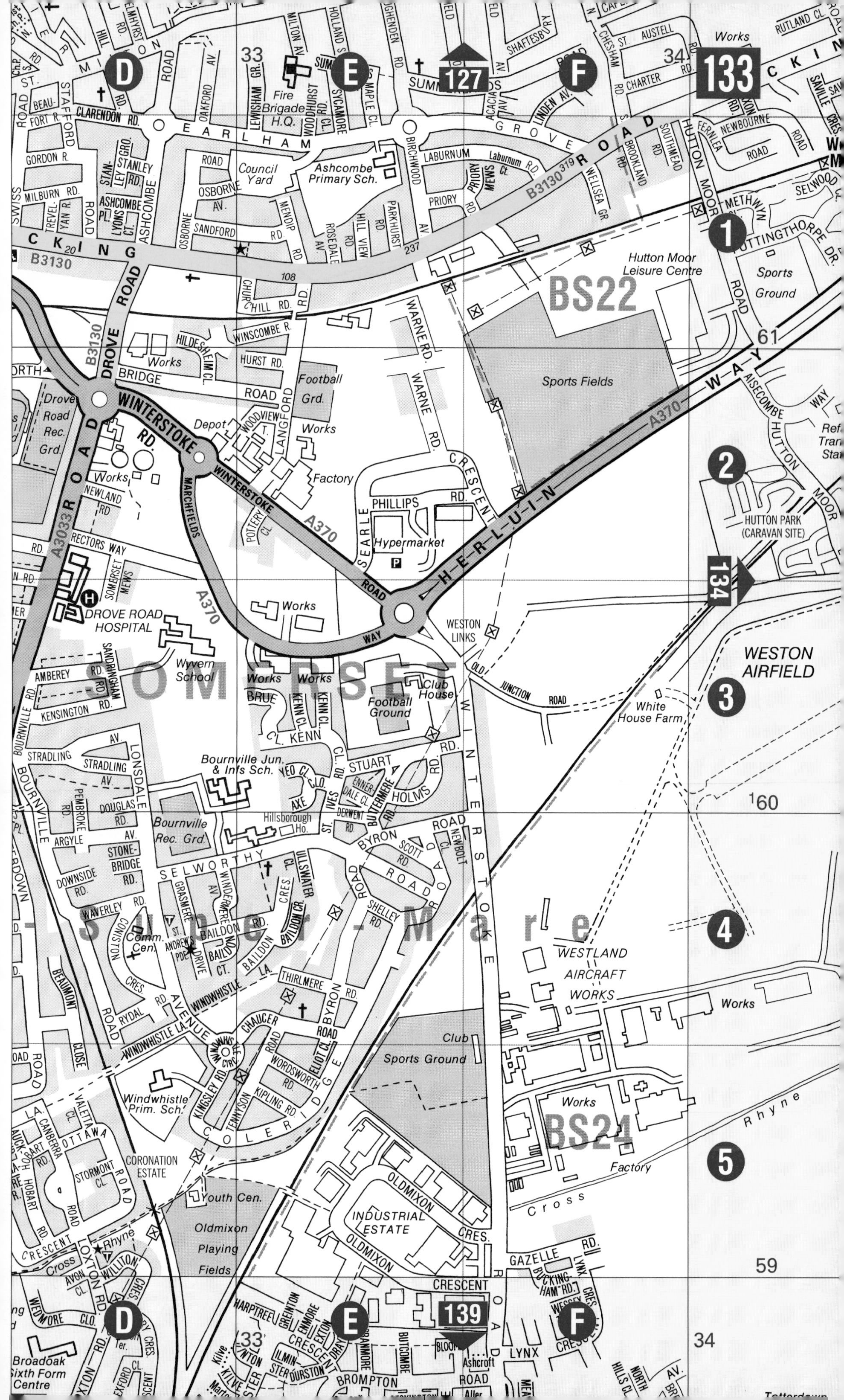

133
127
134
139
BS22
BS24
SOMERSET
Weston-super-Mare
Hutton Moor Leisure Centre
Sports Fields
Sports Ground
WESTON AIRFIELD
White House Farm
HUTTON PARK (CARAVAN SITE)
WESTLAND AIRCRAFT WORKS
DROVE ROAD HOSPITAL
Wyvern School
Hypermarket
Football Ground
Bournville Jun. & Infs Sch.
Bournville Rec. Grd.
Windwhistle Prim. Sch.
CORONATION ESTATE
Youth Cen.
Oldmixon Playing Fields
INDUSTRIAL ESTATE
Broadoak Sixth Form Centre
Ashcombe Primary Sch.
Council Yard
Fire Brigade H.Q.
Drove Road Rec. Grd.
WESTON LINKS
Hillsborough Ho.
Comm. Cen.
Cross Rhyne

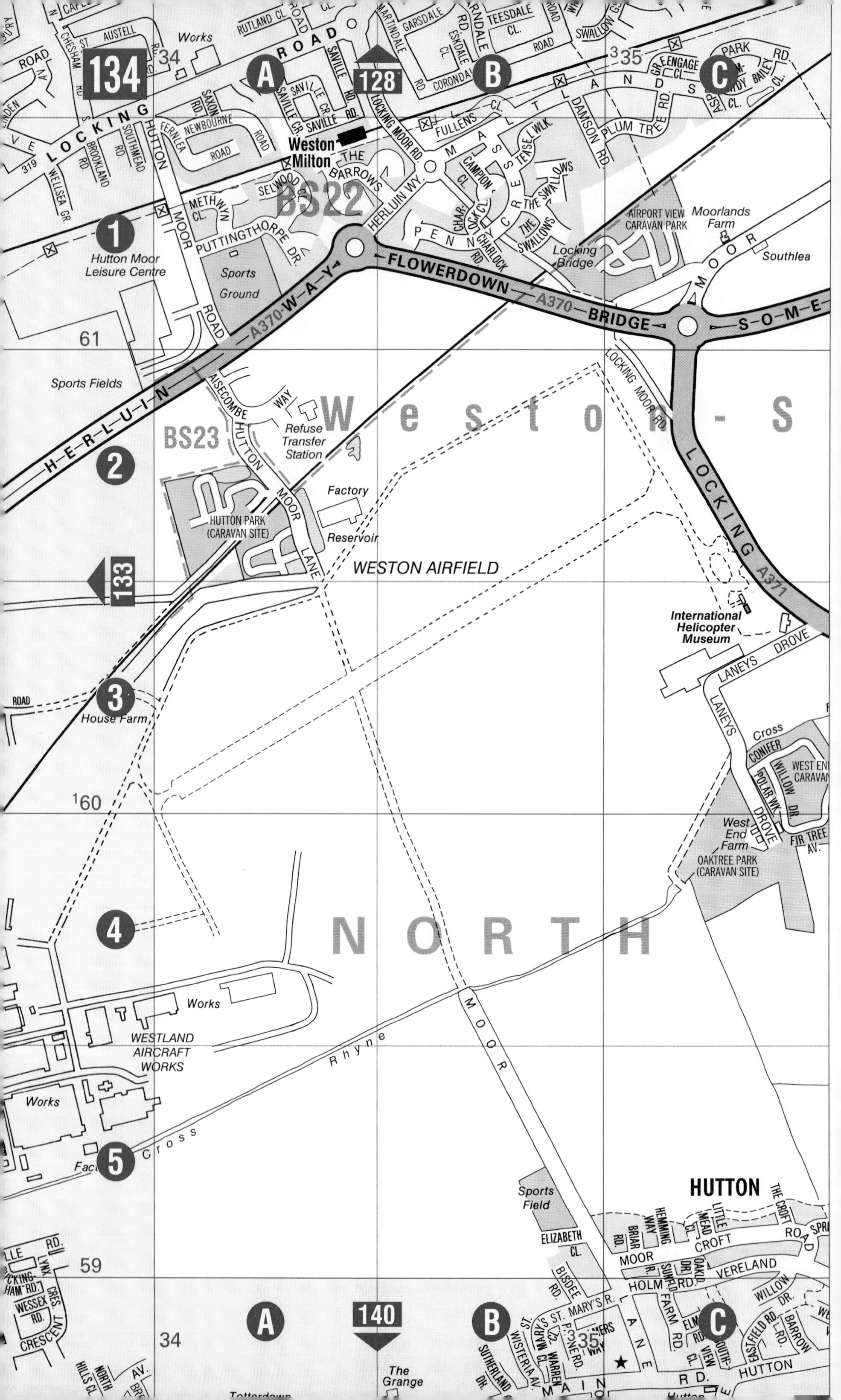

ROAD
LOCKING
Works
Weston Milton
BS22
Hutton Moor Leisure Centre
Sports Ground
FLOWERDOWN
A370
BRIDGE
HERLUIN
WAY
AIRPORT VIEW CARAVAN PARK
Moorlands Farm
Southlea
Locking Bridge
Sports Fields
BS23
Refuse Transfer Station
Factory
Reservoir
HUTTON PARK (CARAVAN SITE)
WESTON AIRFIELD
Weston-S
International Helicopter Museum
LANEYS DROVE
OAKTREE PARK (CARAVAN SITE)
West End Farm
NORTH
Works
WESTLAND AIRCRAFT WORKS
Rhyne
Cross
Sports Field
HUTTON
MOOR
The Grange

128
133
140

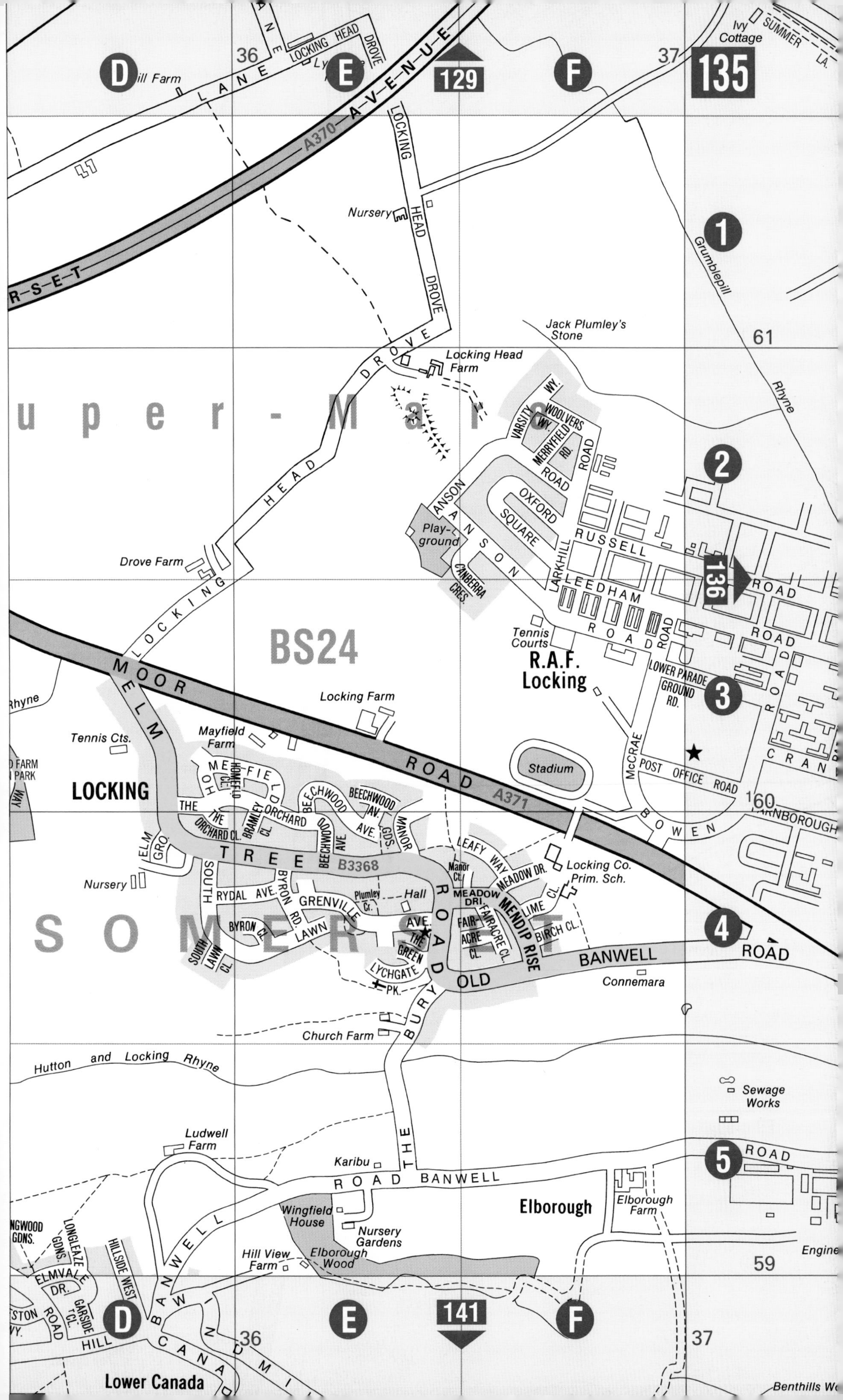

D | **E** | 129 | **F** | 37 | 135

Ivy Cottage
SUMMER LA.
IVY LA.

36 LOCKING HEAD
Locking Head DROVE
Ly. Cotts.

ill Farm

A370 A-V-E-N-U-E

LOCKING HEAD DROVE

Nursery

Grumblepill Rhyne

1

61

Jack Plumley's Stone

DROVE

r-s-e-t

Locking Head Farm

uper-Mare

VARSITY WY.
WOOLVERS WY.
MERRYFIELD RD.
ROAD

HEAD

Drove Farm

ANSON ROAD

OXFORD SQUARE

Play-ground

ANSON

CANBERRA CRES.

LARKHILL

RUSSELL ROAD
LEEDHAM ROAD

2

136

ROAD

ROAD

ROAD

LOCKING

Tennis Courts

R.A.F. Locking

CRAN

BS24

Locking Farm

Tennis Cts.

Mayfield Farm

MELM MOOR ROAD A371

Lower Parade GROUND RD.

McCRAE ROAD

Post Office

ROAD

★

3

160

LOCKING

Rhyne

ELM GRO.

HOMEFIELD CL.

MEAD HOMEFIELD

THE ORCHARD CL.

BRAMLEY CL.

ORCHARD

BEECHWOOD AVE.
BEECHWOOD AVE.
BEECHWOOD GDNS.

MANOR

Stadium

BOWEN

FARNBOROUGH

Nursery

SOUTH

TREE

RYDAL AVE.

BYRON RD.

GRENVILLE

LAWN

Plumley Cr.

Hall

B3368

Manor CL.

LEAFY WAY

MEADOW DR.

Locking Co. Prim. Sch.

LIME CL.

BIRCH CL.

4

ROAD

SOMERS

SOUTH LAWN CL.

BYRON

AVE.
THE GREEN

★

MEADOW DRI.

FAIRACRE CL.

MENDIP RISE

LYCHGATE

PK.

FAIR ACRE CL.

BANWELL ROAD

OLD

Connemara

Church Farm

Hutton and Locking Rhyne

THE BURY ROAD

Sewage Works

Ludwell Farm

Karibu

ROAD BANWELL

Elborough

Elborough Farm

5

ROAD

59

Engine

NGWOOD GDNS.

LONGLEAZE GDNS.

Wingfield House

Nursery Gardens

ELMVALE DR.

HILLSIDE WEST

GARSIDE TCL.

Hill View Farm

Elborough Wood

BANWELL HILL

STON ROAD

CANAL

D | 36 | **E** | 141 | **F** | 37

Lower Canada

Benthills We

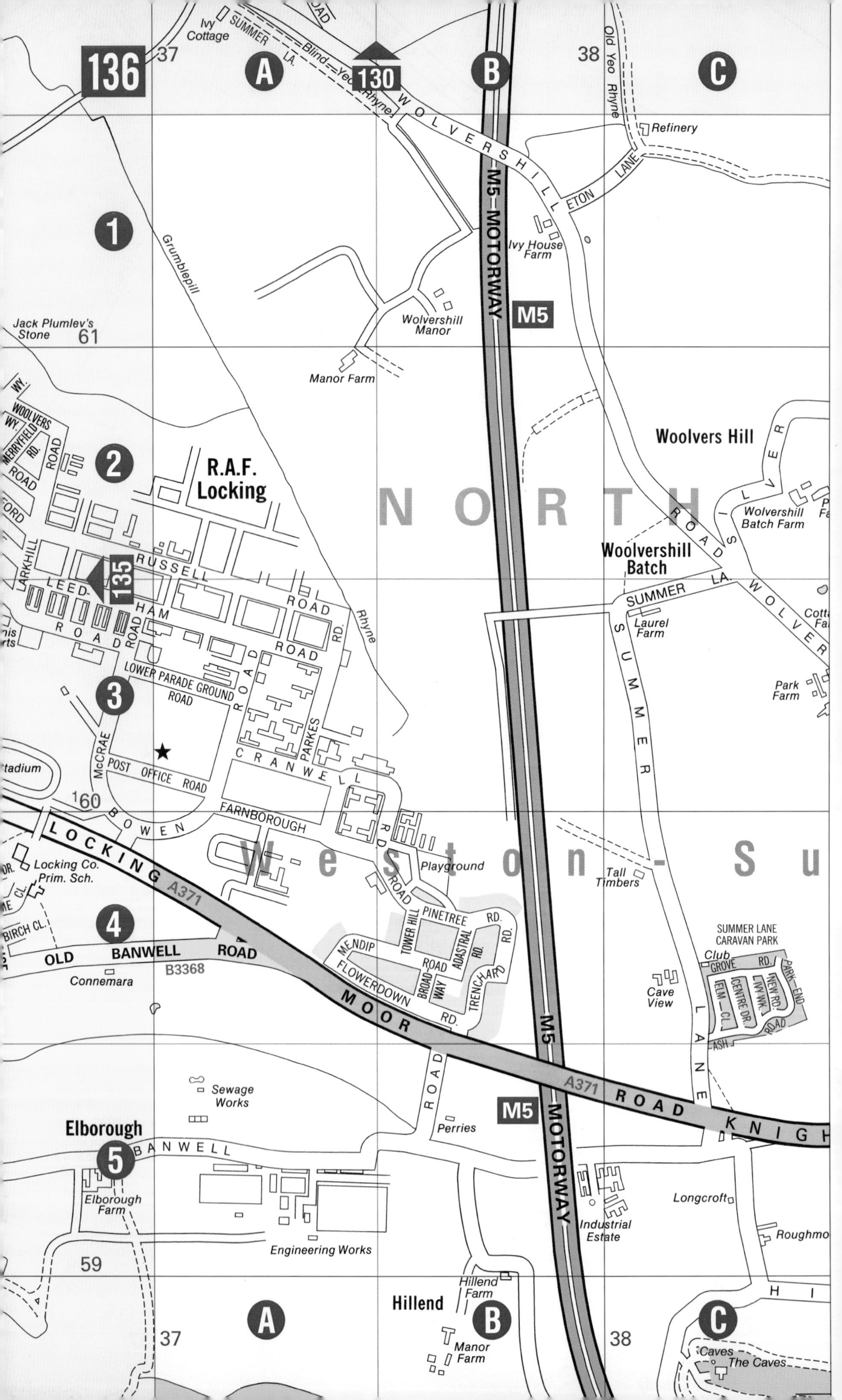

37

A

B

38

C

Ivy Cottage

SUMMER LA.

Blind Yeo Rhyne

130

WOLVERSHILL

Old Yeo Rhyne

1

Grumblepill

Jack Plumley's Stone

61

Refinery

ETON LANE

Ivy House Farm

M5 MOTORWAY

Wolvershill Manor

M5

Manor Farm

WY

WOOLVERS WY.

MERRYFIELD RD.

ROAD

2

R.A.F. Locking

N O R T H

Woolvers Hill

S I L V E R

Woolvershill Batch Farm

Wolvershill Fa

FORD ROAD

LARKHILL

LEED— ROAD

135

RUSSELL

HAM ROAD

ROAD

Rhyne

ROAD

RD.

Woolvershill Batch

ROAD

SUMMER LA.

WOLVER

Cott Fa

SUMMER LANE

Laurel Farm

nis rts

3

LOWER PARADE GROUND ROAD

ROAD

C R A N W E L L

PARKES

Park Farm

Stadium

McCRAE

★

POST OFFICE ROAD

FARNBOROUGH

RD.

W e s t o n - S u

160

BOWEN

Playground

Tall Timbers

LOCKING

A371

Locking Co. Prim. Sch.

TOWER HILL

PINETREE RD.

RD.

SUMMER LANE CARAVAN PARK

BIRCH CL.

4

OLD BANWELL ROAD

B3368

Connemara

MENDIP

FLOWERDOWN

BROAD WAY

ADASTRAL RD.

TRENCHARD

RD.

Club

GROVE RD.

PARK END

NEW RD.

IVY WK.

CENTRE DR.

ELM CL.

ROAD

ASH

Cave View

M O O R

A371 ROAD

M5

KNIGH

ROAD

Sewage Works

Elborough

BANWELL

Perries

M5 MOTORWAY

Longcroft

Roughmo

5

Elborough Farm

Industrial Estate

59

Engineering Works

Hillend

Hillend Farm

HI

37

A

B

38

C

Manor Farm

Caves

The Caves

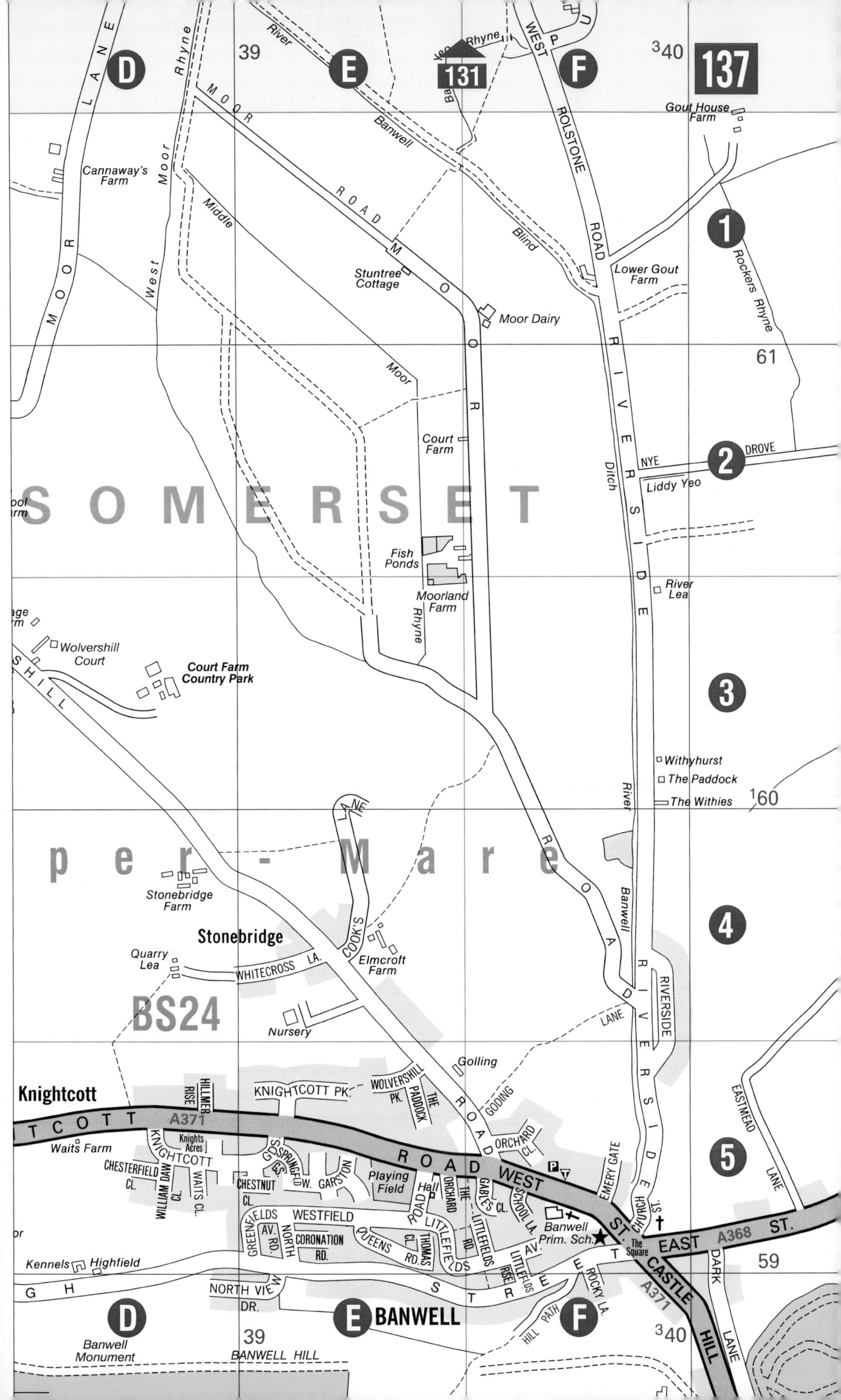

D   39   **E**   131   **F**   ³40   137

Gout House Farm

Cannaway's Farm

1

Rockers Rhyne

West Moor

Middle Moor

MOOR LANE

River Rhyne

MOOR

ROAD

Banwell

Blind

Stuntree Cottage

Moor Dairy

Lower Gout Farm

RIVERSIDE ROAD

ROLSTONE ROAD

61

Court Farm

SOMERSET

Ditch

NYE DROVE   **2**

Liddy Yeo

River Lea

3

Fish Ponds

Moorland Farm

Rhyne

Withyhurst

The Paddock

The Withies   ¹60

per - Mare

Wolvershill Court

Court Farm Country Park

River Banwell

RIVERSIDE

4

Stonebridge Farm

Quarry Lea

LANE

COOK'S LANE

Elmcroft Farm

Stonebridge

WHITECROSS LA.

BS24

Nursery

Golling

REO AD

LANE

5

EASTMEAD LANE

Knightcott

KNIGHTCOTT   A371

Waits Farm

HILLMER RISE

KNIGHTCOTT PK.

WOLVERSHILL PK.

THE PADDOCK

ROAD WEST

Goding

ORCHARD CL.

P

EMERY GATE

Knights Acres

KNIGHTCOTT

Chesterfield CL.

WILLIAM DAW CL.

WAITS CL.

CHESTNUT

S. SPRINGFLD.

W. GARSTON

Playing Field

Hall

THE ORCHARD

GABLES CL.

LITTLEFIELDS

SCHOOL LA.

Banwell Prim. Sch. ★

ROAD WEST

CHURCH ST.

The Square

EAST   A368   ST.

CASTLE HILL LANE

DARK LANE

59

GREENFIELDS AV.

NORTH RD.

CORONATION RD.

WESTFIELD

QUEENS RD.

THOMAS CL.

LITTLEFIELDS

LITTLEFDS. RISE

AV.

LITTLEFDS.

ROCKY LA.

A371

NORTH VIEW DR.

D   39   **E** **BANWELL**   **F**   ³40

Kennels   Highfield

Banwell Monument

BANWELL HILL

HILL PATH

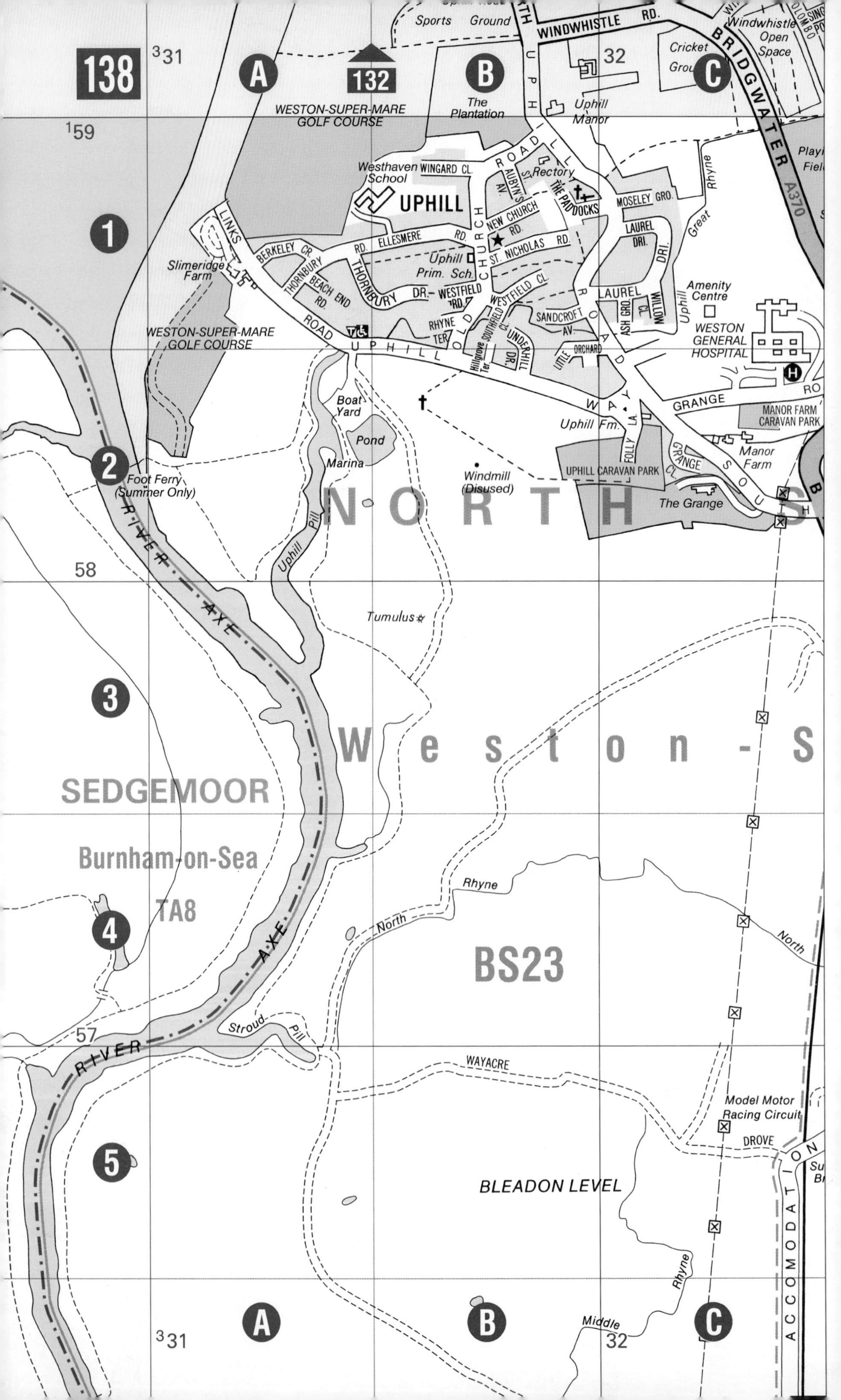

³31

¹59

A

132

WESTON-SUPER-MARE
GOLF COURSE

B

The
Plantation

32

Cricket
Grou...

C

WINDWHISTLE RD.

Sports
Ground

Windwhistle
Open Space

BRIDGWATER A370

Uphill
Manor

Playi...
Fiel...

1

Slimeridge
Farm

LINKS

Westhaven
School

WINGARD CL.

Rectory

UPHILL

St.
AUBYN'S
AV.

The PADDOCKS

Moseley GRO.

ROAD

BERKELEY CR.

THORNBURY

BEACH END
RD.

ELLESMERE

RD.

Uphill
Prim. Sch.

NEW CHURCH
RD.

ST. NICHOLAS RD.

CHURCH

LAUREL
DRI.

Amenity
Centre

WESTON-SUPER-MARE
GOLF COURSE

THORNBURY
DR.

WESTFIELD
RD.

WESTFIELD
CL.

SANDCROFT
AV.

LAUREL
GRO.

ASH GRO.

Uphill

WOTTUM

WESTON
GENERAL
HOSPITAL

RHYNE
TER.

ROAD

Hillgrove
Ter.

SOUTHFIELD

UNDERHILL
DR.

LITTLE
ORCHARD

H

ROAD

UPHILL

ROAD

Great

Rhyne

GRANGE

MANOR FARM
CARAVAN PARK

2

Foot Ferry
(Summer Only)

Boat
Yard

Pond

Marina

Uphill Pill

N O R T H

Uphill Fm.

FOLLY LA.

Windmill
(Disused)

UPHILL CARAVAN PARK

WAY

GRANGE
CL.

GRANGE

Manor
Farm

The Grange

S

58

RIVER

AXE

Tumulus

3

W e s t o n - **S**

SEDGEMOOR

Burnham-on-Sea

4

TA8

AXE

Rhyne

North

BS23

57

RIVER

Stroud

Pill

WAYACRE

Model Motor
Racing Circuit

5

DROVE

Su...
Br...

BLEADON LEVEL

Rhyne

North

ACCOMODATION

A

³31

B

32

Middle

C

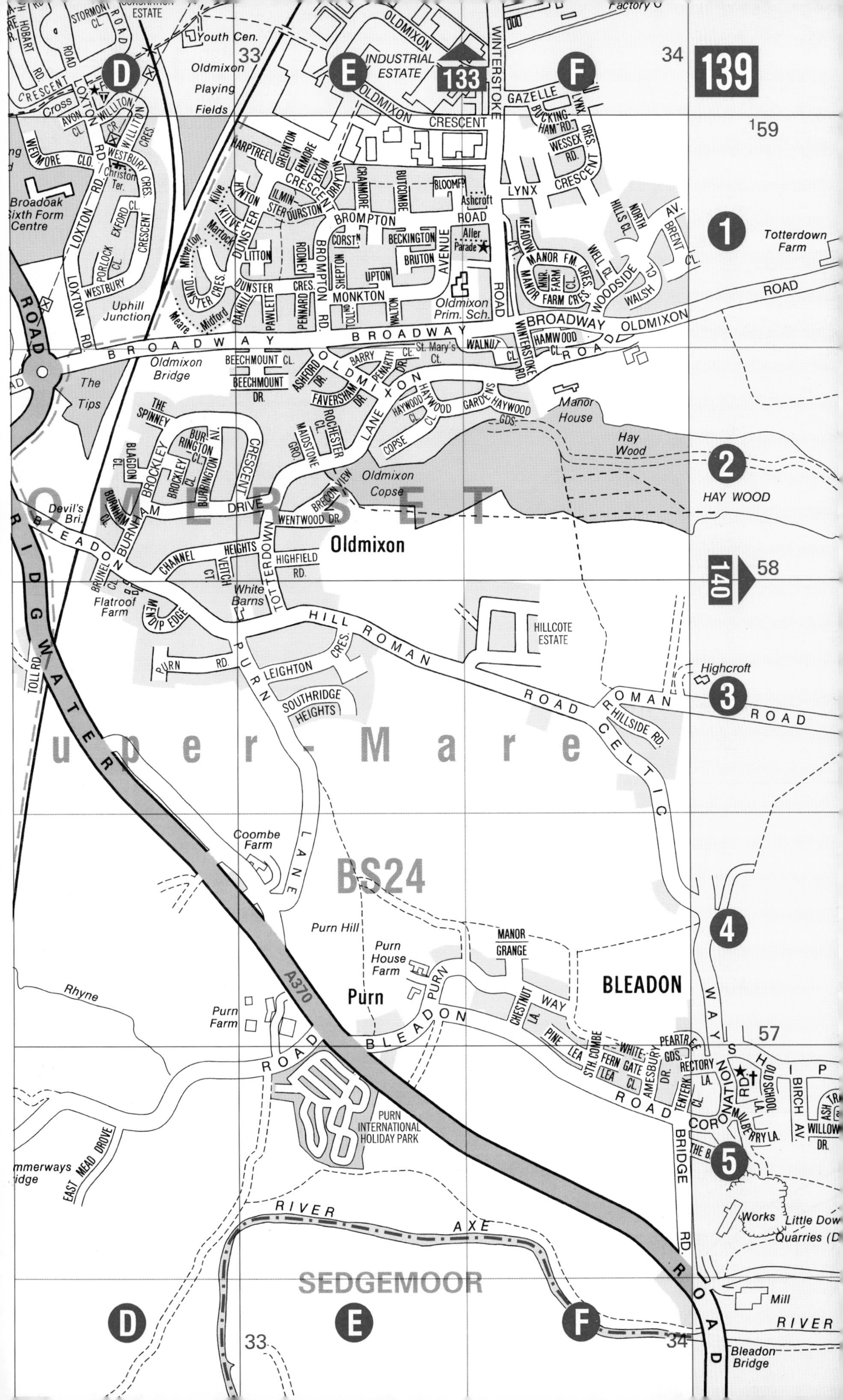

Youth Cen.
Oldmixon Playing Fields
OLDMIXON INDUSTRIAL ESTATE
133
OLDMIXON CRESCENT
WINTERSTOKE
GAZELLE
LYNX CRES.
BUCKINGHAM RD.
WESSEX RD.
LYNX CRESCENT
Broadoak Sixth Form Centre
LOXTON RD.
WESTBURY CRES.
CRESCENT
Cross
WEDMORE CLO.
HARPTREE
GREINTON
ENMORE
EXTON
DRAYTON
CRANMORE
BUTCOMBE
BLOOMFD.
Ashcroft
BROMPTON
BROMPTON RD.
CORSTN.
BECKINGTON
BRUTON
AVENUE
UPTON
MONKTON
WALTON
SHEPTON
RODNEY
PENNARD
PAWLETT
OAKHILL
DUNSTER
DUNSTER CRES.
LITTON
KILVE
Kilve
Martock
Milverton
Meare
Midford
Aller Parade
Oldmixon Prim. Sch.
ROAD
MEADOW
MANOR FM. CRES.
MANOR FARM CRES.
WELL CL.
WOODSIDE
WALSH CL.
NORTH HILLS CL.
BRENT AV.
Totterdown Farm
OLDMIXON ROAD
BROADWAY
HAMWOOD CL.
WALNUT CL.
St. Mary's Ct.
Uphill Junction
Oldmixon Bridge
BEECHMOUNT CL.
BEECHMOUNT DR.
ASHFORD DR.
BARRY
PENARTH DR.
FAVERSHAM DR.
OLDMIXON LANE
ROCHESTER CL.
MAIDSTONE GRO.
HAYWOOD CL.
HAYWOOD GARDENS
COPSE CL.
Manor House
Hay Wood
HAY WOOD
The Tips
THE SPINNEY
BURRINGTON AV.
BURRINGTON CL.
BROCKLEY CL.
BLAGDON CL.
CRESCENT
Oldmixon Copse
BRECON VIEW
WENTWOOD DR.
BURNHAM DRIVE
Devil's Bri.
BLEADON
Oldmixon
CHANNEL HEIGHTS
VEITCH CT.
TOTTERDOWN
HIGHFIELD RD.
140
White Barns
Flatroof Farm
MENDIP EDGE
BRUNEL CL.
HILL ROMAN ROAD
HILLCOTE ESTATE
PURN RD.
PURN
LEIGHTON CRES.
SOUTHRIDGE HEIGHTS
Highcroft
ROMAN ROAD
HILLSIDE RD.
CELTIC
BRIDGWATER ROAD
TOLL RD.
Weston-super-Mare
SOMERSET
Coombe Farm
LANE
BS24
Purn Hill
Purn House Farm
MANOR GRANGE
BLEADON
Purn
Rhyne
Purn Farm
A370
CHESTNUT LA.
WAY
PINE LEA
STH. COMBE
FERN LEA
WHITE GATE CL.
AMESBURY DR.
PEARTREE GDS.
RECTORY LA.
TENTERK CL.
CORONATION RD.
OLD SCHOOL LA.
MULBERRY LA.
BIRCH AV.
WILLOW DR.
ROAD
PURN INTERNATIONAL HOLIDAY PARK
BRIDGE RD.
EAST MEAD DROVE
RIVER AXE
Works
Little Dow Quarries
Mill
SEDGEMOOR
RIVER
Bleadon Bridge
D
E
F
1
2
3
4
5
33
34
59
58
57

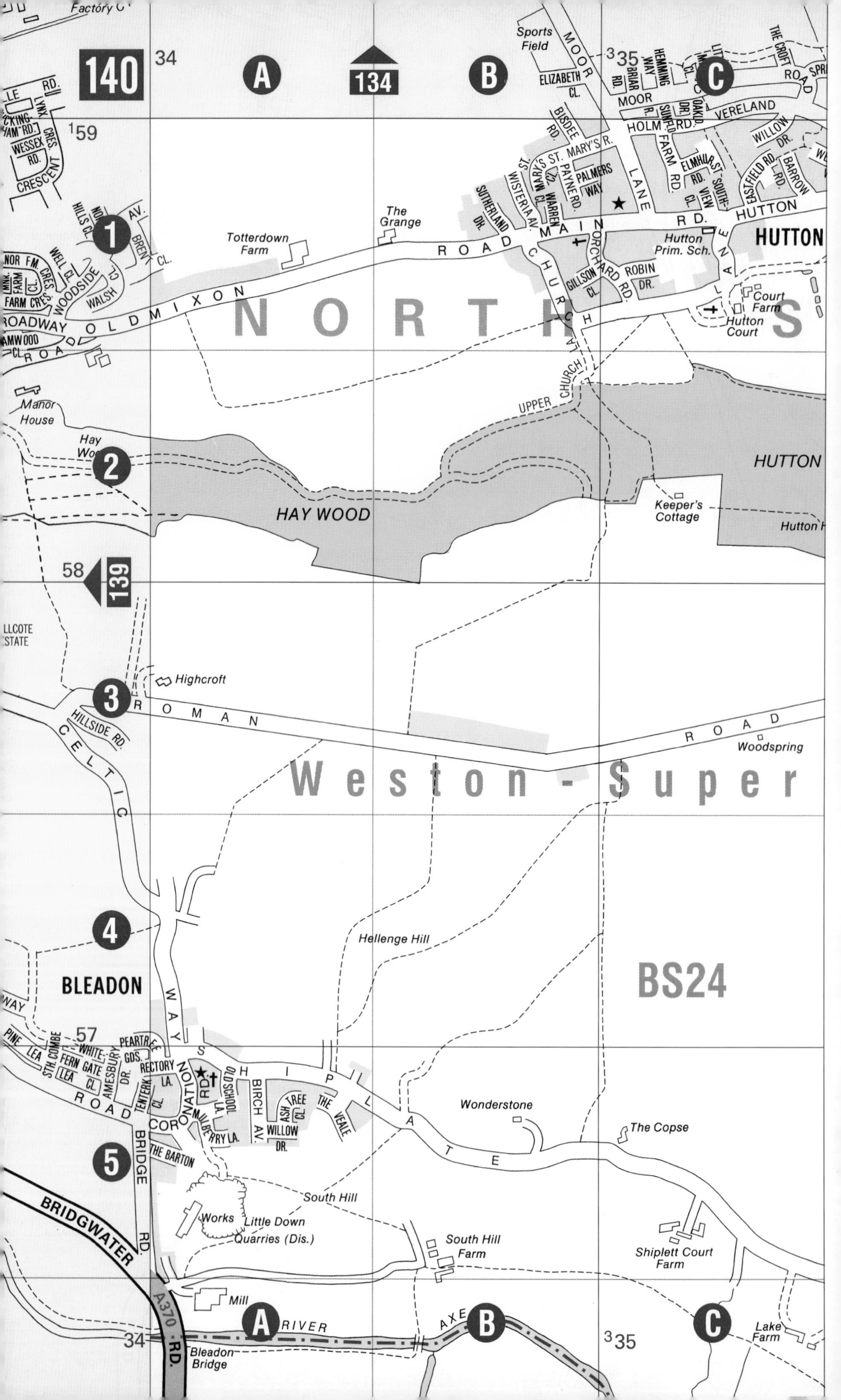

34

Ⓐ

▲ 134

Ⓑ

3 35

Ⓒ

¹59

Factory

RD.
LE
LYNX
CKING.
'HAM' RD.
WESSEX
RD.
CRES.
CRESCENT

HILLS CL.
NOR
AV.
BRENT CL.
WOODSIDE
WALSH CL.
WELL
FARM
CRES.
MNK.
FM.
FARM CRES.
LMK.
CL.
BROADWAY
AMWOOD
CL.
ROAD

❶

OLDMIXON

Totterdown Farm

The Grange

ROAD

Sports Field

Elizabeth CL.

MOOR

BISDEE RD.

ST. MARY'S RD.

PAYNE RD.

PALMERS WAY

★

HEMMING WAY

BRIAR RD.

MOOR

HOLM FARM RD.

SUNFL. RD.

OAKD. DR.

ELMHURST RD.

VIEW RD. SOUTH

EASTFIELD RD.

WILLOW DR.

BARROW RD.

VERELAND

HUTTON

35

Ⓒ

THE CROFT ROAD SPR

SUTHERLAND DR.

WISTERIA AV.

ST. MARY'S

WARREN RD.

CHURCH

MAIN

LANE

GILLSON DR.

ORCHARD CL.

ROBIN DR.

ROBIN DR.

Hutton Prim. Sch.

ROAD

HUTTON

HUTTON

N O R T H S

Hutton Court

Court Farm

CHURCH

UPPER

Manor House

Hay Wood

❷

HAY WOOD

HUTTON

Keeper's Cottage

Hutton H

58

◄ 139

LCOTE STATE

❸

Highcroft

HILLSIDE RD.

R O M A N

ROAD

CELTIC

Woodspring

W e s t o n - S u p e r

❹

Hellenge Hill

BS24

BLEADON

57

WAY

PINE LEA

STH. COMBE

FERN LEA CL.

WHITE GATE CL.

AMESBURY DR.

PEARTREE GDS.

TENTERK CL.

Wonderstone

The Copse

CORONATION RD.

ROAD

MULBERRY LA.

OLD SCHOOL LA.

RECTORY LA.

★ ✝

H I P P L E

BIRCH AV.

ASH TREE CL.

WILLOW DR.

THE VEALE

THE BARTON

A T E

❺

BRIDGE RD.

South Hill

BRIDGWATER

Works

Little Down Quarries (Dis.)

South Hill

South Hill Farm

Shiplett Court Farm

Mill

Ⓐ RIVER

A X E

Ⓑ

3 35

Ⓒ

Lake Farm

A370 RD.

34

Bleadon Bridge

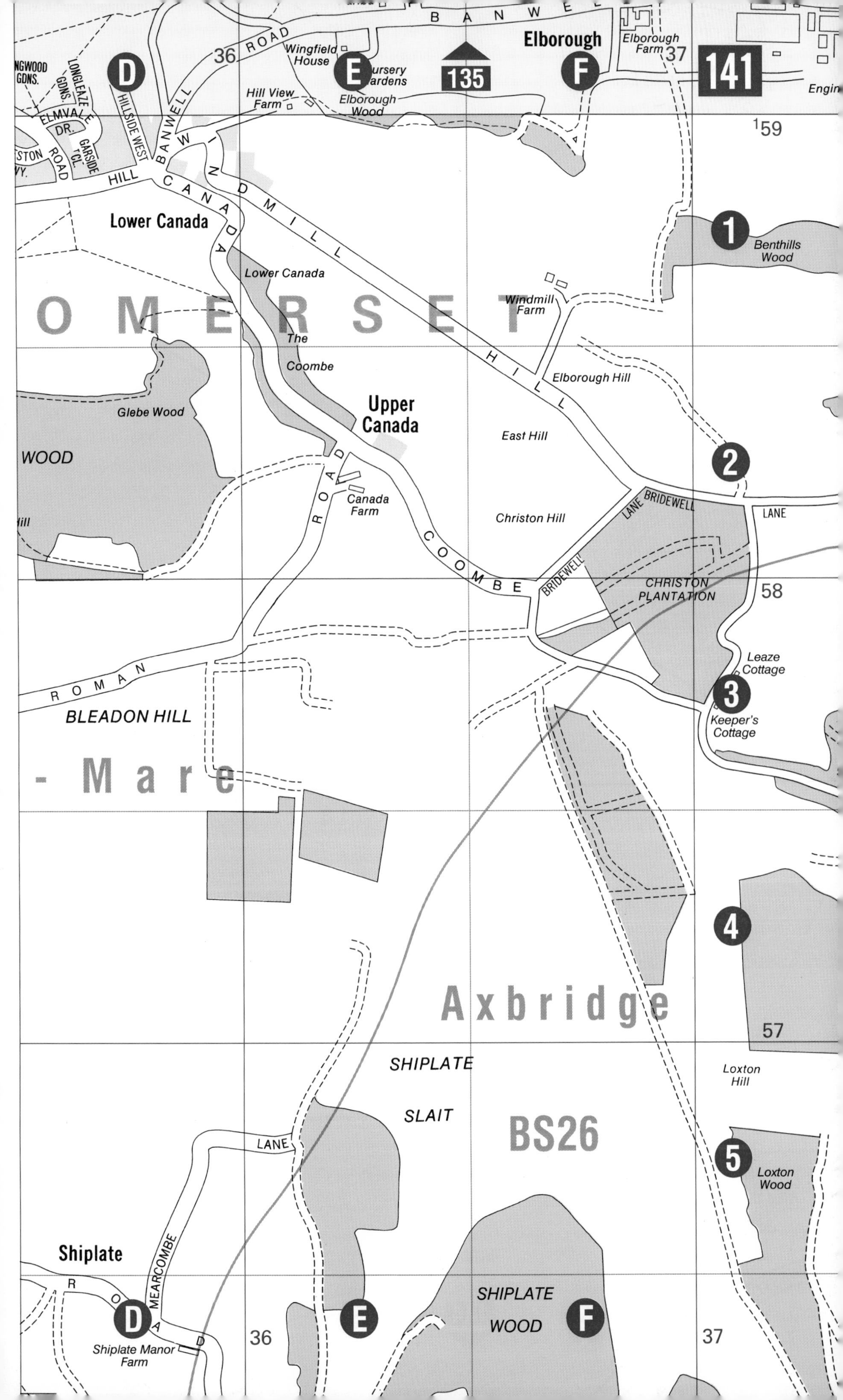

B A N W E L L

36 ROAD

Wingfield House

D

Longleaze GDNS.

NGWOOD GDNS.

Hill View Farm

E Nursery Gardens

Elborough Wood

135

Elborough

Elborough Farm 37

F

141

Engin

159

ELMVALE DR.

STON ROAD

GARSIDE TCE.

HILLSIDE WEST

HILL

BANWELL

Lower Canada

W I N D M I L L

O M E R S E T

CANADA

Lower Canada

Benthills Wood

1

Windmill Farm

The Coombe

Elborough Hill

Glebe Wood

Upper Canada

East Hill

2

WOOD

ROAD

Canada Farm

Christon Hill

BRIDEWELL LANE

LANE

Hill

C O O M B E

BRIDEWELL

CHRISTON PLANTATION

58

Leaze Cottage

3

Keeper's Cottage

R O M A N

BLEADON HILL

- M a r e

A x b r i d g e

4

57

Loxton Hill

SHIPLATE

SLAIT

BS26

LANE

5

Loxton Wood

MEARCOMBE

Shiplate

R O A D

D

36

E

SHIPLATE WOOD

F

37

Shiplate Manor Farm

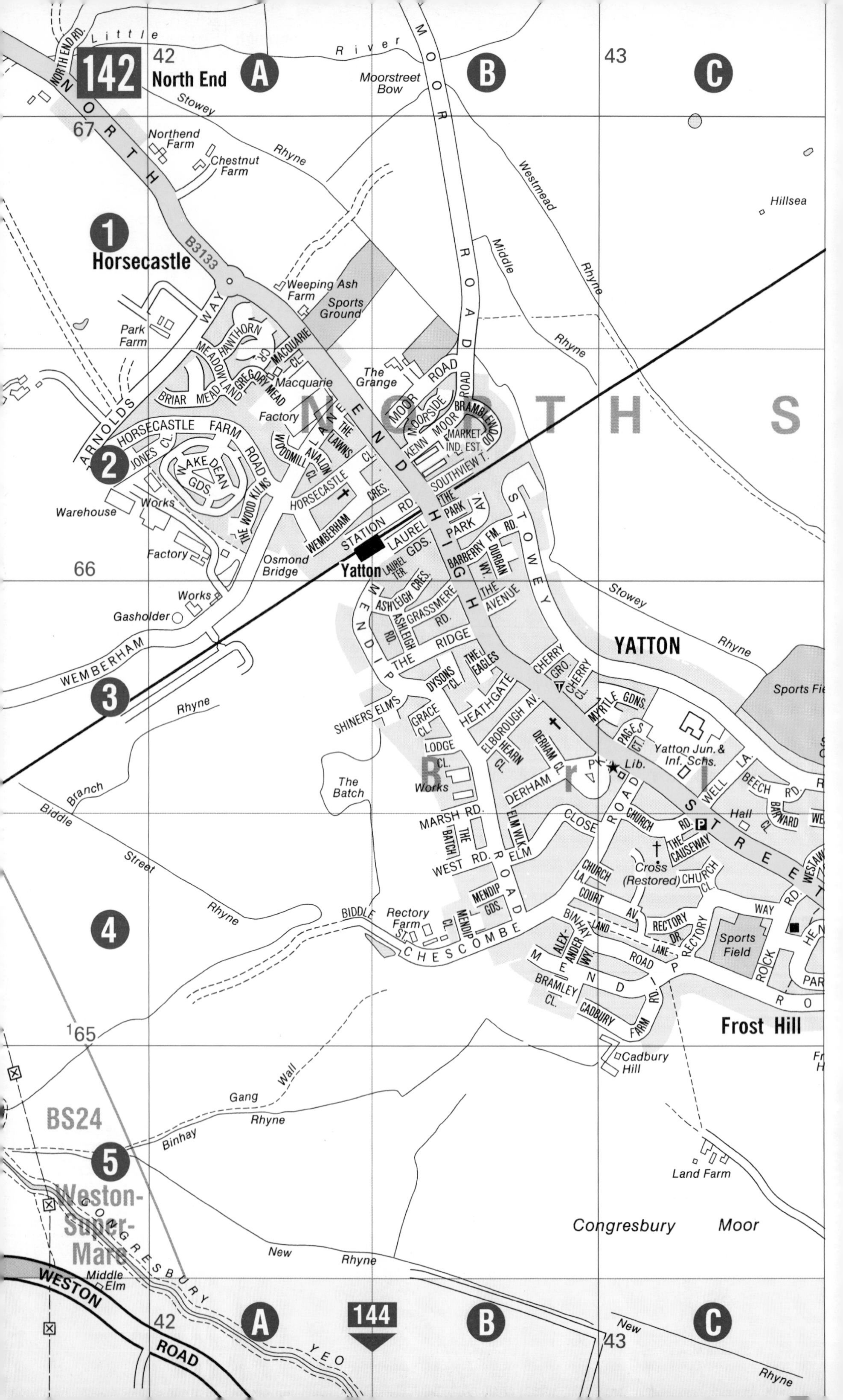

North End
Horsecastle
Yatton
YATTON
Frost Hill
Moorstreet Bow
Northend Farm
Chestnut Farm
Weeping Ash Farm
Sports Ground
Park Farm
Macquarie
The Grange
Factory
Market Ind. Est.
Warehouse
Works
Osmond Bridge
Gasholder
Hillsea
The Batch
Rectory Farm
Yatton Jun. & Inf. Schs.
Lib.
Hall
Cross (Restored)
Sports Field
Cadbury Hill
Land Farm
Congresbury Moor
Weston-Super-Mare
Middle Elm
BS24
North End Rd.
Station Rd.
High Street
Moor Road
Mendip Road
Stowey Road
Wemberham Lane
Chescombe Road
Weston Road
Congresbury Yeo
Little River
Stowey Rhyne
Westmead Rhyne
Middle Rhyne
Biddle Street Rhyne
Gang Wall Rhyne
Binhay Rhyne
New Rhyne
B3133
144

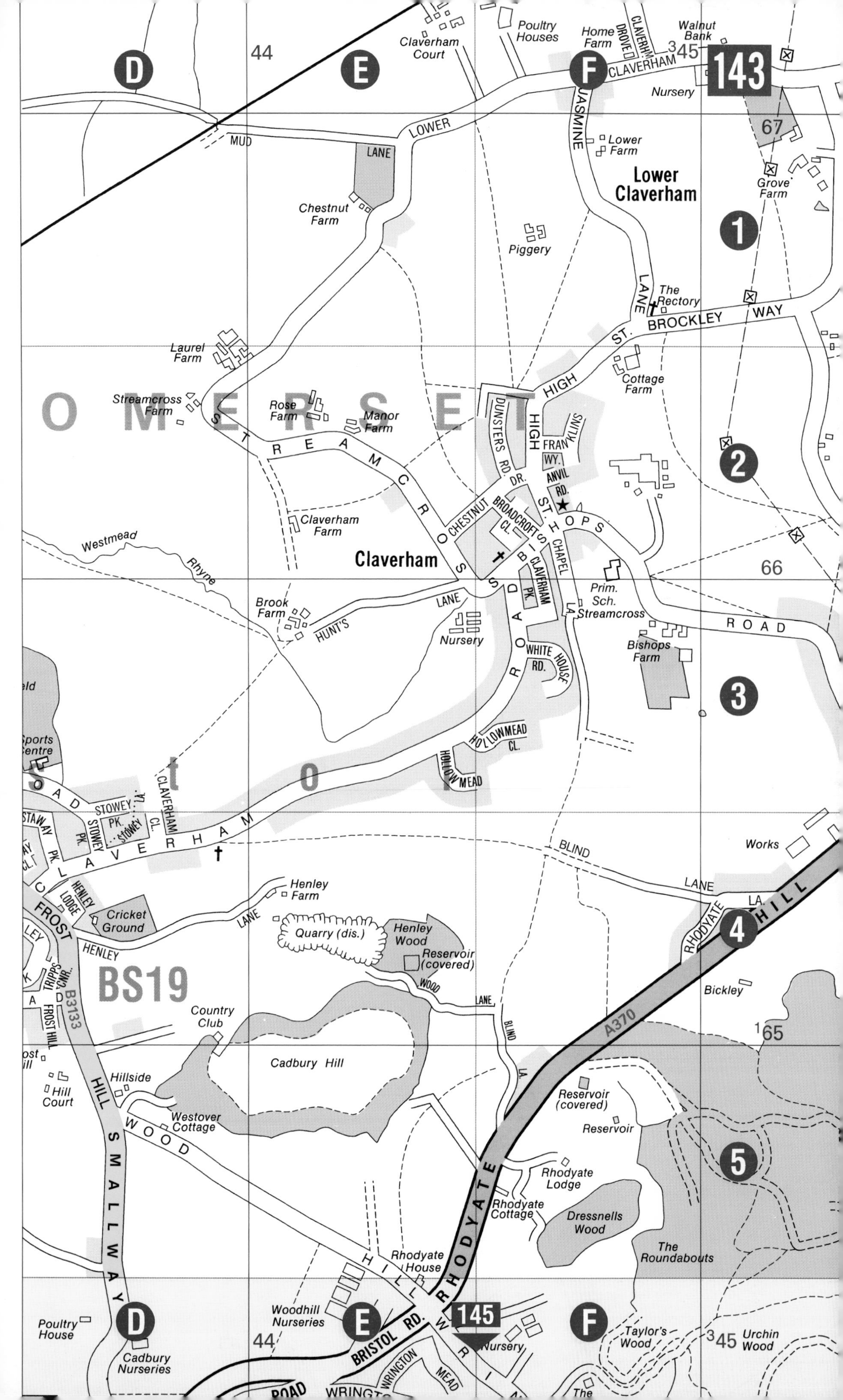

Claverham Court
Poultry Houses
Home Farm
Walnut Bank
DROVE
CLAVERHAM
CLAVERHAM
Nursery
LOWER
MUD
LANE
JASMINE
Lower Farm
Lower Claverham
Grove Farm
Chestnut Farm
Piggery
The Rectory
LANE
BROCKLEY
WAY
ST.
HIGH
Laurel Farm
Cottage Farm
Streamcross Farm
Rose Farm
Manor Farm
SOMERSET
STREAMCROSS
DUNSTERS RD.
HIGH
FRANKLINS WY.
DR.
ANVIL RD.
CHESTNUT
BROADCROFT CL.
BISHOPS
CHAPEL LA.
Claverham Farm
Westmead Rhyne
Claverham
CLAVERHAM PK.
Brook Farm
HUNT'S LANE
Prim. Sch.
Streamcross
ROAD
Nursery
WHITE RD.
WHITE HOUSE
Bishops Farm
ROAD
HOLLOWMEAD CL.
HOLLOW MEAD
Sports Centre
STOWEY PK.
STOWEY LA.
STOWEY CL.
CLAVERHAM
CLAVERHAM
BLIND
Works
LANE
LA.
RHODYATE
HILL
FROST
HENLEY LODGE
Henley Farm
Cricket Ground
LANE
Quarry (dis.)
Henley Wood
Reservoir (covered)
HENLEY
BS19
WOOD LANE
TRIPPS CNR.
FROST HILL
B3133
BLIND LA.
A370
Bickley
Country Club
Cadbury Hill
Hillside
Hill Court
HILL
WOOD
Westover Cottage
Reservoir (covered)
Reservoir
SMALLWAY
Rhodyate Lodge
Rhodyate Cottage
Dressnells Wood
RHODYATE
The Roundabouts
Rhodyate House
HILL
Poultry House
Woodhill Nurseries
BRISTOL RD.
Nursery
Taylor's Wood
Urchin Wood
Cadbury Nurseries
ROAD
WRINGTON
MEAD
The

145

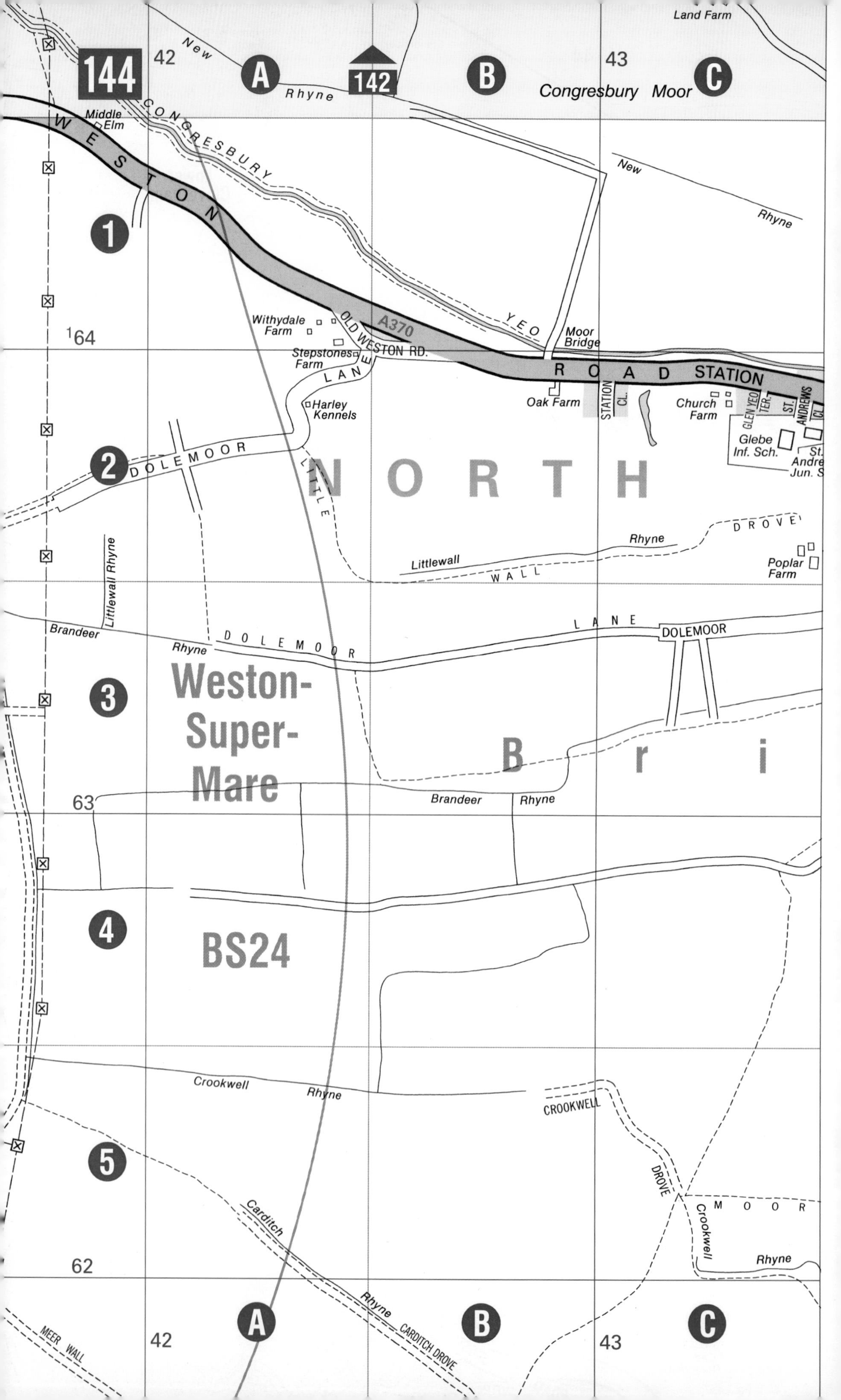

42

A

▲ 142

B

43

C

Congresbury Moor

New

Rhyne

Land Farm

New

Rhyne

W E S T O N

CONGRESBURY

Middle Elm

1

64

2

DOLEMOOR

Withydale Farm

Stepstones Farm

OLD WESTON RD.

A370

Harley Kennels

LANE

LITTLE

N O R T H

YEO

Moor Bridge

R O A D   S T A T I O N

Oak Farm

STATION CL.

Church Farm

GLEN YEO TER.

ST. ANDREWS CL.

Glebe Inf. Sch.

St. Andre Jun. S

Littlewall

WALL

Rhyne

DROVE

Poplar Farm

Littlewall Rhyne

Brandeer

Rhyne

DOLEMOOR

LANE

DOLEMOOR

3

Weston-Super-Mare

63

Brandeer   Rhyne

B r i

4

BS24

5

62

Crookwell   Rhyne

CROOKWELL

DROVE

Crookwell

MOOR

Crookwell

Rhyne

Carditch

MEER WALL

42

Rhyne   CARDITCH DROVE

A

B

43

C

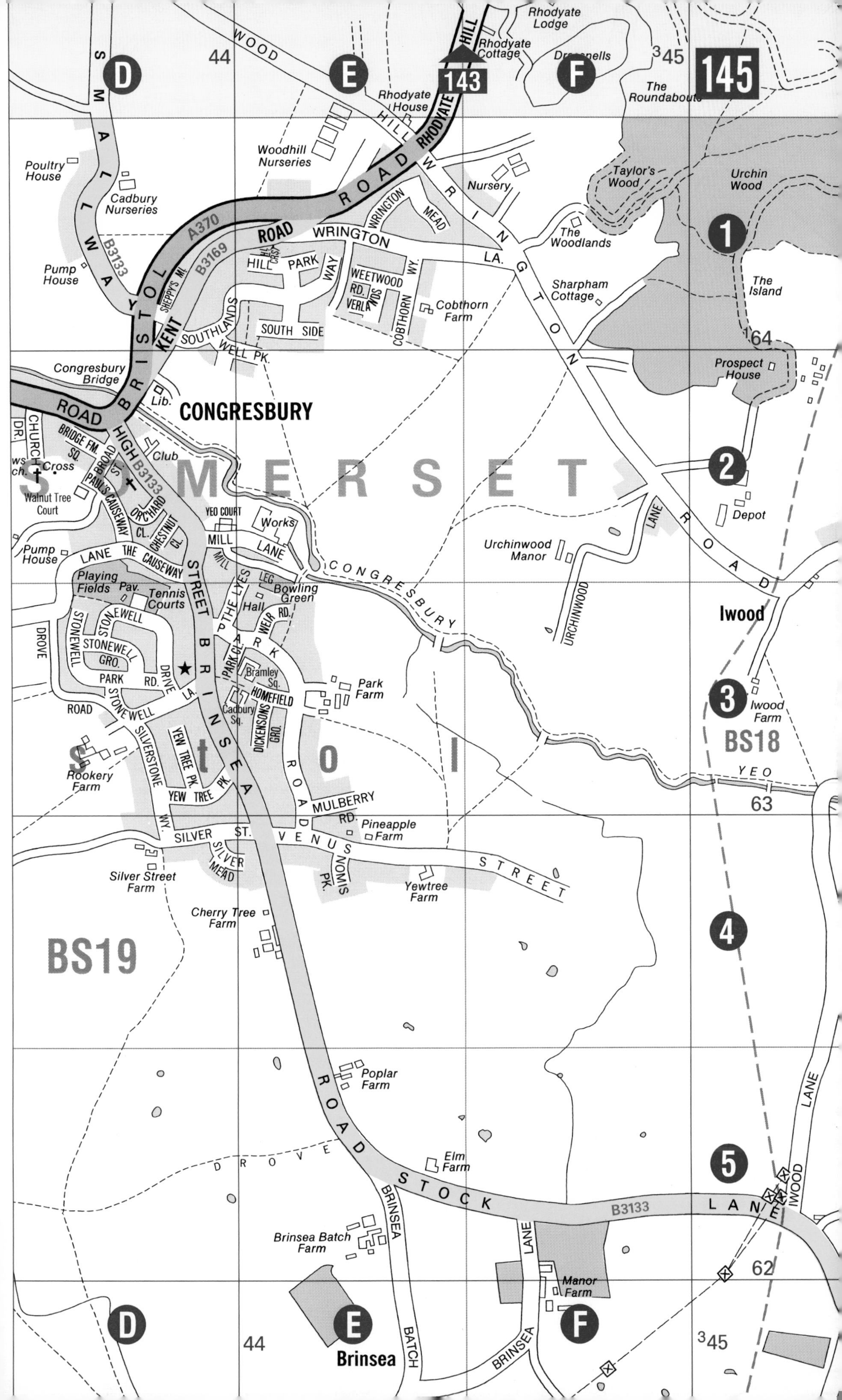

145
143
CONGRESBURY
SOMERSET
Stol
Iwood
Brinsea
BS18
BS19
Rhodyate Lodge
Rhodyate Cottage
Rhodyate House
The Roundabout
Woodhill Nurseries
Poultry House
Cadbury Nurseries
Pump House
Nursery
Taylor's Wood
Urchin Wood
The Woodlands
The Island
Sharpham Cottage
Cobthorn Farm
Prospect House
Congresbury Bridge
Lib.
Club
Cross
Walnut Tree Court
Works
Bowling Green
Hall
Playing Fields
Pav.
Tennis Courts
Depot
Urchinwood Manor
Park Farm
Iwood Farm
Rookery Farm
Pineapple Farm
Silver Street Farm
Yewtree Farm
Cherry Tree Farm
Poplar Farm
Elm Farm
Brinsea Batch Farm
Manor Farm
BRISTOL ROAD
RHODYATE HILL
RHODYATE ROAD
WRINGTON ROAD
WRINGTON LA.
HILL PARK
SMALLWAY
KENT
SOUTHLANDS
SOUTH SIDE
WELL PK.
WEETWOOD RD.
COBTHORN WY.
HIGH STREET
BROAD ST.
THE CAUSEWAY
MILL LANE
CONGRESBURY YEO
URCHINWOOD LANE
PARK ROAD
STONEWELL LA.
STONEWELL GRO.
SILVERSTONE WY.
YEW TREE PK.
SILVER ST.
VENUS STREET
MULBERRY RD.
BRINSEA ROAD
STOCK LANE
BRINSEA BATCH
IWOOD LANE
DROVE
A370
B3133
B3169

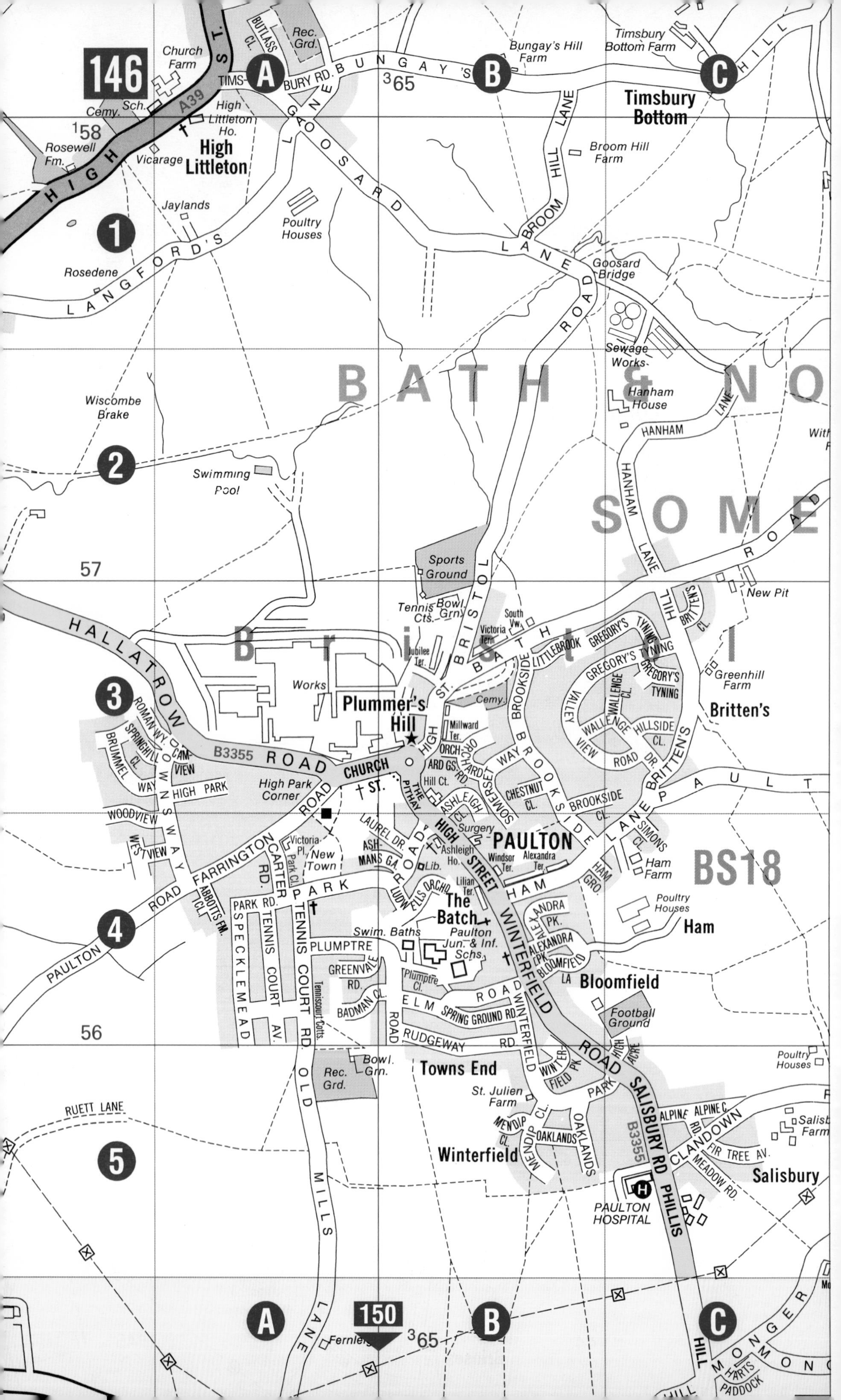

146

158

57

56

A39

High Littleton
Church Farm
Cemy. Sch.
Rosewell Fm.
High Littleton Ho.
Vicarage
Jaylands
Rosedene

BURY RD. BUTLASS CL. Rec. Grd.

BUNGAY'S LANE

365

Bungay's Hill Farm

Timsbury Bottom Farm

Timsbury Bottom

Broom Hill Farm

BROOM HILL LANE

GOOSARD LANE

Poultry Houses

LANGFORD'S

Goosard Bridge

Sewage Works

Hanham House

HANHAM LANE

BATH & NO

SOME

Wiscombe Brake

Swimming Pool

Sports Ground

New Pit

HALLATROW

BRISTOL RD.

Works

Tennis Cts. Bowl. Grn.

Jubilee Ter.

Victoria Ter.

South Vw.

Cemy.

LITTLEBROOK

BROOKSIDE WAY

GREGORY'S

WALLENGE CL.

GREGORY'S TYNING

BRITTEN'S CL.

Greenhill Farm

Britten's

Plummer's Hill

ROMAN WY.
SPRINGHILL CL.
BRUMMEL CL.
CAM VIEW
DOWNS WAY
HIGH PARK

B3355 ROAD CHURCH ST.

Millward Ter.

ORCHARD GS.

Hill Ct.

ORCHARD ST.

SOMERSET WAY

WALLENGE VIEW

GREGORY'S TYNING

HILLSIDE CL.

Road DR.

BRITTENS CL.

PAULT

WOODVIEW
WESTVIEW

High Park Corner

ROAD

THE PITHAY

ASHLEIGH CL.

Surgery

CHESTNUT CL.

BROOKSIDE CL.

SIMONS CL.

BS18

FARRINGTON ROAD

CARTER RD.

ABBOTTS FM. CL.

Victoria Pl.
Park Cl.
New Town

ASH MANS GA.

LAUREL DR.

LUDWELLS ORCHD.

HIGH STREET

Ashleigh Ho.

Lib.

Lilian Ter.

PAULTON

Windsor Ter. Alexandra Ter.

HAM GRO.

Ham Farm

Poultry Houses

Ham

PAULTON

SPECKLEMEAD

PARK RD.

TENNIS COURT AV.

TENNIS COURT RD.

Tenniscourt Cotts.

PLUMPTRE

GREENVALE RD.

BADMAN CL.

The Batch

Swim. Baths

Paulton Jun. & Inf. Schs

Plumptre Cl.

ELM SPRING GROUND RD.

WINTERFIELD ROAD

ALEXANDRA PK.

BLOOMFIELD LA.

ALEXANDRA PK.

Bloomfield

Football Ground

OLD MILLS LANE

Bowl. Grn.

Rec. Grd.

RUDGEWAY RD.

Towns End

St. Julien Farm

WINTERFIELD PK.

PARK

SALISBURY ROAD

B3355

Poultry Houses

RUETT LANE

Winterfield

MENDIP CL.

MENDIP CL.

OAKLANDS

OAKLANDS

CLANDOWN

ALPINE CL.

ALPINE C.

FIR TREE AV.

MEADOW RD.

Salisbury Farm

Salisbury

H

PAULTON HOSPITAL

PHILLIS HILL

SALISBURY RD.

A

OLD MILLS LANE

Fernleis

150

365

B

C

HILL

MONGER

ARTS PADDOCK

① ② ③ ④ ⑤

A B C

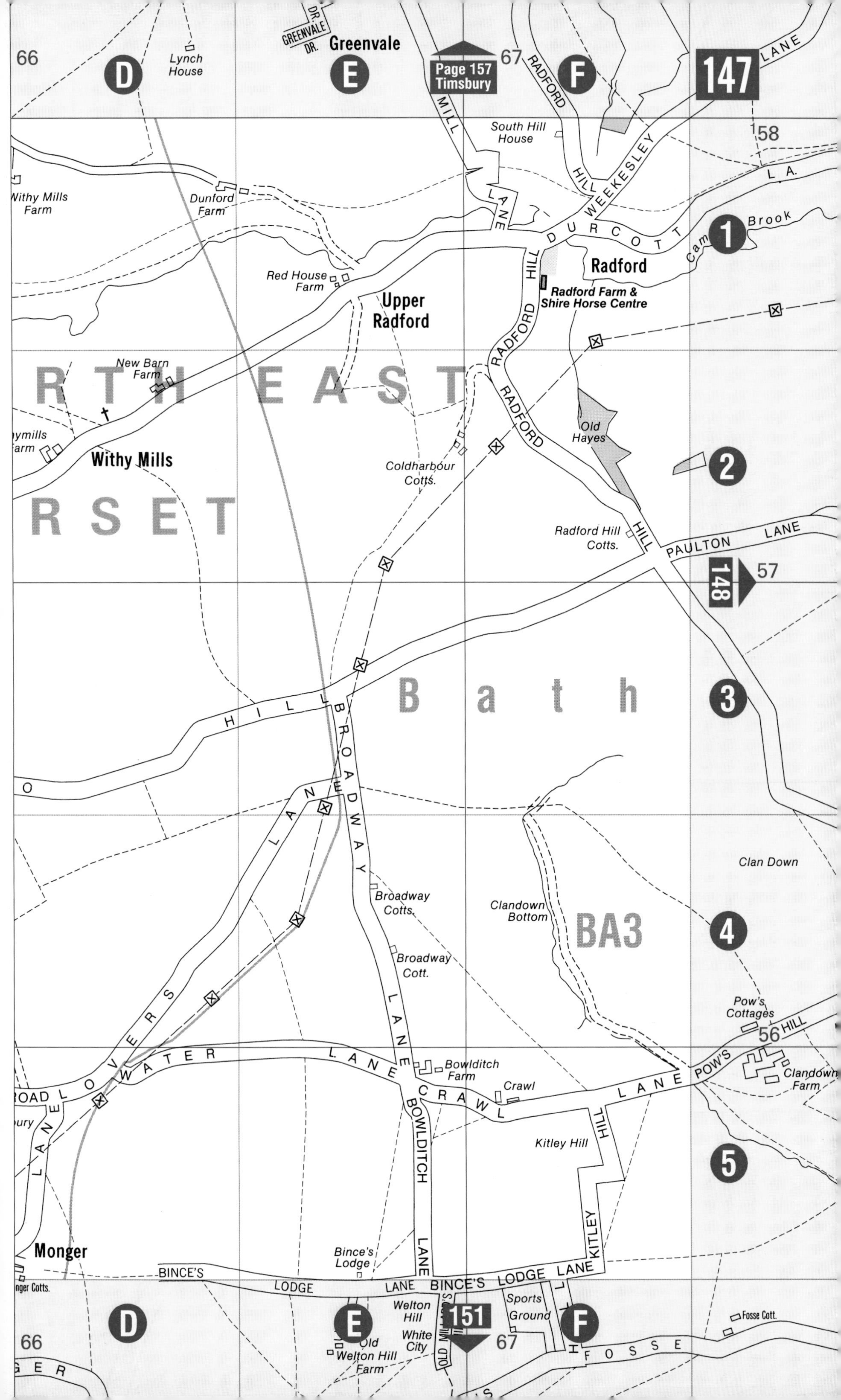

66

D

Lynch House

66

E

GREENVALE DR.

Greenvale

Page 157
Timsbury

67

F

147

158

MILL LANE

RADFORD HILL

WEEKESLEY

DURCOTT

Cam Brook

1

South Hill House

Radford

**Radford Farm &
Shire Horse Centre**

Withy Mills Farm

Dunford Farm

Red House Farm

Upper Radford

RADFORD HILL

Old Hayes

2

RTH EAST

New Barn Farm

†

Coldharbour Cotts.

RSET

ymills Farm

Withy Mills

Radford Hill Cotts.

HILL

PAULTON LANE

57

148

HILL

HILL

BROADWAY

B a t h

3

LANE

Clan Down

Broadway Cotts.

Clandown Bottom

BA3

4

Broadway Cott.

Pow's Cottages

56 HILL

LANE LOVERS

WATER LANE

CRAWL LANE

POW'S LANE

HILL LANE

Clandown Farm

Bowlditch Farm

Crawl

BROAD LANE

ury

BOWLDITCH LANE

Kitley Hill

5

KITLEY LANE

Monger

BINCE'S LODGE LANE

Bince's Lodge

BINCE'S LODGE LANE

Welton Hill

Sports Ground

ger Cotts.

66

D

E

Old Welton Hill Farm

White City

151

67

F

FOSSE

Fosse Cott.

OLD MILLS

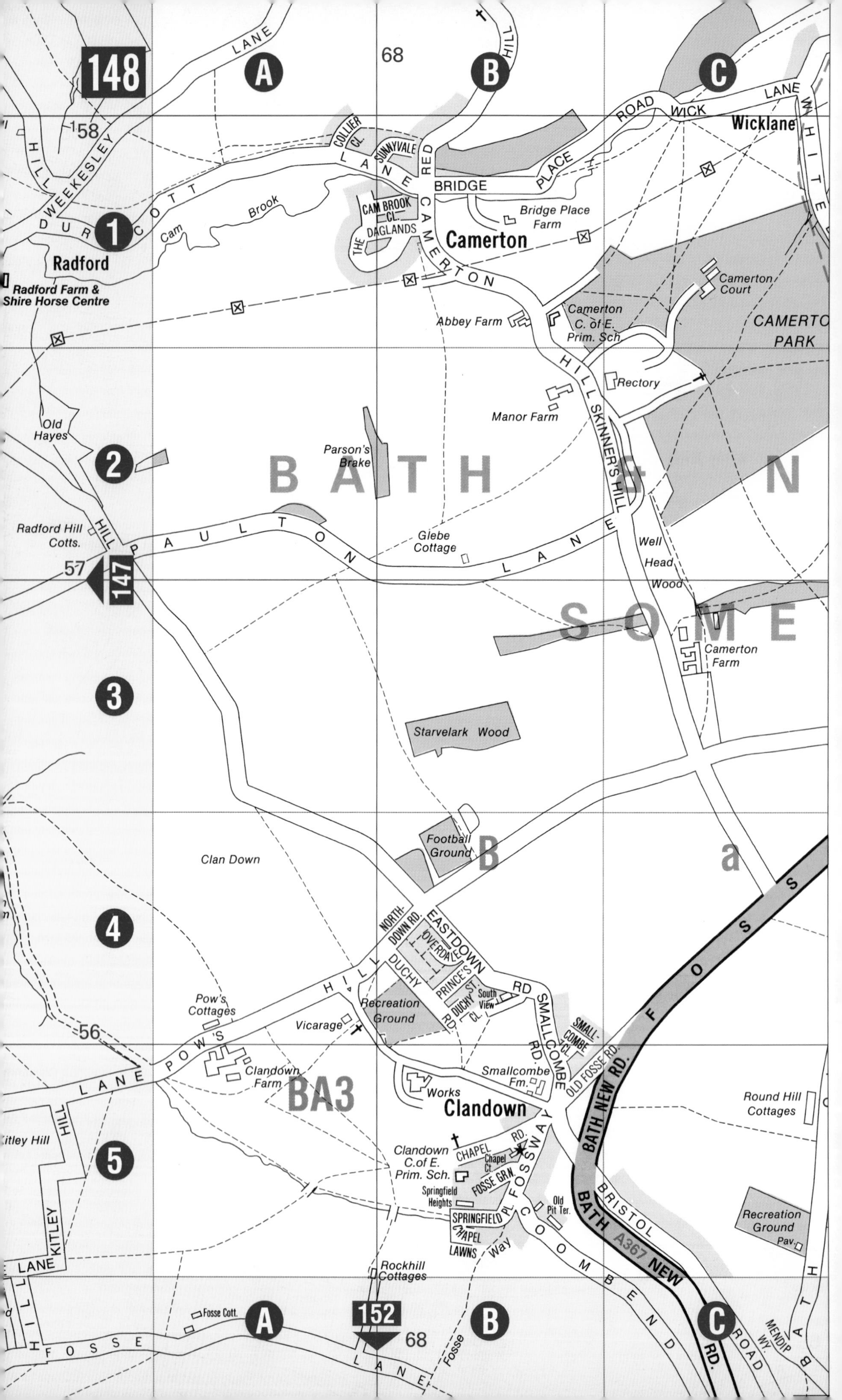

148

68

A   **B**   **C**

LANE

158

WEEKESLEY HILL

DURCOTT

1

COLLIER CL.

CAM BROOK CL.

SUNNYVALE

THE DAGLANDS

RED HILL

ROAD

PLACE

WICK LANE

WHITE

Wicklane

BRIDGE

Bridge Place Farm

Camerton

Camerton Court

CAMERTON PARK

Radford

Cam

Brook

Radford Farm & Shire Horse Centre

Abbey Farm

CAMERTON HILL

Camerton C. of E. Prim. Sch

Rectory

Old Hayes

2

Manor Farm

SKINNER'S HILL

B A T H   **& N**

Parson's Brake

Radford Hill Cotts.

PAULTON

LANE

Glebe Cottage

Well Head Wood

57

147

S O M E

Camerton Farm

3

Starvelark Wood

Clan Down

Football Ground

B   **a**

4

NORTH-DOWN RD.

EASTDOWN

OVERDALE

PRINCE'S

DUCHY

ST.

RD.

DUCHY RD.

South View

SMALLCOMBE

SMALL-COMBE CL.

OLD FOSSE RD.

BATH NEW RD.

FOSS

Pow's Cottages

HILL

Recreation Ground

Vicarage

SMALLCOMBE RD.

Round Hill Cottages

56

POW'S

LANE

Clandown Farm

BA3

Works

Smallcombe Fm.

BRISTOL

5

Kitley Hill

KITLEY HILL LANE

Clandown

Clandown C. of E. Prim. Sch.

CHAPEL RD.

Chapel Ct.

FOSSE GRN.

Springfield Heights

SPRINGFIELD CHAPEL

LAWNS

Way

FOSSWAY

COOMBEND

Old Pit Ter.

BATH NEW

A367

Recreation Ground Pav.

Rockhill Cottages

Fosse Cott.

A   **152**   **B**   **C**

68

HILL FOSSE

LANE

LANE

Fosse

RD.

BEND

MENDIP WY.

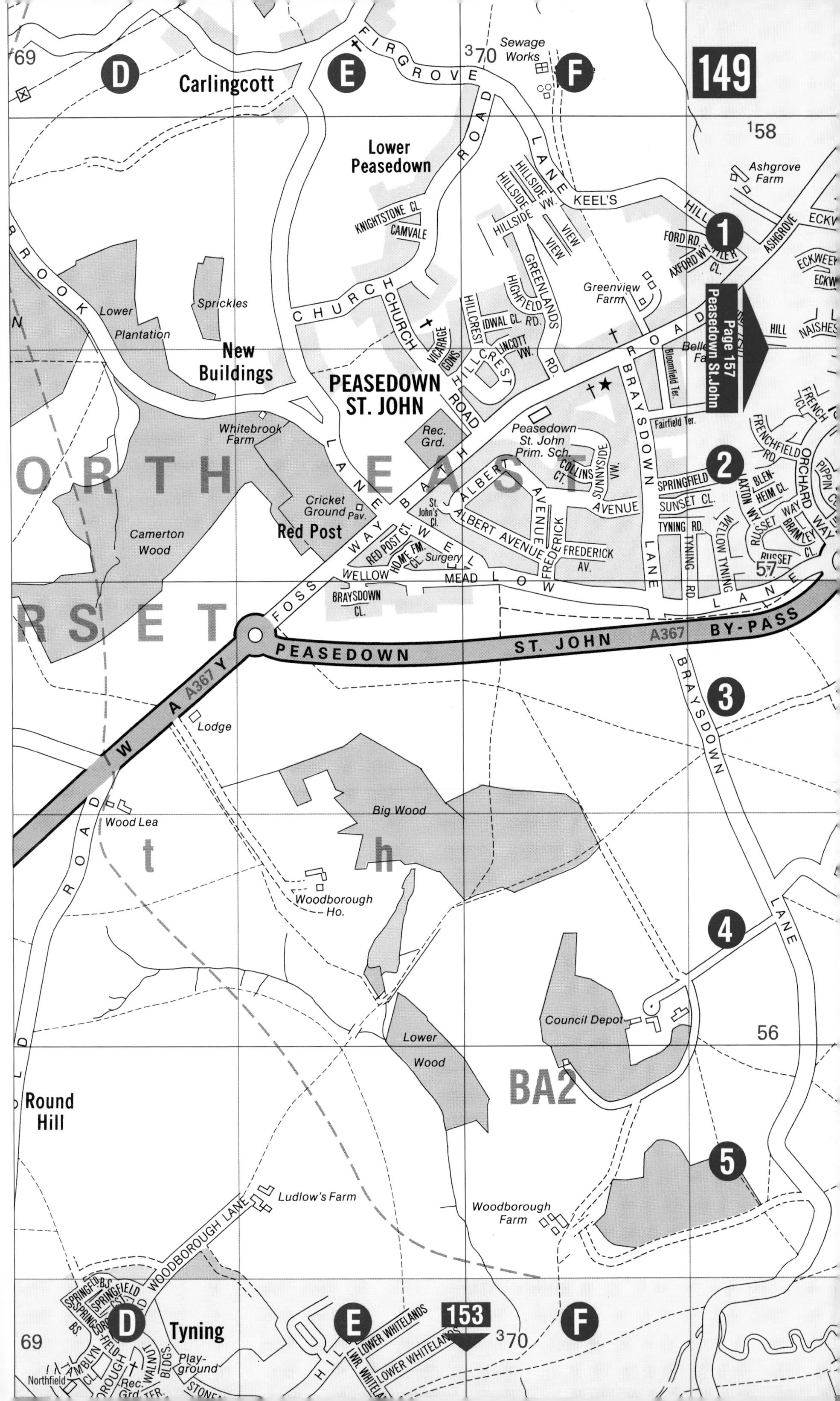

D Carlingcott

E

FIRGROVE

370

Sewage Works

F

¹158

Lower Peasedown

Ashgrove Farm

KNIGHTSTONE CL.

CAMVALE

HILLSIDE VW.

HILLSIDE VIEW

GREENLANDS

KEEL'S

HILL

ECKWE

ECKWEEK

ECKWEE

CHURCH

CHURCH

HIGHFIELD

FORD RD.

AXFORD WY.

TYLER H

CL.

ASHGROVE

HILL

NAISHE

Lower Plantation

Sprickles

HILLCREST

VICARAGE GDNS.

IDWAL CL.

LINCOTT VW.

Greenview Farm

Bloomfield Ter.

Bellee

Fa

Page 157 Peasedown St.John

FRENCH

TCL.

New Buildings

PEASEDOWN ST. JOHN

Whitebrook Farm

Rec. Grd.

Peasedown St. John Prim. Sch.

HILLCREST RD.

BRAYSDOWN

Fairfield Ter.

1

FRENCHFIELD RD.

ORCHARD WAY

PIPPIN CL

2

SPRINGFIELD

SUNSET CL.

BLEN-HEIM CL.

AXTON WY.

RUSSET WAY

BRAMLEY CL.

N O R T H E A S T

Cricket Ground

Pav.

COLLINS CT.

SUNNYSIDE VW.

TYNING RD.

YELLOW TYNING

TYNING RD.

WEST

RUSSET

57

Camerton Wood

Red Post

WAY

WELLOW

RED POST CT.

HOME FM. CL.

Surgery

St. John's Cl.

ALBERT

AVENUE

FREDERICK

FREDERICK AV.

S E T

FOSS

WELLOW MEAD

BRAYSDOWN CL.

R S E T

PEASEDOWN ST. JOHN A367 BY-PASS

BRAYSDOWN LANE

3

A367 Y

A A367 Y

W

ROAD

Lodge

Wood Lea

t

Big Wood

h

Woodborough Ho.

LANE

Council Depot

4

56

Lower Wood

BA2

Round Hill

5

WOODBOROUGH LANE

Ludlow's Farm

Woodborough Farm

SPRINGFIELD

BS

SPRINGFIELD

SPRINGFIELD

BS

SPRINGFIELD CORNER

D Tyning

AMBLYN CL

BOROUGH

WALNUT

BLDGS

STONE

Northfield

Rec. Grd.

TER.

E LOWER WHITELANDS

LOWER WHITELANDS

LWR. WHITELANDS

HILL

153 370

Playground

F

69

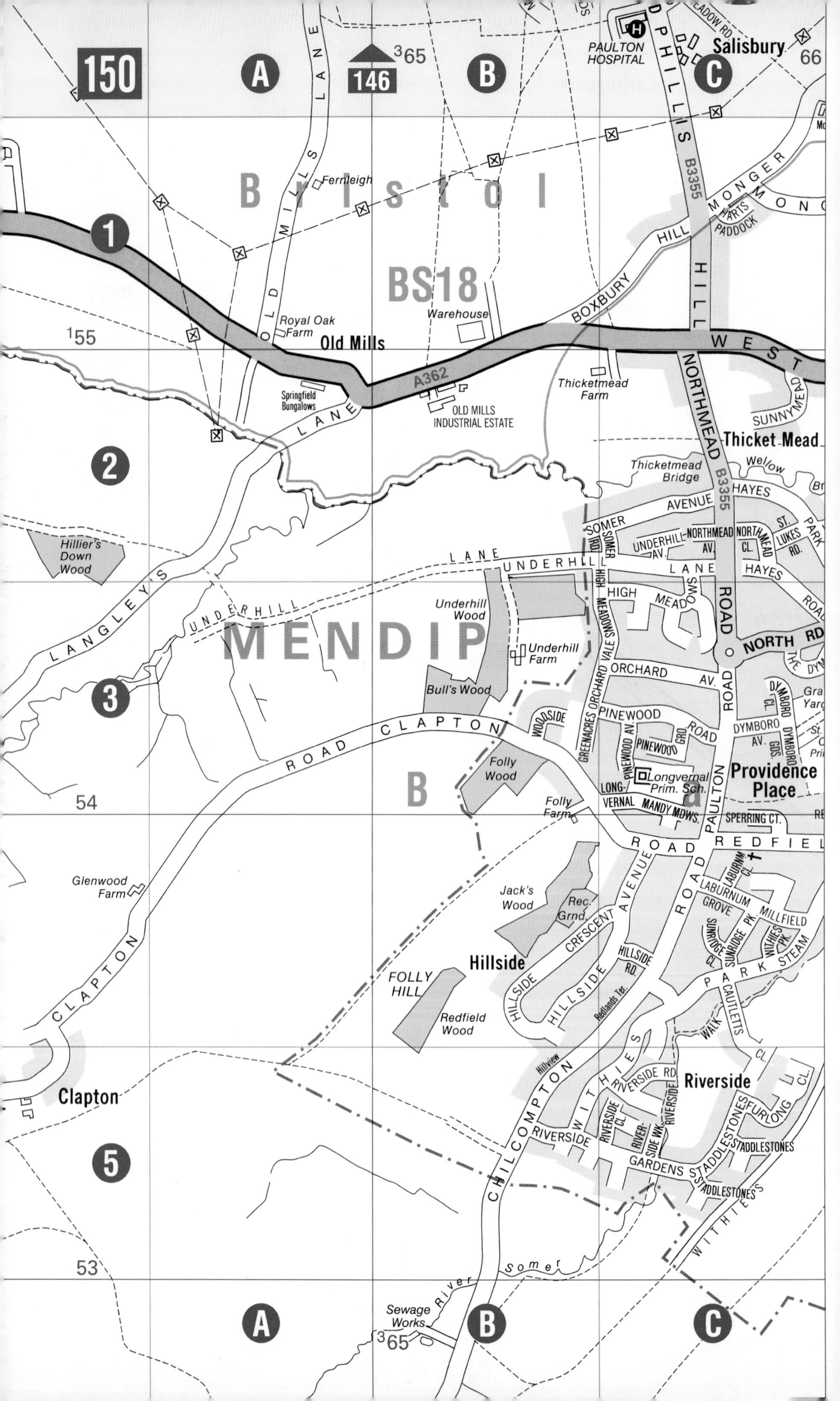

150

A **146** ³65 B **Salisbury** 66 C

PAULTON HOSPITAL

B R i s t o l

BS18

Warehouse

Old Mills

Royal Oak Farm

Fernleigh

1

155

A362

OLD MILLS INDUSTRIAL ESTATE

Springfield Bungalows

Thicketmead Farm

BOXBURY HILL

MONGER HILL

SPORTS PADDOCK

NORTHMEAD B3355

WEST

SUNNYMEAD

Thicket Mead

2

LANE

Thicketmead Bridge

Wellow

AVENUE

SOMER RD.

SOMER

HIGH MEADOWS

UNDERHILL-NORTHMEAD AV.

NORTHMEAD AV.

ST. LUKES RD.

HAYES

PARK

NORTH RD.

Hillier's Down Wood

LANGLEY'S

UNDERHILL

M E N D I P

LANE

UNDERHILL

HIGH MEADOWS VALE

HIGH

LANE

ROAD

THE

NORTH RD.

DYMBORO CL.

3

Underhill Wood

Underhill Farm

ORCHARD AV.

DYMBORO

DYMBORO AV.

DYMBORO GDNS.

Bull's Wood

GREENACRES ORCHARD

PINEWOOD

PINEWOOD GRO.

PINEWOOD AV.

ROAD

Providence Place

54

WOODSIDE

ROAD CLAPTON

Folly Wood

LONG-VERNAL

MANDY MDWS.

□ Longvernal Prim. Sch.

PAULTON ROAD

SPERRING CT.

REDFIEL

Folly Farm

Glenwood Farm

B

Jack's Wood

Rec. Grnd.

CRESCENT AVENUE

ROAD

LABURNUM CL.

LABURNUM GROVE

SUNRIDGE

SUNRIDGE PK.

MILLFIELD

WILTHES PK.

FOLLY HILL

HILLSIDE

HILLSIDE

HILLSIDE RD.

Redlands Ter.

PARK

STEAM

WALK

CAUTLETTS

Hillside

CLAPTON

Redfield Wood

CHILCOMPTON

Hillview

WITHIES

RIVERSIDE RD.

RIVERSIDE

Riverside

CL.

FURLONG

CL.

Clapton

5

RIVERSIDE CL.

RIVER-SIDE WK.

GARDENS

RIVERSIDE

STADDLESTONES

STADDLESTONES

STADDLESTONES

WITHIES

53

River Somer

A ³65 B C

Sewage Works

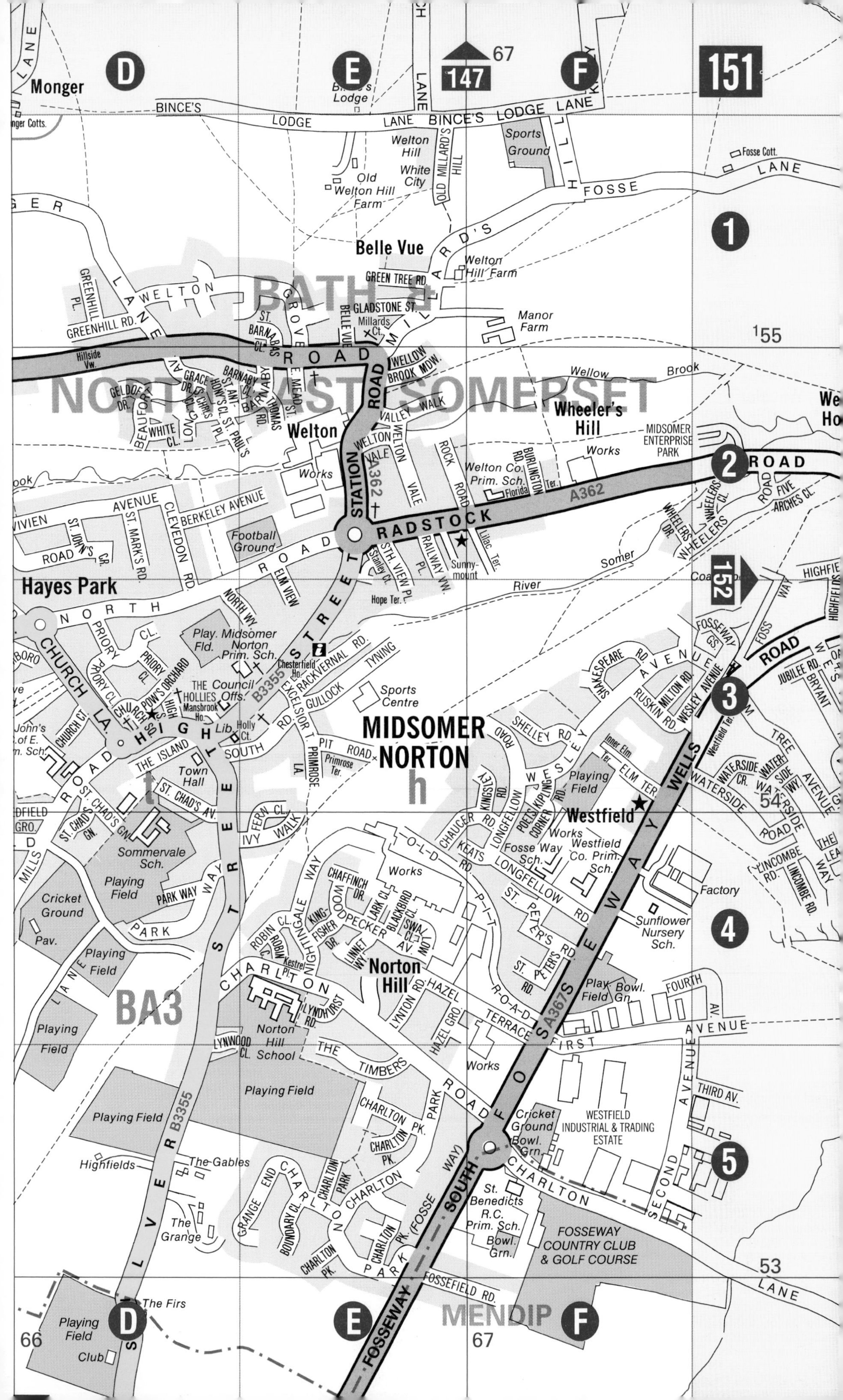
Monger
D
E
F
147
67
Bince's Lodge
BINCE'S LODGE LANE
Sports Ground
Welton Hill
White City
Old Welton Hill Farm
OLD MILLARD'S HILL
Fosse Cott.
FOSSE LANE
1
Belle Vue
Welton Hill Farm
GREEN TREE RD.
BATH &
NORTH EAST SOMERSET
GLADSTONE ST.
Millards Ct.
Manor Farm
55
WELTON GROVE
GREENHILL PL.
GREENHILL RD.
ST. BARNABAS CL.
BELLE VUE
Hillside Vw.
ROAD
WELLOW BROOK MDW.
Wellow Brook
STATION ROAD
VALLEY WALK
Wheeler's Hill
MIDSOMER ENTERPRISE PARK
GELDOFF DR.
GRACE DR.
BARNABY CL.
BEAUFORT
WHITE CL.
ST. PAUL'S
THOMAS ST.
MEAD ST.
Welton
WELTON VALE
Works
ROCK ROAD
Welton Co. Prim. Sch.
BURLINGTON RD.
Florida Ter.
A362
2
ROAD
WHEELERS DR.
WHEELERS CL.
FIVE ARCHES CL.
AVENUE
VIVIEN
BERKELEY AVENUE
ST. MARK'S RD.
CLEVEDON RD.
ST. JOHN'S CR.
ROAD
Football Ground
RADSTOCK ROAD
RAILWAY VW.
Sunnymount
Lilac Ter.
STH. VIEW PL.
Stanley Ct.
Hope Ter.
Somer River
152
Hayes Park
NORTH ROAD
NORTH WY.
ELM VIEW
PRIORY CL.
PRIORY RD.
Play. Fld.
Midsomer Norton Prim. Sch.
Chesterfield Ho.
RACKVERNAL RD.
TYNING
GULLOCK
Sports Centre
FOSSEWAY GS.
SHAKESPEARE RD.
AVENUE
MILTON RD.
WESLEY AVENUE
FOSS WAY
HIGHFIELDS
3
JUBILEE RD.
BRYANT
CHURCH LA.
POW'S ORCHARD
HIGH ST.
THE HOLLIES
The Council Offs.
Mansbrook Ho.
B3355
EXCELSIOR T.
PIT ROAD
MIDSOMER NORTON
SHELLEY RD.
RUSKIN RD.
Westfield Ter.
TREE AVENUE
John's C. of E. Sch.
CHURCH CT.
ROAD
HIGH ST.
Lib.
Holly Ct.
SOUTH RD.
PRIMROSE LA.
Primrose Ter.
KINGSLEY RD.
Inner Elm Ter.
ELM TER.
WATERSIDE CR.
WATERSIDE WY.
WATERSIDE ROAD
54
THE ISLAND
Town Hall
ST. CHAD'S AV.
FERN CL.
IVY WALK
LONGFELLOW AV.
POETS CORNER
KIPLING RD.
Playing Field
Westfield
WELLS ROAD
ST. CHAD'S GN.
Sommervale Sch.
Playing Field
PARK WAY
CHAUCER RD
KEATS RD.
OLD PIT ROAD
Works
CHAFFINCH DR.
LARK CL.
BLACKBIRD WAY
Fosse Way Sch.
Works
Westfield Co. Prim. Sch.
LONGFELLOW RD
Factory
LINCOMBE RD.
MILLS
Cricket Ground
Pav.
PARK
ROBIN CL.
NIGHTINGALE
KINGFISHER DR.
WOODPECKER AV.
SWALLOW
LINNET WY.
ST. PETER'S RD.
Sunflower Nursery Sch.
4
Playing Field
Kestrel PL.
Norton Hill
Play Field
Bowl. Gn.
FOURTH AV.
BA3
CHARLTON
LYNDHURST RD.
LYNTON RD.
HAZEL GRO.
TERRACE
A367
AVENUE
Playing Field
LANE
LYNWOOD CL.
Norton Hill School
THE TIMBERS
FIRST AVENUE
Works
Playing Field
THIRD AV.
Playing Field
B3355
CHARLTON PK.
PARK ROAD
Cricket Ground
Bowl. Grn.
WESTFIELD INDUSTRIAL & TRADING ESTATE
SECOND AVENUE
5
Highfields
The Gables
SILVER STREET
GRANGE END
CHARLTON PARK
CHARLTON ROAD
SOUTH (FOSSE WAY)
The Grange
BOUNDARY CL.
St. Benedicts R.C. Prim. Sch.
Bowl. Grn.
FOSSEWAY COUNTRY CLUB & GOLF COURSE
CHARLTON PK.
FOSSEFIELD RD.
53
LANE
The Firs
Playing Field
Club
66
MENDIP
67
FOSSEWAY

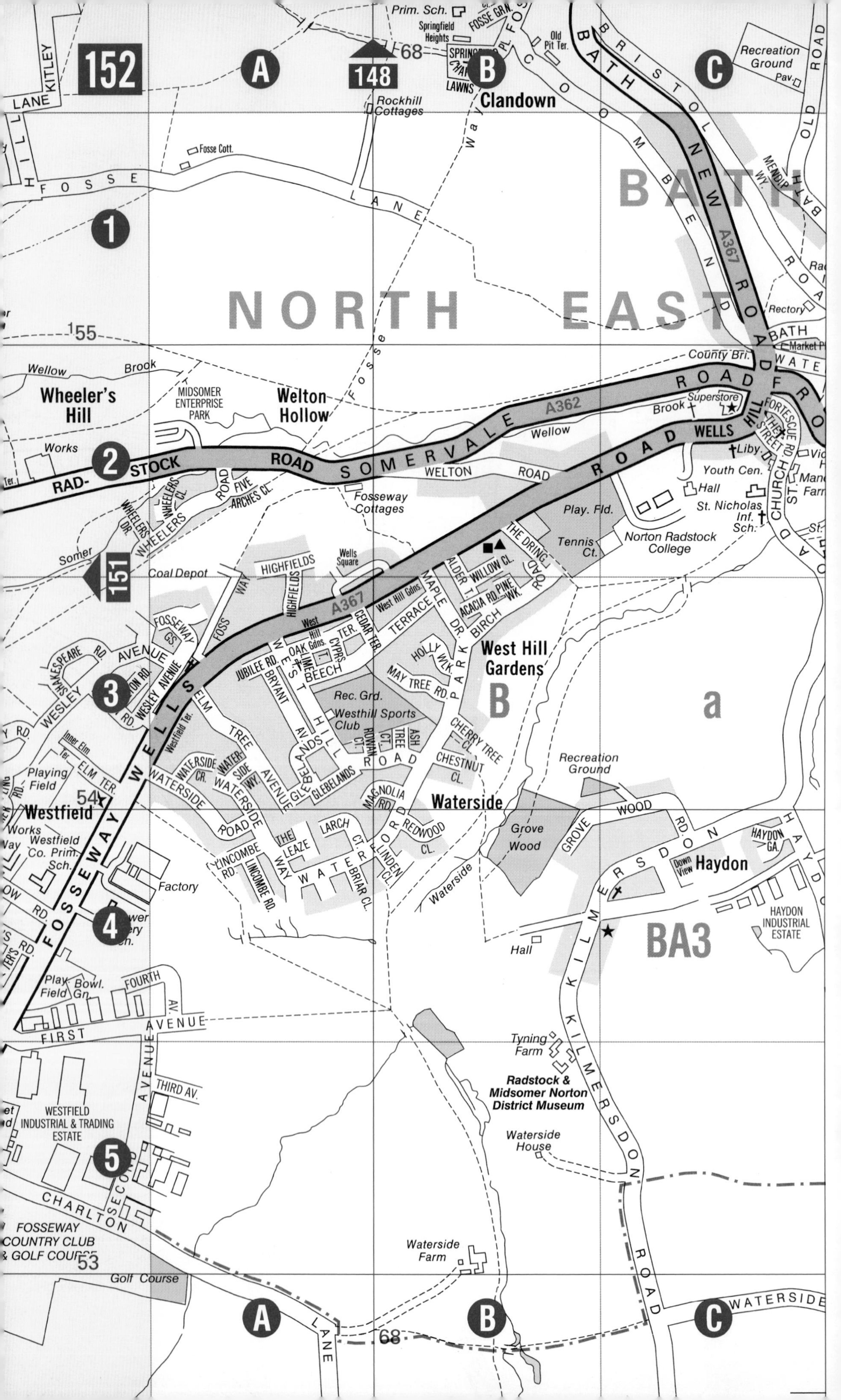
148
151
NORTH EAST
BATH
Clandown
Wheeler's Hill
Welton Hollow
MIDSOMER ENTERPRISE PARK
RADSTOCK ROAD
SOMERVALE ROAD
WELLS ROAD
A362
A367
WELTON ROAD
Fosseway Cottages
West Hill Gardens
Westfield
Waterside
Haydon
BA3
Recreation Ground
Grove Wood
Rec. Grd.
Westhill Sports Club
Norton Radstock College
Play. Fld.
Tennis Ct.
Superstore
County Bri.
Youth Cen.
Hall
St. Nicholas Inf. Sch.
Rectory
Coal Depot
Wells Square
Works
Westfield Co. Prim. Sch.
Factory
WESTFIELD INDUSTRIAL & TRADING ESTATE
HAYDON INDUSTRIAL ESTATE
FOSSEWAY COUNTRY CLUB & GOLF COURSE
Golf Course
Tyning Farm
Radstock & Midsomer Norton District Museum
Waterside House
Waterside Farm
Rockhill Cottages
Fosse Cott.
Springfield Heights
Prim. Sch.
Old Pit Ter.
Wellow Brook
FOSSE LANE
FOSSEWAY
KILMERSDON ROAD
CHARLTON LANE
FIRST AVENUE
SECOND AVENUE
THIRD AV.
FOURTH AV.
BRISTOL ROAD
BATH NEW ROAD
COMBE END
MENDIP WY.
OLD ROAD
WESLEY AVENUE
WATERSIDE ROAD
ELM TREE AVENUE
GLEBELANDS
WEST HILL ROAD
BRYANT AV.
HIGHFIELDS
TERRACE
MAPLE DR.
PARK BIRCH
WILLOW CL.
ACACIA RD.
PINE WK.
THE DRING
ALDER T.
HOLLY WK.
MAY TREE RD.
CHERRY TREE CL.
CHESTNUT CL.
MAGNOLIA RD.
REDWOOD CL.
WATERFORD
LINDEN CL.
BRIAR CL.
LARCH CT.
THE LEAZE
THE WAY
LINCOMBE RD.
GROVE WOOD RD.
HAYDON GA.
Down View
WHEELERS DR.
WHEELERS CL.
FIVE ARCHES CL.
CHURCH ST.
FORTESCUE RD.
THE STREET
Playing Field
Play Field
Bowl. Gn.
WATERSIDE
1
2
3
4
5
A
B
C
a
B
155
54
53
68

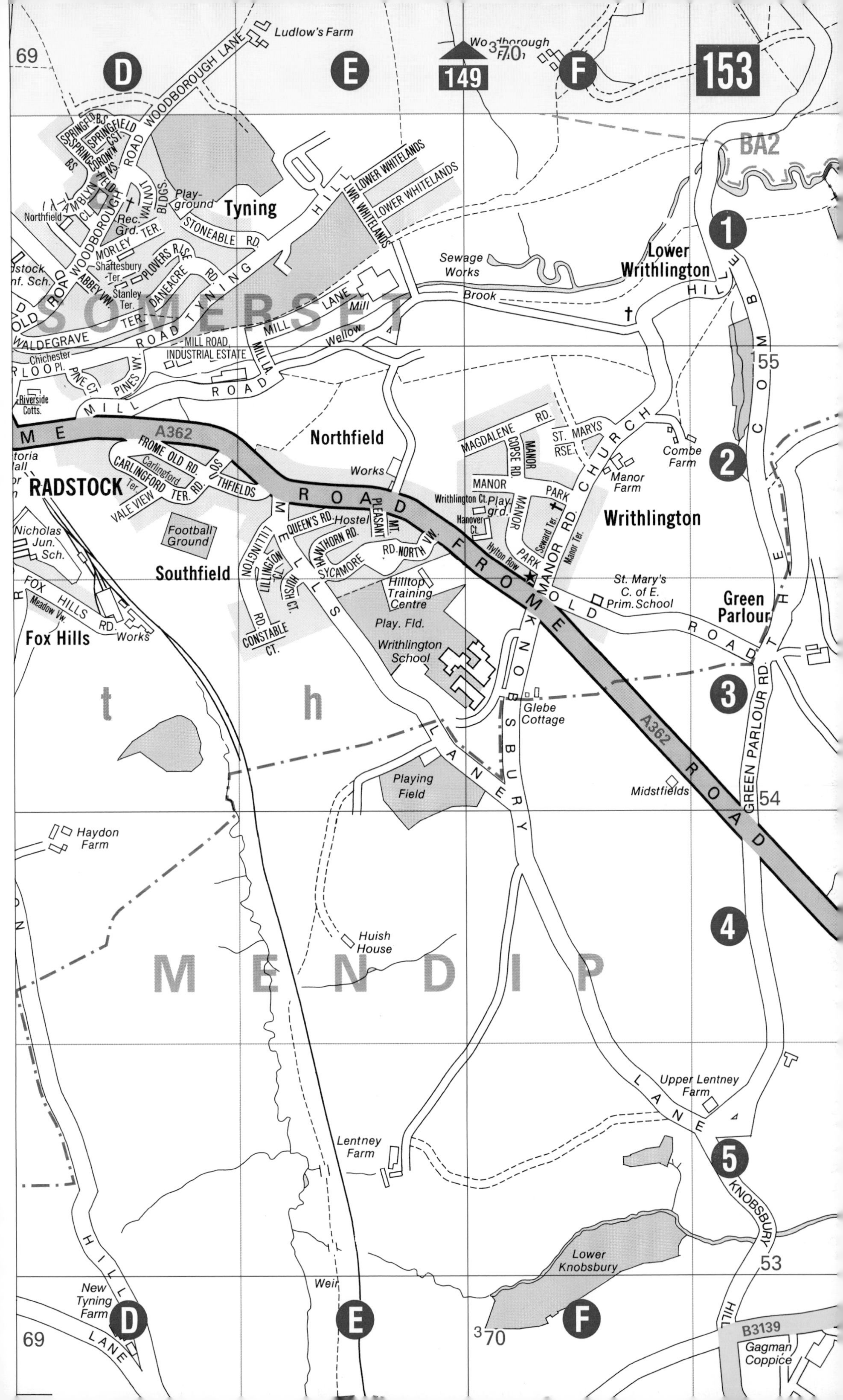

149

BA2

Ludlow's Farm

Woodborough
F.701

Tyning

Springfield
Springfield
Springfield Ct.
Springfield Cotts.
BS
BS
Gordon Cl.
WOODBOROUGH ROAD
WOODBOROUGH LANE
Walnut Bldgs.
Playground
Northfield
Rec. Grd.
Morley Ter.
Shaftesbury Ter.
Stanley Ter.
Plovers Rise
WOODBOROUGH
ROAD
ABBEY VW.
Daneacre
STONEABLE RD.
HILL
LOWER WHITELANDS
LWR. WHITELANDS
LOWER WHITELANDS

**Lower
Writhlington**

1

55

Rec. Grd. Ter.
ROAD
Mendip
stock
Inf. Sch.

S O M E R S E T

OLD
WALDEGRAVE
Chichester
ARLOOP Pl.
Riverside Cotts.
PINE CT.
PINES WY.
MILL Rd.
MILL
ROAD
INDUSTRIAL ESTATE
MILL LANE
MILL
LANE
Mill
Wellow
Sewage
Works
Brook
†

Combe
Farm
2

Northfield
Works
MAGDALENE
RD.
COPSE RD.
ST.
MARYS
RSE.
MANOR
RD.
CHURCH
Manor
Farm
FROME OLD RD.
SOUTHFIELDS
A362
Carlingford
CARLINGFORD TER.
VALE VIEW
Football
Ground
QUEEN'S RD.
Hostel
HAWTHORN RD.
PLEASANT
MT.
RD. NORTH
SYCAMORE
RD.
Writhlington Ct.
Hanover Ct.
Playgrd.
Hylton Row
MANOR
PARK
Seward Ter.
MANOR RD.
Manor Ter.

Writhlington

RADSTOCK

Nicholas
Jun. Sch.
FOX
HILLS
Meadow Vw.
FOX HILLS
RD.
Works

Fox Hills

Southfield
LILLINGTON RD.
RUSH CT.
MELLS
CONSTABLE CT.
Hilltop
Training
Centre
Play. Fld.
ROAD
FROME
MOLD
KNOBSBURY
**Writhlington
School**
Glebe
Cottage
St. Mary's
C. of E.
Prim. School

**Green
Parlour**
54
GREEN PARLOUR RD.
ROAD
3

t   **h**

Playing
Field
LANE
A362
ROAD
Midstfields

4

Haydon
Farm

M E N D I P

Huish
House

Upper Lentney
Farm
LANE
KNOBSBURY

New
Tyning
Farm
HILL
LANE
Lentney
Farm
Weir
Lower
Knobsbury
5
53

Gagman
Coppice

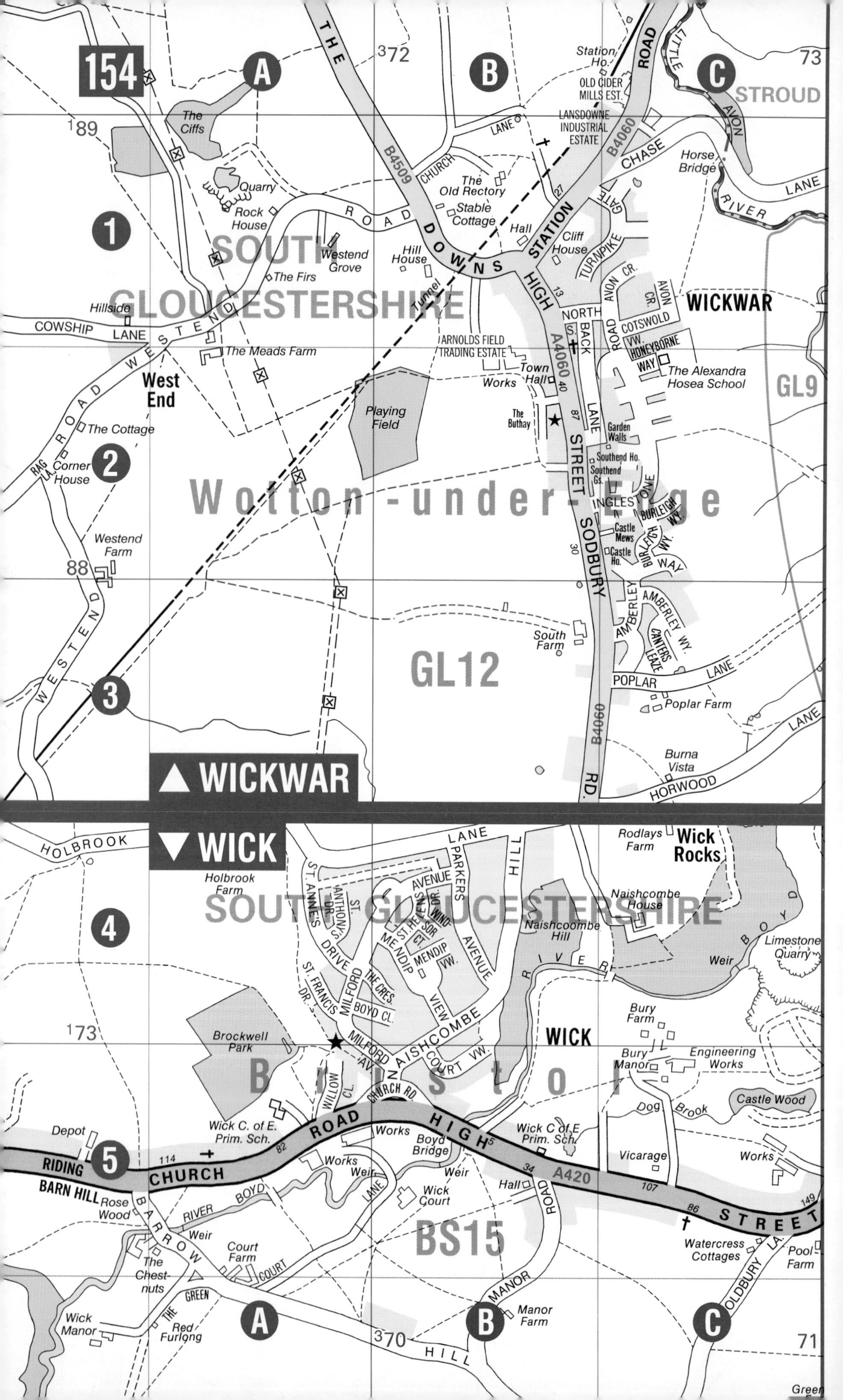

154

189

A

B

C STROUD

73

SOUTH GLOUCESTERSHIRE

1

372

The Ciffs

Quarry

Rock House

Westend Grove

The Firs

Hillside

COWSHIP LANE

The Meads Farm

West End

Station Ho.

OLD CIDER MILLS EST.

LANSDOWNE INDUSTRIAL ESTATE

The Old Rectory

Stable Cottage

Hall

Hill House

Tunnel

DOWNS

B4509

CHURCH LANE

ROAD

STATION

HIGH

Cliff House

TURNPIKE

GATE

NORTH

BACK ROAD

AVON CR.

AVON CR.

COTSWOLD VW.

HONEYBORNE WAY

B4060

CHASE

Horse Bridge

AVON

RIVER

LANE

WICKWAR

The Alexandra Hosea School

GL9

2

The Cottage

Corner House

RAG ... ROAD

WESTEND ROAD

Playing Field

JARNOLDS FIELD TRADING ESTATE

Town Hall

Works

A4060

The Buthay ★

Garden Walls

Southend Ho.

Southend Gs.

STREET

INGLESTONE

SODBURY

BURLEIGH WY.

AMBERLEY

BURLEIGH WY.

WAY

Castle Mews

Castle Ho.

3

Westend Farm

88

Wotton-under-Edge

South Farm

GL12

AMBERLEY WY.

CANTERS LEAZE

POPLAR

LANE

Poplar Farm

Burna Vista

HORWOOD

B4060 RD.

LANE

▲ **WICKWAR**

▼ **WICK**

HOLBROOK

4

Holbrook Farm

SOUTH GLOUCESTERSHIRE

LANE

PARKERS

AVENUE

HILL

ST. ANNES DR.

ST. ANTHONY'S DR.

ST. HELENS DR.

WIND.

SDR.

MENDIP VW.

MST. HELENS CT.

AISHCOMBE

AVENUE

VIEW

COURT VW.

RIVER

BOYD R.

Rodlays Farm

Wick Rocks

Naishcombe House

Naishcoombe Hill

WICK

Bury Farm

Bury Manor

Weir

Limestone Quarry

Engineering Works

Castle Wood

173

Brockwell Park

ST. FRANCIS DR.

MILFORD DRIVE

THE CRES.

BOYD CL.

MILFORD AV.

WILLOW CL.

Bristol

5

Depot

RIDING

BARN HILL

Rose Wood

114

Wick C. of E. Prim. Sch.

ROAD

BARROW

RIVER BOYD

CHURCH

82

Works

Weir

LANE

Boyd Bridge

Weir

CHURCH RD.

Wick Court

Works

HIGH

Hall

Wick C of E Prim. Sch.

34

A420

ROAD

STREET

107

86

Vicarage

Dog Brook

Works

149

Watercress Cottages

COLDBURY LA.

Pool Farm

The Chestnuts

Court Farm

COURT

BARROW

THE GREEN

Red Furlong

Wick Manor

A

370

HILL

BS15

B

MANOR

Manor Farm

71

C

Green

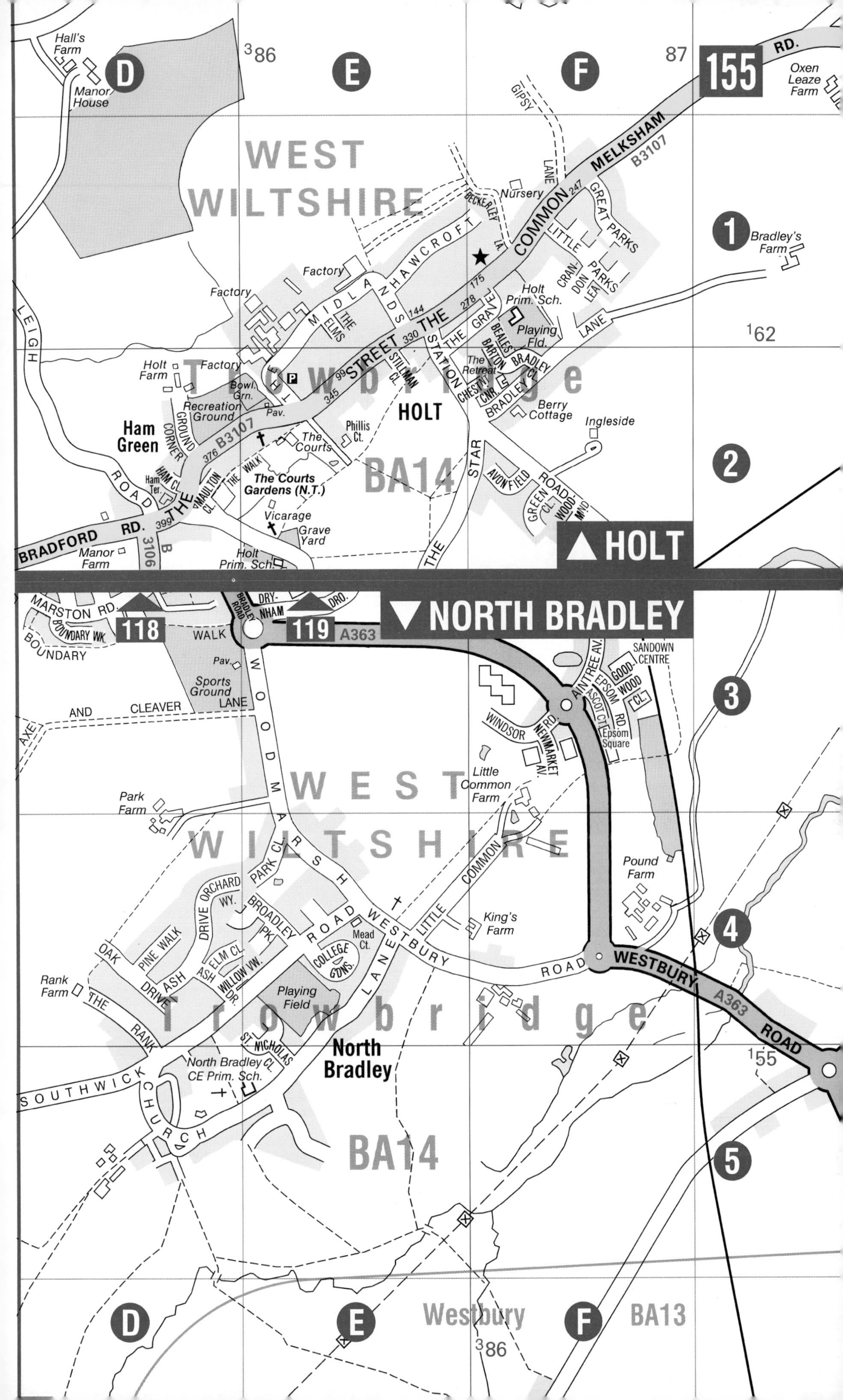

155
▲ HOLT
▼ NORTH BRADLEY
WEST WILTSHIRE
Trowbridge
BA14
HOLT
Ham Green
North Bradley
Westbury
BA13
Hall's Farm
Manor House
Oxen Leaze Farm
Bradley's Farm
MELKSHAM RD.
B3107
THE COMMON
GIPSY LANE
Nursery
BECKERLEY LA.
GREAT PARKS
LITTLE PARKS
CRANDON LEA
HAWCROFT
MIDLANDS
THE ELMS
Factory
Holt Prim. Sch.
Playing Fld.
LANE
THE STREET
STILLMAN CL.
STATION
THE GRAVE
BEALES BARTON
BRADLEY CL.
BRADLEY
The Retreat
CHESTNUT CNR.
Berry Cottage
Ingleside
Holt Farm
Bowl. Grn.
Recreation Ground
Pav.
GROUND CORNER
The Courts
Phillis Ct.
The Courts Gardens (N.T.)
THE STAR
AVONFIELD
GREEN CL.
WOODMAND ROAD
HAM CL.
Ham Ter.
MAULTON CL.
THE WALK
Vicarage
Grave Yard
BRADFORD RD.
LEIGH ROAD
Manor Farm
B3106
Holt Prim. Sch.
MARSTON RD.
BOUNDARY WK.
BOUNDARY
118
119
A363
DRYNHAM DRO.
BRADLEY ROAD
WALK
Pav.
Sports Ground
CLEAVER LANE
AXE AND CLEAVER
WOODMARSH
SANDOWN CENTRE
AINTREE AV.
EPSOM RD.
ASCOT CT.
GOODWOOD CL.
Epsom Square
WINDSOR RD.
NEWMARKET AV.
Little Common Farm
Park Farm
PARK CL.
ORCHARD DRIVE
ORCHARD WY.
BROADLEY PK.
Pound Farm
King's Farm
LITTLE COMMON
WESTBURY ROAD
WESTBURY A363 ROAD
OAK DRIVE
PINE WALK
ASH DR.
ELM CL.
WILLOW VW.
Mead Ct.
COLLEGE GDNS.
Playing Field
LANE
Rank Farm
THE RANK
ST. NICHOLAS CL.
North Bradley CE Prim. Sch.
SOUTHWICK
CHURCH
D
E
F
1
2
3
4
5
386
87
162
155

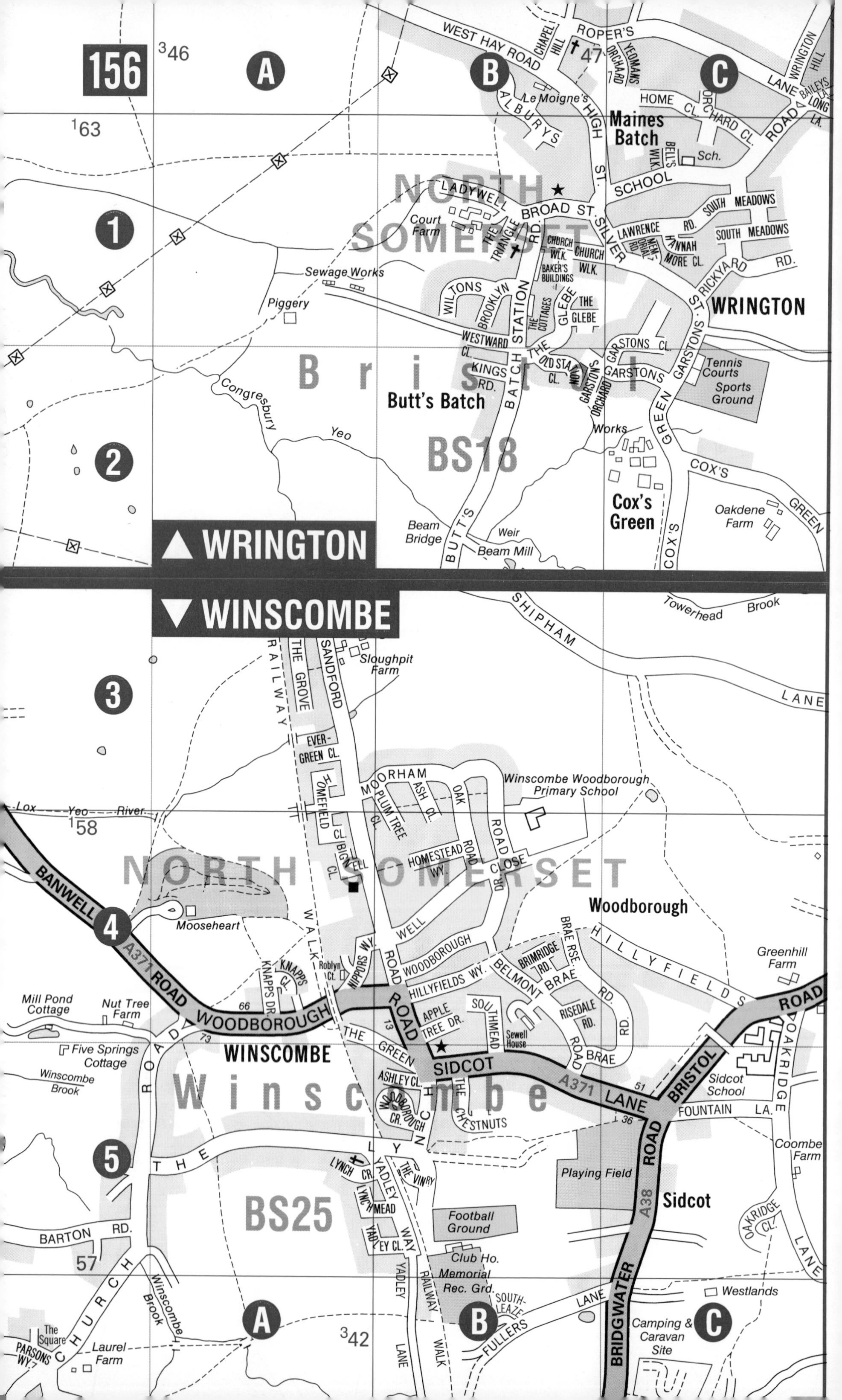

Ⓐ Ⓑ Ⓒ

① ② ③ ④ ⑤

WEST HAY ROAD

ROPER'S
CHAPEL HILL
† 47
YEOMANS
ORCHARD
WRINGTON HILL
LONG LA.
BAILEYS

Le Moigne's
ALBURYS
HOME CL.
ORCHARD CL.
Maines
Batch
Sch.

NORTH
SOMERSET

LADYWELL
BROAD ST.
SILVER ST.
SCHOOL RD.
SOUTH MEADOWS
SOUTH MEADOWS

Court
Farm
THE TRIANGLE
CHURCH WLK.
LAWRENCE
HANNAH MORE CL.

Sewage Works
CHURCH WLK.
BAKER'S BUILDINGS
BELL'S WLK.

Piggery
WILTONS
BROOKLYN
WESTWARD CL.
THE COTTAGES
THE GLEBE
THE GLEBE
GARSTONS CL.
RICKYARD RD.
WRINGTON

KINGS RD.
BATCH STATION RD.
THE OLD STA.
GARSTONS
GREEN
GARSTONS
Tennis Courts
Sports Ground

B r i s t o l

Congresbury
Yeo
Butt's Batch
Works
COX'S GREEN

BS18
GREEN
Oakdene
Farm
COX'S GREEN

Beam
Bridge
Weir
Cox's
Green

BUTTS
Beam Mill

▲ WRINGTON

▼ WINSCOMBE

SHIPHAM
Towerhead Brook

RAILWAY
THE GROVE
SANDFORD
Sloughpit
Farm
LANE

EVER-GREEN CL.
MOORHAM

Lox Yeo River
¹58
HOMEFIELD CL.
PLUM TREE CL.
ASH CL.
OAK
Winscombe Woodborough
Primary School

BIGNELL CL.
ROAD
HOMESTEAD WY.
ROAD CLOSE

NORTH SOMERSET

Mooseheart
WALK
WELL ROAD
Woodborough

Mill Pond
Cottage
Nut Tree
Farm
BANWELL
A371 ROAD
WOODBOROUGH
KNAPPS DR.
KNAPPS CL.
Roblyn Ct.
NIPPORS WY.
WOODBOROUGH
HILLYFIELDS WY.
BELMONT
BRIMRIDGE RD.
BRAE RSE.
HILLYFIELDS
Greenhill
Farm
BRISTOL ROAD
OAKRIDGE

Five Springs
Cottage
66
WINSCOMBE
73
THE GREEN ROAD
APPLE TREE DR.
SOUTHMEAD
Sewell
House
BRAE
RISEDALE RD.
RD.
BRAE

Winscombe
Brook
SIDCOT
A371 LANE
Sidcot
School
FOUNTAIN LA.

W i n s c o m b e
ASHLEY CL.
CCBOROUGH CR.
THE CHESTNUTS
Playing Field
BRISTOL ROAD
Coombe
Farm

⑤
BARTON RD.
57
THE
LYNCH CR.
YADLEY
LYNCH MEAD
THE VINRY
Football
Ground
Sidcot
OAKRIDGE CL.

BS25
YADLEY WAY
Club Ho.
Memorial
Rec. Grd.
BRIDGWATER ROAD A38
Westlands

The Square
PARSONS WY.
Laurel
Farm
CHURCH
Winscombe Brook
Ⓐ
³42
FULLERS LANE
RAILWAY
SOUTH-LEAZE LANE
Ⓑ
Camping &
Caravan
Site
Ⓒ

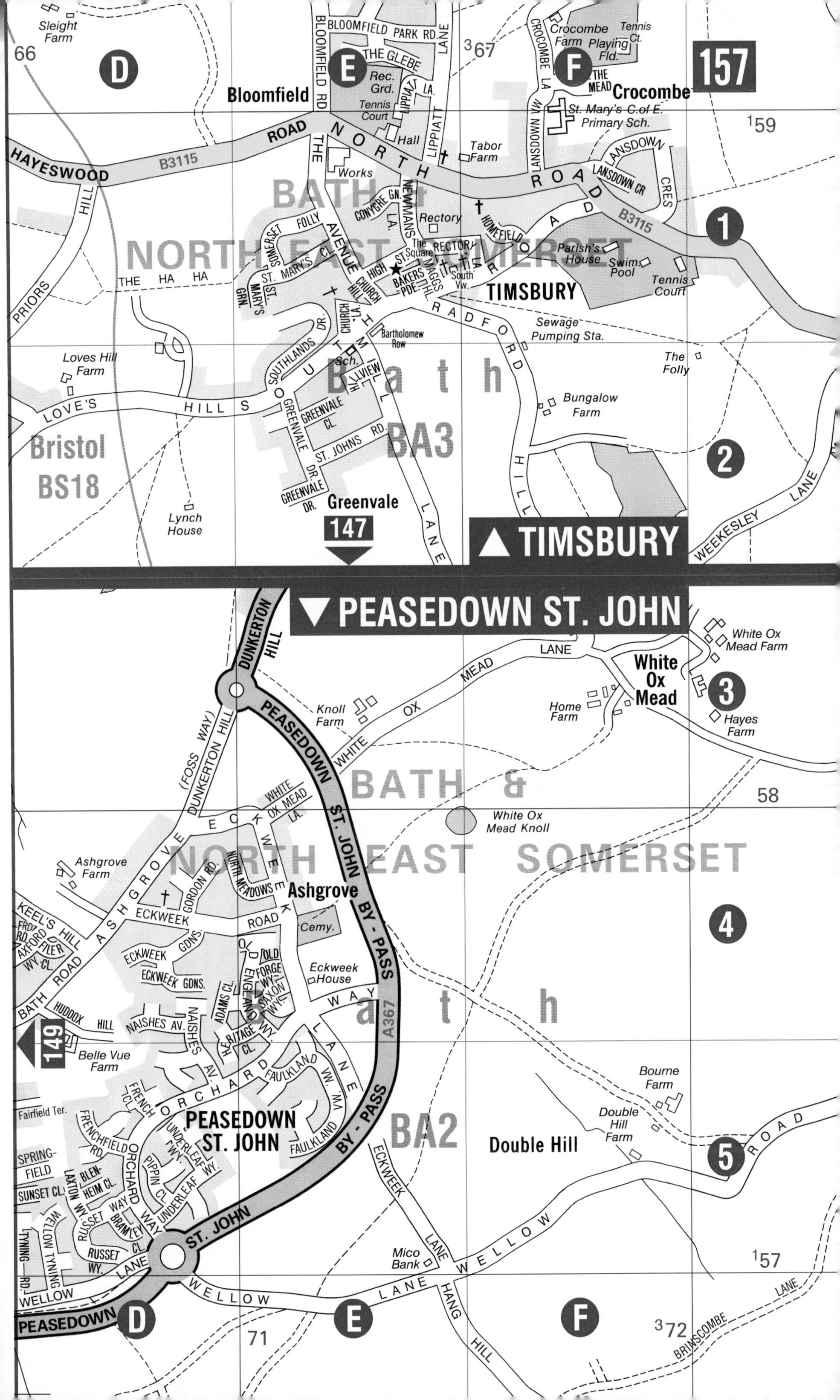

66

D

Sleight Farm

HAYESWOOD

B3115

HILL

PRIORS

THE HA HA

LOVE'S HILL S

Loves Hill Farm

Bristol BS18

Lynch House

E

BLOOMFIELD PARK RD.

BLOOMFIELD RD

THE GLEBE

Rec. Grd.

Tennis Court

Hall

Bloomfield

ROAD

NORTH ROAD

Works

SOMERSET

FOLLY

CLOSE

ST. MARY'S GRN.

ST. MARY'S

CONYGRE GN.

NEWMANS

AVENUE

HIGH

CHURCH HILL

ST.

BAKERS PDE.

The Square

St. John's

HUBURY

SOUTHLANDS

GREENVALE DR.

GREENVALE CL.

GREENVALE DR.

ST. JOHNS RD.

367

Tennis Court

LIPPIATT LA.

Tabor Farm

Rectory

ROAD

HOMEFIELD

RADFORD

Rectory

Parish's House

Sewage Pumping Sta.

The Folly

Bungalow Farm

CROCOMBE LA.

Crocombe Farm

Tennis Ct.

THE MEAD

F

Crocombe

St. Mary's C.of E. Primary Sch.

LANSDOWN WAY

LANSDOWN CR

CRES

B3115

1

159

Swim Pool

Tennis Court

TIMSBURY

2

ILL

BA3

ILL VIEW

Sch.

Bartholomew Row

South Vw.

LANE

Greenvale

147

▲ **TIMSBURY**

WEEKESLEY LANE

▼ **PEASEDOWN ST. JOHN**

DUNKERTON HILL

(FOSS WAY)

DUNKERTON HILL

PEASEDOWN

ST. JOHN BY-PASS

A367

WHITE OX MEAD LANE

WHITE OX MEAD LA.

Knoll Farm

Ashgrove Farm

ASHGROVE

ECKWEEK

GORDON RD.

NORTH MEADOWS

Cemy.

Ashgrove

ROAD

ECKWEEK GDNS.

ECKWEEK GDNS.

ADAMS CL.

OLD FORGE WY.

SAXON WY.

ENGLAND

HERITAGE CL.

Eckweek House

Home Farm

White Ox Mead Farm

White Ox Mead

F

3

Hayes Farm

58

White Ox Mead Knoll

BATH & NORTH EAST SOMERSET

4

KEEL'S HILL

FRD.

AXFORD

TYLER WY.

CL.

BATH

HUDDOX HILL

ROAD

NAISHES AV.

Belle Vue Farm

NAISHES AV.

ORCHARD

WAY

FAULKLAND

VW. WAY

149

Fairfield Ter.

FRENCHFIELD

CL.

FRENCHFIELD RD.

SPRING-FIELD

SUNSET CL.

BLEN-HEIM CL.

LAXTON WY.

ORCHARD

WAY

RUSSET WAY

BRAMLEY CL.

PIPPIN CL.

UNDERLEAF WY.

UNDERLEAF WY.

PEASEDOWN ST. JOHN

FAULKLAND LANE

BA2

ECKWEEK

LANE

Double Hill

Bourne Farm

Double Hill Farm

ROAD

5

RUSSET WY.

WELLOW

TYNING RD.

TYNING

WELLOW LANE

ST. JOHN

D

PEASEDOWN

WELLOW

71

E

WELLOW

Mico Bank

LANE

WELLOW

HANG HILL

LANE

F

157

372

BRINSCOMBE LANE

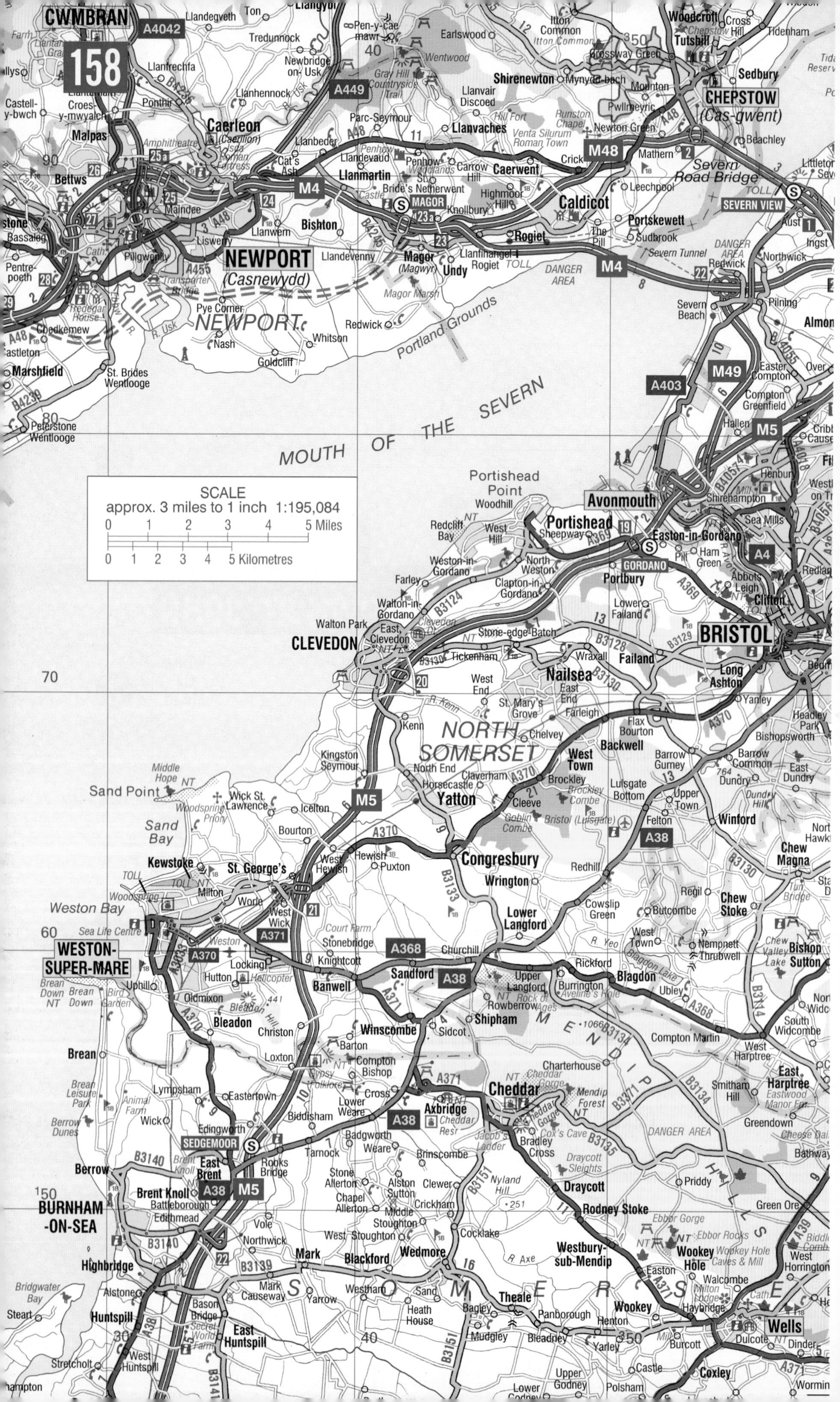
CWMBRAN
A4042
Llandegveth
Ton
Pen-y-cae mawr
Earlswood
Itton Common
Woodcroft
Cross Hill
Tidenham
Tutshill
Tredunnock
Newbridge on-Usk
Wentwood
Gray Hill Countryside Trail
Crossway Green
Sedbury
Llanfrechfa
Shirenewton
Mynydd-bach
Mounton
CHEPSTOW
(Cas-gwent)
Llanhennock
A449
Llanvair Discoed
Pwllmeyric
Castell-y-bwch
Croes-y-mwyalch
Ponthir
Caerleon
(Caerllion)
Parc-Seymour
Llanvaches
Runston Chapel
Venta Silurum Roman Town
Newton Green
Beachley
Malpas
Amphitheatre
Roman Fortress
Llanbeder
Llandevaud
Penhow
Carrow Hill
Caerwent
Crick
M48
Mathern
Severn Road Bridge
Bettws
Cat's Ash
Llanmartin
Bride's Netherwent
Highmoor Hill
Caldicot
Leechpool
SEVERN VIEW
Aust
M4
Maindee
MAGOR
Knollbury
Portskewett
Bassaleg
Llanwern
Bishton
Rogiet
The Pill
Sudbrook
Ingst
Liswerry
NEWPORT
(Casnewydd)
Llandevenny
Magor
(Magwyr)
Undy
Llanfihangel Rogiet
TOLL
DANGER AREA
Severn Tunnel
Redwick
Northwick
Pentre-poeth
Pillgwenlly
A455
Transporter Bridge
Magor Marsh
Tredegar House
Severn Beach
Pilning
Pye Corner
NEWPORT
Redwick
Portland Grounds
Coedkemew
Nash
Whitson
Goldcliff
Castleton
Marshfield
St. Brides Wentlooge
A403
M49
Easter Compton
Compton Greenfield
Peterstone Wentlooge
MOUTH OF THE SEVERN
Hallen
M5
Portishead Point
Woodhill
Avonmouth
Henbury
Shirehampton
Sea Mills
SCALE
approx. 3 miles to 1 inch 1:195,084
0 1 2 3 4 5 Miles
0 1 2 3 4 5 Kilometres
Redcliff Bay
West Hill
Portishead
Sheepway
Easton-in-Gordano
Ham Green
Pill
A4
Weston-in-Gordano
North Weston
GORDANO
Portbury
Abbots Leigh
Farley
Clapton-in-Gordano
Lower Failand
Clifton
Walton-in-Gordano
B3124
Walton Park
East Clevedon
CLEVEDON
Stone-edge Batch
BRISTOL
Tickenham
Wraxall
Failand
Nailsea
Long Ashton
70
West End
East End
St. Mary's Grove
Farleigh
Yanley
Kenn
NORTH SOMERSET
Chelvey
Flax Bourton
Backwell
Bishopsworth
Kingston Seymour
West Town
Barrow Gurney
Barrow Common
Dundry
East Dundry
Middle Hope
Sand Point
North End
Claverham
Horsecastle
Brockley
Lulsgate Bottom
Upper Town
Wick St. Lawrence
Woodspring Priory
Icelton
M5
Yatton
Cleeve
Goblin Combe
Bristol (Lulsgate)
Felton
Winford
Sand Bay
Bourton
A370
A38
Chew Magna
Kewstoke
St. George's
West Hewish
Hewish
Puxton
Congresbury
Redhill
Milton
Worle
Wrington
Regil
Chew Stoke
Weston Bay
West Wick
Lower Langford
Cowslip Green
Butcombe
Sea Life Centre
A371
Court Farm
60
WESTON-SUPER-MARE
Stonebridge
A368
Churchill
West Town
Nempnett Thrubwell
Bishop Sutton
A370
Locking
Knightcott
Sandford
Rickford
Blagdon
Blagdon Lake
Uphill
Hutton
Helicopter
Banwell
A38
Upper Langford
Burrington
Aveline's Hole
Ubley
Brean Down
Bird Garden
Oldmixon
Bleadon Hill
Rowberrow
Rock of Ages
Bleadon
Christon
Winscombe
Sidcot
Shipham
MENDIP HILLS
Compton Martin
South Widcombe
Brean
Barton
Loxton
Compton Bishop
West Harptree
Charterhouse
Cheddar Gorge
East Harptree
Brean Leisure Park
Lympsham
Eastertown
Cross
Cheddar
Mendip Forest
Smitham Hill
Animal Farm
Lower Weare
Axbridge
Cheddar Resr
Eastwood Manor Fm.
Berrow Dunes
Wick
Biddisham
A38
Jacob's Ladder
Cox's Cave
Bradley Cross
DANGER AREA
Greendown
Edingworth
SEDGEMOOR
Badgworth
Weare
Draycott Sleights
Berrow
East Brent
Brent Knoll
Tarnock
Rooks Bridge
Brinscombe
Priddy
Stone Allerton
Alston Sutton
Clewer
Brent Knoll
Battleborough
Edithmead
A38
M5
Chapel Allerton
Nyland Hill
Crickham
Draycott
Green Ore
BURNHAM-ON-SEA
Middle Stoughton
Rodney Stoke
Ebbor Gorge
Vole
West Stoughton
Cocklake
Ebbor Rocks
Wookey Hole
Wookey Hole Caves & Mill
West Horrington
Highbridge
Northwick
Mark
Blackford
Wedmore
Westbury-sub-Mendip
R. Axe
Easton
Bridgwater Bay
Alstone
Mark Causeway
Yarrow
Westham
Sand
Heath House
Theale
Walcombe
Haybridge
Steart
Huntspill
Bason Bridge
Secret World Farm
Bagley
Wookey
Panborough
Henton
Wells
East Huntspill
Mudgley
Bleadney
Yarley
Burcott
Dulcote
Dinder
West Huntspill
Stretcholt
Upper Godney
Castle
Coxley
Lower Godney
Polsham
Wormin
SOMERSET
B3140
B3139
B3151
B3141
B3133
B3130
B3128
B3129
B3134
B3135
B3371
B3114
A369
A39
A371
A3033

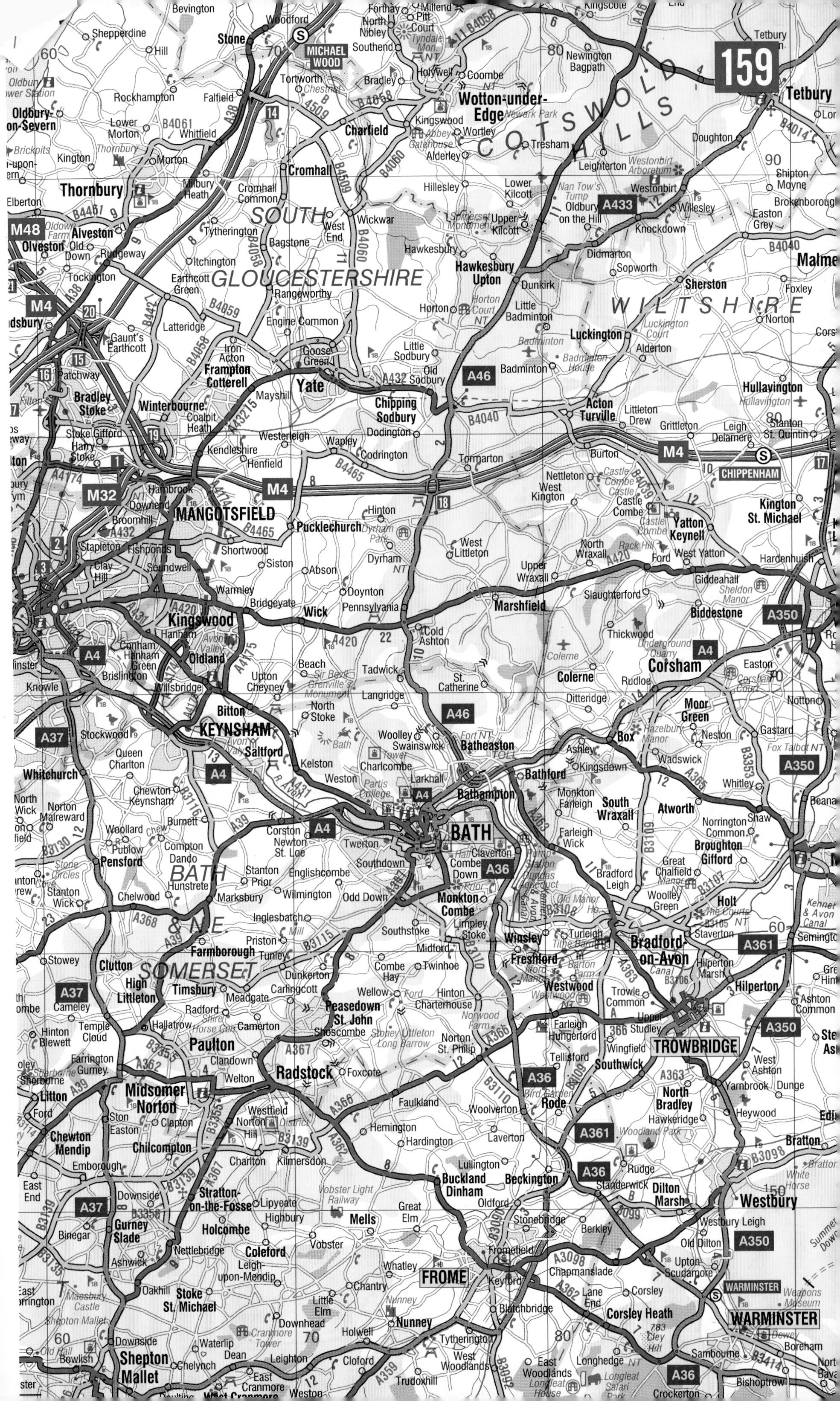
159
Bevington
Sheperdine
Hill
Stone
Woodford
MICHAEL WOOD
Forthay
North Nibley
Millend
Pitt Court
Tyndale Mon.
Southend
Kingscote
Newington Bagpath
Tetbury
Oldbury Power Station
Oldbury-on-Severn
Rockhampton
Falfield
Tortworth
Bradley
Holywell
Coombe
Wotton-under-Edge
Newark Park
Kingswood
Charfield
Wortley
Lower Morton
Whitfield
Kington
Thornbury
Morton
Cromhall
Alderley
Tresham
COTSWOLD HILLS
Doughton
Leighterton
Westonbirt Arboretum
Shipton Moyne
Westonbirt
Brokenborough
Easton Grey
Milbury Heath
Cromhall Common
Hillesley
Lower Kilcott
Nan Tow's Tump
Oldbury on the Hill
Willesley
Knockdown
Elberton
Alveston
Olveston
Old Down
Rudgeway
Tockington
SOUTH GLOUCESTERSHIRE
Tytherington
West End
Wickwar
Upper Kilcott
Somerset Monument
Hawkesbury
Hawkesbury Upton
Didmarton
Sopworth
Sherston
Malmesbury
Itchington
Earthcott Green
Bagstone
Rangeworthy
Dunkirk
Foxley
WILTSHIRE
Norton
Horton
Horton Court NT
Little Badminton
Luckington
Luckington Court
Alderton
Gaunt's Earthcott
Latteridge
Engine Common
Iron Acton
Frampton Cotterell
Goose Green
Yate
Little Sodbury
Old Sodbury
Badminton
Badminton House
Patchway
Bradley Stoke
Winterbourne
Coalpit Heath
Mayshill
Chipping Sodbury
Dodington
Acton Turville
Littleton Drew
Grittleton
Hullavington
Leigh Delamere
Stanton St. Quintin
Stoke Gifford
Harry Stoke
Westerleigh
Wapley
Codrington
Tormarton
Burton
CHIPPENHAM
Kendleshire
Henfield
Nettleton
Castle Combe
West Kington
Kington St. Michael
Hambrook
Downend
MANGOTSFIELD
Hinton
Pucklechurch
Dyrham Park
Yatton Keynell
Broomhill
Stapleton
Fishponds
Shortwood
Dyrham
West Littleton
North Wraxall
Rack Hill
Ford
West Yatton
Hardenhuish
Clay Hill
Soundwell
Siston
Abson
Upper Wraxall
Giddeahall
Sheldon Manor
Warmley
Bridgeyate
Doynton
Pennsylvania
Marshfield
Slaughterford
Kingswood
Hanham
Wick
Cold Ashton
Biddestone
Thickwood
Conham
Hanham Green
Avon Valley
Oldland
Underground Quarry
Colerne
Corsham
Easton
Brislington
Willsbridge
Upton Cheyney
Beach
Sir Bevil Grenville's Monument
Tadwick
Langridge
St. Catherine
Colerne
Rudloe
Ditteridge
Corsham Court
Knowle
Bitton
North Stoke
Moor Green
Neston
Gastard
Notton
Stockwood
KEYNSHAM
Woolley
Swainswick
Batheaston
Hazelbury Manor
Box
Fox Talbot NT
Queen Charlton
Saltford
Kelston
Tower
Charlcombe
Ashley
Kingsdown
Wadswick
Whitley
Whitchurch
Weston
Larkhall
Bathford
Chewton Keynsham
Bathampton
Monkton Farleigh
South Wraxall
Atworth
North Wick
Norton Malreward
Burnett
BATH
Farleigh Wick
Norrington Common
Shaw
Woollard
Publow
Pensford
Compton Dando
Corston
Newton St. Loe
Twerton
Southdown
Claverton
Combe Down
Bradford Leigh
Broughton Gifford
BATH & N.E. SOMERSET
Stanton Prior
Englishcombe
Great Chalfield Manor
Stanton Wick
Chelwood
Hunstrete
Marksbury
Wilmington
Odd Down
Monkton Combe
Limpley Stoke
Woolley Green
Holt
Inglesbatch
Southstoke
The Courts NT
Kennet & Avon Canal
Winsley
Turleigh
Staverton
Semington
Farmborough
Priston
Tunley
Midford
Freshford
Bradford-on-Avon
Stowey
Clutton
Dunkerton
Combe Hay
Twinhoe
Hilperton Marsh
High Littleton
Timsbury
Meadgate
Carlingcott
Wellow
Hinton Charterhouse
Westwood
Trowle Common
Hilperton
Ashton Common
Cameley
Radford
Peasedown St. John
Upper Studley
Temple Cloud
Hallatrow
Camerton
Shoscombe
Stoney Littleton Long Barrow
Norwood Farm
Farleigh Hungerford
Wingfield
TROWBRIDGE
Hinton Blewett
Paulton
Norton St. Philip
Farrington Gurney
Clandown
Tellisford
Southwick
West Ashton
Radstock
Foxcote
Yarnbrook
Dunge
Litton
Midsomer Norton
Welton
Westfield
North Bradley
Heywood
Ford
Ston Easton
Clapton
Norton Hill
Faulkland
Woolverton
Rode
Hawkeridge
Chewton Mendip
Chilcompton
Hemington
Hardington
Laverton
Woodland Park
Bratton
Emborough
Charlton
Kilmersdon
Lullington
Rudge
East End
Downside
Stratton-on-the-Fosse
Lipyeate
Buckland Dinham
Beckington
Standerwick
Dilton Marsh
Westbury
Vobster Light Railway
Great Elm
Oldford
Highbury
Mells
Stonebridge
Berkley
Westbury Leigh
Binegar
Gurney Slade
Holcombe
Vobster
Old Dilton
Ashwick
Nettlebridge
Coleford
Leigh-upon-Mendip
Whatley
Frome
Fromefield
Chapmanslade
Upton Scudamore
East Horrington
Oakhill
Stoke St. Michael
Chantry
Keyford
Lane End
Corsley
WARMINSTER
Weapons Museum
Maesbury Castle
Little Elm
Nunney
Blatchbridge
Corsley Heath
Shepton Mallet
Downhead
Cranmore Tower
Holwell
Tytherington
Cley Hill
Boreham
Downside
Bowlish
Waterlip
Dean
West Woodlands
East Woodlands
Longhedge
Sambourne
Shepton Mallet
Chelynch
Leighton
Cloford
Longleat Safari Park
Longleat House
East Cranmore
Trudoxhill
Bishopstrow
Weston
Crockerton
M4
M5
M32
M48
A4
A36
A37
A46
A350
A361
A420
A433
B4040
B4465
B4058
B4060
B4509
B4061
B3110
B3109
B3108
B3116
B3130
B3114
B3135
B3139
B3355
B3098
B3414
B3092
A39
A362
A363
A366
A367
A368
A369
A432
A4174
A4175

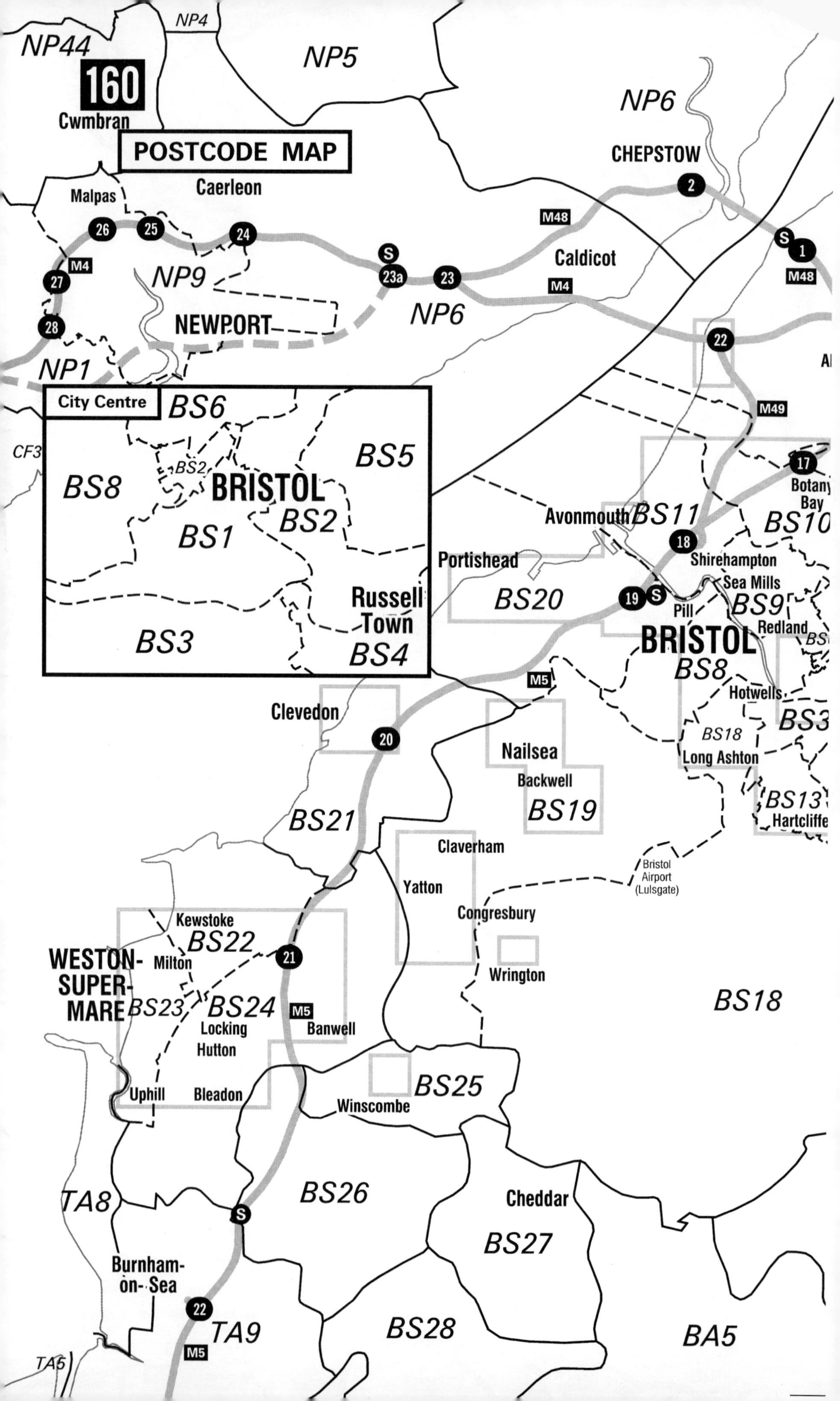

160
POSTCODE MAP
NP44
NP4
NP5
NP6
Cwmbran
CHEPSTOW
Malpas
Caerleon
M48
Caldicot
M4
NP9
NEWPORT
NP6
NP1
City Centre
BS6
BS5
BS8
BS2
BRISTOL
BS2
BS1
BS3
Russell Town
BS4
CF3
Avonmouth
BS11
Botany Bay
BS10
Portishead
BS20
Shirehampton
Sea Mills
Pill
BS9
Redland
BRISTOL
BS8
Hotwells
BS3
BS18
Long Ashton
BS13
Hartcliffe
M49
M5
Clevedon
Nailsea
Backwell
BS19
BS21
Claverham
Yatton
Congresbury
Wrington
Bristol Airport (Lulsgate)
Kewstoke
BS22
WESTON-SUPER-MARE
Milton
BS23
BS24
Locking
Hutton
Banwell
Uphill
Bleadon
BS18
BS25
Winscombe
BS26
TA8
Cheddar
BS27
Burnham-on-Sea
TA9
BS28
BA5
TA5

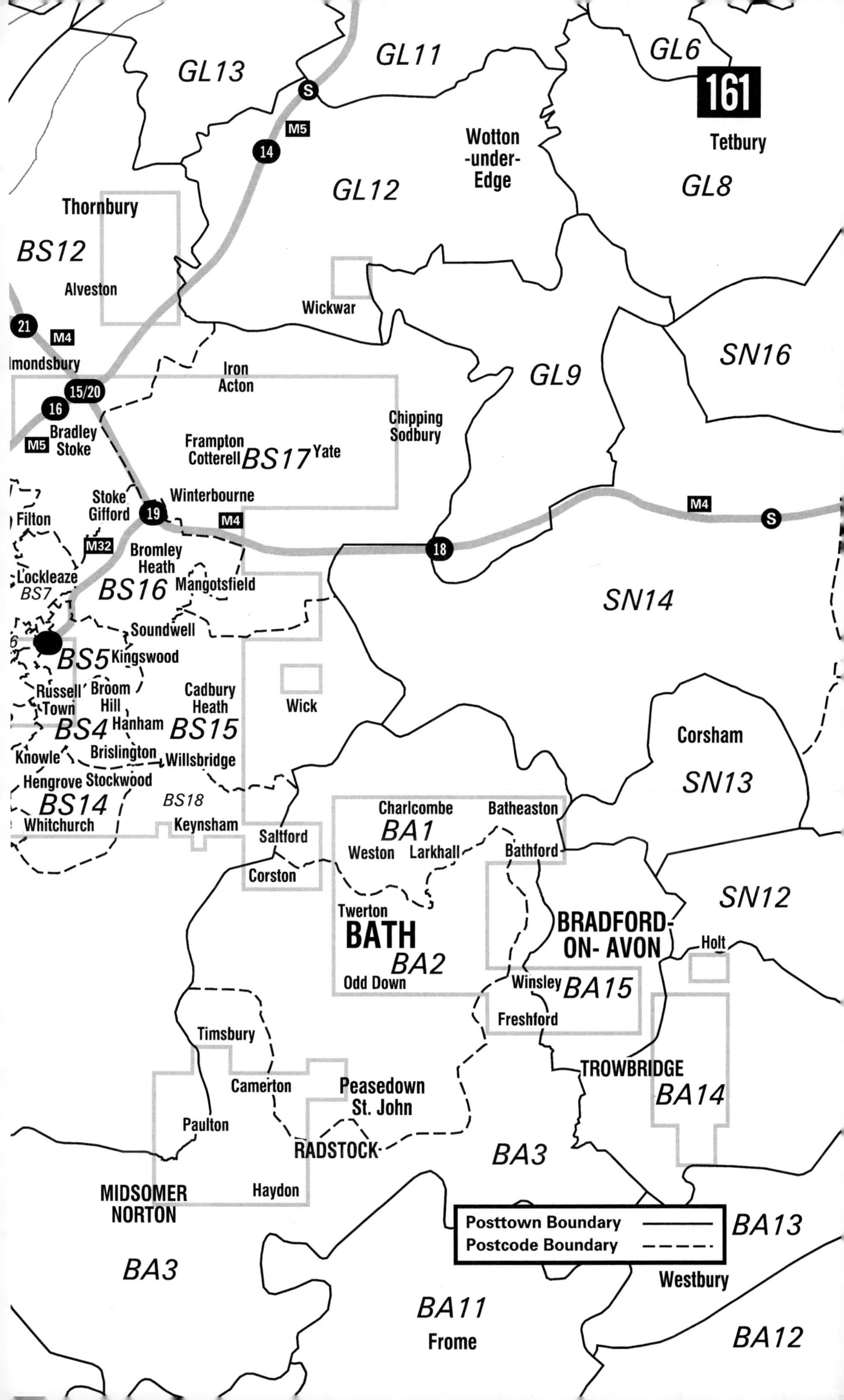
GL13
GL11
GL6
Tetbury
GL8
Wotton
-under-
Edge
GL12
M5
14
Thornbury
BS12
Alveston
Wickwar
21
M4
lmondsbury
15/20
16
Bradley
Stoke
M5
Iron
Acton
Frampton
Cotterell
BS17
Yate
Chipping
Sodbury
GL9
SN16
Stoke
Gifford
19
Winterbourne
M4
Filton
M32
Bromley
Heath
18
M4
Lockleaze
BS7
BS16
Mangotsfield
SN14
Soundwell
BS5
Kingswood
Russell
Town
Broom
Hill
Cadbury
Heath
Wick
Hanham
BS4
BS15
Corsham
Knowle
Brislington
Willsbridge
SN13
Hengrove
Stockwood
BS14
BS18
Whitchurch
Keynsham
Charlcombe
Batheaston
BA1
Saltford
Weston
Larkhall
Bathford
Corston
SN12
Twerton
BATH
BA2
BRADFORD-
ON- AVON
Holt
Odd Down
Winsley
BA15
Freshford
Timsbury
TROWBRIDGE
BA14
Camerton
Peasedown
St. John
Paulton
RADSTOCK
BA3
MIDSOMER
NORTON
Haydon
Posttown Boundary
Postcode Boundary
BA13
BA3
Westbury
BA11
Frome
BA12

INDEX TO PLACES & AREAS
with their map square reference

NOTES
1. Names in this Index shown in CAPITAL LETTERS followed by their Postcode District(s), are Postal Addresses.
2. The places & areas index reference indicates the approximate centre of the town or place and not where the name occurs on the map.

162 A-Z Bristol Deluxe

INDEX TO STREETS

HOW TO USE THIS INDEX

1. Each street name is followed by its Posttown or Postal Locality and then by its map reference; e.g. Abbeydale. *Wint* —3A **30** is in the Winterbourne Postal Locality and is to be found in square 3A on page **30**. The page number being shown in bold type.
   A strict alphabetical order is followed in which Av., Rd., St., etc. (though abbreviated) are read in full and as part of the street name; e.g. Abbotsbury Rd. appears after Abbots Av. but before Abbots Clo.

2. Streets and a selection of Subsidiary names not shown on the Maps, appear in the index in *Italics* with the thoroughfare to which it is connected shown in brackets; e.g. Abbey Chambers. *Bath* —3B **106** (off York St.)

3. The page references shown in brackets indicate those streets that appear on the large scale map pages 4-5 and 96-97; e.g. Abbey Ct. *Bath* —2C **106** (2E **97**) appears in square 2C on page **106** and also appears in the enlarged section in square 2E on page **97**.

GENERAL ABBREVIATIONS

All : Alley
App : Approach
Arc : Arcade
Av : Avenue
Bk : Back
Boulevd : Boulevard
Bri : Bridge
B'way : Broadway
Bldgs : Buildings
Bus : Business
Cvn : Caravan
Cen : Centre

Chu : Church
Chyd : Churchyard
Circ : Circle
Cir : Circus
Clo : Close
Comn : Common
Cotts : Cottages
Ct : Court
Cres : Crescent
Dri : Drive
E : East
Embkmt : Embankment

Est : Estate
Gdns : Gardens
Ga : Gate
Gt : Great
Grn : Green
Gro : Grove
Ho : House
Ind : Industrial
Junct : Junction
La : Lane
Lit : Little
Lwr : Lower

Mnr : Manor
Mans : Mansions
Mkt : Market
M : Mews
Mt : Mount
N : North
Pal : Palace
Pde : Parade
Pk : Park
Pas : Passage
Pl : Place
Quad : Quadrant

Rd : Road
S : South
Sq : Square
Sta : Station
St : Street
Ter : Terrace
Trad : Trading
Up : Upper
Vs : Villas
Wlk : Walk
W : West
Yd : Yard

POSTTOWN AND POSTAL LOCALITY ABBREVIATIONS

Abb L : Abbots Leigh
Alm : Almondsbury
Alv : Alveston
Arn V : Arnos Vale
Ash D : Ashley Down
Asht : Ashton
Ash G : Ashton Gate
Avon : Avoncliff
A'mth : Avonmouth
Azt W : Aztec West
Back : Backwell
Bann : Bannerdown
Ban : Banwell
Bap M : Baptist Mills
Bar C : Barrs Court
Bar H : Barton Hill
Bath : Bath
B'ptn : Bathampton
Bathe : Batheaston
Bathf : Bathford
Bathw : Bathwick
Bedm : Bedminster
Bed D : Bedminster Down
Bishop : Bishopston
B'wth : Bishopsworth
Bit : Bitton
B'don : Bleadon
Brad A : Bradford-on-Avon
Brad S : Bradley Stoke
Bren : Brentry
Brisl : Brislington
Bris : Bristol
B'ley : Brockley
C'ton : Camerton
Charl : Charlcombe
C'vey : Chelvey
Chip S : Chipping Sodbury
Chit : Chittening
C'chu : Christchurch
Clan : Clandown
C'tn : Clapton
Clav : Claverham
Clav D : Claverton Down
Clay H : Clay Hill

C've : Cleeve
Clev : Clevedon
Clif : Clifton
Clif W : Clifton Wood
Clut : Clutton
Coal H : Coalpit Heath
Cod : Codrington
C Down : Combe Down
C Hay : Combe Hay
Cong : Congresbury
C Din : Coombe Dingle
Cor : Corston
Cot : Cotham
Crom : Cromhall
Dod : Dodington
Down : Downend
Dun : Dundry
E Comp : Easter Compton
E'tn : Easton
E'ton G : Easton-in-Gordano
Eastv : Eastville
E Grn : Emersons Green
Eng : Englishcombe
Fail : Failand
Far G : Farrington Gurney
Fil : Filton
Fish : Fishponds
Fram C : Frampton Cotterell
Fren : Frenchay
F'frd : Freshford
G'bnk : Greenbank
Grov : Grovesend
Hall : Hallatrow
H'len : Hallen
Ham : Hambrook
Han : Hanham
Hawk B : Hawkfield Bus. Park
Hay : Haydon
Hen : Henbury
H'gro : Hengrove
Henl : Henleaze
Hew : Hewish
High L : High Littleton
Hil : Hilperton

Hil M : Hilperton Marsh
Holt : Holt
Hor : Horfield
Hot : Hotwells
Hut : Hutton
Iron A : Iron Acton
Kel : Kelston
Ken : Kendleshire
Kew : Kewstoke
Key : Keynsham
Kngdn : Kingsdown (Bath)
K'dwn : Kingsdown (Bristol)
K'wd : Kingswood
Know : Knowle
L'dwn : Lansdown
Lark : Larkhall
Law H : Lawrence Hill
Law W : Lawrence Weston
L Wds : Leigh Woods
Lim S : Limpley Stoke
Lit S : Little Stoke
L Sev : Littleton-upon-Severn
Lock : Locking
L Ash : Long Ashton
L Grn : Longwell Green
Lwr W : Lower Weston
L W'wd : Lower Westwood
Mang : Mangotsfield
Mid : Midford
Mid N : Midsomer Norton
Mil : Milton
Mon C : Monkton Combe
Mont : Montpelier
Nail : Nailsea
New C : New Cheltenham
N Brad : North Bradley
Nthnd : Northend
N'vle : Northville
Old C : Oldland Common
Old S : Old Sodbury
Pat : Patchway
Paul : Paulton
Pea J : Peasedown St John
Pill : Pill

Piln : Pilning
P'bry : Portbury
P'head : Portishead
Puck : Pucklechurch
Rads : Radstock
Redc : Redcliffe
Redf : Redfield
Redl : Redland
Rudg : Rudgeway
St Ag : St Agnes
St And : St Andrews
St Ap : St Annes Park
St Aug : St Augustines
St G : St George
St Geo : St Georges
St Ja : St James
St Jud : St Judes
St Pa : St Pauls
St Ph : St Philips
St Pm : St Philips Marsh
St W : St Werburghs
Salt : Saltford
Sea M : Sea Mills
Sev B : Severn Beach
Shire : Shirehampton
S Park : Sneyd Park
Soun : Soundwell
S'dwn : Southdown
S'mead : Southmead
S'ske : Southstoke
S'vle : Southville
S'will : Speedwell
Stap H : Staple Hill
Stap : Stapleton
Stav : Staverton
Stoc : Stockwood
Stok B : Stoke Bishop
Stok G : Stoke Gifford
Swain : Swainswick
Tem M : Temple Meads
T'bry : Thornbury
Tic : Tickenham
Tim : Timsbury
Tot : Totterdown

Trow : Trowbridge
Tur : Turleigh
Twer A : Twerton on Avon
Tyn P : Tyndalls Park
Tyth : Tytherington
Uph : Uphill
Up Swa : Upper Swainswick
Up W : Upper Westwood
War : Warmley
W Trym : Westbury-on-Trym
W'bry P : Westbury Park
W'lgh : Westerleigh
W'fld I : Westfield Ind. Est.
W Hill : West Hill
W'ton : Weston
W Mare : Weston-super-Mare
W Town : West Town
W'wd : Westwood
W'chu : Whitchurch
W'hall : Whitehall
Whit B : White Horse Bus. Park
W'way : Whiteway
Wick : Wick
Wick L : Wick St Lawrence
Wickw : Wickwar
Wid : Widcombe
Will : Willsbridge
Wins : Winscombe
W'ley : Winsley
Wint : Winterbourne
Wint D : Winterbourne Down
W'ly : Woolley
Wor : Worle
Worl : Worlebury
Wrax : Wraxall
Wrin : Wrington
Writ : Writhlington
Yarn : Yarnbrook
Yate : Yate
Yat : Yatton

INDEX TO STREETS

Abbey Chambers. *Bath*
  (off York St.)   —3B **106**
Abbey Chu. Ho. Bath —3A **106**
  (off Hetling Ct.)
Abbey Chu. Yd. Bath —3B **106**
  (off Cheap St.)
Abbey Clo. *Key* —1A **92**
Abbey Ct. *Bath*
  —4C **106** (5F **97**)
Abbey Ct. *St Ap* —5B **72**
Abbey Courtyard. *Bath*
  —3B **106**
Abbeydale. *Wint* —3A **30**
Abbeygate St. *Bath*
  —3B **106** (4C **96**)
Abbey Grn. *Bath*
  —3B **106** (4C **96**)
Abbey Ho. *Yate* —2F **33**

Abbey La. *Alv* —1E **9**
Abbey La. *F'frd* —5B **112**
Abbey Pk. *Key* —2B **92**
Abbey Rd. *Bris* —1B **56**
Abbey St. *Bath* —3B **106**
  (off York St.)
Abbey View. Bath
  —4C **106** (5F **97**)
Abbey View. *Rads* —1D **153**
Abbey View Gdns. *Bath*
  —4C **106** (5E **97**)
Abbeywood Dri. *Bris* —2D **69**
Abbots Av. *Bris* —1E **83**
Abbotsbury Rd. *Nail* —4C **122**
Abbots Clo. *Bris* —5C **88**
Abbot's Clo. *W Mare* —2E **129**
Abbotsford Rd. *Bris* —1D **69**
Abbots Horn. *Nail* —2C **122**

Abbots Leigh Rd. *Abb L*
  —2C **66**
Abbots Leigh Rd. *L Wds*
  —4F **67**
Abbots Rd. *Bris* —2E **83**
Abbots Way. *Bris* —1F **57**
Abbotswood. *Bris* —3F **73**
Abbotswood. *Yate* —2F **33**
Abbott Rd. *Sev B* —5B **20**
Abbotts Farm Clo. *Paul*
  —4A **146**
Aberdeen Rd. *Bris* —2D **69**
Abingdon Gdns. *Bath* —4E **109**
Abingdon Rd. *Bris* —4C **60**
Ableton Ct. *Brad S* —4B **20**
Ableton La. *H'len* —1B **22**
Ableton La. *Sev B* —4B **20**
Ableton Wlk. *Bris* —2E **55**

Abon Ho. *Bris* —3E **55**
Abraham Clo. *Bris* —2D **71**
Abraham Fry Ho. *Bris* —3A **74**
Abson Rd. *Puck* —2E **65**
Acacia Av. *Bris* —3E **61**
Acacia Av. *W Mare* —5F **127**
Acacia Clo. *Bris* —4F **61**
Acacia Ct. *Key* —4E **91**
Acacia Cres. *Trow* —2B **118**
Acacia Gro. *Bath* —1D **109**
Acacia M. *Bris* —3F **61**
Acacia Rd. *Bris* —3F **61**
Acacia Rd. *Rads* —3B **152**
Accomodation Rd. *B'don*
  —5C **138**
Acorn Gro. *Bris* —2A **86**
Acraman's Rd. *Bris* —1E **79**
Acresbush Clo. *Bris* —3C **86**

Acton Rd. *Bris* —4C **60**
Adams Clo. *Pea J* —4D **157**
Adams Gdns. *Fram C* —1E **31**
Adams Hay. *Bris* —4F **81**
Adastral Rd. *Lock* —4B **136**
Adcroft Dri. *Trow* —1D **119**
Adcroft St. *Trow* —1D **119**
Addicott Rd. *W Mare* —2C **13.**
Addiscombe Rd. *Bris* —3D **89**
Addiscombe Rd. *W Mare*
  —4C **13.**
Addison Rd. *Bris* —2A **80**
Adelaide Pl. *Bath*
  —3C **106** (3F **97**)
Adelaide Pl. *Bris* —3C **60**
Adelaide Pl. *E'tn* —2D **71**
Adelaide Ter. *Bris* —3C **60**
Admirals Wlk. *P'head* —3D **49**

164 A-Z Bristol Deluxe

Agate St.—Avenue Rd.

jate St. Bris —2D 79
ken St. Bris —4D 71
'nslie's Belvedere. Bath
(off Caroline Pl.) —1A 106
ntree Av. Whit B —3F 155
ntree Dri. Bris —3B 46
r Balloon Rd. Bris —3C 72
rport Rd. Bris —1B 88
secombe Way. W Mare —2A 134
keman Way. Bris —4E 37
lard Rd. Bris —1B 88
astair Ct. Trow —3C 118
bany Bldgs. Bris —1E 79
bany Clo. Trow —5F 117
bany Ga. Stok G —4A 28
bany Rd. Bath —3C 104
bany Rd. Bris —1B 70
bany St. Bris —2E 73
bany Way. Bris —5E 75
bermarle Row. Bris —4B 68
bermarle Ter. Bris —4B 68
bert Av. Pea J —2F 149
bert Av. W Mare —2C 132
bert Cres. Bris —5C 70
bert Gro. Bris —2B 72
bert Mill. Key —4B 92
berton Rd. Bris —1B 60
bert Pde. Bris —2F 71
bert Pk. Bris —1B 70
bert Pk. Pl. Bris —1A 70
bert Pl. Bath —3D 111
bert Pl. Bedm —2E 79
bert Pl. W Trym —5C 40
bert Quad. W Mare —5C 126
lbert Rd. Clev —3C 120
bert Rd. Han —5F 73
bert Rd. Key —3A 92
lbert Rd. P'head —3F 49
bert Rd. Sev B —4B 20
bert Rd. Stap H —2A 62
lbert Rd. St Ph —1C 80
bert Rd. Trow —4F 117
bert Rd. W Mare —2C 132
lbert St. Bris —2E 71
lbert Ter. Bris —3B 60
bert Ter. Twer A —3D 105
bion Bldgs. Bath —2E 105
lbion Clo. Bris —2B 62
bion Dockside Est. Bris —5D 69
lbion Dri. Trow —2B 118
bion Pl. Bath —2F 105
bion Pl. Bris —4C 70
lbion Pl. St Ph —3B 70 (2F 5)
lbion Rd. Bris —1D 71
bion St. Bris —2E 71
lbion Ter. Bath —2F 105
lbion Ter. Pat —5D 11
lburys. Wrin —1B 156
lcove Rd. Bris —4A 60
ldeburgh Pl. Trow —4A 118
lder Clo. Trow —5B 118
ldercombe Rd. Bris —4E 39
lderdown Clo. Bris —4C 38
lder Dri. Bris —1A 72
lderley Rd. Bath —5B 104
ldermoor Way. L Grn —1A 84
lderney Av. Bris —1B 82
lders, The. Bris —3D 45
(off Marlborough Dri.)
lder Ter. Rads —2B 152
lderton Rd. Bris —4A 42
lderton Way. Trow —5D 119
lder Way. Bath —4E 109
ldhelm Ct. Brad A —4F 115
ldwick Av. Bris —5E 87
lec Ricketts Clo. Bath —4A 104
lexander Bldgs. Bath —5C 100
lexander Way. Yat —4B 142
lexandra Clo. Bris —3F 61
lexandra Ct. Clev —2C 120
lexandra Gdns. Bris —3F 61
lexandra Pde. W Mare —1C 132
lexandra Pk. Fish —3B 60
lexandra Pk. Paul —4B 146
lexandra Pk. Redl —5E 57
lexandra Pl. Bath —3D 111
lexandra Pl. Bris —3F 61
lexandra Rd. Bath —4B 106
Alexandra Rd. Bed D —1B 86
Alexandra Rd. Clev —2C 120
Alexandra Rd. Clif —2D 69
Alexandra Rd. Coal H —2F 31
Alexandra Rd. Han —5F 73
Alexandra Rd. W Trym —4E 41
Alexandra Ter. Paul —4B 146
Alexandra Way. T'bry —1C 6
Alford Rd. Bris —3E 81
Alfred Hill. Bris —2F 69
Alfred Lovell Gdns. Bris —1C 84
Alfred Pde. Bris —2F 69
Alfred Pl. K'dwn —2E 69
Alfred Pl. Redc —5F 69
Alfred Rd. Bris —2F 79
Alfred Rd. W'bry P —3C 56
Alfred St. Bath —2A 106 (1B 96)
Alfred St. Redf —2E 71
Alfred St. St Ph —4C 70
Alfred St. W Mare —1C 132
Algars Dri. Iron A —3A 16
Algiers St. Bris —2F 79
Alison Gdns. Back —1C 124
Allanmead Rd. Bris —5D 81
Allen Rd. Trow —3B 118
Aller Pde. W Mare —1F 139
Allerton Cres. Bris —4D 89
Allerton Gdns. Bris —3D 89
Allerton Rd. Bris —4C 88
Allfoxton Rd. Bris —4C 58
All Hallows Rd. Bris —2D 71
Allington Dri. Bar C —1B 84
Allington Gdns. Nail —5B 122
Allington Rd. Bris —5E 69
Allison Av. Bris —2A 82
Allison Rd. Bris —2F 81
All Saints Ct. Bris —3F 69 (3C 4)
All Saints Gdns. Bris —2C 68
All Saints La. Bris —3F 69 (2C 4)
All Saints La. Clev —2F 121
All Saints Pl. Bath —4E 107
All Saints Rd. Bath —1A 106
All Saints Rd. Bris —2C 68
All Saints Rd. W Mare —4C 126
All Saints St. Bris —3F 69 (2C 4)
Alma Clo. Bris —2A 74
Alma Ct. Bris —1D 69
Alma Rd. Clif —2C 68
Alma Rd. K'wd —1A 74
Alma Rd. Av. Bris —2D 69
Alma St. Trow —2E 119
Alma St. W Mare —1C 132
Alma Vale Rd. Bris —2C 68
Almeda Rd. Bris —4C 72
Almond Clo. W Mare —4E 129
Almond Gro. Trow —5B 118
Almondsbury Bus. Cen. Alm —3F 11
Almond Way. Bris —2B 62
Almorah Rd. Bris —2A 80
Alpha Rd. Bris —1F 79
Alpine Clo. Paul —5C 146
Alpine Gdns. Bath —1B 106
Alpine Rd. Bris —1E 71
Alpine Rd. Paul —5C 146
Alsop Rd. Bris —2F 73
Alton Pl. Bath —4B 106
Alton Rd. Bris —2B 58
Altringham Rd. Bris —1F 71
Alum Clo. Trow —3E 119
Alverstoke. Bris —1B 88
Alveston Hill. T'bry —1B 8
Alveston Wlk. Bris —5D 39
Alwins Ct. Bar C —1B 84
Amberey Rd. W Mare —3D 133
Amberlands Clo. Back —1C 124
Amberley Clo. Bris —5F 45
Amberley Clo. Key —4A 92
Amberley Gdns. Nail —4C 122
Amberley Rd. Bris —5F 45
Amberley Rd. Pat —1D 27
Amberley Way. Wickw —3C 154
Amble Clo. Bris —3B 74
Ambleside Av. Bris —3D 41
Ambleside Rd. Bath —2C 108
Ambra Vale. Bris —4C 68
Ambra Vale E. Bris —4C 68
Ambra Vale S. Bris —4C 68
Ambra Vale W. Bris —4C 68
Ambrose Rd. Bris —4C 68
Ambury. Bath —4A 106 (5B 96)
(in two parts)
Amercombe Wlk. Bris —1F 89
Amery La. Bath —3B 106 (4C 96)
Amesbury Dri. B'don —5F 139
Amouracre. Trow —2F 119
Ancaster Clo. Trow —1A 118
Anchor Clo. St G —4B 72
Anchor La. Bris —4E 69 (4A 4)
Anchor Rd. Bath —5C 98
Anchor Rd. Bris —4D 69
Anchor Rd. K'wd —1C 74
Anchor Way. Pill —3F 53
Ancliff Sq. Avon —3F 115
Andereach Clo. Bris —5D 81
Andover Rd. Bris —3B 80
Angels Ground. St Ap —4B 72
Angers Rd. Tot —1B 80
Anglesea Pl. Bris —5C 56
Anglo Ter. Bath —1B 106
(off London Rd.)
Annandale Av. W Mare —4C 128
Anson Clo. Salt —5F 93
Anson Rd. Kew —1B 128
Anson Rd. Lock —2E 135
Anstey's Rd. Han —5D 73
Anstey St. Bris —1D 71
Anthea Rd. Bris —5A 60
Antona Ct. Bris —5E 37
Antona Dri. Bris —5F 37
Antrim Rd. Bris —1D 57
Anvil Rd. Clav —2F 143
Anvil St. Bris —4B 70
Apex Ct. Alm —3F 11
Apperley Clo. Yate —1F 33
Appleby Wlk. Bris —1F 87
Appledore. W Mare —3D 129
Appledore Clo. Bris —5D 81
Applegate. Bris —1D 41
Appletree Ct. Wor —3F 129
Apple Tree Dri. Wins —4B 156
Appsley Clo. W Mare —3A 128
Apseleys Mead. Brad S —4E 11
Apsley Clo. Bath —2C 104
Apsley Rd. Bath —2B 104
Apsley Rd. Bris —1C 68
Apsley St. Bris —5E 59
Apsley Vs. Bris —1F 69
Arbutus Dri. Bris —5E 39
Arbutus Wlk. Bris —3F 39
Arcade, The. Bris —3A 70 (1D 5)
Arch Clo. L Ash —4B 76
Archer Ct. L Grn —2B 84
Archer's Ct. Clev —2D 121
Archer Wlk. Bris —1A 90
Archfield Rd. Bris —1E 69
Archgrove. L Ash —4B 76
Archway St. Bath —4C 106 (5E 97)
Arch Yd. Trow —1D 119
Arden Clo. Brad S —3A 28
Arden Clo. W Mare —2D 129
Ardenton Wlk. Bris —1C 40
Ardern Clo. Bris —4D 39
Argus Rd. Bris —2E 79
Argyle Av. Bris —5E 59
Argyle Av. W Mare —4D 133
Argyle Dri. Yate —2A 18
Argyle Pl. Bris —4C 68
Argyle Rd. Clev —1D 121
Argyle Rd. Fish —5D 61
Argyle Rd. St Pa —2A 70
Argyle St. Bath —3B 106 (3C 96)
Argyle St. Bedm —1E 79
Argyle St. Eastv —5E 59
Argyle Ter. Bath —3D 105
Arley Cotts. Bris —1F 69
Arley Hill. Bris —1F 69
Arley Pk. Bris —5F 57
Arley Ter. Bris —1A 72
Arlingham Way. Pat —5A 10
Arlington Rd. Bath —4E 105
Arlington Rd. Bris —4F 71
Arlington Vs. Bris —3D 69
Armadale Av. Bris —1A 70
Armada Pl. Bris —1A 70
Armada Rd. Bris —2C 88
Armes Ct. Bath —4B 106
Armoury Sq. Bris —2C 70
Armstrong Clo. T'bry —5E 7
Armstrong Dri. War —5D 75
Armstrong Way. Yate —3C 16
Arnall Dri. Bris —3B 40
Arncliffe Flats. Bris —4E 41
Arndale Rd. W Mare —5B 128
Arneside Rd. Bris —3E 41
Arnold Ct. Chip S —5D 19
Arnolds Field Trad. Est. Wickw —2B 154
Arnolds Hill. Wing —3A 118
Arnolds Way. Yat —2A 142
Arnor Clo. W Mare —1E 129
Arno's St. Bris —2C 80
Arras Clo. Trow —4C 118
Arrowfield Clo. Bris —5C 88
Arthur Skemp Clo. Bris —3D 71
Arthur St. Bris —5C 70
Arthur St. St G —2E 71
Arthurswood Rd. Bris —4C 86
Arundel Clo. Bris —3D 87
Arundel Ct. Bris —4F 57
Arundell Rd. W Mare —5C 126
Arundel Rd. Bath —5B 100
Arundel Rd. Bris —4F 57
Arundel Rd. Clev —3D 121
Arundel Wlk. Key —3F 91
Ascension Ho. Bath —5E 105
Ascot Clo. Bris —3B 46
Ascot Ct. Whit B —3F 155
Ascot Rd. Bris —2F 41
Ashbourne Clo. Bris —4E 75
Ashburton Rd. Bris —3E 41
Ashbury Dri. W Mare —3F 127
Ash Clo. Fish —4E 61
Ash Clo. Lit S —2F 27
Ash Clo. Wins —3B 156
Ash Clo. Yate —3F 17
Ashcombe Cres. Bris —4E 75
Ashcombe Gdns. W Mare —4E 127
Ashcombe Pk. Rd. W Mare —4E 127
Ashcombe Pl. W Mare —1D 133
Ashcombe Rd. W Mare —1D 133
Ashcott. Bris —1B 88
Ash Ct. Bris —3C 88
Ashcroft. W Mare —1F 139
Ashcroft Av. Key —3F 91
Ashcroft Rd. Bris —5E 39
Ashdene Av. Bris —4F 59
Ashdene Rd. W Mare —4E 127
Ashdown Rd. P'head —2C 48
Ash Dri. N Brad —4D 155
Asher La. Bris —3B 70 (1F 5)
Ashes La. F'frd —5A 112
Ashfield Pl. Bris —1B 70
Ashfield Rd. Bris —2D 79
Ashford Dri. W Mare —2E 139
Ashford Rd. Bath —5E 105
Ashford Rd. Pat —2C 26
Ashford Way. Bris —3B 74
Ash Gro. Bath —5D 105
Ash Gro. Bris —4E 61
Ash Gro. Clev —2E 121
Ashgrove. Pea J —4D 157
Ashgrove. T'bry —3D 7
Ash Gro. Uph —1C 138
Ashgrove Av. Abb L —3D 67
Ashgrove Av. Bris —3B 58
Ashgrove Rd. Ash D —3B 58
Ashgrove Rd. Bedm —2D 79
Ashgrove Rd. Redl —1D 69
Ash Hayes Dri. Nail —4D 123
Ash Hayes Rd. Nail —4D 123
Ashland Rd. Bris —4C 86
Ash La. Alm —4A 10
Ashleigh Clo. Paul —3B 146
Ashleigh Clo. W Mare —5E 127
Ashleigh Cres. Yat —3B 142
Ashleigh Ho. Paul —4B 146
Ashleigh Rd. W Mare —5E 127
Ashleigh Rd. Yat —3B 142
Ashley. Bris —2B 74
Ashley Av. Bath —2D 105
Ashley Clo. Brad A —1C 114
(in two parts)
Ashley Clo. Bris —3B 58
Ashley Clo. Wins —5B 156
Ashley Ct. Bris —1B 70
Ashley Ct. Rd. Bris —5B 58
Ashley Down Rd. Bris —2A 58
Ashley Gro. Rd. Bris —5B 58
Ashley Hill. Bris —4B 58
Ashley La. W'ley —2A 114
Ashley Pde. Bris —5B 58
Ashley Pk. Bris —4B 58
Ashley Rd. Bathf —4D 103
Ashley Rd. Brad A —1C 114
Ashley Rd. Bris —1A 70
Ashley Rd. Clev —5B 120
Ashley St. Bris —1C 70
Ashley Ter. Bath —2D 105
Ashley Trad. Est. Bris —5B 58
Ashman Clo. Bris —2C 70
Ashmans Ga. Paul —4B 146
Ashmead. Trow —4C 118
Ashmead Bus. Cen. Key —3D 93
Ashmead Ct. Trow —3D 119
Ashmead Rd. Key —3D 93
Ashmead Way. Bris —5B 68
Ashridge Rd. Alm —3D 11
Ash Rd. Ban —4C 136
Ash Rd. Bris —2A 58
Ashton. Bris —3E 45
(off Harford Dri.)
Ashton Av. Bris —5C 68
Ashton Clo. Clev —5B 120
Ashton Cres. Nail —4C 122
Ashton Dri. Bris —3A 78
Ashton Ga. Rd. Bris —1C 78
Ashton Ga. Ter. Bris —1C 78
Ashton Ga. Underpass. Bris —1B 78
Ashton Rd. Bris —2F 77
Ashton St. Trow —2E 119
Ashton Vale Rd. Bris —2A 78
Ashton Vale Trad. Est. Bris —4B 78
Ashton Way. Key —2A 92
Ash Tree Clo. B'don —5A 140
Ash Tree Ct. Rads —3B 152
Ashvale Clo. Nail —3F 123
Ashville Rd. Bris —1C 78
Ash Wlk. Bren —1D 41
Ashwell Clo. Bris —2A 90
Ashwicke. Bris —2C 88
Aspen Pk. Rd. W Mare —5C 128
Assembly Rooms La. Bris —4F 69 (4B 4)
Astry Clo. Bris —3C 38
Atchley St. Bris —3D 71
Atherston. Bris —5F 75
Athlone Wlk. Bris —4A 80
Atholl Clo. W Mare —2D 129
Atkins Clo. Bris —2A 90
Atlantic Rd. Bris —4E 37
Atlantic Rd. W Mare —4A 126
Atlantic Rd. S. W Mare —4A 126
Atlas Clo. Bris —5C 60
Atlas Rd. Bris —2A 80
Atlas St. Bris —5D 71
Attwell Ct. Bath —5A 106
Atwell Dri. Brad S —4D 11
Atwood Dri. Bris —2D 39
Aubrey Rd. Bris —2D 79
Auburn Av. L Grn —2D 85
Auburn Rd. Bris —5D 57
Auckland Clo. W Mare —5D 133
Audley Av. Bath —2D 105
Audley Clo. Bath —2E 105
Audley Gro. Bath —1D 105
Audley Pk. Rd. Bath —1D 105
Audrey Wlk. Bris —5F 41
Augusta Pl. Bath —2E 105
Austen Dri. W Mare —1F 129
Austen Gro. Bris —4C 42
Aust La. Bris —4C 40
Avalon Clo. Yat —2A 142
Avalon Ho. Nail —4B 122
Avalon Rd. Bris —5D 73
Avebury Rd. Bris —3A 78
Avendall. Bris —5A 38
Avening Clo. Nail —5E 123
Avening Rd. Bris —2C 72
Avenue Pl. C Down —3C 110
Avenue Rd. Trow —2B 118

Boundary Clo. W Mare —5C 132
Boundary Rd. Coal H —2F 31
Boundary Wlk. Trow —5B 118 (in three parts)
Bourchier Gdns. Bris —5D 87
Bourne Clo. Bris —2D 73
Bourne Clo. Wint —2A 30
Bourne Rd. Bris —2C 72
Bourneville Rd. Bris —2F 71
Bournville Rd. W Mare —3D 133
Boursland Clo. Brad S —4F 11
Bourton Av. Pat —5E 11
Bourton Clo. Pat —1E 27
Bourton La. St Geo —2B 130
Bourton Mead. L Ash —4D 77
Bourton Wlk. Bris —5C 78
Bouverie St. Bris —2D 71
Boverton Rd. Bris —1D 43
Bowden Clo. Bris —4E 39
Bowden Pl. Bris —5B 46
Bowden Rd. Bris —1A 72
Bowen Rd. Lock —3F 135
Bower Ashton Ter. Bris —1B 78
Bowerleaze. Bris —2E 55
Bower Rd. Bris —2C 78
Bower Wlk. Bris —2A 80
Bowlditch La. Mid N —5E 147
Bowling Hill. Chip S —5C 18
Bowling Rd. Chip S —1D 35
Bow Mead. Bris —3A 90
Bowness Gdns. Bris —4E 41
Bowood. Bris —3E 45 (off Harford Dri.)
Bowring Clo. Bris —5E 87
Bowsland. Brad S —4A 12
Bowsland Way. Brad S —4E 11
Bowstreet La. E Comp —1C 24
Boxbury Hill. Paul —1B 150
Box Hedge La. Coal H —5A 32
Box Rd. Bath —3C 102
Box Wlk. Key —4E 91
Boyce Clo. Bath —4A 104
Boyce Dri. Bris —5C 58
Boyce's Av. Bris —3C 68
Boyd Clo. Wick —4A 154
Boyd Rd. Salt —5F 93
Brabazon Rd. Bris —2D 43
Bracewell Gdns. Bris —5E 25
Bracey Dri. Bris —1E 61
Brackenbury Dri. Stok G —4B 28
Brackendene. Pat —5E 11
Bracken Wood Rd. Clev —1E 121
Bracton Dri. Bris —3C 88
Bradeston Gro. Bris —5C 44
Bradford Clo. Clev —5C 120
Bradford Pk. Bath —2B 110 (in two parts)
Bradford Rd. Bathf —3C 102
Bradford Rd. C Down —3A 110
Bradford Rd. Holt —2D 155
Bradford Rd. Trow —1B 118
Bradford Rd. W'ley —2F 113
Bradford Wood La. Brad A —3F 115
Bradhurst St. Bris —4D 71
Bradley Av. Bris —1A 54
Bradley Av. Wint —4A 30
Bradley Clo. Holt —2F 155
Bradley Ct. Bris —2E 61
Bradley Cres. Bris —1A 54
Bradley La. Holt —2F 155
Bradley Pavilions. Brad S —4E 11
Bradley Rd. Pat —1B 26
Bradley Rd. Trow —3C 118
Bradley Stoke Way. Brad S —3B 28
Bradstone Rd. Wint —4F 29
Bradville Gdns. L Ash —5B 76
Bradwell Gro. Bris —4E 41
Braemar Av. Bris —3B 42
Braemar Cres. Bris —3B 42
Brae Rise. Wins —4B 156
Brae Rd. Wins —4A 156
Bragg's La. Bris —3B 70
Braikenridge Clo. Clev —5C 120
Braikenridge Rd. Bris —1F 81
Brainsfield. Bris —1B 56
Brake Clo. Brad S —3A 28
Brake Clo. Bris —3B 74
Brake, The. Coal H —4E 31
Brake, The. Yate —1A 18
Brakewell Gdns. Bris —4C 88
Bramble Dri. Bris —4E 55
Bramble La. Bris —4E 55
Brambles, The. Bris —4E 87
Brambles, The. Key —5F 91
Bramble Way. C Down —3C 110
Bramblewood. Yat —2B 142
Bramblewood Rd. W Mare —2C 128
Brambling Wlk. Bris —1B 60 (in two parts)
Bramley Clo. Lock —4E 135
Bramley Clo. Pea J —5D 157
Bramley Clo. Pill —3E 53
Bramley Clo. Yat —4B 142
Bramley Ct. Bar C —1B 84
Bramley Dri. Back —3C 124
Bramley La. Trow —3D 119
Bramley Sq. Cong —3D 145
Bramleys, The. Nail —5A 122
Brampton Dri. Bris —4F 45
Brampton Way. P'head —3F 49
Bramshill Dri. W Mare —2D 129
Branche Gro. Bris —5F 87
Brandash Rd. Chip S —5E 19
Brandon Ho. Bris —4D 69
Brandon Steep. Bris —4E 69
Brandon Steps. Bris —4E 69
Brandon St. Bris —4E 69
Brangwyn Gro. Bris —2D 59
Brangwyn Sq. W Mare —3D 129
Branksome Cres. Bris —1D 43
Branksome Dri. Bris —1D 43
Branksome Dri. Wint —3A 30
Branksome Rd. Bris —4D 57
Branscombe Rd. Bris —3E 55
Branscombe Wlk. P'head —5B 48
Branwhite Clo. Bris —5D 43
Brassknocker Hill. Mon C —1B 112
Brassmill La. Bath —1B 104
Brassmill La. Trad. Est. Bath —2B 104
Bratton Rd. Bris —1F 87
Braunton Rd. Bris —2E 79
Braydon Av. Lit S —1E 27
Brayne Ct. L Grn —2B 84
Braysdown Clo. Pea J —3E 149
Braysdown La. Pea J —2F 149 (in two parts)
Breaches Ga. Brad S —3B 28
Breaches La. Key —4C 92
Breaches, The. E'ton G —2D 53
Breach Rd. Bris —2C 78
Breakneck. Back —4D 125
Brean Down Av. Bris —2D 57
Brean Down Av. W Mare —4B 132
Brecknock Rd. Bris —2C 80
Brecon Rd. Bris —1C 56
Brecon View. W Mare —2E 139
Bredon. Yate —2F 33
Bredon Clo. Bris —3B 74
Bredon Nook Rd. Bris —5E 41
Bree Clo. W Mare —1E 129
Brendon Av. W Mare —4D 127
Brendon Clo. Old C —1E 85
Brendon Gdns. Nail —4D 123
Brendon Rd. Bris —2F 79
Brendon Rd. P'head —3C 48
Brenner St. Bris —5D 59
Brent Clo. W Mare —1F 139
Brent Rd. Bris —2B 58
Brentry Av. Bris —3D 71
Brentry Hill. Bris —3C 40
Brentry Ho. Bris —1D 41
Brentry La. Bris —2C 40
Brentry Rd. Bris —3A 60
Brereton Way. Bris —1D 85
Brewerton Clo. Bris —1E 41
Briar Clo. Nail —3F 123
Briar Clo. Rads —4A 152
Briarfield Av. Bris —5D 73
Briarleaze. Rudg —5A 8
Briar Mead. Yat —2A 142
Briar Rd. Hut —5C 134
Briarside Rd. Bris —1E 41
Briar Wlk. Bris —4E 61
Briar Way. Bris —3D 61
Briarwood. Bris —1B 56
Briary Rd. P'head —3E 49
Briavels Gro. Bris —5B 58
Briburn M. Bath —3F 105 (off Stanhope Pl.)
Brick St. Bris —3B 70
Bridewell La. Bath —3A 106 (3B 96)
Bridewell La. Hut —3F 141
Bridewell St. Bris —3F 69 (1C 4)
Bridge Av. Trow —2A 118
Bridge Clo. Bris —4E 89
Bridge Farm Clo. Bris —5C 88
Bridge Farm Sq. Cong —2D 145
Bridgeleap Rd. Bris —4B 46
Bridge Pl. Rd. C'ton —1B 148
Bridge Rd. Bath —4D 105
Bridge Rd. B'don —5F 139
Bridge Rd. Eastv —4D 59
Bridge Rd. K'wd —4B 62
Bridge Rd. L Wds —4F 67
Bridge Rd. Mang —3E 63
Bridge Rd. W Mare —2D 133
Bridge Rd. Yate —4C 16
Bridges Ct. Fish —3D 61
Bridges Dri. Bris —1E 61
Bridge St. Bath —3B 106 (3C 96)
Bridge St. Brad A —3E 115
Bridge St. Bris —4A 70 (3C 4)
Bridge St. Eastv —5F 59
Bridge St. Trow —3D 119
Bridge Valley Rd. Bris —2A 68
Bridge Wlk. Bris —4C 42
Bridge Way. Fram C —1D 31
Bridgewell La. W Mare —2F 141
Bridgman Gro. Bris —1E 43
Bridgwater Rd. Bris —2A 86
Bridgwater Rd. Uph & B'don —5C 132
Bridgwater Rd. Wins —5C 156
Bridle Way. Alv —3A 8
Briercliffe Rd. Bris —5F 39
Brierly Furlong. Stok G —1F 43
Briery Leaze Rd. Bris —3C 88
Brighton Cres. Bris —3D 79
Brighton M. Bris —2D 69
Brighton Pk. Bris —2D 71
Brighton Pl. Bris —1F 73
Brighton Rd. Bris —1E 69
Brighton Rd. Pat —1B 26
Brighton Rd. W Mare —2C 132
Brighton St. Bris —1A 70
Brighton Ter. Bedm —3D 79
Bright St. Bar H —3D 71
Bright St. K'wd —2F 73
Brigstocke Rd. Bris —1A 70
Brimbles. Bris —2D 43
Brimbleworth La. St Geo —1A 130
Brimridge Rd. Wins —4B 156
Brinkworthy Rd. Bris —1A 60
Brinmead Wlk. Bris —5B 86
Brins Clo. Stok G —5B 28
Brinscombe La. Bath —5F 157
Brinsea Batch. Cong —5E 145
Brinsea La. Cong —5F 145
Brinsea Rd. Cong —3D 145
Brinsham La. Yate —1C 18
Briscoes Av. Bris —4E 87
Brislington Hill. Bris —3A 82
Brislington Retail Pk. Brisl —4A 82
Brislington Trad. Est. Bris —3B 82
Bristol Bus. Pk. Bris —3A 44
Bristol Ga. Bris —5B 68
Bristol Hill. Bris —3F 81
Bristol Rd. Bath —4D 95
Bristol Rd. Cong —2D 145
Bristol Rd. Fram C —5C 14
Bristol Rd. Fren —4C 44
Bristol Rd. Ham —1F 45
Bristol Rd. Key —2F 91
Bristol Rd. Paul —3B 146
Bristol Rd. P'head —4F 49
Bristol Rd. Rads —5B 148
Bristol Rd. T'bry —5C 6
Bristol Rd. W'chu —3E 89
Bristol Rd. Wins —5C 156
Bristol Rd. Wint —2A 30
Bristol Rd. W Mare —3A 130
Bristol Rd. Lwr. W Mare —5B 126
Bristol Vale Cen. for Industry. Bris —4D 79
Bristol Vale Trad. Est. Bris —5E 79
Bristol View. Bath —4D 109
Britannia Cres. Stok G —4F 27
Britannia Ho. Brad S —2B 42
Britannia Rd. E'tn —1D 71
Britannia Rd. K'wd —2E 73
Britannia Rd. Pat —1F 25
Britannia Way. Clev —5C 120
British Rd. Bris —2D 79
British Row. Trow —1C 118
British, The. Yate —2D 17
Brittan Pl. P'bry —4A 52
Britten Ct. L Grn —1B 84
Britten's Clo. Paul —3C 146
Britten's Hill. Paul —3C 146
Brixham Rd. Bris —3E 79
Brixton Rd. Bris —2D 71
Brixton Rd. M. E'tn —2D 71
Broadbury Rd. Bris —5F 79
Broadcloth La. Trow —3E 119
Broadcloth La. E. Trow —4E 119
Broad Croft. Brad S —4E 11
Broadcroft Av. Clav —2F 143
Broadcroft Clo. Clav —2F 143
Broadfield Av. Bris —2E 73
Broadfield Rd. Bris —5C 80
Broadlands. Clev —3F 121
Broadlands Av. Key —2F 91
Broadlands Dri. Bris —3C 38
Broad La. W'lgh —4F 31
Broad La. Yate —2D 17
Broadleas. Bris —1E 87
Broadleaze. Shire —5F 37
Broadley Pk. N Brad —4E 155
Broadleys Av. Bris —5E 41
Broadmead. Bris —3A 70 (1D 5)
Broadmead. Trow —1A 118
Broadmead La. Key —3D 93
Broadmead Shopping Cen. Bris —3A 70 (1D 5)
Broadmoor La. Bath —2A 98
Broadmoor Pk. Bath —4C 98
Broadmoor Vale. Bath —3B 98
Broadoak Hill. Dun —5B 86
Broadoak Rd. Bris —4B 86
Broadoak Rd. W Mare —5B 132
Broad Oaks. Bris —4A 68
Broadoak Wlk. Bris —3D 61
Broad Plain. Bris —3B 70 (3F 5)
Broad Quay. Bath —4A 106 (5C 96)
Broad Quay. Bris —4F 69 (3B 4)
Broad Rd. Bris —1E 73
Broadstone Wlk. Bris —3F 87
Broad St. Bath —2B 106 (2C 96)
Broad St. Bris —3F 69 (2C 4)
Broad St. Chip S —5D 19
Broad St. Cong —2D 145
Broad St. Stap H —3F 61
Broad St. Trow —1C 118
Broad St. Wrin —1B 156
Broad St. Pl. Bath —2B 106 (2C 96)
Broad Wlk. Bris —3B 80
Broad Wlk. P'head —1A 50
Broad Wlk. Shopping Precinct. Bris —3D 81
Broadway. Bath —3C 106 (4E 97)
Broadway. Lock —4B 136
Broadway. Salt —5F 93
Broadway. W Mare —1D 139
Broadway. Yate —4B 18
Broadway Av. Bris —1F 57
Broadway La. Rads —3E 147
Broadway Rd. Bishop —4F 57
Broadway Rd. B'wth —3B 86
Broadways Dri. Bris —5B 44
Broad Weir. Bris —3A 70 (2E 5
Brock End. P'head —5A 48
Brockhurst Gdns. Bris —2C 7
Brockhurst Rd. Bris —2C 72
Brockley Clo. Lit S —2E 27
Brockley Clo. Nail —4C 122
Brockley Clo. W Mare —2D 13
Brockley Combe Rd. Back —5A 12
Brockley Cres. W Mare —2D 13
Brockley La. B'ley —3A 124
Brockley Rd. Salt —5F 93
Brockley Wlk. Bris —5C 78
Brockley Way. B'ley —5A 124
Brockley Way. Clav —1F 143
Brockridge La. Fram C —2E 3
Brocks La. L Ash —4B 76
Brocks Rd. Bris —5E 87
Brock St. Bath —2A 106 (1A 96
Brockway. Nail —3E 123
Brockworth. Yate —3E 33
Brockworth Cres. Bris —1B 60
Bromley Dri. Bris —4F 45
Bromley Heath Av. Bris —4F 45
Bromley Heath Rd. Bris (in two parts) —5F 45
Bromley Rd. Bris —2B 58
Brompton Clo. Bris —2B 74
Brompton Rd. W Mare —1E 139
Broncksea Rd. Bris —3B 42
Brook Clo. L Ash —4D 77
Brookcote Dri. Lit S —3F 27
Brookdale Rd. Bris —2D 87
Brookfield Av. Bris —4F 57
Brookfield Clo. Chip S —4E 19
Brookfield Pk. Bath —4C 98
Brookfield Rd. Bris —5F 57
Brookfield Rd. Pat —1D 27
Brookfield Wlk. Clev —3F 121
Brookfield Wlk. Old C —2E 85
Brookgate. Bris —4A 78
Brook Hill. Bris —1B 70
Brook Ho. Lit S —2E 27
Brookland Rd. Bris —2F 57
Brookland Rd. W Mare —1F 133
Brook La. Mont —1B 70
Brook La. Stap —1A 60
Brooklea. Old C —1D 85
Brookleaze. Bris —1E 55
Brookleaze Bldgs. Bath —4C 100
Brook Lintons. Bris —2F 81
Brooklyn. Wrin —1B 156
Brooklyn Rd. Bath —4D 101
Brooklyn Rd. Bris —5D 79
Brooklyn St. Bris —5B 58
Brookmead. T'bry —5E 7
Brookridge Ho. Bris —1B 40
Brook Rd. Bath —3E 105
Brook Rd. Fish —3C 60
Brook Rd. Mang —1B 62
Brook Rd. Mont —1B 70
Brook Rd. St G —1A 72
Brook Rd. S'vle —1F 79
Brook Rd. Trow —2A 118
Brook Rd. War —2C 74
Brookside. Paul —3B 146
Brookside. Pill —4E 53
Brookside Clo. Bathe —1A 102
Brookside Clo. Paul —3B 146
Brookside Dri. Fram C —1D 31
Brookside Ho. Bath —5C 98
Brookside Rd. Bris —3A 82
Brook St. Bris —3E 71
Brook St. Chip S —5C 18
Brookthorpe. Yate —1F 33
Brookthorpe Av. Bris —3C 38
Brookview Wlk. Bris —1D 87
Brook Way. Brad S —3A 28
Broom Farm Clo. Nail —5D 123
Broomfield Wlk. E Grn —5D 47
Broomground. W'ley —2F 113
Broom Hill. Bris —1A 60
Broom Hill La. Clut —1B 146
Broomhill Rd. Brisl —4B 82
Brougham Cotts. Bath (off Dafford St.) —4D 101
Brougham Hayes. Bath —3E 105

Brougham Pl.—Cecil Av.

rougham Pl. *Bath* —4D **101** (off St Saviours Rd.)
roughton Ho. *Bris* —5A **70**
roughton Rd. *Holt* —5C **118**
row Hill. *Bath* —2A **102**
row Hill Vs. *Bath* —2A **102**
rownlow Rd. *W Mare* —4C **132**
rown St. *Trow* —3D **119**
row, The. *Bath* —3D **111** (Church Rd.)
row, The. *Bath* —4C **104** (Innox Rd.)
roxholme Wlk. *Bris* —4B **38**
ruce Av. *Bris* —1E **71**
ruce Rd. *Bris* —1E **71**
rue Clo. *W Mare* —3C **132**
rummel Way. *Paul* —3A **146**
runel Clo. *W Mare* —2D **139**
runel Ct. *Yate* —4E **17**
runel Ho. *Bath* —3B **104**
runel Lock Rd. *Bris* —5B **68**
runel Rd. *Bris* —5B **78**
runel Rd. *Nail* —4A **122**
runel Way. *Ash G & Bris* —1B **78**
runel Way. *T'bry* —5C **6**
runswick Pl. *Bath* —2A **106** (1B **96**)
runswick Pl. *Bris* —5B **68**
runswick Sq. *Bris* —2A **70**
runswick St. *Bar H* —3E **71**
runswick St. *Bath* —5C **100**
runswick St. *St Pa* —2A **70**
ruton. *W Mare* —1E **139**
ruton Av. *Bath* —5A **106**
ruton Av. *P'head* —3C **48**
ruton Clo. *Bris* —2B **72**
ruton Clo. *Nail* —5D **123**
ruton Pl. *Bris* —3D **69**
ryanson's Clo. *Bris* —1F **59**
ryant Av. *Rads* —3A **152**
ryant Gdns. *Clev* —5C **120**
ryants Clo. *Bris* —3E **45**
ryants Hill. *Bris* —4D **73**
ryer-Ash Bus. Pk. *Trow* —2C **118**
rynland Av. *Bris* —3A **58**
uchanans Wharf N. *Bris* —4A **70** (4D **5**)
uchanans Wharf S. *Bris* —4A **70** (4D **5**)
uckingham Dri. *Stok G* —5A **28**
uckingham Gdns. *Bris* —1A **62**
uckingham Ho. *Brad S* —2B **42**
uckingham Pde. *T'bry* —3C **6**
uckingham Pl. *Clif* —3C **68**
uckingham Pl. *Down* —1A **62**
uckingham Rd. *Bris* —5F **71**
uckingham Rd. *W Mare* —5F **133**
uckingham St. *Bris* —3E **79**
uckingham Vale. *Bris* —2C **68**
uckland Grn. *W Mare* —1E **129**
ucklands Batch. *Nail* —5E **123**
ucklands Dri. *Nail* —5E **123**
ucklands End. *Nail* —5E **123**
ucklands Gro. *Nail* —5E **123**
ucklands La. *Nail* —5E **123**
ucklands View. *Nail* —5F **123**
uckleaze Clo. *Trow* —5D **119**
udbury Circ. *Brad A* —2D **115**
udbury Clo. *Brad A* —2D **115**
udbury Heights. *Brad A* —2D **115**
udbury Pl. *Brad A* —2D **115**
udbury Ridge. *Brad A* —2D **115**
udbury Tyning. *Brad A* —2C **114**
ude Av. *Bris* —2C **72**
ude Clo. *Nail* —4F **123**
ude Rd. *Bris* —1D **43**
ullens Clo. *Brad S* —4F **11**
uller Rd. *Bris* —3E **81**
ull La. *Bris* —4B **72**
ull La. *Pill* —3E **53**
ull Pit. *Brad A* —3E **115**
umper's Batch. *Bath* —4B **110**
ungay's Hill. *Paul* —1B **146**
Bunting Ct. *W Mare* —4C **128**
Burbank Clo. *L Grn* —2C **84**
Burchells Av. *Bris* —1D **73**
Burchells Grn. Clo. *Bris* —1D **73**
Burchells Grn. Rd. *Bris* —1D **73**
Burcott Rd. *Bris* —4E **21**
Burden Clo. *Brad S* —3B **28**
Burderop Clo. *Trow* —5D **119**
Burfoote Gdns. *Bris* —4A **90**
Burfoote Rd. *Bris* —4A **90**
Burford Av. *Pat* —1E **27**
Burford Clo. *Bath* —1C **108**
Burford Clo. *P'head* —4A **50**
Burford Gro. *Bris* —2B **54**
Burgage Clo. *Chip S* —1D **35**
Burgess Grn. Clo. *St Ap* —3A **72**
Burghill Rd. *W Trym* —3C **40**
Burghley Rd. *Bris* —5A **58**
Burgis Rd. *Bris* —2F **89**
Burleigh Gdns. *Bath* —1B **104**
Burleigh Way. *Wickw* —2C **154**
Burley Av. *Bris* —2B **62**
Burley Cres. *Bris* —1B **62**
Burley Gro. *Bris* —1B **62**
Burlington Pl. Bath —2A **106** *(off Julian Rd.)*
Burlington Rd. *Bris* —5D **57**
Burlington Rd. *Mid N* —2F **151**
Burlington St. *Bath* —1A **106**
Burlington St. *W Mare* —5C **126**
Burnbush Clo. *Bris* —2A **90**
Burnell Dri. *Bris* —2B **70**
Burnett Rd. *Trow* —4D **119**
Burney Way. *L Grn* —2C **84**
Burnham Clo. *Bris* —1B **74**
Burnham Clo. *W Mare* —2D **139**
Burnham Dri. *Bris* —1B **74**
Burnham Dri. *W Mare* —2D **139**
Burnham Rd. *Bath* —3D **105**
Burnham Rd. *Bris* —1F **53**
Burnside Clo. *Bris* —2E **41**
Burnt Ho. Cotts. *Bath* —4D **109**
Burnt House Rd. *Bath* —4E **109**
Burrington Av. *W Mare* —2D **139**
Burrington Clo. *Nail* —4D **123**
Burrington Clo. *W Mare* —2D **139**
Burrington Wlk. *Bris* —5C **78**
Burrough Way. *Wint* —4A **30**
Burton Clo. *Bris* —5A **70**
Burton Ct. *Bris* —3D **69**
Burton St. *Bath* —3B **106** (3C **96**)
Burwalls Rd. *Bris* —4A **68**
Bury Ct. Clo. *Bris* —3C **38**
Bury Hill. *Wint* —1B **46**
Bury, The. *Lock* —5E **135**
Bush Av. *Lit S* —3E **27**
Bush Ct. *Alv* —2A **8**
Bush Ct. *Bris* —1B **80**
Bush Ind. Est. *Bris* —2F **71**
Bush La. *Bris* —1D **79**
Bushy Ho. *Bris* —2B **80**
Bushy Pk. *Bris* —2B **80**
Butcombe. *W Mare* —1E **139**
Butcombe Wlk. *Bris* —3D **89**
Buthay, The. *Wickw* —2B **154**
Butlass Clo. *High L* —1A **146**
Butlers Clo. *Bris* —4B **72**
Butterfield Clo. *Bris* —5A **42**
Butterfield Pk. *Clev* —5C **120**
Butterfield Rd. *Bris* —5A **42**
Buttermere Rd. *W Mare* —3E **133**
Butterworth Ct. *Bris* —1F **87**
Butt La. *T'bry* —1D **7**
Button Clo. *Bris* —2C **88**
Butt's Batch. *Wrin* —2B **156**
Buxton Wlk. *Bris* —4C **42**
Byfield. *C Down* —3C **110**
Byfield Bldgs. Bath —3C **110** *(off Byfield Pl.)*
Byfield Pl. *Bath* —3C **110**
Byfields. *Clev* —5C **120**
Byron Clo. *Lock* —4E **135**
Byron Pl. *Bris* —3D **69**
Byron Pl. *Stap H* —3A **62**
Byron Rd. *Bath* —5A **106**
Byron Rd. *Lock* —4E **135**
Byron Rd. *W Mare* —4E **133**
Byron St. *Redf* —3E **71**
Byron St. *St Pa* —1C **70**
Bythesea Rd. *Trow* —2C **118**
Byways Cvn. Pk. *Clev* —5C **120**
Byzantine Ct. *Bris* —5F **69**

Cabot Clo. *Salt* —5F **93**
Cabot Clo. *Yate* —5B **18**
Cabot Ct. *Bris* —3B **42**
Cabot Grn. *Bris* —3D **71**
Cabot Ho. *T'bry* —4D **7**
Cabot Rise. *P'head* —3C **48**
Cabot Way. *Bris* —5B **68**
Cabot Way. *Pill* —4F **53**
Cabot Way. *W Mare* —2E **129**
Cabstand. *P'head* —2F **49**
Cadbury Farm Rd. *Yat* —4B **142**
Cadbury Heath Rd. *Bris* —5C **74**
Cadbury Rd. *Key* —5A **92**
Cadbury Rd. *P'head* —4F **49**
Cadbury Sq. *Cong* —3D **145**
Cadby Clo. *Trow* —2F **119**
Cadby Ho. *Bath* —3B **104**
Caddick Clo. *Bris* —5B **62**
Cade Clo. *K'wd* —4B **74**
Cade Clo. *Stok G* —4A **28**
Cadogan Rd. *Bris* —5C **80**
Caen Rd. *Bris* —2F **79**
Caernarvon Rd. *Key* —4E **91**
Caine Rd. *Bris* —5B **42**
Cains Clo. *Bris* —4A **74**
Cairn Clo. *Nail* —4F **123**
Cairns Ct. *Bris* —3E **57**
Cairns Cres. *Bris* —1B **70**
Cairns Rd. *Bris* —2D **57**
Cala Trad. Est. *Bris* —2B **78**
Calcott Rd. *Bris* —3C **80**
Caldbeck Clo. *Bris* —2F **41**
Calder Clo. *Key* —4C **92**
Caldicot Clo. *Bris* —2E **39**
Caldicot Clo. *Will* —3D **85**
Caledonia M. *Bris* —3B **68**
Caledonian Rd. *Bath* —3E **105**
Caledonia Pl. *Bris* —4B **68**
California Rd. *Old C* —2C **84**
Callard Ho. *Bris* —3B **60**
Callicroft Rd. *Pat* —2C **26**
Callington Rd. *Bris* —4D **81**
Callowhill Ct. *Bris* —3A **70** (1D **5**)
Calton Gdns. *Bath* —4A **106**
Calton Rd. *Bath* —4B **106**
Calton Wlk. *Bath* —4A **106**
Camberley Dri. *Fram C* —1B **30**
Camberley Rd. *Bris* —5E **79** (in two parts)
Camborne Rd. *Bris* —5C **42**
Cambrian Dri. *Yate* —3F **17**
Cambridge Cres. *Bris* —5C **40**
Cambridge Gro. *Clev* —1D **121**
Cambridge Pk. *Bris* —4D **57**
Cambridge Pl. *Bath* —4C **106**
Cambridge Pl. *W Mare* —5B **126**
Cambridge Rd. *Bris* —3F **57**
Cambridge Rd. *Clev* —1D **121**
Cambridge St. *Redf* —3E **71**
Cambridge St. *Tot* —1B **80**
Cambridge Ter. *Bath* —4C **106**
Cam Brook Clo. *C'ton* —1A **148**
Camden Ct. *Bath* —1A **106**
Camden Cres. *Bath* —1A **106**
Camden Rd. *Bath* —1B **106**
Camden Rd. *Bris* —5D **69**
Camden Row. *Bath* —1A **106** (in two parts)
Camden Ter. Bath —1B **106** *(off Camden Rd.)*
Camden Ter. *Bris* —4C **68**
Camden Ter. *W Mare* —1C **132**
Cameley Grn. *Bath* —3A **104**
Camelford Rd. *Bris* —5F **59**
Cameron Wlk. *Bris* —1E **59**
Cameroons Clo. *Key* —4A **92**
Camerton Clo. *Salt* —1A **94**
Camerton Hill. *C'ton* —1B **148**
Camerton Rd. *Bris* —1F **71**
Campbells Farm Dri. *Bris* —3B **38**
Campbell St. *Bris* —1A **70**
Campian Wlk. *Bris* —2F **87**
Campion Clo. *T'bry* —2E **7**
Campion Clo. *W Mare* —1B **134**
Campion Dri. *Brad S* —4F **11**
Campion Dri. *Trow* —4D **119**
Camplins. *Clev* —5C **120**
Camp Rd. *Bris* —3B **68**
Camp Rd. *W Mare* —4A **126**
Camp Rd. N. *W Mare* —4A **126**
Camp View. *Nail* —3C **122**
Camp View. *Wint D* —5A **30**
Camvale. *Pea J* —1E **149**
Camview. *Paul* —3A **146**
Camwal Ind. Est. *Bris* —5C **70**
Camwal Rd. *Bris* —5C **70**
Canada Coombe. *Hut* —1D **141**
Canada Way. *Bris* —5C **68**
Canal Rd. *Trow* —5D **117**
Canal Rd. Ind. Est. *Trow* —4D **117**
Canal Ter. *B'ptn* —5A **102**
Canberra Cres. *Lock* —2F **135**
Canberra Gro. *Bris* —5D **27**
Canberra Rd. *W Mare* —5D **133**
Canford La. *Bris* —5F **39**
Canford Rd. *Bris* —4B **40**
Cann La. *Bris* —4F **75**
Cannons Ga. *Clev* —5C **120**
Cannon St. *Bedm* —1E **79**
Cannon St. *Bris* —2F **69**
Canons Clo. *Bath* —2C **108**
Canons Clo. *Wint* —2A **30**
Canons Ho. *Bris* —5E **69** (5A **4**)
Canons Rd. *Bris* —5E **69** (5A **4**)
Canon St. *Bris* —2E **71**
Canon's Wlk. *Bris* —5A **62**
Canon's Wlk. *W Mare* —3B **128**
Canons Way. *Bris* —4E **69**
Canowie Rd. *Bris* —4D **57**
Cantell Gro. *Bris* —3B **90**
Canterbury Clo. *W Mare* —1E **129**
Canterbury Clo. *Yate* —3A **18**
Canterbury Rd. *Bath* —4E **105**
Canterbury St. *Bar H* —4D **71**
Canters Leaze. *Wickw* —3C **154**
Cantock's Clo. *Bris* —3E **69** (2A **4**)
Canton Pl. *Bath* —1B **106**
Canvey Clo. *Bris* —5A **42**
Canynge Ho. *Bris* —5A **70**
Canynge Rd. *Bris* —2B **68**
Canynge Sq. *Bris* —2B **68**
Canynge St. *Bris* —4A **70** (4D **5**)
Capel Clo. *Bris* —2D **75**
Capell Clo. *W Mare* —5F **127**
Capel Rd. *Bris* —3D **39**
Capenor Clo. *P'head* —4E **49**
Capgrave Clo. *Bris* —2C **82**
Capgrave Cres. *Bris* —2C **82**
Caraway Gdns. *Bris* —5E **59**
Carders Corner. *Trow* —3D **119**
Cardigan Cres. *W Mare* —5A **128**
Cardigan La. *Bris* —1D **57**
Cardigan Rd. *Bris* —1D **57**
Cardill Clo. *Bris* —5C **78**
Cardinal Clo. *Bath* —4E **109**
Carditch Drove. *Cong* —5B **144**
Carey's Clo. *Clev* —2F **121**
Carice Gdns. *Clev* —5D **121**
Carisbrooke Cres. *Trow* —2E **117**
Carisbrooke Rd. *Bris* —5F **79**
Carlingford Ter. *Rads* —2D **153**
Carlingford Ter. Rd. *Rads* —2D **153**
Carlow Rd. *Bris* —5A **80**
Carlton Ct. *Bris* —5C **40**
Carlton Mans. N. W Mare —1B **132** *(off Beach Rd.)*
Carlton Mans. S. W Mare —1B **132** *(off Beach Rd.)*
Carlton Pk. *Bris* —2E **71**
Carlton Row. *Trow* —4C **118**
Carlton St. *W Mare* —1B **132**
Carlyle Rd. *Bris* —1E **71**
Carmarthen Clo. *Yate* —2B **18**
Carmarthen Gro. *Will* —4D **85**
Carmarthen Rd. *Bris* —1C **56**
Carnarvon Rd. *Bris* —5E **57**
Caroline Bldgs. *Bath* —4C **106** (5E **97**)
Caroline Clo. *Key* —4E **91**
Caroline Pl. *Back* —3C **124**
Caroline Pl. *Bath* —1A **106**
Carpenters La. *Key* —3A **92**
Carpenters Shop La. *Bris* —1A **62**
Carre Gdns. *W Mare* —1D **129**
Carr Ho. *Bath* —3B **104**
Carrick Ho. Bris —4B **68** *(off Hotwell Rd.)*
Carrington Rd. *Bris* —1C **78**
Carsons Rd. *Mang* —4D **63**
Carter Rd. *Paul* —4A **146**
Carter Wlk. *Brad S* —1F **27**
Cart La. *Bris* —4A **70** (4E **5**)
Cartledge Rd. *Bris* —1E **71**
Cashmore Ho. *Bris* —3D **71**
Caslon Ct. *Bris* —5A **70**
Cassell Rd. *Bris* —2E **61**
Cassey Bottom La. *Bris* —3C **72**
Castle Clo. *Bris* —2F **39**
Castle Ct. *T'bry* —3C **6**
Castle Farm Rd. *Bris* —3D **83**
Castle Gdns. *Bath* —1F **109**
Castle Hill. *Ban* —5F **137**
Castle Ho. *Wickw* —2C **154**
Castle M. *Wickw* —2C **154**
Castle Pl. *Trow* —2D **119**
Castle Rd. *Bris* —5F **61**
Castle Rd. *Clev* —1D **121**
Castle Rd. *Old C* —2E **85**
Castle Rd. *Puck* —1E **65**
Castle Rd. *W Mare* —2C **128**
Castle St. *Bris* —3A **70** (2E **5**)
Castle St. *T'bry* —2B **6**
Castle St. *Trow* —2D **119**
Castle View Rd. *Clev* —1D **121**
Castlewood Clo. *Clev* —2D **121**
Caswell Hill. *P'bry* —5D **51**
Caswell La. *P'bry* —5E **51**
Catbrain Hill. *Bris* —3D **25**
Catbrain La. *Bris* —3D **25**
Catemead. *Clev* —5C **120**
Cater Rd. *Bris* —2C **86**
Catharine Pl. *Bath* —2A **106** (1A **96**)
Cathcart Ho. *Bath* —1B **106**
Cathedral Sq. *Bris* —4E **69** (4A **4**)
Catherine Mead St. *Bris* —1E **79**
Catherine St. *A'mth* —4E **37**
Catherine Way. *Bathe* —2B **102**
Catley Gro. *L Ash* —4D **77**
Cato St. *Bris* —5D **59**
Catsley Pl. *Bath* —3D **101**
Cattistock Dri. *Bris* —4C **72**
Cattle Mkt. Rd. *Bris* —5B **70** (5F **5**)
Cattybrook Rd. *Mang &* (in two parts) *E Grn* —2F **63**
Cattybrook St. *Bris* —2D **71**
Caulfield Rd. *W Mare* —1F **129**
Causeway. *Tic & Nail* —2A **122**
Causeway, The. *Coal H* —2F **31**
Causeway, The. *Cong* —2D **145**
Causeway, The. *Yat* —4C **142**
Causeway View. *Nail* —3B **122**
Causley Dri. *Bar C* —5B **74**
Cautletts Clo. *Mid N* —4C **150**
Cavan Wlk. *Bris* —4F **79**
Cave Ct. *Bris* —2A **70**
Cave Dri. *Bris* —1F **61**
Cavell Ct. *Clev* —5C **120**
Cavendish Clo. *Salt* —5F **93**
Cavendish Cres. *Bath* —1F **105**
Cavendish Gdns. *Bris* —3E **55**
Cavendish Lodge *Bath* —1F **105**
Cavendish Pl. *Bath* —1F **105**
Cavendish Rd. *Bath* —1F **105**
Cavendish Rd. *Bris* —2C **56**
Cavendish Rd. *Pat* —1B **26**
Caverners Ct. *W Mare* —4F **127**
Caversham Dri. *Nail* —3F **123**
Cave St. *Bris* —2A **70**
Caxton Ct. *Bath* —2B **106** (2C **96**)
Caxton Ga. *Bris* —5A **70**
Cecil Av. *Bris* —1B **72**

Cecil Rd.—Churchill Rd.

Cecil Rd. Clif —2B 68
Cecil Rd. K'wd —2F 73
Cecil Rd. W Mare —4C 126
Cedar Av. W Mare —4A 128
Cedar Clo. L Ash —4B 76
Cedar Clo. Old C —1D 85
Cedar Clo. Pat —2B 26
Cedar Ct. Brad A —1E 115
Cedar Ct. Bris —3E 55
Cedar Dri. Key —4F 91
Cedar Gro. Bath —1E 109
Cedar Gro. Bris —2F 55
Cedar Gro. Trow —4B 118
Cedar Hall. Bris —4E 45
Cedarhurst Rd. P'head —5A 48
Cedarn Ct. W Mare —1F 127
Cedar Pk. Bris —2F 55
Cedar Row. Bris —1B 54
Cedars, The. Bris —4F 55
Cedars Way. Wint —4F 29
Cedar Ter. Rads —3A 152
Cedar Vs. Bath —4F 105
Cedar Wlk. Bath —4F 105
(in two parts)
Cedar Way. Bath —4F 105
Cedar Way. Nail —3F 123
Cedar Way. P'head —4D 49
Cedar Way. Puck —2D 65
Cedric Clo. Bath —2D 105
Cedric Rd. Bath —2D 105
Celandine Clo. T'bry —2E 7
Celestine Rd. Yate —3E 17
Celia Ter. St Ap —4B 72
Celtic Way. B'don —3F 139
Cemetery La. Brad A —2F 115
Cemetery Rd. Bris —2C 80
Cennick Av. Bris —1A 74
Centaurus Rd. Pat —2E 25
Central Av. Bris —5E 73
Central Trad. Est. Bris —1D 81
Central Way. Clev —5D 121
Centre Dri. Ban —4C 136
Centre, The. Key —3A 92
Centre, The. W Mare —1C 132
Ceres Clo. L Grn —3B 84
Cerimon Ga. Stok G —4A 28
Cerney Gdns. Nail —3F 123
Cerney La. Bris —2A 54
Cesson Clo. Chip S —1E 35
Chadleigh Gro. Bris —1F 87
Chaffinch Dri. Mid N —4E 151
Chaffinch Dri. Trow —2A 118
Chaffins, The. Clev —4E 121
Chaingate La. Iron A —1B 16
Chakeshill Clo. Bris —1E 41
Chakeshill Dri. Bris —1E 41
Chalcombe Clo. Lit S —1E 27
Chalcroft Ho. Bris —1C 78
Chalcroft Wlk. Bris —4A 86
Chalet, The. Bris —1B 40
Chalfont Clo. Trow —2A 118
Chalfont Rd. W Mare —5A 128
Chalford Clo. Yate —1F 33
Chalks Rd. Bris —2F 71
Challender Av. Bris —2B 40
Challoner Ct. Bris —5F 69 (5B 4)
Challow Dri. W Mare —3F 127
Champion Rd. Bris —5B 62
Champneys Av. Bris —1B 40
Chancel Clo. Bris —4F 55
Chancel Clo. Nail —4C 122
Chancery St. Bris —3D 71
Chandag Rd. Key —4B 92
Chandler Clo. Bath —5C 98
Chandos Bldgs. Bath —3A 106
(off Westgate Bldgs.)
Chandos Rd. Bris —1D 69
Chandos Rd. Key —1A 92
Chandos Trad. Est. Bris —5C 70
Channel Heights. W Mare —2D 139
Channells Hill. W Trym —4C 40
Channel Rd. Clev —1D 121
Channel View Cres. P'head —3D 49
Channel View Rd. P'head —3D 49
Channon's Hill. Bris —3B 60
Chantree Rd. Bris —4F 41
Chantry Clo. Nail —4B 122
Chantry Dri. W Mare —1D 129
Chantry Gro. Bris —2E 39
Chantry La. Down —3B 46
Chantry Mead Rd. Bath —1F 109
Chantry Rd. Bris —1D 69
Chantry Rd. T'bry —2C 6
Chapel Av. Nail —3D 123
Chapel Barton. Bedm —3D 79
Chapel Barton. Nail —3B 122
Chapel Clo. Bris —2D 75
Chapel Clo. Nail —3D 123
Chapel Ct. Bath —3A 106
(off Westgate Bldgs.)
Chapel Ct. Rads —5B 148
Chapel Gdns. Bris —3C 40
Chapel Grn. La. Bris —5D 57
Chapel Hill. Back —1F 125
Chapel Hill. Clev —3D 121
Chapel Hill. Wrin —1B 156
Chapel La. Clav —2F 143
Chapel La. Clay H —5A 60
Chapel La. Fish —3C 60
Chapel La. Fren —5E 45
Chapel La. Law W —2D 39
Chapel La. War —2D 75
Chapel Lawns. Clan —5B 148
Chapel Rd. B'wth —2C 86
Chapel Rd. Clan —5B 148
Chapel Rd. E'tn —1D 71
Chapel Rd. Han —5E 73
Chapel Row. Bath —3A 106 (3A 96)
Chapel Row. B'ptn —5A 102
Chapel Row. Bathf —4D 103
Chapel Row. Pill —3E 53
Chapel St. Bris —5C 70
Chapel St. T'bry —4C 6
Chapel Way. St Ap & Avon V —4A 72
Chaplin Rd. Bris —1D 71
Chapter St. Bris —2A 70
Charbon Ga. Stok G —4B 28
Charborough Ct. Brad S —2C 42
Charborough Rd. Bris —2B 42
Charbury Wlk. Bris —2A 54
Chard Clo. Nail —5E 123
Chard Ct. Bris —2D 89
Chard Rd. Clev —5D 121
Chardstock Av. Bris —4E 39
Charfield. Bris —2C 74
Charfield Rd. Bris —3E 41
Chargrove. Bris —4F 75
Chargrove. Yate —2F 33
Charis Av. Bris —5E 41
Charlcombe La. Lark —4A 100
Charlcombe Rise. Bath —4A 100
Charlcombe View Rd. Bath —4B 100
Charlcombe Way. Bath —4A 100
Charlecombe Ct. W Trym —1B 56
Charlecombe Rd. Bris —1B 56
Charles Av. Stok G —5A 28
Charles Clo. T'bry —1D 7
Charles Pl. Bris —4C 68
Charles Rd. Bris —1D 43
Charles St. Bath —3A 106 (3A 96)
Charles St. Bris —2F 69
Charles St. Trow —1C 118
Charlock Clo. W Mare —1B 134
Charlock Rd. W Mare —1B 134
Charlotte Ct. Trow —1D 119
Charlotte Sq. Trow —1D 119
Charlotte St. Bath —2A 106 (3A 96)
Charlotte St. Bris —2B 70
(Meadow St.)
Charlotte St. Bris —3E 69
(Park St.)
Charlotte St. Trow —1D 119
Charlotte St. S. Bris —4E 69
Charlton Av. Bris —2C 42
Charlton Av. W Mare —4B 132
Charlton Comn. Bris —5F 25
Charlton Ct. Pat —5B 10
Charlton Gdns. Bris —5F 25
Charlton La. Bris —1C 40
Charlton La. Mid N —5F 151
Charlton Mead Ct. Bris —5F 25
Charlton Mead Dri. Bris —1F 41
Charlton Pk. Key —3F 91
Charlton Pk. Mid N —5E 151
Charlton Pl. Bris —5F 25
Charlton Rd. Key —5E 91
Charlton Rd. K'wd —1D 73
Charlton Rd. Mid N —4E 151
Charlton Rd. W Mare —4B 132
Charlton Rd. W Trym —3C 40
Charlton St. Bris —3D 71
Charlton View. P'head —3E 49
Charminster Rd. Bris —4D 61
Charmouth Rd. Bath —2C 104
Charnell Rd. Stap H —3A 62
Charnhill Brow. Mang —3C 62
Charnhill Cres. Mang —3B 62
Charnhill Dri. Mang —3B 62
Charnhill Ridge. Mang —3C 62
Charnhill Vale. Mang —3B 62
Charnwood. Mang —3C 62
Charnwood Rd. Bris —4D 89
Charnwood Rd. Trow —1A 118
Charterhouse Clo. Nail —4E 123
Charterhouse Rd. Bris —2F 71
Charter Rd. W Mare —5F 127
Charter Wlk. Bris —2C 88
Chase La. K'wd —1C 154
Chase Rd. Bris —5F 61
Chase, The. Bris —4E 61
Chatcombe. Yate —2A 34
Chatham Pk. Bath —3D 107
Chatham Row. Bath —2B 106 (1C 96)
Chatsworth Pk. T'bry —1D 7
Chatsworth Rd. Arn V —1E 81
Chatsworth Rd. Fish —4D 61
Chatterton Grn. Bris —4B 88
Chatterton Ho. Bris —5A 70
(off Ship La.)
Chatterton Rd. Yate —5F 17
Chatterton Sq. Bris —5B 70
Chatterton St. Bris —5B 70
Chaucer Rd. Bath —5A 106
Chaucer Rd. Rads —4E 151
Chaucer Rd. W Mare —4E 133
Chaundey Gro. Bris —3D 87
Chavenage. Bris —1C 74
Cheapside. Bris —2B 70
Cheapside St. Bris —1B 80
Cheap St. Bath —3B 106 (3C 96)
Cheddar Clo. Nail —5E 123
Cheddar Gro. Bris —5C 78
Chedworth. Bris —4A 62
Chedworth. Yate —2D 33
Chedworth Clo. Clav D —1F 111
Chedworth Rd. Bris —1C 58
Cheese La. Bris —4A 70 (3E 5)
Chelford Gro. Pat —1D 27
Chelmer Gro. Key —4B 92
Chelmsford Wlk. Bris —5B 72
Chelscombe. Bath —5C 98
Chelsea Clo. Key —3C 92
Chelsea Ho. Bath —1B 106
(off Snow Hill)
Chelsea Pk. Bris —2E 71
Chelsea Rd. Bath —2D 105
Chelsea Rd. Bris —1D 71
Chelsfield. Back —1C 124
Chelston Rd. Bris —1F 87
Chelswood Av. W Mare —5A 128
Chelswood Gdns. W Mare —5B 128
Cheltenham La. Bris —5A 58
Cheltenham Rd. Bris —5F 57
Cheltenham Rd. Bris —1A 74
Cheltenham St. Bath —4F 105
Chelvey Batch. B'ley —5B 124
Chelvey La. W Town —5A 124
Chelvey Rise. Nail —5F 123
Chelvey Rd. C'vey & W Town —3A 124
Chelvy Clo. Bris —5F 87
Chelwood Dri. Bath —3E 109
Chelwood Rd. Bris —5F 37
Chelwood Rd. Salt —1A 94
Chepston Pl. Trow —1A 118
Chepstow Pk. Bris —3B 46
Chepstow Rd. Bris —5F 79
Chepstow Wlk. Key —3F 91
Chequers Clo. Old C —2E 85
Chequers Ct. Brad S —2C 28
Cherington. Bris —5D 73
Cherington. Yate —3F 33
Cherington Rd. Bris —5E 41
Cherington Rd. Nail —4F 123
Cheriton Pl. War —4E 75
Cheriton Pl. W Trym —5D 41
Cherry Av. Clev —4E 121
Cherry Clo. Yat —3B 142
Cherry Garden La. Old C —2D 85
Cherry Garden Rd. Bit —4E 85
Cherry Gdns. Bit —4E 85
Cherry Gdns. Hil —3D 119
(in two parts)
Cherry Gdns. Ct. Trow —3D 119
Cherry Gro. Mang —1C 62
Cherry Gro. Yat —3B 142
Cherry Hay. Clev —5D 121
Cherry La. Bris —2A 70
Cherry Orchard La. Bris —2B 72
Cherry Rd. Chip S —5C 18
Cherry Rd. L Ash —3B 76
Cherry Rd. Nail —4C 122
Cherrytree Clo. Bris —5E 61
Cherry Tree Clo. Key —4E 91
Cherry Tree Clo. Rads —3B 152
Cherrytree Ct. Puck —2E 65
Cherrytree Cres. Bris —5E 61
Cherrytree Rd. Bris —5E 61
Cherry Wood. Old C —3D 85
Cherrywood Rise. W Mare —3D 129
Cherrywood Rd. W Mare —3D 129
Chertsey Rd. Bris —1D 69
Cherwell Clo. T'bry —5D 7
Cherwell Rd. Key —4C 92
Chescombe Rd. Yat —4B 142
Chesham Rd. N. W Mare —5F 127
Chesham Rd. S. W Mare —5F 127
Chesham Way. Bris —1F 73
Cheshire Clo. Yate —3A 18
Chesle Clo. P'head —5A 48
Cheslefield. P'head —5A 48
Chesle Way. P'head —5A 48
Chessel Clo. Brad S —4E 11
Chessel St. Bris —2D 79
Chessington Av. Bris —3D 89
Chesterfield Av. Bris —5A 58
Chesterfield Clo. Ban —5D 137
Chesterfield Ho. Mid N —3E 151
Chesterfield Rd. Down —2A 62
Chesterfield Rd. St And —5A 58
Chestermaster Clo. Alm —1C 10
Chester Pk. Rd. Bris —5D 61
Chester Rd. Bris —1A 72
Chesters. Bris —1C 84
Chester St. Bris —5D 59
Chesterton Dri. Nail —3F 123
Chestertons, The. B'ptn
(in two parts) —5A 102
Chestnut Av. W Mare —4E 129
Chestnut Chase. Nail —2F 123
Chestnut Clo. Ban —5E 137
Chestnut Clo. Bris —3A 90
Chestnut Clo. Cong —2D 145
Chestnut Clo. Paul —3B 146
Chestnut Clo. Rads —3B 152
Chestnut Corner. Trow —2F 155
Chestnut Ct. Mang —2C 62
Chestnut Dri. Chip S —5C 18
Chestnut Dri. Clav —2E 143
Chestnut Dri. T'bry —3D 7
Chestnut Gro. Bath —5D 105
Chestnut Gro. Clev —2E 121
Chestnut Gro. Trow —4B 118
Chestnut Gro. Up W —5A 114
Chestnut Ho. Bris —4F 87
Chestnut La. B'don —4F 139
Chestnut Rd. Down —1F 61
Chestnut Rd. K'wd —4B 62
Chestnut Rd. L Ash —3D 77
Chestnuts, The. Wins —5B 156
Chestnut Wlk. Bris —2C 86
Chestnut Wlk. Salt —1A 94
Chestnut Way. Bris —4B 62
Cheston Coombe. Back —3E 125
Chestwood Ho. Bris —4E 71
Chetwode Clo. Bris —1F 41
Chevening Clo. Stok G —3F 81
Cheverell Clo. Trow —5D 119
Cheviot Dri. T'bry —4F 7
Cheviot Way. Old C —5E 75
Chewton Clo. Bris —4D 61
Cheyne Rd. Bris —1F 55
Chichester Ho. Bris —4B 72
Chichester Pl. Rads —2D 153
Chichester Way. Yate —3F 17
Chilcompton Rd. Mid N —5B 150
Chillington Ct. Pat —5A 10
Chilmark Rd. Trow —1A 118
Chiltern Clo. Bris —4D 89
Chiltern Clo. War —5E 75
Chiltern Pk. T'bry —4E 7
Chiltern Pl. Bris —4E 75
Chilton Rd. Bath —5C 100
Chilton Rd. Bris —5C 80
Chilwood Clo. Iron A —3A 16
Chimes, The. Nail —5C 122
Chine, The. Bris —2F 59
Chine View. Bris —4B 46
Chiphouse Rd. Bris —4B 62
Chipperfield Dri. Bris —1B 74
Chipping Cross. Clev —5C 120
Chipping Edge Ind. Est. Chip S —5E 19
Chippings, The. Bris —2F 59
Chirton Pl. Trow —4D 119
Chisbury St. Bris —4E 59
Chittening Rd. Chit —2A 22
Chock La. Bris —5C 40
Christchurch Av. Bris —2F 61
Christ Chu. Clo. Nail —3D 123
Christ Chu. Cotts. Bath
(off Julian Rd.) —1A 106
Christchurch La. Bris —1F 61
Christ Chu. Path. N. W Mare —5D 127
Christ Chu. Path. S. W Mare —5C 126
Christchurch Rd. Brad A —1E 115
Christchurch Rd. Bris —3C 68
Christian Clo. W Mare —2E 129
Christina Ter. Bris —5C 68
Christin Ct. Trow —2A 118
Christmas Steps. Bris —3F 69 (2B 4)
Christmas St. Bris —3F 69 (2B 4)
Christon Ter. W Mare —1D 139
Chubb Clo. Bar C —5B 74
Church Acre. Brad A —2D 115
Church Av. E'tn —1D 71
Church Av. Stok B —3A 56
Church Av. War —3F 75
Church Clo. B'ptn —4A 102
Church Clo. Bathf —4C 102
Church Clo. Bris —2A 40
Church Clo. Clev —4A 120
Church Clo. Fram C —1D 31
Church Clo. P'head —3F 49
Church Clo. Yat —4C 142
Church Ct. Mid N —3D 151
Churchdown Wlk. Bris —2A 54
Church Dri. Bris —2A 72
Church Dri. Cong —2D 145
Churches. Brad A —2C 114
Churchfarm Clo. Yate —3B 18
Church Farm Paddock. Bit —1F 93
Church Fields. Trow —5A 118
Church Hayes Clo. Nail —5D 123
Church Hayes Dri. Nail —4D 123
Church Hill. Bris —3F 81
Church Hill. F'frd —4C 112
Church Hill. Tim —1E 157
Church Hill. Writ —2F 153
Churchill Av. Clev —4C 120
Churchill Clo. Bar C —5C 74
Churchill Clo. Clev —4C 120
Churchill Dri. Bris —5F 39
Churchill Rd. Bris —1E 81
Churchill Rd. W Mare —1E 133

Churchlands—Coln Sq.

Churchlands. N Brad —5E 155
Churchlands Rd. Bris —3D 79
Church La. Back —3C 124
Church La. Bedm —2F 79
(in two parts)
Church La. Bit —1F 93
Church La. Bris —4A 70 (4E 5)
Church La. Clif —4D 69
Church La. Coal H —3E 31
Church La. Down —3B 46
(in two parts)
Church La. Ham —2A 46
Church La. Hen —2A 40
Church La. Hut —1B 140
Church La. Lim S & F'frd —3B 112
Church La. L Ash —3E 77
Church La. Mid N —3D 151
Church La. Nail —4B 122
(in two parts)
Church La. N Brad —5D 155
Church La. Nthnd —2A 102
Church La. Paul —3B 146
(off Church St.)
Church La. St G —2F 71
Church La. Tic —1A 122
Church La. Tim —1E 157
Church La. Trow —4A 118
Church La. W'chu —5D 89
Church La. Wickw —1B 154
Church La. Wid —5D 107
Church La. Wint —3E 29
Church La. Yat —4B 142
Church Leaze. Bris —1F 53
Church Meadows. W'chu —4E 89
Church Pde. Bris —3A 82
Church Path. Bris —5B 58
(Ashley Hill)
Church Path. Bris —5C 68
(Hotwell Rd.)
Church Path. Bris —2E 79
(New John St.)
Churchpath Rd. Pill —3E 53
Church Pl. Pill —3E 53
Church Rd. Abb L —2C 66
Church Rd. Alm —1C 10
Church Rd. Bedm —1E 79
Church Rd. B'wth —3B 86
Church Rd. Bit —5F 85
Church Rd. C Down —3C 110
Church Rd. Dun —5A 86
Church Rd. E Comp —1C 24
Church Rd. E'ton G —3C 52
Church Rd. Fil —1C 42
Church Rd. Fram C —5C 14
Church Rd. Fren —5D 45
Church Rd. Han —5D 73
Church Rd. Hor —1A 58
Church Rd. K'wd —2A 74
Church Rd. Law H & St G —3D 71
Church Rd. L Wds —4F 67
Church Rd. Pea J —1E 149
Church Rd. P'bry —4A 52
Church Rd. Sev B —4B 20
(in two parts)
Church Rd. Soun —4F 61
Church Rd. Stok B —4F 55
Church Rd. Stok G —5A 28
Church Rd. T'bry —2C 6
Church Rd. W'chu —4D 89
Church Rd. Wick —5A 154
Church Rd. Wins —5A 156
Church Rd. Wint —5A 30
Church Rd. Wor —3B 128
Church Rd. W'ton —5D 99
Church Rd. W Trym —5C 40
Church Rd. Yat —3C 142
Church Rd. Yate —4A 18
(in two parts)
Church Rd. N. P'head —3F 49
Church Rd. S. P'head —4F 49
Church Sq. Mid N —3D 151
Church St. Ban —5F 137
Church St. Bath —3B 106
(off York St.)
Church St. Bathf —4C 102
Church St. Brad A —3D 115
Church St. Bris —4A 70 (4E 5)
(Church La.)
Church St. Bris —4D 71
(Queen Ann Rd.)
Church St. E'tn —1D 71
Church St. Paul —3A 146
Church St. Rads —2C 152
Church St. Trow —1D 119
Church St. Wid —4C 106
Church St. W'ly —1A 100
Church St. W'ton —5C 98
Church Town. Back —3E 125
Church View. Fil —1C 42
Church View. Fish —2F 61
Church Wlk. Pill —3E 53
Church Wlk. Trow —1D 119
Church Wlk. Wrin —1B 156
(in two parts)
Churchward Clo. Han —5D 73
Churchward Rd. W Mare —2F 129
Churchward Rd. Yate —3D 17
Churchways. Bris —4E 89
Churchways Av. Bris —1A 58
Churchways Cres. Bris —1A 58
Churston Clo. Bris —5C 88
Circle, The. Bath —1C 108
Circular Rd. Bris —5A 56
Circus M. Bath —2A 106 (1A 96)
Circus Pl. Bath —2A 106 (1A 96)
(in two parts)
Circus, The. Bath —2A 106 (1B 96)
City Bus. Pk. Bris —3C 70
City Rd. Bris —2A 70
Clamp, The. Old C —2E 85
Clanage Rd. Bris —1A 78
Clandown Rd. Paul —5C 146
Clapton La. P'head —5F 49
Clapton Rd. Mid N —4A 150
Clapton Rd. P'bry —5F 51
Clapton Wlk. Bris —2E 55
Clare Av. Bris —4E 57
Clare Gdns. Bath —3E 109
Claremont Av. Bris —4E 57
Claremont Bldgs. Bath —5B 100
Claremont Cres. W Mare —4A 126
Claremont Gdns. Clev —5E 121
Claremont Gdns. Nail —4C 122
Claremont Pl. Bath —5B 100
(off Camden Rd.)
Claremont Rd. Bath —5C 100
Claremont Rd. Bris —4F 57
Claremont St. Bris —1C 70
Claremont Ter. Bath —5C 100
(off Camden Rd.)
Claremont Ter. Bris —3F 71
Claremont Wlk. Bath —5B 100
Clarence Av. Bris —2A 62
Clarence Gdns. Bris —2A 62
Clarence Gro. Rd. W Mare —3C 132
Clarence Pl. Bath —2C 104
Clarence Pl. Bris —2E 69
Clarence Rd. Bris —5A 70
Clarence Rd. K'wd —1D 73
Clarence Rd. Stap H —2F 61
Clarence Rd. St Ph —3C 70
Clarence Rd. Trow —2F 119
Clarence Rd. E. W Mare —3C 132
Clarence Rd. N. W Mare —3B 132
Clarence Rd. S. W Mare —3B 132
Clarence St. Bath —1B 106
Clarence Ter. Bath —4E 107
Clarendon Av. Trow —2E 119
Clarendon Rd. Bath —4C 106
Clarendon Rd. Bris —5E 57
Clarendon Rd. Trow —2E 119
Clarendon Rd. W Mare —5D 127
Clarendon Vs. Bath —4C 106
Clare Rd. Cot —1F 69
Clare Rd. Eastv —5D 59
Clare Rd. K'wd —5E 61
Clare St. Bris —4F 69 (3B 4)
Clare St. Redf —2E 71
Clare Wlk. T'bry —2C 6
Clarke Dri. Bris —5B 44
Clarken Clo. Nail —4D 123
Clarke St. Bris —1F 79
(in two parts)
Clark Pl. Bris —5B 46
Clarkson Av. W Mare —4A 128
Clark's Pl. Trow —2E 119
Clark St. Bris —2C 70
Clatworthy Dri. Bris —1C 88
Claude Av. Bath —4D 105
Claude Ter. Bath —4D 105
Claude Vale. Bath —4D 105
Clavell Rd. Bris —2B 40
Claverham Clo. Yat —3D 143
Claverham Drove. Clav —1F 143
Claverham Pk. Clav —2F 143
Claverham Rd. Bris —2C 60
Claverham Rd. Yat —4D 143
Claverton Bldgs. Bath —4B 106 (5D 97)
(off Claverton St.)
Claverton Ct. Bath —4F 107
Claverton Down Rd. Bath —4F 107
Claverton Down Rd. C Down —2E 111
Claverton Rd. Salt —5F 93
Claverton Rd. W. Salt —5F 93
Claverton St. Bath —4B 106 (5C 96)
Clay Bottom. Bris —5F 59
Claydon Grn. Bris —5B 88
Clayfield. Yate —1A 18
Clayfield Rd. Bris —2A 82
Clay Hill. Bris —5A 60
Clay La. Bit —5F 85
Clay La. Pat —2D 27
Clay La. T'bry —3F 7
Claymore Cres. Bris —1D 73
Claypiece Rd. Bris —4B 86
Claypit Hill. Chip S —2D 35
Clay Pit Rd. Bris —4C 56
Claypool Rd. Bris —3F 73
Clayton Clo. P'head —4A 50
Clayton Rd. Bris —2C 68
Clayton St. A'mth —3C 36
Clayton St. E'tn —2D 71
Cleave St. Bris —5C 58
Cleeve Av. Bris —5A 46
Cleeve Ct. Bris —5F 45
Cleevedale. Bris —5F 45
Cleevedale Rd. Bath —3B 110
Cleeve Gdns. Bris —5F 45
Cleeve Grn. Bath —3A 104
Cleeve Gro. Key —3F 91
Cleeve Hill. Bris —5F 45
Cleeve Hill Extension. Bris —1A 62
Cleeve Lawns. Bris —5F 45
Cleeve Lodge Clo. Bris —1A 62
Cleeve Lodge Rd. Bris —5A 46
Cleeve Pk. Rd. Bris —5F 45
Cleeve Pl. Nail —4F 123
Cleeve Quarry. Bris —4F 45
Cleeve Rd. Down —1A 62
Cleeve Rd. Fren —4E 45
Cleeve Rd. Know —2D 81
Cleeve Rd. Yate —5A 18
Cleeve Wood Pk. Bris —4E 45
Cleeve Wood Rd. Bris —4E 45
(in two parts)
Clement St. Bris —2B 70
Clevedale Ct. Bris —5F 45
(off Cleeve Wood Rd.)
Clevedon Hall Est. Clev —3C 120
Clevedon Rd. Bris —3F 57
Clevedon Rd. Fail & L Ash —2A 76
Clevedon Rd. Mid N —2D 151
Clevedon Rd. Nail —2F 123
Clevedon Rd. P'head —5E 49
Clevedon Rd. Tic & Nail —1A 122
Clevedon Rd. W Mare —2B 132
Clevedon Ter. Bris —2F 69
Clevedon Wlk. Nail —3D 123
Cleveland Clo. T'bry —4F 7
Cleveland Cotts. Bath —1B 106
Cleveland Ct. Bath —3D 107
Cleveland Gdns. Trow —5E 117
Cleveland Pl. Bath —1B 106
Cleveland Pl. E. Bath —1B 106
(off Cleveland Pl.)
Cleveland Pl. W. Bath —1B 106
(off Cleveland Pl.)
Cleveland Reach. Bath —1B 106
Cleveland Row. Bath —1C 106
Cleveland Ter. Bath —1B 106
(off London Rd.)
Cleveland Wlk. Bath —3D 107
Cleve Rd. Bris —5C 26
Cleweson Rise. Bris —5B 88
Cliff Ct. Dri. Bris —5D 45
Cliffe Dri. Lim S —3B 112
Clifford Gdns. Bris —1A 54
Clifford Rd. Bris —3E 61
Cliff Rd. W Mare —2E 127
Clift Ho. Rd. Bris —1B 78
Clift Ho. Spur. Bris —1B 78
Clifton Av. W Mare —3C 132
Clifton Clo. Bris —2B 68
Clifton Ct. Bris —4F 55
Clifton Ct. Clev —4C 120
Clifton Down. Bris —2B 68
Clifton Down Rd. Clif —3B 68
Clifton Down Shopping Cen. Bris —1D 69
Clifton Heights. Bris —3D 69
Clifton High Gro. Stok B —2A 56
Clifton Hill. Bris —4C 68
Clifton Pk. Clif —2C 68
Clifton Pk. Rd. Bris —2B 68
Clifton Pl. Bris —2C 70
Clifton Rd. Bris —3C 68
Clifton Rd. W Mare —2B 132
Clifton St. Bedm —2E 79
Clifton St. Bris —3F 71
Clifton St. P'head —5E 49
Clifton Ter. Bris —2E 79
Clifton Vale. Bris —4C 68
Clifton Vale Clo. Bris —4C 68
Clifton View. Bris —1B 80
Clifton Wood Ct. Bris —4D 69
Clifton Wood Cres. Bris —4D 69
Clifton Wood Rd. Bris —4D 69
Clifton Wood Ter. Bris —4C 68
Clift Pl. Bris —5F 69 (5C 4)
Clift Rd. Bris —1C 78
Clinton Rd. Bris —3E 79
Clipsham Rise. Trow —1A 118
Clive Rd. Bris —5E 81
Clockhouse M. P'head —2F 49
Clocktower Yd. Tem M —5B 70
Cloford Clo. Trow —1A 118
Cloisters Rd. Wint —3A 30
Clonmel Rd. Bris —4F 79
Closemead. Clev —5D 121
Close, The. Coal H —3E 31
Close, The. Hen —4B 24
Close, The. Lit S —3E 27
Close, The. Pat —5E 11
Close, The. Soun —4F 61
Close, The. T'bry —4C 6
Clothier Leaze Trow —3D 119
Clothier Rd. Brisl —3B 82
Clouds Hill Av. Bris —2A 72
Clouds Hill Rd. St G —2B 72
Clovelly Clo. Bris —2B 72
Clovelly Rd. Bris —2B 72
Clovelly Rd. W Mare —3E 129
Clover Clo. Clev —3F 121
Cloverdale Dri. L Grn —2C 84
Clover Ground. Bris —4D 41
Cloverlea Rd. BS15 —1E 85
Clover Leaze. Lit S —3F 27
Clyde Av. Key —4B 92
Clyde Gdns. Bath —3C 104
Clyde Gdns. Bris —4D 73
Clyde Gro. Bris —2B 42
Clyde La. Bris —5E 57
Clyde M. Redl —5E 57
Clyde Pk. Bris —5D 57
Clyde Rd. Fram C —1D 31
Clyde Rd. Know —2C 80
Clyde Rd. Redl —5D 57
Clydesdale Clo. Bris —2C 88
Clydesdale Clo. Trow —5C 118
Clyde Ter. Bedm —2E 79
Clyde Ter. Know —2C 80
Clynder Gro. Clev —1E 121
Coach Rd. Brad A —3D 115
Coalbridge Clo. W Mare —3D 129
Coaley Rd. Bris —2F 53
Coalpit Rd. Bathe —2B 102
Coalsack La. Wint —1D 47
Coalville Rd. Coal H —2F 31
Coape Rd. Bris —3B 90
Coates Gro. Nail —3F 123
Coates Wlk. Bris —2F 87
Cobbe Ho. Bris —1B 70
Cobblestone M. Bris —2C 68
Cobden St. Bris —3D 71
Coberley. Bris —4E 73
Cobhorn Dri. Bris —4B 86
Cobley Croft. Clev —5C 120
Cobourg Rd. Bris —1B 70
Cobthorn Way. Cong —1E 145
Coburg Vs. Bath —5B 100
Cock Hill. Trow —1A 118
Cock Hill Ho. Ct. Trow —1A 118
Cock Rd. Bris —4A 74
Codrington Pl. Bris —3C 68
Codrington Rd. Bris —4F 57
Cody Ct. Han —5D 73
Cogan Rd. Bris —4A 62
Cogmill La. Iron A —2B 14
Cogsall Rd. Bris —2B 90
Coity Pl. Clev —2C 120
Coker Rd. W Mare —2F 129
Colbourne Rd. Bath —3E 109
Colchester Cres. Bris —1F 87
Coldharbour La. Bris —2A 44
Coldharbour Rd. Bris —4D 57
Coldpark Gdns. Bris —3A 86
Coldpark Rd. Bris —3A 86
Coldrick Clo. Bris —5B 88
Colebrook Rd. Bris —2E 73
Coleford Rd. Bris —4F 41
Cole Mead. Bris —3D 87
Coleridge Rd. Bris —4E 59
Coleridge Rd. Clev —3C 120
Coleridge Rd. W Mare —5D 133
Coleridge Vale Rd. E. Clev —3D 121
Coleridge Vale Rd. N. Clev —4C 120
Coleridge Vale Rd. S. Clev —4C 120
Coleridge Vale Rd. W. Clev —4C 120
Cole Rd. Bris —4D 71
Colesborne Clo. Yate —1F 33
Coleshill Dri. Bris —3D 87
Colin Clo. T'bry —3C 6
College Av. Bris —2C 60
College Ct. Bris —2C 60
College Fields. Bris —2B 68
College Grn. Bris —4E 69 (3A 4)
(in three parts)
College Ho. Bris —4F 69
(off Orchard St.)
College La. Bris —4E 69 (3A 4)
College Pk. Dri. Bris —3B 40
College Rd. Bath —4F 99
College Rd. Clif —2B 68
College Rd. Fish —2C 60
College Rd. Trow —4A 118
College Rd. W Trym —5C 40
College Sq. Bris —4E 69
College St. Bris —4E 69
College View. Bath —5B 100
Collegge Gdns. Trow —4E 155
Collett Clo. Bris —5D 73
Collett Clo. W Mare —1A 130
Collett Way. Yate —3E 17
Collier Clo. C'ton —1A 148
Collier's La. Charl —2F 99
Colliers Wlk. Nail —3D 123
Collingbourne Clo. Trow —5D 119
Collingwood Av. Bris —1A 74
Collingwood Clo. Salt —2A 94
Collingwood Clo. W Mare —1C 128
Collingwood Rd. Bris —1D 69
Collin Rd. Bris —1F 81
Collins Av. Lit S —3E 27
Collins Bldgs. Salt —1A 94
Collins La. Bris —1A 60
Collinson Rd. Bris —3D 87
Collins St. Bris —4D 37
Colliter Cres. Bris —3C 78
Collum La. Kew —1C 128
Colne Grn. Key —4C 92
Coln Sq. T'bry —4D 7

Colombo Cres.—Crossley Clo.

Colombo Cres. W Mare —5C 132
Colonnades, The. Bath —3A 106 (4B 96) (off Bath St.)
Colston Av. Bris —4F 69 (3B 4)
Colston Cen. Bris —3F 69 (2B 4)
Colston Clo. Bris —4F 61
Colston Clo. Wint D —5A 30
Colston Ct. Bris —4F 57
Colston Dale. Bris —3A 60
Colston Fort. Bris —2F 69 (off Montague Pl.)
Colston Hill. Bris —3F 59
Colston Pde. Bris —5A 70 (5D 5)
Colston Pl. Bris —4A 70 (3E 5)
Colston Rd. Bris —1E 71
Colston St. Bris —4F 69 (2B 4)
Colston St. Soun —4F 61
Colthurst Dri. Bris —5A 74
Colwyn Rd. Bris —1E 71
Combe Av. P'head —2E 49
Combe Fields. P'head —2E 49
Combe Gro. Bath —1C 104
Combe Hay La. Eng —5C 108
Combe Pk. Bath —2D 105
Combermere. T'bry —4E 7
Combe Rd. Bath —3C 110
Combe Rd. P'head —3F 49
Combe Rd. Clo. Bath —3C 110
Combeside. Back —1C 124
Combeside. Bath —1B 110
Combe, The. Rads —3F 153
Combfactory La. Bris —2D 71
Comb Paddock. Bris —5D 41
Comfortable Pl. Bath —2F 105
Comfrey Clo. Trow —4E 119
Commercial Rd. Bris —5F 69
Common E., The. Brad S —5F 11
Commonfield Rd. Bris —3D 39
Common La. E'ton G —4D 53 (in two parts)
Common Mead La. Ham —3C 44
Common Rd. Bris —2D 83
Common Rd. Wint —2B 30
Common, The. Bris —5D 45
Common, The. Holt —1E 155
Common W., The. Pat —5D 11
Compton Dri. Bris —5E 39
Compton Grn. Key —4A 92
Compton St. Bris —3E 71
Comyn Wlk. Bris —2C 60
Concorde Dri. Bris —3D 41
Concorde Dri. Clev —5B 120
Concorde Ho. Brad S —2B 42
Concorde Rd. Pat —2A 26
Concourse, The. Bris —3A 82
Condor Clo. W Mare —5B 128
Condor Ho. Bris —5E 43
Condover Rd. Bris —2B 82
Conduit Pl. Bris —1C 70
Conduit Rd. Bris —1C 70
Coneygree. Bris —2B 86
Congleton Rd. Bris —1F 71
Conham Hill. Bris —5C 72
Conham Rd. Bris —5B 72
Conham Vale. Bris —5B 72
Conifer Clo. Down —1F 61
Conifer Clo. Fram C —5C 14
Conifer Way. Lock —3C 134
Conigre. Trow —1C 118
Conigre Hill. Brad A —2D 115
Coniston Av. Bris —1A 56
Coniston Clo. Bris —4F 75
Coniston Cres. W Mare —4D 133
Coniston Rd. Pat —1A 26
Coniston Rd. Trow —5E 117
Connaught Pl. W Mare —5B 126
Connaught Rd. Bris —5A 80
Connection Rd. Bath —3B 104
Constable Clo. Key —2B 92
Constable Dri. W Mare —2D 129
Constable Rd. Bris —1D 59
Constable St. Bath —2D 105
Constantine Av. Stok G —4A 28
Constitution Hill. Bris —4C 68
Convent Clo. Bris —1E 39
Convocation Av. Bath —4F 107
Conway Grn. Key —5C 92
Conway Rd. Brisl —1E 81
Conygar Clo. Clev —1F 121
Conygre Grn. Tim —1E 157
Conygre Gro. Bris —5D 27
Conygre Rd. Bris —1C 42
Conygre Ter. Bath —3F 107
Cook Clo. Old C —1E 85
Cook Ct. C Down —2D 111
Cooks Clo. Brad S —3E 11
Cooks Folly Rd. Bris —4F 55
Cook's La. Ban —4E 137
Cooks La. Coal H —1F 47
Cooksley Rd. Bris —2E 71
Cook St. Bris —4D 37
Cookworthy Clo. Bris —3D 71
Coombe Av. T'bry —2C 6
Coombe Bri. Av. Bris —1F 55
Coombe Clo. Bris —1F 39
Coombe Clo. P'head —3F 49
Coombe Dale. Bris —1E 55
Coombe Gdns. Bris —1A 56
Coombe La. Bris —5F 39
Coombe La. E'ton G —5C 52
Coombend. Rads —5B 148
Coombe Rd. Bris —5E 59
Coombe Rd. Nail —4C 122
Coombe Rd. W Mare —5C 126
Coombes Way. Bris —1F 85
Coombe Way. Hen —3B 40
Coomb Rocke. Bris —5F 39
Cooperage La. Bris —5D 69
Cooperage Rd. Bris —3F 71
Co-operation Rd. Bris —1E 71
Cooper Rd. Bris —5B 40
Cooper Rd. T'bry —5C 6
Coopers Dri. Yate —1B 18
Coots, The. Bris —2A 90
Copeland Dri. Bris —3D 89
Cope Pk. Alm —1E 11
Copford La. L Ash —4D 77
Copley Ct. Bris —5A 74
Copley Gdns. Bris —1D 59
Copley Gdns. W Mare —3D 129
Copper Beeches. Trow —4F 117
Copperfield Dri. W Mare —1D 129
Coppice Hill. Brad A —2E 115
Coppice, The Brad S —2A 28
Coppice, The. Bris —4A 86
Coppice Wood. Trow —2F 119
Copse Clo. W Mare —2E 139
Copseland. Bath —4E 107
Copse Rd. Bris —2D 81
Copse Rd. Clev —2C 120
Copse Rd. Key —4E 93
Coralberry Dri. W Mare —4D 129
Corbet Clo. Bris —2D 39
Cordwell Wlk. Bris —5F 41
Corey Clo. Bris —1B 70
Corfe Clo. Nail —4C 122
Corfe Cres. Key —4A 92
Corfe Pl. Will —4D 85
Corfe Rd. Bris —1F 87
Coriander Dri. Brad S —3C 28
Coriander Wlk. Bris —5E 59
Corinthian Ct. Bris —5A 70 (5E 5)
Corkers Hill. St G —4B 72
Cork Pl. Bath —2E 105 (off Cork St.)
Cork St. Bath —2E 105
Cork Ter. Bath —2E 105
Cormandel Heights Bath (off Camden Rd.) —1B 106
Cormorant Clo. W Mare —4D 129
Corner Croft. Clev —5D 121
Cornfield Clo. Pat —5E 11
Cornfields, The. Wick L —1D 129
Cornhill Dri. Bris —1C 88
Cornish Gro. Bris —2A 90
Cornish Rd. Bris —3F 89
Cornish Wlk. Bris —2A 90
Cornleaze. Bris —3C 86
Corn St. Bath —3A 106 (4B 96)
Corn St. Bris —4F 69 (3C 4)
Cornwall Cres. Yate —2B 18
Cornwallis Av. Bris —4C 68
Cornwallis Av. W Mare —1C 128
Cornwallis Cres. Bris —4B 68
Cornwallis Gro. Bris —4B 68
Cornwall Rd. Bris —3F 57
Coronation Av. Bath —1D 109
Coronation Av. Brad A —2F 115
Coronation Av. Bris —3C 60
Coronation Av. Key —4F 91
Coronation Clo. Bris —5C 74
Coronation Cotts. Bathe —3A 102
Coronation Est. W Mare —5D 133
Coronation Pl. Bris —4F 69 (3C 4)
Coronation Rd. Ban —5E 137
Coronation Rd. Bath —2E 105
Coronation Rd. B'don —5A 140
Coronation Rd. Down —2A 62
Coronation Rd. K'wd —3B 74
Coronation Rd. S'vle —1C 78
Coronation Rd. War —5C 74
Coronation Rd. W Mare —3C 128
Coronation St. Trow —3D 119
Coronation Vs. Rads —1D 153
Corondale Rd. W Mare —5B 128
Corridor, The. Bath —3B 106 (3C 96)
Corsley Wlk. Bris —5B 80
Corston. W Mare —1E 139
Corston La. Cor —5C 94
Corston View. Bath —2D 109
Corston Wlk. Bris —5F 37
Coryton. W Mare —3E 129
Cossham Clo. T'bry —2D 7
Cossham Rd. Bris —2F 71
Cossham Rd. Yate —3E 65
Cossham St. Mang —2C 62
Cossham Wlk. Bris —1C 72
Cossington Rd. Bris —4B 80
Cossins Rd. Bris —4D 57
Costers Clo. Alv —2B 8
Costiland Dri. Bris —2B 86
Cote Bank Ho. Bris —5D 41
Cote Dri. Bris —3C 56
Cote Ho. La. Bris —2C 56
Cote La. Bris —2C 56
Cote Lea Pk. Bris —5D 41
Cote Paddock. Bris —3B 56
Cote Pk. Bris —1A 56
Cote Rd. Bris —2C 56
Cotham Brow. Bris —1F 69
Cotham Gdns. Bris —1D 69
Cotham Gro. Bris —1F 69
Cotham Hill. Bris —1D 69
Cotham Lawn Rd. Bris —1E 69
Cotham Pk. Bris —1E 69
Cotham Pk. N. Bris —1E 69
Cotham Pl. Bris —1E 69
Cotham Rd. Bris —2E 69
Cotham Rd. S. Bris —2F 69
Cotham Side. Bris —1F 69
Cotham Vale. Bris —1E 69
Cotman Wlk. Bris —1D 59
Cotman Wlk. W Mare —3D 129
Cotrith Gro. Bris —1A 40
Cotswold Clo. P'head —4F 49
Cotswold Ct. Chip S —5D 19
Cotswold Rd. Bath —5E 105
Cotswold Rd. Bris —2F 79
Cotswold Rd. Chip S —1D 35
Cotswold Ter. Bath —3F 107
Cotswold View. Bath —4C 104
Cotswold View. Fil —1C 42
Cotswold View. K'wd —5F 61
Cotswold View. Wickw —1C 154
Cottage Pl. Bath —4D 101
Cottage Pl. Bris —2F 69
Cottages, The. Wrin —1B 156
Cottington Ct. Bris —5A 74
Cottisford Rd. Bris —3D 59
Cottle Gdns. Bris —2B 90
Cottle Rd. Bris —2B 90
Cottles La. Tur —3A 114
Cotton Mead. Cor —5D 95
Cottonwood Dri. L Grn —2C 84
Cottrell Av. Bris —5D 61
Cottrell Rd. Bris —4E 59
Coulson Dri. W Mare —2F 129
Coulsons Clo. Bris —5C 88
Coulson's Rd. Bris —5B 88
Coulson Wlk. Bris —5E 61
Counterpool Rd. Bris —3E 73
Counterslip. Bris —4A 70 (3D 5)
Counterslip Gdns. Bris —2E 89
Countess Wlk. Bris —1F 59
County St. Bris —1C 80
County Way. Trow —2D 119
Court Av. Stok G —4B 28
Court Av. Yat —4B 142
Court Clo. Back —3E 125
Court Clo. Bris —5A 42
Court Clo. P'head —4F 49
Courtenay Cres. Bris —1F 87
Courtenay Rd. Key —5A 92
Courtenay Wlk. W Mare —2E 129
Court Farm Rd. Bris —5B 88
Court Farm Rd. L Grn —4F 83
Courtfield Gro. Bris —3C 60
Court Gdns. Bathe —2B 102
Court Hay. E'ton G —3C 52
Courtlands. Key —3A 92
Courtlands. Pat —5E 11
Courtlands La. Bris —1A 78
Court La. Bathf —4C 102
Court La. Clev —3F 121
Court La. Wick —5A 154
Courtmead. Bath —5A 110
Courtney Rd. Bris —3A 74
Courtney Way. Bris —3B 74
Court Pl. W Mare —3D 129
Court Rd. Fram C —1B 30
Court Rd. Hor —5B 42
Court Rd. Kew —1E 127
Court Rd. K'wd —3F 73
Court Rd. Old C —2D 85
Courtside. Bris —3B 74
Courtside M. Bris —1E 69
Court St. Trow —2D 119
Court View. Wick —5B 154
Court View Clo. Alm —1C 10
Courtyard, The. Alm —3F 11
Courville Clo. Alv —3B 8
Cousins Clo. Bris —1F 39
Cousins La. Bris —3B 72
Cousins M. St Ap —4B 72
Couzens Ct. Chip S —4D 19
Couzens Pl. Stok G —4B 28
Coventry Wlk. Bris —4B 72
Cowdray Rd. Bris —1F 87
Cowhorn Hill. Old C —5E 75
Cow La. Bath —2F 105
Cowler Wlk. Bris —4B 86
Cowling Dri. Bris —3E 89
Cowling Rd. Bris —3F 89
Cowmead Wlk. Bris —5C 58
Cowper Rd. Bris —1E 69
Cowper St. Bris —3E 71
Cowship La. Crom —1A 154
Cox Ct. Bar C —1B 84
Coxgrove Hill. Puck —1B 64
Coxley Dri. Bath —4C 100
Cox's Grn. Wrin —2C 156
Coxway. Clev —4E 121
Crabtree Path. Clev —5C 120
Crabtree Wlk. Bris —5F 59
Craddock Clo. Bris —1C 84
Cranberry Wlk. Bris —4E 39
Cranbourne Chase. W Mare —4E 127
Cranbourne Rd. Pat —2B 26
Cranbrook Rd. Bris —3E 57
Crandale Rd. Bath —4E 105
Crandell Clo. Bris —5B 24
Crandon Lea. Holt —1F 155
Crane Clo. Bris —2D 75
Cranford Clo. W Mare —4B 128
Cranham. Yate —2E 33
Cranham Clo. Bris —5B 62
Cranham Dri. Pat —5E 11
Cranham Rd. Bris —4E 41
Cranhill Rd. Bath —1E 105
Cranleigh. Bath —4A 110
Cranleigh Ct. Rd. Yate —4F 17
Cranleigh Gdns. Bris —3A 56
Cranleigh Rd. Bris —3D 89
Cranmore. W Mare —1E 139
Cranmore Av. Key —2F 91
Cranmore Clo. Trow —1A 118
Cranmore Cres. Bris —3F 41
Cranmore Pl. Bath —4E 109
Cranside Av. Bris —3E 57
Cransley Cres. Bris —5E 41
Crantock Av. Bris —5D 79
Crantock Dri. Alm —1D 11
Crantock Rd. Yate —5F 17
Cranwell Gro. Bris —3C 88
Cranwell Rd. Lock —3A 136
Cranwells Pk. Bath —1E 105
Crates Clo. K'wd —2A 74
Craven Clo. L Grn —5B 74
Craven Way. Bar C —5B 74
Crawford Clo. Clev —5B 120
Crawley Cres. Trow —2A 118
Crawl La. Clan —5E 147
Craydon Gro. Bris —3F 89
Craydon Rd. Bris —3F 89
Craydon Wlk. Bris —3F 89
Crediton. W Mare —3E 129
Crediton Cres. Bris —4B 80
Crescent Cen., The. Bris —4A 70 (3E 5)
Crescent Gdns. Bath —2F 105
Crescent La. Bath —1F 105
Crescent Rd. Bris —1E 61
Crescent, The. Back —2C 124
Crescent, The. Henl —1E 57
Crescent, The. Mil —4F 127
Crescent, The. Sea M —1E 55
Crescent, The. Soun —4F 61
Crescent, The. Wick —4B 154
Crescent, The. Worl —3F 127
Crescent View. Bath —4A 106
Cresswell Clo. W Mare —3E 129
Crest, The. Bris —3E 81
Creswicke Av. Bris —5E 73
Creswicke Rd. Bris —1F 87
Crewkerne Clo. Nail —4F 123
Crews Hole Rd. Bris —3F 71
Cribbs Causeway. Bris —5B 24
Cribbs Causeway Cen. Bris —3C 24
Cribbs Causeway Shopping Cen. Pat —3F 25
Cribbs Retail Pk. Pat —3F 25
Cricket Field Grn. Nail —3C 122
Cricklade Ct. Nail —4F 123
Cricklade Rd. Bris —3A 58
Cripps Rd. Bris —2E 79
Crispin La. T'bry —3C 6
Crispin Way. Bris —5B 62
Crockerne Dri. Pill —4E 53
Crockerne Ho. Pill —2F 53 (off Underbanks)
Crocombe La. Tim —1F 157
Croft Av. Bris —3E 59
Croft Clo. Bit —5F 85
Crofton Av. Bris —1B 58
Croft Rd. Bath —5C 100
Croft Rd. Mon C —3F 111
Crofts End Rd. Bris —1A 72
Croft, The. Back —1C 124
Croft, The. Bris —2B 62
Croft, The. Clev —2F 121
Croft, The. Hut —5C 134
Croft, The. Old C —2E 85
Croft, The. Trow —4C 118
Croft View. Bris —1E 57
Crokeswood Wlk. Bris —3C 38
Crome Rd. Bris —5D 43
Cromer Rd. Bris —5E 59
Cromer Rd. W Mare —3C 132
Cromwell Ct. Bris —5A 74
Cromwell Dri. W Mare —1E 129
Cromwell Rd. St And —5F 57
romwell Rd. St G —2C 72
Cromwells Hide. Bris —2A 60
Cromwell St. Bris —2E 79
Crooke's La. Kew —1E 127
Crookwell Drove. Cong —5C 144
Croomes Hill. Bris —1F 61
Cropthorne Rd. Bris —3C 42
Cropthorne Rd. S. Bris —4C 42
Crosby Row. Clif —4C 68
Crosscombe Dri. Bris —5D 87
Crosscombe Wlk. Bris —5D 87
Cross Elms La. Bris —2A 56
Crossfield Rd. Bris —4A 62
Cross Lanes. Pill —3D 53 (in two parts)
Crossleaze Rd. Bris —2E 83
Crossley Clo. Wint —2B 30

Eugene St.—Friar Av.

Eugene St. St Ja —2F 69
Eugene St. St Jud —2B 70
Evans Clo. St Ap —5B 72
Evans Rd. Bris —5D 57
Eveleigh Ho. Bath —2B 106
(off Grove St.)
Evelyn Rd. Bath —1C 104
Evelyn Rd. Bris —4E 41
Evelyn Ter. Bath —5B 100
Evenlode Gdns. Bris —2B 54
Evenlode Way. Key —5C 92
Everall Dri. W Mare —2E 127
Evercreech Rd. Bris —4C 88
Everest Av. Bris —3A 60
Everest Rd. Bris —3A 60
Evergreen Clo. Wins —3A 156
Everleigh Clo. Trow —5D 119
Eve Rd. Bris —1D 71
Everson Clo. W Mare —4E 133
Ewart Rd. W Mare —5A 128
Exbourne. W Mare —3E 129
Excelsior St. Bath —4C 106 (5D 97)
Excelsior Ter. Mid N —3E 151
Exchange Av. Bris —4F 69 (3C 4)
Exeter Bldgs. Bris —5D 57
Exeter Rd. Bris —1D 79
Exeter Rd. P'head —4A 50
Exeter Rd. W Mare —3C 132
Exford Clo. W Mare —1D 139
Exley Clo. Bris —5E 75
Exmoor Rd. Bath —2A 110
Exmoor St. Bris —1D 79
Exmouth Rd. Bris —4B 80
Exton. W Mare —1E 139
Exton Clo. Bris —3D 89
Eyers La. Bris —3B 70 (1F 5)

Faber Gro. Bris —4E 87
Fabian Dri. Stok G —4A 28
Factory Rd. Wint —2B 30
Failand Cres. Bris —2E 55
Failand La. P'bry & Fail —5A 52
Failand Wlk. Bris —1E 55
Fairacre Clo. Bris —2D 59
Fairacre Clo. Lock —4F 135
Fairacres Clo. Key —3A 92
Fairfax Ct. Bris —3A 70
Fairfax St. Bris —3F 69 (2C 4)
Fairfield Av. Bath —4B 100
Fairfield Clo. Back —1F 125
Fairfield Clo. W Mare —4F 127
Fairfield Mead. Back —1F 125
Fairfield Pk. Rd. Bath —4A 100
Fairfield Pl. Bris —1D 79
Fairfield Rd. Bath —5B 100
Fairfield Rd. Mont —5B 58
Fairfield Rd. S'vle —1E 79
Fairfield Ter. Bath —4B 100
Fairfield Ter. Pea J —2F 149
Fairfield View. Bath —4B 100
Fairfield Way. Back —2E 125
Fairfoot Rd. Bris —2C 80
Fairford Clo. Bris —5B 62
Fairford Cres. Pat —1E 27
Fairford Rd. Bris —5F 37
Fair Furlong. Bris —4C 86
Fairhaven. Yate —5B 18
Fairhaven Cotts. Bath —1B 102
Fairhaven Rd. Bris —3E 57
Fair Lawn. Old C —1C 84
Fairlawn Av. Brad S —1C 42
Fairlawn Rd. Bris —5B 58
Fairleigh Rd. Clev —5A 120
Fairlyn Dri. Bris —4B 62
Fairoaks. L Grn —2C 84
Fairview. W Mare —1D 129
Fair View Dri. Bris —5E 57
Fairview Rd. Bris —2B 74
Fairway. Bris —4F 81
Fairway Clo. Old C —1D 85
Fairway Clo. W Mare —3F 127
Fairway Ind. Cen. Brad S —1B 42
Fairways. Salt —2A 94
Falcon Clo. Bris —4B 40
Falcon Clo. Pat —1A 26
Falcon Clo. P'head —4F 49
Falcon Ct. W Trym —1C 56
Falcon Cres. W Mare —5B 128
Falcondale Rd. Bris —5B 40
Falcondale Wlk. Bris —4C 40
Falcon Dri. Pat —1A 26
Falconer Rd. Bath —3B 98
Falcon Wlk. Pat —5A 10
Falcon Way. T'bry —2E 7
Falfield Rd. Bris —2E 81
Falfield Wlk. Bris —4E 41
Falkland Rd. Bris —5B 58
Fallodon Ct. Bris —2D 57
Fallodon Way. Bris —2D 57
Fallowfield. War —5F 75
Fallowfield. W Mare —1D 129
Falmouth Clo. Nail —4F 123
Falmouth Rd. Bris —3F 57
Fane Clo. Bris —2C 40
Fanshawe Rd. Bris —1C 88
Faraday Rd. Bris —5B 68
Far Handstones. Bris —1C 84
Farington Rd. Bris —5F 41
Farleigh Av. Trow —3A 118
Farleigh Rise. Bathf & Mon F —5E 103
Farleigh Rd. Back —1F 125
Farleigh Rd. Key —4F 91
Farleigh Wlk. Bris —5C 78
Farler's End. Nail —5E 123
(in two parts)
Farley Clo. Lit S —2E 27
Farm Ct. Bris —5A 46
Farmer Rd. Bris —4A 86
Farmhouse Clo. Nail —3D 123
Farm La. E Comp —1C 24
Farm Rd. Bris —5A 46
Farm Rd. Hut —1C 140
Farm Rd. W Mare —4F 127
Farmwell Clo. Bris —3D 87
Farnaby Clo. Bris —1E 87
Farnborough Rd. Lock —4A 136
Farndale Rd. Bris —4C 72
Farndale Rd. W Mare —5B 128
Farne Clo. Bris —2D 57
Farrant Clo. Bris —2F 87
Farringford Ho. Bris —5F 59
Farrington Rd. Paul —4A 146
Farr's La. Bath —2C 110
Farrs La. Bris —4F 69 (4B 4)
Farr St. Bris —4D 37
Faulkland Rd. Bath —4E 105
Faulkland View. Pea J —5E 157
Faversham Dri. W Mare —2E 139
Fawkes Clo. Bris —2D 75
Fearnville Est. Clev —4C 120
Featherstone Rd. Bris —3B 60
Feeder Rd. Bris —5B 70
Felix Rd. Bris —2C 70
Felstead Rd. Bris —3A 42
Feltham Rd. Puck —2E 65
Felton Gro. Bris —5B 78
Fenbrook Clo. Ham —3D 45
Fenhurst Gdns. L Ash —5B 76
Feniton. W Mare —3E 129
Fennell Gro. Bris —2C 40
Fenners. W Mare —1F 129
Fenswood Clo. L Ash —4A 76
Fenswood Mead. L Ash —4A 76
Fenswood Rd. L Ash —4A 76
Fenton Clo. Salt —5F 93
Fenton Rd. Bris —3F 57
Fermaine Av. Bris —2B 82
Fernbank Rd. Bris —5E 57
Fern Clo. Bren —1D 41
Fern Clo. Mid N —4E 151
Ferndale Av. L Grn —2B 84
Ferndale Rd. Bath —3D 101
Ferndale Rd. Bris —2C 42
Ferndale Rd. P'head —2F 49
Ferndene. Brad S —4E 11
Ferndown. Yate —5A 18
Ferndown Clo. Bris —5C 38
Fern Gro. Lit S —1E 27
Fern Gro. Nail —5B 122
Fernhill La. Bris —3D 39
Fernhurst Rd. Bris —1B 72
Fern Lea. B'don —5F 139
Fernlea Gdns. E'ton G —3D 53
Fernlea Rd. W Mare —1A 134
Fernleaze. Coal H —3E 31
Fernleigh Ct. Bris —4D 57
Fern Rd. Bris —2F 61
Fernside. Back —1C 124
Fernsteed Rd. Bris —2B 86
Fern St. Bris —1B 70
Ferry La. Bath —3B 106 (4E 97)
Ferry Rd. Bris —4F 83
Ferry Steps Ind. Est. Bris —1C 80
Ferry St. Bris —4A 70 (4D 5)
Fersfield. Bath —1C 110
Fiddes Rd. Bris —3E 57
Fielders, The. W Mare —1F 129
Field Farm Clo. Stok G —5B 28
Fieldgrove La. Bris —5E 85
Fieldings. W'ley —2F 113
Fieldings Rd. Bath —3D 105
Field La. Bris —2A 84
Field La. L Sev —4F 9
Field Marshall Slim Ct. Bris —3B 70 (1F 5)
Field Rd. Bris —1E 73
Field View. Bris —2C 70
Field View Dri. Bris —1E 61
Field Way. Trow —4A 118
Fiennes Clo. Bris —3A 62
Fifth Av. Bris —3C 42
Fifth Way. Bris —2A 38
Filby Dri. Lit S —1E 27
Filer Clo. Pea J —4D 157
Filton Av. Fil —5D 27
Filton Av. Hor & Fil —1B 58
Filton Gro. Bris —1B 58
Filton Hill. Brad S —5C 26
Filton La. Brad S —2F 43
Filton Rd. Fren & Ham —2A 44
Filton Rd. Hor —5B 42
Filton Rd. Stok G —2F 43
Filwood B'way. Bris —5A 80
Filwood Ct. Bris —4D 61
Filwood Dri. Bris —2B 74
Filwood Rd. Bris —3C 60
Finch Clo. T'bry —2D 7
Finch Clo. W Mare —5C 128
Finch Rd. Chip S —1B 34
Finmere Gdns. W Mare —1E 129
Fircliff Pk. P'head —1F 49
Fireclay Rd. Bris —3F 71
Fire Engine La. Coal H —2F 31
Firework Clo. Bris —2D 75
Firfield St. Bris —1C 80
Firgrove Cres. Yate —4B 18
Firgrove La. Mid N —1E 149
Firleaze. Nail —4A 122
Firs Ct. Key —4E 91
Firs Hill. Trow —5A 118
First Av. Bath —5E 105
First Av. Bris —5A 72
First Av. P'bry —2A 52
First Av. W'fld I —4F 151
Firs, The. Bris —1A 62
Firs, The. C Hay —3C 110
Firs, The. Lim S —4B 112
First Way. Bris —3E 37
Fir Tree Av. Lock —4C 134
Fir Tree Av. Paul —5C 146
Fir Tree Clo. Pat —2A 26
Firtree La. Bris —4C 72
Fisher Av. Bris —1C 74
Fisher Rd. Bris —1C 74
Fishponds Rd. Eastv & Fish —5E 59
Fishponds Trad. Est. Bris —5A 60
Fishpool Hill. Bris —5D 25
Fitchett Wlk. Bris —1B 40
Fitzgerald Rd. Bris —2B 80
Fitzmaurice Clo. Brad A —5F 115
Fitzmaurice Pl. Brad A —4E 115
Fitzroy Rd. Bris —5D 61
Fitzroy St. Bris —1C 80
Fitzroy Ter. Bris —5D 57
Five Acre Dri. Bris —5B 44
Five Arches Clo. Mid N
5C Bus. Cen. Clev —5B 120
—2A 152
Flamingo Cres. W Mare —5C 128
Flatwoods Cres. Clav D —1F 111
Flatwoods Rd. Clav D —1F 111
Flaxman Clo. Bris —1D 59
Flaxpits La. Wint —3F 29
Fleece Cotts. Trow —3E 119
Florence Gro. W Mare —5F 127
Florence Pk. Alm —1E 11
Florence Pk. Bris —3D 57
Florence Rd. Bris —4A 62
Florida Ter. Mid N —2F 151
Flowerdown Bri. W Mare —1B 134
Flowerdown Rd. Lock —4A 136
Flowers Hill. Bris —5A 82
Flowers Hill Clo. Bris —4A 82
Flowers Hill Trad. Cen. Bris —4A 82
Flowers Ind. Est. Bris —4B 82
Flowerwell Rd. Bris —3D 87
Folleigh Dri. L Ash —3D 77
Folleigh La. L Ash —3D 77
Folliot Clo. Bris —4C 44
Folly Bri. Clo. Yate —4F 17
Follyfield. Brad A —5E 115
Folly La. Bris —3C 70
Folly La. W Mare —2C 138
Folly Rd. Iron A —2B 14
Folly, The. Bris —5B 46
Folly, The. Salt —2B 94
Fontana Clo. L Grn —2D 85
Fonthill Rd. Bath —4F 99
Fonthill Rd. Bris —2F 41
Fonthill Way. Bit —3D 85
Fontmell Ct. Bris —1F 89
Fontwell Dri. Bris —3B 46
Footes La. Fram C —2D 31
Footshill Clo. Bris —4E 73
Footshill Dri. Bris —3E 73
Footshill Gdns. Bris —4E 73
Footshill Rd. Bris —4E 73
Forde Clo. Bar C —5B 74
Fordell Pl. Bris —2C 80
Ford Rd. Pea J —1F 149
Ford St. Bris —4E 71
Forefield Pl. Bath —4B 106
Forefield Rise. Bath —5B 106
Forefield Ter. Bath —4C 106
Forest Av. Bris —4D 61
Forest Dri. Bren —1E 41
Forest Dri. W Mare —4E 127
Forest Edge. Bris —1E 83
Forester Av. Bath —1B 106
Forester Ct. Bath —1B 106
Forester La. Bath —1C 106
Forester Rd. Bath —2C 106 (1E 97)
Forester Rd. P'head —4F 49
Forest Hills. Alm —1D 11
Fore St. Trow —1D 119
Forest Rd. Fish —4D 61
Forest Rd. K'wd —3F 73
Forest Wlk. Fish —4D 61
Forest Wlk. K'wd —3E 73
Forge End. P'bry —4A 52
Fortescue Rd. Rads —2C 152
Fortfield Rd. Bris —4C 88
Forty Acre La. Alv —4B 8
Forum Bldgs. Bath —4B 106
(off St James's Pde.)
Fosse Barton. Nail —3C 122
Fosse Clo. Nail —3B 122
Fossedale Av. Bris —2E 89
Fossefield Rd. Mid N —5E 151
Fosse Gdns. Bath —4E 109
Fosse Grn. Rads —5B 148
Fosse La. Bathe —2B 102
Fosse La. Mid N —1F 151
Fosse La. Nail —3B 122
(in two parts)
Fosseway. Clev —5C 120
Fosseway. Mid N —5E 151
Fosse Way. Nail —3B 122
Fosseway Ct. Bris —3C 68
Fosseway Gdns. Rads —3A 152
Fosseway S. Mid N —5E 151
Fosseway, The. Bris —3C 68
Fossway. Clan —5B 148
Foss Way. Mid N —3A 152
Foster's Almshouses. Bris —3F 69 (2B 4)
Foster St. Bris —5D 59
Foundry La. Bris —5B 60
Fountain Bldgs. Bath —2B 106 (2C 96)
Fountain Ct. Brad S —3E 11
Fountain Ct. Yate —2F 33
(off Abbotswood)
Fountaine Ct. Bris —5E 59
Fountain Hill. Bris —1B 68
Fountain La. Wins —5C 156
Fountains Dri. Bar C —4B 74
Four Acre Av. Bris —4A 46
Fouracre Cres. Bris —3A 46
Four Acre Rd. Bris —3A 46
Four Acres. Bris —4A 86
Four Acres Clo. Bris —4B 86
Four Acres Clo. Nail —5D 123
Fourth Av. Bris —3C 42
Fourth Av. W'fld I —4A 152
Fourth Way. Bris —3F 37
Fowey Clo. Nail —4F 123
Fowey Rd. W Mare —1E 129
Fox Av. Yate —4F 17
Foxborough Gdns. Brad S —4F 11
Fox Clo. St Ap —5B 72
Foxcombe Rd. Bath —2C 104
Foxcombe Rd. Bris —4D 89
Foxcote. Bris —3B 74
Foxcote Rd. Bris —2C 78
Fox Ct. L Grn —2B 84
Foxcroft Clo. Brad S —2B 28
Foxcroft Rd. Bris —2F 71
Fox Den Rd. Stok G —1F 43
Foxe Rd. Fram C —1C 30
Foxfield Av. Brad S —4F 11
Foxglove Clo. Stap —3A 60
Foxglove Clo. T'bry —2E 7
Fox Hill. Bath —3B 110
Fox Hills Rd. Rads —3D 153
Fox & Hounds La. Key —3B 92
Fox Ho. Bris —2A 82
Fox Rd. Bris —1D 71
Fraley Rd. Bris —5C 40
Frampton Ct. L Grn —1B 84
Frampton Ct. Trow —4A 118
Frampton Cres. Bris —3E 61
Frampton End Rd. Fram C —1E 31
Frampton End Rd. Yate —4F 15
Frances Greeves Ct. Bris —3B 40
Francis Fox Rd. W Mare —1C 132
Francis Pl. L Grn —1B 84
Francis Rd. Bedm —3E 79
Francis Rd. W Trym —4E 41
Francis St. Trow —1C 118
Francombe Gro. Bris —1A 58
Frankland Clo. Bath —5B 98
Frankley Bldgs. Bath —5C 100
Frankley Ter. Bath —5C 100
(off Snow Hill)
Franklin Ct. Bris —5A 70 (5E 5)
Franklins Way. Clav —2F 143
Franklyn La. Bris —1B 70
Franklyn St. Bris —1B 70
Fraser Clo. W Mare —1D 129
Fraser St. Bris —2F 79
Frayne Rd. Bris —1C 78
Frederick Av. Pea J —2F 149
Frederick Pl. Bris —3D 69
Frederick St. Bris —1C 80
Freeland Bldgs. Bris —5E 59
Freeland Pl. Bris —4B 68
Freelands. Clev —5C 120
Freeling Ho. Bris —5A 70
Freemantle Gdns. Eastv —4E 59
Freemantle Rd. Bris —4E 59
Freestone Rd. Bris —4C 70
Free Tank. Bris —4B 70
Freeview Rd. Bath —3B 104
Fremantle La. Bris —1F 69
Fremantle Rd. Bris —1F 69
Fremantle Sq. Bris —1F 69
Frenchay Clo. Bris —5D 45
Frenchay Comn. Bris —5D 45
Frenchay Hill. Bris —5E 45
Frenchay Pk. Rd. Bris —1A 60
Frenchay Rd. Bris —5E 45
Frenchay Rd. W Mare —4C 132
French Clo. Nail —2E 123
French Clo. Pea J —5D 157
Frenchfield Rd. Pea J —5D 157
Freshfield Way. Bris —2D 73
Freshford Ho. Bris —5A 70 (5D 5)
Freshford La. F'frd —5B 112
Freshland Way. Bris —2D 73
Freshmoor. Clev —3F 121
Friar Av. W Mare —2C 128

Friars—Grayle Rd.

Friars. *Bris* —3A **70**
Friars Ho. *Yate* —2F **33**
Friary Clo. *Clev* —1C **120**
Friary Clo. *Up W* —5F **113**
Friary Grange Pk. *Wint* —3A **30**
Friary Rd. *Bris* —3F **57**
Friary Rd. *P'head* —3D **49**
Friendly Row. *Pill* —2E **53**
Friendship Gro. *Nail* —3E **123**
Friendship Rd. *Bris* —3B **80**
Friendship Rd. *Nail* —2E **123**
Friezewood Rd. *Bris* —1C **78**
Fripp Clo. *Bris* —4D **71**
Frobisher Av. *P'head* —3C **48**
Frobisher Clo. *P'head* —3C **48**
Frobisher Clo. *W Mare* —1C **128**
Frobisher Rd. *Bris* —2C **78**
Frog La. *Bris* —4E **69** (3A **4**)
Frog La. *Coal H* —1A **32**
Frogmore St. *Bris* —4E **69** (3A **4**)
Frome Bank Gdns. *Wint D* —1A **46**
Frome Ct. *T'bry* —4D **7**
Frome Glen. *Wint D* —5A **30**
Frome Old Rd. *Rads* —2D **153**
Frome Pl. *Bris* —1A **60**
Frome Rd. *Bath* —2D **109**
Frome Rd. *Brad A* —5D **115**
Frome Rd. *Chip S* —5E **19**
Frome Rd. *Trow* —5A **118**
Frome Rd. *Writ* —2C **152**
Fromeside Pk. *Bris* —5D **45**
Frome St. *Bris* —2B **70**
Frome Valley Rd. *Bris* —1B **60**
Frome View. *Fram C* —2D **31**
Frome Vs. *Bris* —5E **45**
Frome Way. *Wint* —4A **30**
Froomshaw Rd. *Bris* —5C **44**
Frost Hill. *Yat* —4D **143**
Fry Ct. *Bris* —1E **79**
Fry's Clo. *Bris* —3F **59**
Fry's Hill. *Brisl* —3F **81**
Fry's Hill. *Bris* —1A **74**
Frys Leaze. *Bath* —4C **100**
Fryth Way. *Nail* —3B **122**
Fulford Rd. *Bris* —3D **87**
Fulford Rd. *Trow* —5E **117**
Fulford Wlk. *Bris* —3D **87**
Fullens Clo. *W Mare* —1B **134**
Fuller Rd. *Bath* —4D **101**
Fullers La. *Wins* —5B **156**
Fullers Way. *Bath* —4E **109**
Fulmar Clo. *T'bry* —2E **7**
Fulmar Rd. *W Mare* —4D **129**
Fulney Clo. *Trow* —5F **117**
Funchal Vs. *Bris* —3C **68**
Furber Ct. *Bris* —4D **73**
Furber Ridge. *Bris* —4D **73**
Furber Rd. *Bris* —3D **73**
Furber Vale. *Bris* —4D **73**
Furland Rd. *W Mare* —3A **128**
Furlong Clo. *Mid N* —5C **150**
Furlong Gdns. *Trow* —1E **119**
Furlong, The. *Bris* —2F **57**
Furnwood. *Bris* —4C **72**
Furze Clo. *W Mare* —3F **127**
Furze Rd. *Bris* —4E **61**
Furze Rd. *W Mare* —3E **127**
Furzewood Rd. *Bris* —2B **74**
Fussell Ct. *Bris* —2B **74**
Fylton Croft. *Bris* —5D **89**

Gable Rd. *Bris* —1C **70**
Gables Clo. *Ban* —5F **137**
Gadshill Dri. *Stok G* —4A **28**
Gadshill Rd. *Bris* —4E **59**
Gages Clo. *Bris* —3B **74**
Gages Rd. *Bris* —3A **74**
Gainsborough Dri. *W Mare* —2D **129**
Gainsborough Gdns. *Bath* —1D **105**
Gainsborough Rise. *Trow* —4A **118**
Gainsborough Rd. *Key* —3B **92**
Gainsborough Sq. *Bris* —5D **43**
Galleries Shopping Cen. *Bris* —3A **70** (1D **5**)
Gallivan Clo. *Lit S* —1D **27**
Galway Rd. *Bris* —4A **80**
Gander Clo. *Bris* —3D **87**
Gannet Rd. *W Mare* —4D **129**
Garamond Ct. *Redc* —5A **70**
Garden Clo. *Bris* —2E **55**
Garden Clo. *W Mare* —3C **128**
Garden Ct. *Bris* —2C **68**
Gardeners Wlk. *L Ash* —4D **77**
Gardens Rd. *Clev* —2C **120**
Garden Walls. *Wickw* —2C **154**
Gardner Av. *Bris* —1B **86**
Gardner Rd. *P'head* —2F **49**
Garfield Rd. *Bris* —2C **72**
Garfield Ter. *Bath* —4D **101**
Garner Ct. *W Mare* —1F **129**
Garnet St. *Bris* —2D **79**
Garnett Pl. *Bris* —5B **46**
Garoner Way. *P'bry* —2B **52**
Garre Ho. *Bath* —4A **104**
Garrett Dri. *Brad S* —2F **27**
Garrick Rd. *Bath* —4A **104**
Garsdale Rd. *W Mare* —5B **128**
Garside St. *Paul* —5C **146**
Garstons. *Bathf* —4E **103**
Garstons. *Clev* —5B **120**
Garstons. *Wrin* —2C **156**
Garstons Clo. *Wrin* —1C **156**
Garstons Orchard. *Wrin* —2B **156**
Garstons, The. *P'head* —4F **49**
Garth Rd. *Bris* —5C **78**
Gasferry Rd. *Bris* —5D **69**
(in two parts)
Gaskins, The. *Bris* —2C **58**
Gas La. *Bris* —4C **70**
Gaston Av. *Key* —2B **92**
Gastons, The. *Bris* —4C **38**
Gatcombe Dri. *Stok G* —5A **28**
Gatcombe Rd. *Bris* —3D **87**
Gatehouse Av. *Bris* —3C **86**
Gatehouse Clo. *Bris* —3C **86**
Gatehouse Ct. *Bris* —3C **86**
Gatehouse Way. *Bris* —3C **86**
Gatesby Mead. *Stok G* —4A **28**
Gathorne Cres. *Yate* —4F **17**
Gathorne Rd. *Bris* —1D **79**
Gatton Rd. *Bris* —1C **70**
Gaunts Clo. *P'head* —4B **48**
Gaunt's Earthcott La. *Alm* —1D **13**
Gaunts La. *Bris* —4E **69** (3A **4**)
Gaunts Rd. *Chip S* —1D **35**
Gay Ct. *Bath* —3F **101**
Gay Elms Rd. *Bris* —4C **86**
Gayner Rd. *Bris* —3C **42**
Gay's Hill. *Bath* —1B **106**
Gay's Rd. *Bris* —1D **83**
Gay St. *Bath* —2A **106** (2A **96**)
Gaywood Ho. *Bris* —2D **79**
Gazelle Rd. *W Mare* —5F **133**
Gazzard Clo. *Wint* —2A **30**
Gazzard Rd. *Wint* —2A **30**
Gee Moors. *Bris* —3B **74**
Gefle Clo. *Bris* —5D **69**
Geldof Dri. *Mid N* —2D **151**
Geoffrey Clo. *Bris* —2A **86**
George Clo. *Back* —1F **125**
George & Dragon La. *Bris* —3F **71**
George's Bldgs. *Bath* —1B **106**
George's Pl. *Bath* —3C **106**
George's Rd. *Bath* —5B **100**
George St. *Bath* —2A **106** (2B **96**)
George St. *Bathw* —3C **106** (3F **97**)
George St. *Bris* —2E **71**
George St. *P'head* —5E **49**
George St. *Trow* —1D **119**
George St. *W Mare* —1C **132**
George Whitefield Ct. *Bris* —3A **70** (1E **5**)
Georgian View. *Bath* —1D **109**
Gerald Rd. *Bris* —2C **78**
Gerard Rd. *W Mare* —5C **126**
Gerrard Bldgs. *Bath* —2C **106** (2E **97**)
Gerrish Av. *Stap H* —2B **62**
Gerrish Av. *W'hall* —2E **71**
Gibbsfold Rd. *Bris* —5E **87**
Gibson Rd. *Bris* —1F **69**
Giffard Ho. *Lit S* —3F **27**
Gifford Cres. *Lit S* —3E **27**
Gifford Rd. *Bris* —5B **24**
Gilbeck Rd. *Nail* —3B **122**
Gilbert Rd. *K'wd* —1F **73**
Gilbert Rd. *Redf* —2E **71**
Gilberyn Dri. *W Mare* —2F **129**
Gilda Clo. *Bris* —3E **89**
Gilda Cres. *Bris* —2D **89**
Gilda Pde. *Bris* —3E **89**
Gilda Sq. E. *Bris* —3D **89**
Gilda Sq. W. *Bris* —3D **89**
Gillard Clo. *K'wd* —2D **73**
Gillard Rd. *Bris* —2D **73**
Gill Av. *Bris* —2D **61**
Gillebank Clo. *Bris* —3F **89**
Gillingham Hill. *Bris* —5D **73**
Gillingham Ter. *Bath* —5C **100**
Gillingstool. *T'bry* —4D **7**
Gillmews. *W Mare* —1F **129**
Gillmore Clo. *W Mare* —4B **128**
Gillmore Rd. *W Mare* —4B **128**
Gillson Clo. *Hut* —1B **140**
Gilpin Clo. *K'wd* —5B **62**
Gilray Clo. *Bris* —1D **59**
Gilroy Clo. *L Grn* —2D **85**
Gilslake Av. *Bris* —1D **41**
Gilton Ho. *Bris* —3A **82**
Gimblett Rd. *W Mare* —1F **129**
Gingell Clo. *Bris* —4B **74**
Gingell's Grn. *Bris* —2C **72**
Gipsies Plat. *Brad S* —4B **20**
Gipsy La. *Trow* —1F **155**
Gipsy Patch La. *Lit S* —3D **27**
Glades, The. *Bris* —5A **60**
Gladstone Dri. *Bris* —4A **62**
Gladstone La. *Fram C* —2E **31**
Gladstone Pl. *C Down* —2D **111**
Gladstone Rd. *Bath* —2D **111**
Gladstone Rd. *Bris* —2D **89**
Gladstone Rd. *K'wd* —1F **73**
Gladstone Rd. *Trow* —3B **118**
Gladstone St. *Bedm* —2D **79**
Gladstone St. *Mid N* —1E **151**
Gladstone St. *Redf* —3F **71**
Gladstone St. *Stap H* —4F **61**
Glaisdale Rd. *Bris* —2C **60**
Glanville Gdns. *Bris* —3A **74**
Glass Ho. La. *Bris* —5D **71**
Glastonbury Clo. *L Grn* —5B **74**
Glastonbury Clo. *Nail* —4F **123**
Glastonbury Way. *W Mare* —3E **129**
Glebe Av. *P'head* —4A **50**
Glebe Clo. *L Ash* —3E **77**
Glebe Field. *Alm* —1C **10**
Glebelands. *Rads* —3A **152**
Glebelands Rd. *Bris* —1C **42**
Glebe Rd. *Bath* —5C **104**
Glebe Rd. *Bris* —2A **72**
Glebe Rd. *Clev* —4C **120**
Glebe Rd. *L Ash* —4E **77**
Glebe Rd. *P'head* —4A **50**
Glebe Rd. *Trow* —3A **118**
Glebe Rd. *W Mare* —5C **126**
Glebe, The. *F'frd* —5C **112**
Glebe, The. *Tim* —1E **157**
Glebe, The. *Wrin* —1B **156**
Glebe Wlk. *Key* —4E **91**
Gledemoor Dri. *Coal H* —2F **31**
Gleeson Ho. *Bris* —1D **61**
Glena Av. *Bris* —3D **81**
Glenarm Rd. *Bris* —3A **82**
Glenarm Wlk. *Bris* —3A **82**
Glen Av. *Abb L* —2B **66**
Glenavon Ct. *Bris* —3E **55**
Glenavon Pk. *Bris* —3E **55**
Glenburn Rd. *Bris* —1D **73**
Glencairn Ct. *Bath* —3C **106** (3E **97**)
Glencoyne Sq. *Bris* —2E **41**
Glendale. *Clif* —4B **68**
Glendale. *Down* —4A **46**
Glendale. *Fish* —4E **61**
Glendare St. *Bris* —4E **71**
Glendevon Rd. *Bris* —5C **88**
Glen Dri. *Bris* —2F **55**
Gleneagles. *Yate* —5A **18**
Gleneagles Clo. *Nail* —4F **123**
Gleneagles Clo. *W Mare* —2D **129**
Gleneagles Dri. *Bris* —1F **39**
Gleneagles Rd. *War* —4D **75**
Glenfall. *Yate* —2F **33**
Glenfrome Ho. *Eastv* —5D **59**
Glenfrome Rd. *St W & Eastv* —5C **58**
Glen La. *Bris* —3F **81**
Glen Pk. *Eastv* —5E **59**
Glen Pk. *St G* —2C **72**
Glen Pk. Gdns. *Bris* —2C **72**
Glenroy Av. *Bris* —1D **73**
Glenside Clo. *Bris* —5E **45**
Glenside Pk. *Bris* —2A **60**
Glen, The. *Han* —1D **83**
Glen, The. *Redl* —4D **57**
Glen, The. *Salt* —3B **94**
Glen, The. *W Mare* —3F **127**
Glen, The. *Yate* —4A **18**
Glentworth Rd. *Clif* —4D **69**
Glentworth Rd. *Redl* —5E **57**
Glenview Rd. *Bris* —3F **81**
Glenwood. *Bris* —4E **61**
Glenwood Dri. *Old C* —1D **85**
Glenwood Rise. *P'head* —3B **48**
Glenwood Rd. *Bris* —5E **41**
Glen Yeo Ter. *Cong* —2C **144**
Gloster Av. *Bris* —4F **59**
Gloucester Clo. *Stok G* —4F **27**
Gloucester La. *Bris* —3B **70**
Gloucester Mans. *Bris* —5F **57**
Gloucester Pl. *Bris* —3F **69** (1B **4**)
Gloucester Rd. *Alm* —1D **11**
Gloucester Rd. *A'mth* —3C **36**
Gloucester Rd. *Bishop & Hor* —5F **57**
Gloucester Rd. *Pat* —1D **27**
Gloucester Rd. *Rudg* —5A **8**
Gloucester Rd. *Stap H* —4A **62**
Gloucester Rd. *Swain* —1D **101**
Gloucester Rd. *T'bry* —3C **6**
Gloucester Rd. *Trow* —3B **118**
Gloucester Rd. *Wint* —2D **29**
Gloucester Rd. N. *Bris & Fil* —3B **42**
Gloucester Row. *Bris* —3B **68**
Gloucester St. *Bath* —2A **106** (1A **96**)
Gloucester St. *Clif* —3B **68**
Gloucester St. *Eastv* —4F **59**
Gloucester St. *St Pa* —2A **70**
Gloucester St. *W Mare* —1B **132**
Gloucester Ter. *T'bry* —3C **6**
Glyn Vale. *Bris* —4F **79**
Goddard Dri. *W Mare* —1F **129**
Godfrey Ct. *L Grn* —1B **84**
Goding La. *Ban* —5F **137**
Godwin Dri. *Nail* —2B **122**
Goffenton Dri. *Bris* —1D **61**
Goldcrest Rd. *Chip S* —2B **34**
Golden Hill. *Bris* —2F **57**
Goldfinch Way. *Puck* —3E **65**
Goldney Av. *Clif* —4C **68**
Goldney Av. *War* —3E **75**
Goldney La. *Bris* —4C **68**
Goldney Rd. *Bris* —4C **68**
Goldsbury Wlk. *Bris* —3C **38**
Goldsmiths Ho. *Bris* —4B **70** (3F **5**)
Golf Club La. *Salt* —2A **94**
Golf Course La. *Bris* —1B **42**
Golf Course Rd. *Bath* —3D **107**
Gooch Ct. *Old C* —2E **85**
Gooch Way. *W Mare* —2F **129**
Goodeve Pk. *Bris* —4F **55**
(in two parts)
Goodeve Rd. *Bris* —4F **55**
Goodhind St. *Bris* —2C **70**
Goodneston Rd. *Bris* —4C **60**
Goodring Hill. *Bris* —3C **38**
Good Shepherd Clo. *Bris* —3E **57**
Goodwin Dri. *Bris* —4B **88**
Goodwood Clo. *Whit B* —3F **155**
Goodwood Gdns. *Bris* —3B **46**
Goold Clo. *Cor* —4C **94**
Goolden St. *Bris* —2C **80**
Goosard La. *High L* —1A **146**
Goose Acre. *Stok G* —3B **28**
Gooseberry La. *Key* —3B **92**
Goose Grn. *Bris* —1E **75**
Goosegreen. *Fram C* —1E **31**
Goose Grn. *Yate* —2A **18**
Goose Grn. Way. *Yate* —3C **16**
Gooseland Clo. *Bris* —5B **88**
Goosey La. *St Geo* —3A **130**
Gordano Gdns. *E'ton G* —3D **53**
Gordano Rd. *P'bry* —1F **51**
Gordano View. *P'head* —3E **49**
Gordon Av. *Bris* —1F **71**
Gordon Clo. *Bris* —1A **72**
Gordon Rd. *Bath* —4C **106**
Gordon Rd. *Clif* —3D **69**
Gordon Rd. *Pea J* —4D **157**
Gordon Rd. *St Pa* —1B **70**
Gordon Rd. *W'hall* —1F **71**
Gordon Rd. *W Mare* —1D **133**
Gore Rd. *Bris* —2C **78**
Gore's Marsh Rd. *Bris* —3C **78**
Gorham Clo. *Bris* —2E **39**
Gorlands Rd. *Chip S* —5E **19**
Gorlangton Clo. *Bris* —1C **88**
Gorse Cover Rd. *Sev B* —3B **20**
Gorse Hill. *Bris* —4D **61**
Gorse La. *Bris* —4D **69**
Gosforth Rd. *Bris* —2D **41**
Goslet Rd. *Bris* —3A **90**
Goss Barton. *Nail* —4C **122**
Goss Clo. *Nail* —4B **122**
Goss La. *Nail* —4B **122**
Goss View. *Nail* —4B **122**
Gotley Rd. *Bris* —3F **81**
Gott Dri. *Bris* —4F **71**
Goulston Rd. *Bris* —3C **86**
Goulston Wlk. *Bris* —2C **86**
Goulter St. *Bris* —4D **71**
Gourney Clo. *Bris* —2D **39**
Gover Rd. *Han* —2E **83**
Goy Rd. *Pat* —2C **26**
Grace Clo. *Chip S* —5E **19**
Grace Clo. *Yat* —3B **142**
Grace Ct. *Bris* —1F **61**
Grace Dri. *Bris* —1C **74**
Grace Dri. *Mid N* —2D **151**
Grace Pk. Rd. *Bris* —4F **81**
Grace Rd. *Bris* —2E **61**
Grace Rd. *W Mare* —1F **129**
Gradwell Clo. *W Mare* —2F **129**
Graeme Clo. *Bris* —3C **60**
Graham Rd. *Bedm* —2E **79**
Graham Rd. *Down* —1B **62**
Graham Rd. *E'tn* —1D **71**
Graham Rd. *W Mare* —1C **132**
Grainger Ct. *Bris* —5A **38**
Grampian Clo. *Old C* —1E **85**
Granby Ct. *Bris* —4B **68**
Granby Hill. *Bris* —4B **68**
Grand Pde. *Bath* —3B **106** (3C **96**)
Grange Av. *Bris* —5E **73**
Grange Av. *Lit S* —3E **27**
Grange Clo. *Brad S* —4E **11**
Grange Clo. *Uph* —2C **138**
Grange Clo. N. *Bris* —1D **57**
Grange Ct. *Bris* —1D **57**
Grange Ct. *Han* —5F **73**
Grange Ct. Rd. *Bris* —1C **56**
Grange Dri. *Bris* —1E **61**
Grange End. *Mid N* —5E **151**
Grange Pk. *Fren* —4E **45**
Grange Pk. *W Trym* —1D **57**
Grange Rd. *B'wth* —3C **86**
Grange Rd. *Clif* —3C **68**
Grange Rd. *Salt* —5E **93**
Grange Rd. *Uph* —2C **138**
Grange View. *Brad A* —2F **115**
Grangeville Clo. *L Grn* —2D **85**
Grangewood Clo. *Bris* —1E **61**
Granny's La. *Bris* —4A **74**
Grantham La. *Bris* —2E **73**
Grantham Rd. *Bris* —2E **73**
Grantson Clo. *Bris* —3A **82**
Granville Clo. *Bris* —2D **83**
Granville Rd. *Bath* —3F **99**
Granville St. *Bris* —4E **71**
Grasmere. *Trow* —5E **117**
Grasmere Clo. *Bris* —4C **40**
Grasmere Dri. *W Mare* —4D **133**
Grasmere Gdns. *Bris* —4F **75**
Grassington Dri. *Chip S* —1C **34**
Grass Meers Dri. *Bris* —4C **88**
Grassmere Rd. *Yat* —3B **142**
Gratitude Rd. *Bris* —1E **71**
Gravel Hill Rd. *Yate* —3A **18**
(in two parts)
Gravel, The. *Holt* —1E **155**
Gravel Wlk. *Bath* —2F **105**
Graveney Clo. *Bris* —4F **81**
Gray Clo. *Bris* —2A **40**
Grayle Rd. *Bris* —2C **40**

Gt. Ann St. *Bris* —3B **70**
Gt. Bedford St. *Bath* —1A **106**
Gt. Brockeridge. *Bris* —1B **56**
Gt. Dowles. *Bris* —1C **84**
Gt. George St. *Bris* —4E **69**
Gt. George St. *St Jud*
—3B **70** (1F **5**)
Gt. Hayles Rd. *Bris* —1B **88**
Gt. Leaze. *Bris* —1C **84**
Gt. Meadow Rd. *Brad S*
—3B **28**
Gt. Orchard. *Brad A* —5A **114**
Gt. Park Rd. *Alm* —3E **11**
Great Parks. *Holt* —1F **155**
Gt. Pulteney St. *Bath*
—2B **106** (2D ...)
Gt. Stanh...

...Alv —4A **8**
Greenhill La. *Bris* —3E **39**
Greenhill Pde. *Alv* —2B **8**
Greenhill Pl. *Mid N* —1D **151**
Greenhill Rd. *Alv* —2B **8**
Greenhill Rd. *Mid N* —1D **151**
Greenland Mills. *Brad A*
—3F **115**
Greenland Rd. *W Mare*
—4B **128**
Greenlands Rd. *Bris* —5A **24**
Greenlands Rd. *Pea J* —1F **149**
Greenlands Way. *Bris* —5A **24**
Greenland View. *Brad A*
—3E **115**
Green La. *Bris* —4D **37**
Green La. *Sev B* —3B **20**
Green La. *Trow* —2E **119**
Green La. *Wint* —3E **29**
Greenleaze. *Bris* —4D **81**
Greenleaze Av. *Bris* —3F **45**
Greenleaze Clo. *Bris* —3F **45**
Greenmore Rd. *Bris* —3D **81**
Greenore. *Bris* —3E **73**
Green Pk. Ho. *Bath* —3A **106**
Green Pk. M. Bath —3F **105**
(off Green Pk.)

Green Pk. Rd. *Bath*
—3A **106** (4A **96**)
Greenpark Rd. *Bris* —3A **42**
Green Pk. Station. *Bath*
—3F **105**
Green Parlour Rd. *Rads*
—3F **153**
Greenplott Rd. *Brad S* —2A **22**
Greenridge Clo. *Bris* —4A **86**
Greens Hill. *Bris* —4A **60**
Green Side. *Mang* —1C **62**
Greenside Clo. *Bris* —1F **39**
Greenslade Gdns. *Nail*
—2C **122**
Greensplott R... ...hit —2A **22**

...—5C **40**
Greystoke Av. *Bris* —4C **40**
Greystoke Gdns. *Bris* —4C **40**
Greystones. *Bris* —3A **46**
Griffin Clo. *W Mare* —3F **129**
Griffin Rd. *Clev* —3D **121**
Griggfield Wlk. *Bris* —1B **88**
Grimsbury Rd. *Bris* —2C **74**
Grindell Rd. *Bris* —3F **71**
Grinfield Av. *Bris* —4E **87**
Grinfield Ct. *Bris* —4E **87**
Grittleton Rd. *Bris* —4A **42**
Grosvenor Bri. Rd. *Bath*
—5D **101**
Grosvenor Pk. *Bath* —5D **101**
Grosvenor Pl. *Bath* —5D **101**
Grosvenor Rd. *Bris* —1B **70**
Grosvenor Ter. *Bath* —4D **101**
Grosvenor Vs. *Bath* —5C **100**
Ground Corner. *Holt* —2D **155**
Grove Av. *Bris* —5F **69** (5C **4**)
Grove Av. *Fish* —3B **60**
Grove Av. *W Trym* —5E **39**
Grove Bank. *Bris* —3E **45**
Grove Ct. *Trow* —4C **118**
Grove Dri. *Mil* —4A **128**
Grove La. *W Mare* —5B **126**
Grove Leaze. *Brad A* —3C **114**
Grove Leaze. *Shire* —1E **53**

Grove Pk. *Brisl* —3F **81**
Grove Pk. *Redl* —5E **57**
Grove Pk. *W Mare* —5B **126**
Grove Pk. Av. *Bris* —3F **81**
Grove Pk. Rd. *Bris* —3F **81**
Grove Pk. Rd. *W Mare*
—4B **126**
Grove Pk. Ter. *Bris* —3B **60**
Grove Rd. *Ban* —4C **136**
Grove Rd. *C Din* —4E **39**
Grove Rd. *Fish* —3B **60**
Grove Rd. *Mil* —4A **128**
Grove Rd. *Redl* —5C **56**
Grove Rd. *W Mare* —5B **126**
Grovesend Rd. *T'bry* —3C **6**
(in two parts)
Groves, The. *Bris* —4F **87**
Grove St. *Bath*
—2B **106** (2C **96**)
Grove, The. *Bath* —5D **99**
Grove, The. *Bris* —5F **69** (5B **4**)
Grove, The. *Clev* —5B **120**
Grove, The. *Pat* —1D **27**
Grove, The. *War* —1C **84**
Grove, The. *Wins* —3A **156**
Grove View. *Bris* —1A **60**
Grove Wood Rd. *Hay* —4B **152**
Guernsey Av. *Bris* —1B **82**
Guest Av. *E Grn* —4D **47**
Guild Ct. *Bris* —4A **70** (5D **5**)
Guildford Rd. *Bris* —5A **72**
Guinea La. *Bath*
—2A **106** (1B **96**)
Guinea La. *Bris* —2C **60**
(in two parts)
Guinea St. *Bris* —5F **69**
Gulliford's Bank. *Clev* —4E **121**
Gullimore Gdns. *Bris* —4D **87**
Gullivers Pl. *Chip S* —1C **34**
Gullock Tyning. *Mid N*
—3E **151**
Gullons Clo. *Bris* —2C **86**
Gullon Wlk. *Bris* —3B **86**
Gullybrook La. *Bris* —4D **71**
Gully, The. *Wint* —2B **30**
Gunnings Clo. *K'wd* —4F **73**
Gunter's Hill. *Bris* —4C **72**
Guthrie Rd. *Bris* —2B **68**
Gwilliam St. *Bris* —2F **79**
Gwyn St. *Bris* —1A **70**
Gypsy La. *Coal H* —2F **47**

Haberfield Hill. *Pill* —5F **53**
Haberfield Ho. *Bris* —4B **68**
Hacket La. *T'bry* —3E **7**
(in two parts)
Haden Rd. *Trow* —3D **119**
Hadley Ct. *Bris* —4D **75**
Hadley Rd. *Bath* —2C **110**
Hadrian Clo. *Bris* —3E **55**
Ha Ha, The. *Tim* —1D **157**
...ig Clo. *Bris* —5D **39**
...lbrow Cres. *Bris* —2E **61**
Haldon Clo. *Bris* —4F **79**
Hale Clo. *Han* —1F **83**
Hales Horn Clo. *Lit S* —3F **27**
Halfacre Clo. *Bris* —5C **88**
Halfacre La. *Bris* —4D **89**
Halfway Clo. *Trow* —5F **117**
Halfway La. *Trow* —1E **119**
Halifax Rd. *Yate* —1F **17**
Hallam Rd. *Clev* —2C **120**
Hallards Clo. *Bris* —4B **38**
Hallatrow Rd. *Paul* —3A **146**
Hallen Clo. *Bris* —1F **39**
Hallen Dri. *Bris* —5E **39**
Hallen Rd. *H'len* —5E **23**
Hallets Way. *P'head* —4F **49**
Halliwell Rd. *P'head* —4A **48**
Halls Rd. *Bris* —2F **73**
Hall St. *Bris* —3D **79**
Halsbury Rd. *Bris* —2F **69**
Halsbury Rd. *W'bry P* —3D **57**
Halstock Av. *Bris* —4B **60**
Halston Dri. *Bris* —2B **70**
Halswell Gdns. *Bris* —4D **87**
Halswell Rd. *Clev* —5D **121**
Halt End. *Bris* —5E **89**
Halve, The. *Trow* —1D **119**
Halwyn Clo. *Bris* —2F **55**
Hamble Clo. *T'bry* —4D **7**
Hambledon Rd. *W Mare*
—1A **130**

Hambrook La. *Stok G & Ham*
—1B **44**
Ham Clo. *Holt* —2D **155**
Ham Grn. *Pill* —3F **53**
Ham Gro. *Paul* —4B **146**
Hamilton Ho. *Bath* —3F **99**
Hamilton Rd. *Bath* —4F **99**
Hamilton Rd. *E'tn* —2D **71**
Hamilton Rd. *S'vle* —1D **79**
Hamilton Rd. *W Mare* —4A **126**
Ham La. *Bris* —1A **60**
Ham La. *Dun* —5A **86**
Ham La. *Nail* —1F **123**
Ham La. *Paul* —4B **146**
Hamlet, The. *Nail* —2F **123**
Hammersmith Rd. *Bris* —2F **71**
Hammond Clo. *Bris* —5A **40**
Hammond Gdns. *Bris* —5A **40**
Hammond Way. *Trow*
—3D **117**
Hampden Clo. *Yate* —2F **17**
Hampden Rd. *Bris* —2D **81**
Hampden Rd. *W Mare*
—3C **128**
Hampshire Way. *Yate* —2B **18**
Hampstead Rd. *Bris* —2E **81**
Hampton Corner. *Shire* —1A **54**
Hampton Ho. *Bath* —5D **101**
Hampton La. *Bris* —1D **69**
Hampton Pk. *Bris* —1D **69**
Hampton Rd. *Bris* —5D **57**
Hampton Row. *Bath* —1C **106**
Hampton St. *Bris* —1F **73**
Hampton View. *Bath* —5C **100**
Ham Ter. *Trow* —2D **155**
Hamwood Clo. *W Mare*
—1F **139**
Hanbury Clo. *Bris* —5F **73**
Hanbury Rd. *Bris* —2C **68**
Handel Av. *Bris* —2F **71**
Handel Rd. *Key* —3F **91**
Handford Way. *L Grn* —2D **85**
Hanford Ct. *Bris* —1E **89**
Hang Hill. *Bath* —5E **157**
Hangstone Wlk. *Clev* —3C **120**
Hanham Bus. Pk. *Han* —5D **73**
Hanham La. *Paul* —2C **146**
Hanham Mt. *Bris* —4F **73**
Hanham Rd. *K'wd* —4F **73**
Hanham Way. *Nail* —3A **122**
Hanna Clo. *Bath* —3B **104**
Hannah More Clo. *Wrin*
—1C **156**
Hannah More Rd. *Nail*
—4B **122**
Hanover Clo. *Trow* —3E **117**
Hanover Clo. *W Mare* —1E **129**
Hanover Ct. *Bath* —4C **100**
Hanover Ct. *Bris* —3A **70** (1E **5**)
Hanover Ct. *Fil* —1C **42**
Hanover Ct. *Rads* —2F **153**
Hanover Ho. *Bris* —3C **70**
Hanover Pl. Bath —5C **100**
(off London Rd.)
Hanover Pl. *Bris* —5D **69**
Hanover St. *Bar H* —3E **71**
Hanover St. *Bath* —5C **100**
Hanover St. *Bris* —4F **69** (3B **4**)
Hanover Ter. Bath —5C **100**
(off Gillingham Ter.)
Hansford Clo. *Bath* —3F **109**
Hansford Sq. *Bath* —3F **109**
Hansons Way. *Clev* —4C **120**
Hans Price Clo. *W Mare*
—5C **126**
Hantone Hill. *B'ptn* —5A **102**
Happerton La. *E'ton G* —5D **53**
Hapsburg Clo. *W Mare*
—1E **129**
Harbour Rd. *P'head* —2F **49**
Harbour Rd. Trad. Est. *P'head*
—2A **50**
Harbour Wall. *Bris* —3D **55**
Harbour Way. *Bris* —5E **69**
Harbury Rd. *Bris* —5E **41**
Harbutts. *B'ptn* —5A **102**
Harcombe Hill. *Wint D* —5A **30**
Harcombe Rd. *Wint* —4B **30**
Harcourt Av. *Bris* —4C **72**
Harcourt Clo. *Salt* —2A **94**
Harcourt Gdns. *Bath* —4C **98**
Harcourt Hill. *Bris* —4E **57**
Harcourt Rd. *Bris* —3D **57**

Hardenhuish Rd. *Bris* —5F **71**
Harden Rd. *Bris* —3A **90**
Harding Pl. *Key* —3D **93**
Hardings Ter. *Bris* —2B **72**
Hardington Dri. *Key* —5A **92**
Hardwick. *Yate* —2E **33**
Hardwick Clo. *Brisl* —2A **82**
Hardwick Clo. *War* —5F **75**
Hardwick Rd. *Pill* —2E **53**
Hardy Av. *Bris* —1C **78**
Hardy Ct. *Bar C* —5B **74**
Hardy Rd. *Bris* —3D **79**
Hareclive Rd. *Bris* —3D **87**
Harefield Clo. *Bris* —3E **83**
Hare Knapp. *Brad A* —3C **114**
Harescombe. *Yate* —2A **34**
Harewood Rd. *Bris* —1C **72**
Harford Clo. *Bris* —5E **39**
Harford Dri. *Bris* —3E **45**
Harford St. *Trow* —1E **119**
Hargreaves Rd. *Trow* —3E **119**
Harington Pl. *Bath*
—3A **106** (3B **96**)
Harlech Way. *Will* —3D **85**
Harleston St. *Bris* —2C **70**
Harley Pl. *Bris* —3B **68**
Harley St. *Bath* —1A **106**
Harmer Clo. *Bris* —1B **40**
Harmony Dri. *P'head* —4B **48**
Harmony Pl. *Trow* —3D **119**
Harnhill Clo. *Bris* —4D **87**
Harolds Way. *Bris* —4E **73**
Harptree. *W Mare* —1E **139**
Harptree Clo. *Nail* —5C **122**
Harptree Ct. *Bar C* —1C **84**
Harptree Gro. *Bris* —3D **79**
Harrier Path. *W Mare* —5C **128**
Harrington Av. *Bris* —2A **90**
Harrington Gro. *Bris* —2A **90**
Harrington Rd. *Bris* —2A **90**
Harrington Wlk. *Bris* —2A **90**
Harris Barton. *Fram C* —2D **31**
Harris Ct. *L Grn* —1B **84**
Harris La. *Abb L* —2B **66**
Harrowdene Rd. *Bris* —2D **81**
Harrow Rd. *Bris* —2F **81**
Harry Stoke Rd. *Stok G*
—2A **44**
Hartcliffe Rd. *Bris* —5A **80**
Hartcliffe Wlk. *Bris* —5B **80**
Hartcliffe Way. *Bris* —4E **79**
Hartfield Av. *Bris* —1E **69**
Hartgill Clo. *Bris* —5D **87**
Hartington Pk. *Bris* —5E **57**
Hartland. *W Mare* —3E **129**
Hartland Ho. *Bris* —4E **71**
Hartley Clo. *Chip S* —5E **19**
Harts Croft. *Yate* —2B **18**
Harts Paddock. *Mid N*
—1C **150**
Harvest Way. *W Mare*
—1D **129**
Harvey Clo. *W Mare* —1E **129**
Harvey's La. *Bris* —2B **72**
Harwood Grn. *Kew* —1C **128**
Harwood La. *Wickw* —3C **154**
Haselbury Gro. *Salt* —2A **94**
Haskins Ct. *Bar C* —1C **84**
Haslands. *Nail* —5C **122**
Haslemere Ind. Est. *Bris*
—2E **37**
Hassell Dri. *Bris* —3C **70**
Hastings Clo. *Bris* —4E **79**
Hastings Rd. *Bris* —4E **79**
Hatches La. *W Mare* —3E **131**
Hatchet La. *Stok G* —5A **28**
Hatchet Rd. *Stok G* —4F **27**
Hatchmere. *T'bry* —4E **7**
Hatfield Bldgs. *Bath* —4C **106**
Hatfield Rd. *Bath* —1F **109**
Hatfield Rd. *W Mare* —5E **127**
Hatherley. *Yate* —2A **34**
Hatherley Rd. *Bris* —3A **58**
Hathway Wlk. *Bris* —2C **70**
Hatters La. *Chip S* —5D **19**
Havelock Ct. *Trow* —3C **118**
Havelock St. *Trow* —3D **119**
Haven, The. *Bris* —1A **74**
Haversham Clo. *W Mare*
—4B **128**
Haverstock Rd. *Bris* —2C **80**
Haviland Gro. *Bath* —3B **98**
Haviland Pk. *Bath* —4C **98**
Havory. *Bath* —5D **101**

Hawarden Ter.—Hillside

Hawarden Ter. Bath —5C 100
Hawburn Clo. Bris —3F 81
Hawcroft. Holt —1E 155
Haweswater. Bris —2D 41
Haweswater Clo. Bris —4F 75
Hawke Rd. Kew —1C 128
Hawkesbury Rd. Bris —4A 60
Hawkeseley Dri. Lit S —3F 27
Hawkesley Dri. Lit S —3F 27
Hawkesworth Rd. Yate —3E 17
Hawkfield Bus. Pk. Hawk B —3F 87
Hawkfield Clo. Hawk B —3F 87
Hawkfield Rd. Bris —3F 87
Hawkfield Way. Hawk B —3F 87
Hawkins Clo. Bris —1E 85
Hawkins Cres. Brad S —1F 27
Hawkins St. Bris —3B 70 (2F 5)
Hawkley Dri. Brad S —3F 11
Hawkridge Dri. Puck —2E 65
Hawksmoor Clo. Bris —2C 88
Hawksworth Dri. Bris —5D 73
Hawksworth Dri. W Mare —1A 130
Hawland Gro. Bath —3B 98
Hawthorn Av. Bris —5D 73
Hawthorn Clo. Pat —1A 26
Hawthorn Clo. P'head —3B 48
Hawthorn Clo. Puck —2E 65
Hawthorn Coombe. W Mare —2C 128
Hawthorn Cres. T'bry —2D 7
Hawthorn Cres. Yat —2A 142
Hawthorne Gdns. Stap H —3B 62
Hawthornes, The. Stap H —3B 62
Hawthorne St. Bris —2C 80
Hawthorn Gdns. W Mare —3B 128
Hawthorn Gro. Bath —3A 110
Hawthorn Gro. Trow —5C 118
Hawthorn Heights. W Mare —2B 128
Hawthorn Hill. W Mare —3C 128
Hawthorn Pk. W Mare —2C 128
Hawthorn Rd. Rads —2E 153
Hawthorns. Key —3A 92
Hawthorns La. Key —3A 92
Hawthorns, The. Clev —3C 120
Hawthorn Way. Nail —3E 123
Hawthorn Way. Stok G —4A 28
Haycombe. Bris —2B 88
Haycombe Dri. Bath —5B 104
Haycombe La. Bath —1A 108
Hayden Clo. Bath —4F 105
Haydock Clo. Bris —3B 46
Haydon Gdns. Bris —2D 59
Haydon Ga. Rads —4C 152
Haydon Hill. Rads —4C 152
Haydon Ind. Est. Rads —4C 152
Hayeley Dri. Brad S —3A 28
Hayes Clo. Bris —3C 70
Hayes Clo. Trow —4E 117
Hayes Ct. Pat —2D 27
Hayesfield Pk. Bath —4A 106
Hayes Pk. Rd. Mid N —2C 150
Hayes Pl. Bath —4A 106
Hayes Rd. Mid N —2C 150
Hayeswood Rd. Tim —1D 157
Hay Hill. Bath —2A 106 (1B 96)
Hay Leaze. Yate —2F 17
Hayleigh Ho. Bris —4E 87
Haymarket, The. Bris —3F 69 (1C 4)
Haymarket Wlk. Bris —2F 69 (off Cannon St.)
Haynes La. Bris —2F 61
Haythorne Ct. Stap H —2B 62
Haytor Pk. Bris —5F 39
Hayward Clo. Clev —5C 120
Hayward Rd. Bar H —3E 71
Hayward Rd. Stap H —3F 61
Haywood Clo. W Mare —2E 139
Haywood Gdns. W Mare —2E 139
Hazel Av. Bris —5D 57
Hazelbury Clo. Nail —3D 123
Hazelbury Dri. Bris —5E 75
Hazelbury Rd. Bris —5E 81
Hazelbury Rd. Nail —4C 122
Hazel Cote Rd. Bris —4D 89
Hazel Cres. T'bry —3E 7
Hazeldene Rd. Pat —2C 26
Hazeldene Rd. W Mare —5E 127
Hazel Gdns. Alv —3A 8
Hazel Gro. Bath —5E 105
Hazel Gro. Bris —4C 42
Hazel Gro. Mid N —4E 151
Hazel Gro. Trow —5B 118
Hazelgrove. Wint —4F 29
Hazel La. Rudg —4A 8
Hazell Clo. Clev —5E 121
Hazel Ter. Mid N —4E 151
Hazelton Rd. Bris —4F 57
Hazel Way. Bath —4E 109
Hazelwood Ct. Bris —4F 55
Hazelwood Rd. Bris —4F 55
Hazleton Gdns. Clav D —1F 111
Headford Av. Bris —3D 73
Headford Rd. Bris —4F 79
Headington Clo. Han —1F 83
Headley Ct. Bris —2D 87
Headley La. Bris —2C 86
Headley Pk. Av. Bris —2D 87
Headley Pk. Rd. Bris —1C 86
Headley Rd. Bris —2C 86
Headley Wlk. Bris —1D 87
Hearn Dri. Fram C —3D 31
Heart Meers. Bris —3D 89
Heath Clo. Wint —3A 30
Heathcote Dri. Coal H —2F 31
Heathcote La. Coal H (off Boundary Rd.) —2F 31
Heathcote Rd. Fish —5D 61
Heathcote Rd. Stap H —2A 62
Heathcote Wlk. Bris —5E 61
Heath Ct. Bris —5F 45
Heather Av. Fram C —3D 31
Heather Clo. Bris —2D 73
Heatherdene. Bris —1B 88
Heather Dri. Bath —4E 109
Heather Shaw. Trow —2E 119
Heathfield Clo. Bath —3B 98
Heathfield Clo. Key —3E 91
Heathfield Cres. Bris —4C 88
Heathfield Rd. Nail —3D 123
Heathfield Way. Nail —2D 123
Heath Gdns. Bris —4F 45
Heath Gdns. Coal H —3E 31
Heathgate. Yat —3B 142
Heathgates. Nail —3E 123
Heathgates. W Mare —4B 132
Heath Ho. La. Stap —3D 59
Heath Ridge. L Ash —3C 76
Heath Rise. Bris —5D 75
Heath Rd. Down —5F 45
Heath Rd. Eastv —4D 59
Heath Rd. Han —1D 83
Heath Rd. Nail —2E 123 (in two parts)
Heath St. Bris —4E 59
Heath Wlk. Bris —5F 45
Heber St. Bris —3E 71
Hebron Rd. Bris —2E 79
Heddington Clo. Trow —5C 118
Hedgemead Clo. Bris —2F 59
Hedgemead Ct. Bath —1B 106 (off Margaret's Hill)
Hedgemead View. Bris —2A 60
Hedges Clo. Clev —5B 120
Hedges, The. St Geo —3A 130
Hedwick Av. Bris —3A 72
Hedwick St. Bris —3A 72
Heggard Clo. Bris —3C 86
Helens Ct. Trow —1C 118
Hellier Wlk. Bris —5E 87
Helmdon Rd. Trow —1A 118
Helston Rd. Nail —4F 123
Hemmings Pde. Bris —3D 71
Hemming Way. Hut —5C 134
Hemplow Clo. Bris —1F 89
Hempton La. Alm —4D 11
Henacre Rd. Bris —4B 38
Henbury Ct. Hen —1A 40
Henbury Gdns. Hen —2A 40
Henbury Hill. W Trym —3B 40
Henbury Rd. Han —5D 73
Henbury Rd. Hen & W Trym —2A 40
Hencliffe Rd. Bris —1F 89
Hencliffe Way. Han —2D 83
Henderson Clo. Trow —3B 118
Henderson Rd. Bris —5D 73
Hendre Rd. Bris —3C 78
Hendy Ct. Yate —1F 33
Henfield Cres. Old C —1D 85
Henfield Rd. Coal H —5E 32
Hengaston St. Bris —3D 79
Hengrove Av. Bris —5D 81
Hengrove La. Bris —5C 80
Hengrove Rd. Bris —3C 80
Hengrove Way. Bris —2D 87
Henleaze Av. Bris —2C 56
Henleaze Gdns. Bris —2C 56
Henleaze Pk. Bris —2E 57
Henleaze Pk. Dri. Bris —1D 57
Henleaze Rd. Bris —2C 56
Henleaze Ter. Bris —5D 41
Henley Gro. Bris —2D 57
Henley La. Yat —4D 143
Henley Lodge. Yat —4D 143
Henley Pk. Yat —4C 142
Hennesy Clo. Bris —5B 88
Henrietta Ct. Bath —1B 106
Henrietta Gdns. Bath —2B 106 (1D 97)
Henrietta M. Bath —2B 106 (2D 97)
Henrietta Pl. Bath —2B 106 (2C 96)
Henrietta Rd. Bath —2B 106 (1D 97)
Henrietta St. Bath —2B 106 (2D 97)
Henrietta St. E'tn —1D 71
Henrietta St. K'dwn —2F 69
Henrietta Vs. Bath —2B 106 (1D 97)
Henry St. Bath —3B 106 (4C 96)
Henry St. Tot —1B 80
Henry Williamson Ct. Bar C —5C 74
Henshaw Clo. Bris —5E 61
Henshaw Rd. Bris —5E 61
Henshaw Wlk. Bris —5E 61
Hensley Gdns. Bath —5F 105
Hensley Rd. Bath —5F 105
Hensman's Hill. Bris —4C 68
Hepburn Rd. Bris —2A 70
Herald Clo. Bris —2F 55
Herapath St. Bris —4E 71
Herbert Cres. Bris —4F 59
Herbert Rd. Bath —4E 105
Herbert Rd. Clev —2D 121
Herbert St. Bris —1E 79 (in two parts)
Herbert St. W'hall —2E 71
Hercules Clo. Lit S —3F 27
Hereford Rd. Bris —5C 58
Hereford St. Bedm —2F 79
Heritage Clo. Pea J —4D 157
Herkomer Clo. Bris —5D 43
Herluin Way. W Mare —2E 133
Hermes Clo. Salt —5F 93
Hermitage Clo. Bris —5A 38
Hermitage Rd. Bath —5F 99
Hermitage Rd. Bris —2F 61
Heron Clo. W Mare —5C 128
Heron Gdns. P'head —4A 50
Heron Rd. Bris —1D 71
Heron Way. Chip S —2B 34
Herridge Clo. Bris —4D 87
Herridge Rd. Bris —4D 87
Hersey Gdns. Bris —5A 86
Hesding Clo. Bris —2E 83
Hestercombe Rd. Bris —2D 87
Hetling Ct. Bath —3A 106 (4B 96)
Heyford Av. Bris —3D 59
Heyron Wlk. Bris —4D 87
Heywood Rd. Pill —3E 53
Heywood Ter. Pill —3E 53
Hicking Ct. K'wd —4A 74
Hicks Av. E Grn —4D 47
Hick's Barton. Bris —2B 72
Hicks Comn. Rd. Wint —4A 30
Hicks Ct. L Grn —1B 84
Hicks Ga. Ho. Key —5D 83
High Acre. Paul —5C 146
Higham St. Bris —1B 80
High Bannerdown. Bathe —2C 102
Highbury Pde. W Mare —4A 126
Highbury Pl. Bath —5B 100
Highbury Rd. Bedm —4E 79
Highbury Rd. Hor —5B 42
Highbury Rd. W Mare —4A 126
Highbury Ter. Bath —5B 100
Highbury Vs. Bath —5B 100 (off Highbury Pl.)
Highbury Vs. Bris —2E 69 (in three parts)
Highcroft. Bris —4E 75
Highdale Av. Clev —3D 121
Highdale Clo. Bris —4D 89
Highdale Rd. Clev —3D 121
High Elm. Bris —4A 74
Highett Dri. Bris —1C 70
Highfield Av. Bris —5F 73
Highfield Clo. Bath —4C 104
Highfield Clo. Stok G —1B 44
Highfield Dri. P'head —5A 48
Highfield Gdns. Bit —3E 85
Highfield Gro. Bris —2F 57
Highfield Rd. Brad A —2E 115
Highfield Rd. Chip S —5C 18
Highfield Rd. Key —5B 92
Highfield Rd. Pea J —1F 149
Highfield Rd. W Mare —2E 139
Highfields. Rads —3A 152
High Gro. Bris —1D 55
Highgrove St. Bris —1C 80
High Kingsdown. Bris —2E 69
Highland Clo. W Mare —3F 127
Highland Cres. Bris —5C 56
Highland Pl. Bris —5C 56
Highland Rd. Bath —4C 104
Highland Sq. Bris —5C 56
Highlands Rd. L Ash —3C 76
Highlands Rd. P'head —3D 49
Highland Ter. Bath —3E 105
High La. Yate —1F 29
Highleaze Rd. Old C —1E 85
Highmead Gdns. Bris —4A 86
High Meadows. Mid N —3C 150
Highmore Gdns. Bris —5E 43
Highnam Clo. Pat —5D 11
High Pk. Bris —4D 81
High Pk. Paul —3A 146
Highridge Cres. Bris —3B 86
Highridge Grn. Bris —1A 86
Highridge Pk. Bris —2B 86
Highridge Rd. Bedm —3D 79
Highridge Rd. B'wth —4A 86
Highridge Wlk. Bris —1A 86
High St. Banwell, Ban —5C 136
High St. Bath, Bath —3B 106 (3C 96)
High St. Bathampton, B'ptn —5A 102
High St. Batheaston, Bathe —3A 102
High St. Bathford, Bathf —4D 103
High St. Bitton, Bit —5F 85
High St. Bristol, Bris —3F 69 (2C 4)
High St. Chipping Sodbury, Chip S —5D 19
High St. Claverham, Clav —2F 143
High St. Clifton, Clif —5C 56
High St. Congresbury, Cong —2D 145
High St. Easton, E'tn —1D 71
High St. Freshford, F'frd —4C 112
High St. Hanham, Han —5E 73
High St. High Littleton, High L —1A 146
High St. Iron Acton, Iron A —2F 15
High St. Keynsham, Key —2A 92
High St. Kingswood, K'wd —2A 74
High St. Midsomer Norton, Mid N —3D 151
High St. Nailsea, Nail —3D 123
High St. Oldland, Old C —2E 85
High St. Paulton, Paul —4B 146
High St. Portbury, P'bry —4A 52
High St. Portishead, P'head —4F 49
High St. Saltford, Salt —1A 94
High St. Shirehampton, Shire —5F 37
High St. Staple Hill, Stap H —3E 61
High St. Thornbury, T'bry —4C 6
High St. Timsbury, Tim —1E 157
High St. Twerton on Avon, Twer A —3B 104
High St. Warmley, War —2D 75
High St. Westbury on Trym, W Trym —5C 40
High St. Weston, W'ton —4B 98
High St. Weston-super-Mare, W Mare —5B 126 (in three parts)
High St. Wick, Wick —5B 154
High St. Wickwar, Wickw —1B 154
High St. Winterbourne, Wint —3F 29
High St. Woolley, W'ly —1A 100
High St. Worle, Wor —4C 128
High St. Wrington, Wrin —1B 156
High St. Yatton, Yat —2B 142
High View. Bath —4F 105
High View. P'head —4C 48
Highview Rd. Bris —5A 62
Highwall La. Q Char —5C 90
Highway. Yate —4B 18
Highwood La. Bren & Pat —3A 26
Highwood Rd. Pat —3A 26
Highworth Cres. Yate —1F 33
Highworth Rd. Bris —4F 71
Hilbury Ct. Trow —1E 119
Hilcot Gro. W Mare —4F 127
Hildesheim Clo. W Mare —1D 133
Hill Av. Bath —3A 110
Hill Av. Bris —2A 80
Hillbrook Rd. T'bry —4E 7
Hill Burn. Bris —1E 57
Hillburn Rd. Bris —3C 72
Hillcote Est. W Mare —3F 139
Hill Ct. Paul —3B 146
Hill Crest. Bris —4D 81
Hill Crest. Cong —1E 145
Hillcrest. Pea J —2F 149
Hillcrest. T'bry —3C 6
Hillcrest Clo. Nail —4D 123
Hillcrest Dri. Bath —5C 104
Hillcrest Flats. Brad A —2E 115
Hillcrest Rd. Nail —4D 123
Hillcrest Rd. P'head —4A 48
Hillcroft Clo. W Mare —3E 127
Hilldale Rd. Back —3D 125
Hill End. W Mare —2C 128
Hill End Dri. Bris —1F 39
Hillfields Av. Bris —5E 61
Hill Gay Clo. P'head —4B 48
Hill Gro. Bris —1E 57
Hillgrove St. Bris —2F 69
Hillgrove St. N. Bris —2F 69
Hillgrove Ter. Uph —1B 138
Hillhouse. Bris —2A 62
Hill Ho. Rd. Bris —1B 62
Hill Lawn. Bris —2F 81
Hillmer Rise. Ban —5D 137
Hillmoor. Clev —4E 121
Hill Pk. Cong —1E 145
Hill Path. Ban —5F 137
Hill Rd. Clev —2C 120
Hill Rd. Dun —5A 86
Hill Rd. W Mare —5D 127
Hill Rd. Wor —3C 128
Hill Rd. E. W Mare —3C 128
Hills Barton. Bris —4C 78
Hillsborough Flats. Bris —4C 68
Hillsborough Ho. W Mare —4E 133
Hillsborough Rd. Bris —1E 81
Hills Clo. Key —3C 92
Hillsdon Rd. Bris —4B 40
Hillside. Clif —4D 69
Hillside. Cot —2E 69

178 A-Z Bristol Deluxe

Laburnum Clo.—Lodge St.

Laburnum Clo. Mid N —4C 150
Laburnum Ct. W Mare —1F 133
Laburnum Gro. Bris —3D 61
Laburnum Gro. Mid N —4C 150
Laburnum Gro. Trow —4B 118
Laburnum Rd. Bris —5E 73
Laburnum Rd. W Mare —1E 133
Laburnum Wlk. Key —5E 91
Lacey Rd. Bris —2A 90
Lacock Dri. Bar C —5B 74
Ladd Clo. Bris —3B 74
Ladden Ct. T'bry —4D 7
Ladies Mile. Bris —1B 68
Ladman Gro. Bris —2A 90
Ladman Rd. Bris —2A 90
Ladycroft. Clev —5B 120
Ladydown. Trow —4D 117
Ladye Wake. W Mare —1D 129
Ladymeade. Back —1C 124
Ladysmith Rd. Bris —3D 57
Ladywell. Wrin —1B 156
Laggan Gdns. Bath —5F 99
Lake Mead Gdns. Bris —4B 86
Lakemead Gro. Bris —2B 86
Lake Rd. Bris —5E 41
Lake Rd. P'head —2E 49
Lakeside. Bris —4A 60
Lake View. Bris —4B 60
Lake View Rd. Bris —2F 71
Lakewood Cres. Bris —4D 41
Lakewood Rd. Bris —4D 41
Lamb Ale Grn. Trow —4E 119
Lambert Pl. Bris —2F 87
Lamb Hill. Bris —3B 72
Lambley Rd. Bris —2A 72
Lambourn Clo. Bris —2F 79
Lambourn Rd. Key —4C 92
Lambridge Bldgs. Bath —4D 101
Lambridge Grange. Bath —4D 101
Lambridge M. Bath —5D 101
Lambridge Pl. Bath —5D 101
Lambridge St. Bath —5D 101
Lambrok Clo. Trow —4A 118
Lambrok Rd. Trow —4A 118
Lambrook Rd. Bris —3C 60
Lamb St. Bris —3B 70
Lamord Ga. Stok G —4A 28
Lampard's Bldgs. Bath —1A 106
Lampeter Rd. Bris —5B 40
Lampton Av. Bris —5A 88
Lampton Gro. Bris —5A 88
Lampton Rd. L Ash —4B 76
Lanaway Rd. Bris —1D 61
Lancashire Rd. Bris —4A 58
Lancaster Clo. Stok G —5F 27
Lancaster Rd. Bris —5C 58
Lancaster Rd. Yate —3A 18
Lancaster St. Bris —3E 71
Landemann Cir. W Mare —5C 126
Landemann Path. W Mare —5C 126
Land La. Yat —4C 142
Landrail Wlk. Bris —1B 60
Landseer Av. Bris —1D 59
Landseer Clo. W Mare —2D 129
Landseer Rd. Bath —3C 104
Land, The. Coal H —2E 31
Lanercost Rd. Bris —2E 41
Lanesborough Rise. Bris —1F 89
Lanes Rd. L Ash —5A 86
Laneys Drove. Lock —3C 134
Langdale Ct. Pat —1C 26
Langdale Rd. Bris —3B 60
Langdon Rd. Bath —5C 104
Langfield Clo. Bris —1A 40
Langford Rd. Bris —5B 78
Langford Rd. Trow —5C 116
Langford Rd. W Mare —2E 133
Langford's La. Paul —1A 146
Langford Way. Bris —3A 74
Langham Rd. Bris —3E 81
Langhill Av. Bris —1E 87
Langley Cres. Bris —4A 78
Langley Rd. Trow —5C 118
Langley's La. C'tn —3A 150
Langport Gdns. Nail —5D 123
Langport Rd. W Mare —2C 132
Langthorn Clo. Fram C —2E 31
Langton Ct. Rd. Bris —5F 71
Langton Pk. Bris —1E 79
Langton Rd. Bris —5F 71
Langton Way St Ap —3A 72
Lansdown. Yate —1A 34
Lansdown Clo. Bath —5F 99
Lansdown Clo. Bris —5F 61
Lansdown Clo. Trow —3B 118
Lansdown Cres. Bath —5A 100
Lansdown Cres. Tim —1F 157
Lansdowne. Bris —3E 45 (off Harford Dri.)
Lansdowne Ind. Est. Wickw —1B 154
Lansdown Gdns. W Mare —1F 129
Lansdown Gro. Bath —1A 106
Lansdown La. Bath —4C 98
Lansdown M. Bath —2A 106 (2B 96)
Lansdown Pk. Bath —3F 99
Lansdown Pl. Bris —3C 68
Lansdown Pl. E Grn —1D 63
Lansdown Pl. E. Bath —1A 106
Lansdown Pl. W. Bath —5A 100
Lansdown Rd. Bath —1C 98
Lansdown Rd. Clif —3C 68
Lansdown Rd. E'tn —1D 71
Lansdown Rd. K'wd —5F 61
Lansdown Rd. Puck —1E 65
Lansdown Rd. Redl —5E 57
Lansdown Rd. Salt —1A 94
Lansdown Ter. Bris —2F 57
Lansdown Ter. L'dwn —1A 106 (off Lansdown Rd.)
Lansdown Ter. W'ton —5D 99
Lansdown View. Bris —2A 74
Lansdown View. Tim —1F 157
Lansdown View. Twer A —4D 105
Laphams Ct. L Grn —1B 84
Lapwing Clo. Brad S —4F 11
Lapwing Gdns. Bris —1B 60
Lapwing Gdns. W Mare —4D 129
Larch Clo. Nail —3F 123
Larch Ct. Rads —4A 152
Larches, The. W Mare —2E 129
Larch Gro. Trow —4B 118
Larchgrove Cres. W Mare —4D 129
Larchgrove Wlk. W Mare —4E 129
Larch Rd. Bris —4A 62
Larch Way. Pat —2A 26
Lark Clo. Mid N —4E 151
Larkdown. Trow —2F 119
Larkfield. Coal H —2F 31
Larkhall Pl. Bath —4D 101
Larkhall Ter. Bath —4D 101
Larkhill Rd. Lock —3F 135
Lark Pl. Bath —2E 105 (off Up. Bristol Rd.)
Lark Rd. W Mare —4D 129
Larks Field. Bris —2A 60
Larksleaze Rd. L Grn —3A 84
Larkspur. Trow —1E 119
Larkspur Clo. T'bry —3E 7
Lasbury Gro. Bris —3E 87
Latchmoor Ho. Bris —5C 78
Late Broads. W'ley —2E 113
Latimer Clo. Bris —1A 82
Latteridge Rd. Iron A —1C 14
Latton Rd. Bris —4B 42
Launceston Av. Bris —5D 73
Launceston Rd. Bris —1D 73
Laura Pl. Bath —2B 106 (2D 97)
Laurel Dri. Nail —3E 123
Laurel Dri. Paul —4A 146
Laurel Dri. Uph —1C 138
Laurel Gdns. Yat —2B 142
Laurel Gro. Trow —4C 118
Laurels, The. Mang —1C 62
Laurel St. Bris —2F 73
Laurel Ter. Yat —2B 142
Laurie Cres. Bris —1F 57
Laurie Lee Ct. Bar C —5B 74
Lavender Clo. T'bry —3E 7
Lavender Clo. Trow —3E 119
Lavender Ct. Bris —1B 72
Lavenham Rd. Yate —4D 17
Lavers Clo. Bris —4A 74
Lavington Clo. Clev —5A 120
Lavington Rd. Bris —4D 73
Lawford Av. Lit S —3E 27
Lawfords Ga. Bris —3B 70
Lawford St. Bris —3B 70
Lawn Av. Bris —2D 61
Lawn Rd. Bris —2D 61
Lawnside. Back —3D 125
Lawns Rd. Yate —4A 18
Lawns, The. Bris —5A 38
Lawns, The. W Mare —2F 129
Lawns, The. Yat —2A 142
Lawnwood Rd. Bris —2D 71
Lawrence Av. Bris —1D 71
Lawrence Clo. W Mare —3C 128
Lawrence Dri. Yate —4D 17
Lawrence Gro. Bris —2D 57
Lawrence Hill. Bris —3D 71
Lawrence Hill Ind. Pk. Bris —2D 71
Lawrence M. W Mare —3C 128
Lawrence Rd. W Mare —3C 128
Lawrence Rd. Wrin —1C 156
Lawrence Weston Rd. Bris (in two parts) —5B 22
Lawson Clo. Salt —5E 93
Laxey Rd. Bris —5B 42
Laxton Way. Pea J —5D 157
Lays Dri. Key —4E 91
Leach Clo. Clev —5C 120
Lea Croft. Bris —3C 86
Leafield Pl. Trow —1A 118
Leafy Way. Lock —4F 135
Lea Gro. Rd. Clev —2C 120
Leaholme Gdns. Bris —5C 88
Leaman Clo. Chip S —5C 18
Leap Vale. Bris —4C 46
Leap Valley Cres. Bris —4B 46
Lear Ct. Bris —5D 75
Leaze, The. Rads —4A 152
Leaze, The. Yate —4F 17
Leda Av. Bris —1C 88
Ledbury Rd. Bris —3E 61
Leechpool Way. Yate —1A 18
Lee Clo. Pat —1B 26
Leedham Rd. Lock —3F 135
Leeming Way. Bris —4E 37
Lees Hill. Bris —5A 62
Leeside. P'head —3E 49
Lees La. Bris —5F 75
Leewood Rd. W Mare —4D 127
Leicester Sq. Bris —4F 61
Leicester St. Bris —1F 79
Leicester Wlk. Bris —5B 72
Leigh Clo. Bath —4B 100
Leigh Pk. Rd. Brad A —1E 115
Leigh Rd. Brad A —1E 115
Leigh Rd. Bris —2D 69
Leigh Rd. Holt —1D 155
Leigh St. Bris —1C 78
Leighton Cres. W Mare —3E 139
Leighton Rd. Bath —3B 98
Leighton Rd. Know —3D 81
Leighton Rd. S'vle —1D 79
Leigh View Rd. P'head —1F 49
Leighwood Dri. Nail —4A 122
Leinster Av. Know —1F 87
Lemon La. Bris —2B 70
Lena Av. Bris —1E 71
Lena St. Bris —1D 71
Lenover Gdns. Bris —4D 87
Leonard La. Bris —3F 69 (2B 4)
Leonard Rd. Bris —3E 71
Leonard's Av. Bris —1E 71
Leopold Rd. Bris —5A 58
Lescren Way. Bris —3F 37
Leslie Rise. L W'wd —5A 114
Lester Dri. W Mare —2E 129
Lewington Rd. Bris —3E 61
Lewins Mead. Bris —3F 69 (1B 4)
Lewin St. Bris —3F 71
Lewis Clo. Bris —5F 75
Lewisham Gro. W Mare —5E 127
Lewis Rd. Bris —5C 78
Lewis St. Bris —5D 71
Lewton La. Wint —2A 30
Leyland Wlk. Bris —4B 86
Leys, The. Clev —5B 120
Leyton Vs. Bris —5D 57
Liberty Ind. Pk. Bris —4C 78
Lichfield Rd. Bris —4A 72
Liddington Way. Trow —5D 119
Like Kiln Clo. Brad S —2F 43
Lilac Clo. Bris —3E 41
Lilac Ct. Key —5E 91
Lilac Gro. Trow —5B 118
Lilac Ter. Mid N —2F 151
Lilian Ter. Paul —4B 146
Lillian St. Bris —2E 71
Lillington Clo. Rads —2E 153
Lillington Rd. Rads —2E 153
Lilliput Av. Chip S —1C 34
Lilliput Ct. Chip S —1C 34
Lilstock Av. Bris —3B 58
Lilton Wlk. Bris —4C 78
Lilymead Av. Bris —2B 80
Limebreach Wood. Nail —2C 122
Lime Clo. Bren —1D 41
Lime Clo. Lock —4F 135
Lime Clo. W Mare —4E 129
Lime Ct. Key —4E 91
Lime Croft. Yate —2B 18
Lime Gro. Alv —2A 8
Lime Gro. Bath —3C 106 (4E 97)
Lime Gro. Gdns. Bath —3C 106 (4E 97)
Lime Kiln Gdns. Brad S —3F 11
Lime Kiln La. Clev —3D 121
Limerick Rd. Bris —5E 57
Lime Rd. Bedm —1D 79
Lime Rd. Han —5C 72
Limes, The. Bris —3D 45 (off Wellington Pl.)
Lime Ter. Rads —3A 152
Lime Tree Gro. Pill —4F 53
Lime Trees Rd. Bris —2F 57
Limpley Stoke Rd. W'ley —2D 113
Lincoln Clo. Key —4E 91
Lincoln St. Bris —3D 71
Lincombe Av. Bris —1F 61
Lincombe Rd. Bris —1E 61
Lincombe Rd. Rads —4A 152
Lincott View. Pea J —1F 149
Linden Av. W Mare —5F 127
Linden Clo. Fish —5C 60
Linden Clo. Rads —4B 152
Linden Clo. Stoc —2A 90
Linden Clo. Wint —3A 30
Linden Dri. Brad S —2A 28
Linden Gdns. Bath —1E 105
Linden Ho. Bris —2E 59
Linden Pl. Trow —1B 118
Linden Rd. Clev —2D 121
Linden Rd. W'bry P —3D 57
Lindens, The. W Mare —1C 128
Lindisfarne Clo. W'ley —2F 113
Lindon Ho. Bris —2A 82
Lindrea St. Bris —2D 79
Lindsay Rd. Bris —3C 58
Linemere Clo. Back —2F 125
Lines Way. Bris —5E 89
Lingfield Pk. Down —2B 46
Link Rd. Brad S —1B 42
Link Rd. Nail —3E 123
Link Rd. P'head —3E 49
Link Rd. Yate —5B 18
Link Rd. W. Pat —3D 25
Links Rd. Uph —1A 138
Linley Clo. Bath —4B 104
Linley Ho. Bath —4B 106 (off Henry St.)
Linleys, The. Bath —2D 105
Linne Ho. Bath —4B 104
Linnell Clo. Bris —1D 59
Linnet Clo. Pat —1A 26
Linnet Clo. W Mare —4C 128
Linnet Way. Bris —1F 89
Linnet Way. Mid N —4E 151
Linsey Clo. P'head —4B 48
Lintern Cres. Bris —4D 75
Lintham Dri. Bris —4B 74
Lion Clo. Nail —3C 122
Lipgate Pl. P'head —5F 49
Lippiatt La. Tim —1E 157
Lisburn Rd. Bris —4A 80
Lisle Rd. W Mare —1E 129
Lister Gro. L W'wd —5A 114
Litfield Pl. Bris —3B 68
Litfield Rd. Bris —2B 68
Lit. Ann St. Bris —2B 70
Lit. Birch Croft. Bris —5C 88
Lit. Bishop St. Bris —2A 70
Littlebrook. Paul —3B 146
Lit. Caroline Pl. Bris —5B 68
Lit. Common. N Brad —4E 155
Littlecross Ho. Bris —1D 79
Littledean. Yate —2A 34
Lit. Dowles. Bris —1C 84
Littlefields Av. Ban —5E 137
Littlefields Rise. Ban —5F 137
Littlefields Rd. Ban —5F 137
Lit. George St. Bris —2B 70
Lit. George St. W Mare —1C 132
Lit. Green La. Sev B —3B 20
Lit. Halt. P'head —4A 48
Lit. Ham. Clev —5C 120
Lit. Hayes. Bris —2D 61
Lit. Headley Clo. Bris —1D 87
Lit. Hill. Bath —3B 104
Lit. King St. Bris —4F 69 (4C 4)
Lit. Mead. Bris —3D 39
Lit. Mead Clo. Hut —5C 134
Lit. Meadow. Brad S —3C 28
Lit. Meadow End. Nail —4D 123
Lit. Orchard. Uph —2B 138
Lit. Paradise. Bris —1F 79
Little Parks. Holt —1F 155
Lit. Parr Clo. Stap —2E 59
Lit. Paul St. Bris —2E 69
Lit. Solsbury La. Bathe —2F 101
Lit. Stanhope St. Bath —3F 105
Lit. Stoke La. Lit S —3F 27
Lit. Stoke Rd. Bris —3A 56
Lit. Thomas St. Bris —4A 70 (3D 5)
Littleton Ct. Pat —5B 10
Littleton Rd. Bris —3F 79
Littleton St. Bris —1E 71
Lit. Wall Drove. Cong —2A 144
Lit. Withey Mead. Bris —1A 56
Littlewood Clo. Bris —5D 89
Litton. W Mare —1E 139
Livingstone Rd. Bath —4E 105
Llewellyn Ct. Bris —4C 40
Llewellyn Way. W Mare —2F 129
Lmbardy Clo. W Mare —5C 128
Lockemor Rd. Bris —4B 88
Lockeridge Clo. Trow —5D 119
Lock Gdns. Bris —1A 86
Locking Head Drove. W Mare (in two parts) —5E 129
Locking Moor Rd. W Mare (in two parts) —5A 128
Locking Rd. W Mare —1C 132
Lockingwell Rd. Key —3E 91
Lockleaze Rd. Bris —1C 58
Locksacre. Alv —1C 8
Locksbrook Ct. Bath —2D 105
Locksbrook Rd. Bath —3C 104
Locksbrook Rd. W Mare —1F 129
Lock's La. Iron A —2A 14
Locks Yd. Cvn. Site. Bris —4D 79
Loddon Way. Brad A —4F 115
Lodge Causeway. Bris —4B 60
Lodge Clo. Yat —3B 142
Lodge Ct. Bris —3A 56
Lodge Dri. L Ash —3D 77
Lodge Dri. Old C —3E 85
Lodge Dri. W Mare —4E 127
Lodge Gdns. Bath —3E 109
Lodge Hill. Bris —5E 61
Lodge La. Nail —2F 123
Lodge Pl. Bris —3F 69 (2A 4)
Lodge Rd. Bris —5E 61
Lodge Rd. Puck —5D 65
Lodge Rd. Yate —3C 16 (in two parts)
Lodgeside Av. Bris —1E 73
Lodgeside Gdns. Bris —1E 73
Lodge St. Bris —3E 69 (2A 4)

Marden Wlk.—Minsmere Rd.

Marden Wlk. *Trow* —4D **119**
Mardon Rd. *Bris* —4F **71**
Mardyke Ferry Rd. *Bris* —5D **69**
Margaret Rd. *Bris* —4B **86**
Margaret's Bldgs. *Bath* —2A **106** (1A **96**)
Margaret's Hill. *Bath* —1B **106**
Margate St. *Bris* —2B **80**
Marguerite Rd. *Bris* —5B **78**
Marigold Wlk. *Bris* —3C **78**
Marina Dri. *Stav* —3D **117**
Marina Gdns. *Bris* —4A **60**
Marindin Dri. *W Mare* —1F **129**
Marine Hill. *Clev* —1C **120**
Marine Pde. *Clev* —2C **120**
Marine Pde. *Pill* —2E **53** (in two parts)
Marine Pde. *W Mare* (Beach Rd.) —3B **132**
Marine Pde. *W Mare* (Claremont Cres.) —4A **126**
Mariners Clo. *Back* —2C **124**
Mariner's Clo. *W Mare* —4B **128**
Mariners Dri. *Back* —2C **124**
Mariners Dri. *Bris* —3F **55**
Mariner's Path. *Bris* —3F **55**
Mariners Path. *P'head* —3A **48**
Mariners Way. *Pill* —2E **53**
Marion Rd. *Bris* —2D **83**
Marion Wlk. *Bris* —3C **72**
Marissal Clo. *Bris* —1A **40**
Marissal Rd. *Bris* —1F **39**
Mariston Way. *Bris* —4E **75**
Marjorie Whimster Ho. *Bath* —3C **104**
Market Ind. Est. *Yat* —2B **142**
Market La. *W Mare* —5B **126**
Market Pl. *Rads* —1C **152**
Market Sq. *Bris* —4E **61**
Market St. *Brad A* —2E **115**
Market St. *Trow* —2D **119**
Markham Clo. *Bris* —5E **37**
Mark La. *Bris* —4E **69** (3A **4**)
Marksbury Rd. *Bris* —3E **79**
Marlborough Av. *Bris* —4A **60**
Marlborough Bldgs. *Bath* —2F **105**
Marlborough Dri. *Bris* —3D **45**
Marlborough Dri. *W Mare* —3E **129**
Marlborough Hill. *Bris* —2F **69**
Marlborough Hill Pl. *Bris* —2F **69**
Marlborough La. *Bath* —2F **105**
Marlborough St. *Bath* —1F **105**
Marlborough St. *Bris* —2F **69**
Marlborough St. *Eastv* —4A **60**
Marlepit Gro. *Bris* —2A **86**
Marley Pl. *Bris* —2B **68**
Marlfield Wlk. *Bris* —1A **86**
Marling Rd. *Bris* —2B **72**
Marlwood Dri. *Bris* —1C **40**
Marmaduke St. *Bris* —2B **80**
Marmion Cres. *Bris* —1A **40**
Marne Clo. *Bris* —3F **89**
Marsden Rd. *Bath* —1C **108**
Marshall Ho. *Bris* —3B **60**
Marsham Way. *Bris* —1B **84**
Marsh Clo. *Wint* —4A **30**
Marshfield Pk. *Bris* —4E **45**
Marshfield Rd. *Bris* —3D **61**
Marshfield Way. *Bath* —5B **100**
Marsh La. *Asht* —3C **78**
Marsh La. *E'ton G* —5A **36**
Marsh La. *Redf* —3E **71**
Marshmead. *Hil* —3F **117**
Marsh Rd. *Bris* —2B **78**
Marsh Rd. *Hil M* —2E **117**
Marsh Rd. *Yat* —3B **142**
Marsh St. *A'mth* —4E **37**
Marsh St. *Bris* —4F **69** (3B **4**)
Marshwall La. *Alm* —1A **10**
Marson Rd. *Clev* —3D **121**
Marston Rd. *Bris* —3D **81**
Marston Rd. *Trow* —3D **155**
Martcombe Rd. *E'ton G* (in three parts) —4C **52**
Martin Clo. *Pat* —1A **26**
Martindale Rd. *W Mare* —5B **128**
Martingale Rd. *Bris* —1F **81**
Martin's Clo. *Bris* —5E **73**
Martins Gro. *W Mare* —3C **128**
Martin's Rd. *Han* —5E **73**
Martin St. *Bris* —2D **79**
Martock. *W Mare* —1D **139**
Martock Cres. *Bris* —4E **79**
Martock Rd. *Bris* —4E **79**
Martock Rd. *Key* —5C **92**
Marwood Rd. *Bris* —5A **80**
Marybush La. *Bris* —3A **70** (2E **5**)
Mary Carpenter Pl. *Bris* —1B **70**
Mary Ct. Bris —2F 71
(off Alfred St.)
Marygold Leaze. *Bris* —1C **84**
Mary St. *Redf* —2F **71**
Mascot Rd. *Bris* —2F **79**
Masefield Way. *Bris* —1C **58**
Maskelyne Av. *Bris* —5F **41**
Masonpit Pool La. *Yate* —1E **29**
Masons La. *Brad A* —2E **115**
Masons View. *Wint* —3B **30**
Matchells Clo. *St Ap* —4A **72**
Materman Rd. *Stoc* —3A **90**
Matford Clo. *Bris* —5F **25**
Matford Clo. *Wint* —4A **30**
Matthews Clo. *Bris* —2B **90**
Matthews Rd. *Bris* —3E **71**
Maules La. *Ham* —2B **44**
Maulton Clo. *Holt* —2D **155**
Maunsell Rd. *Bris* —2D **39**
Maurice Rd. *Bris* —5A **58**
Mautravers Clo. *Brad S* —2F **27**
Maxcroft La. *Hil M* —2E **117**
Maxse Rd. *Bris* —2D **81**
Maybank Rd. *Yate* —5F **17**
Maybec Gdns. *Bris* —4C **72**
Maybourne. *Bris* —3C **82**
Maybrick Rd. *Bath* —4E **105**
Maycliffe Pk. *Bris* —5B **58**
Mayfair Av. *Nail* —4D **123**
Mayfield Av. *Bris* —5C **60**
Mayfield Av. *W Mare* —4C **128**
Mayfield Clo. *P'head* —5F **49**
Mayfield Pk. *Bris* —5C **60**
Mayfield Pk. N. *Bris* —5C **60**
Mayfield Pk. S. *Bris* —5C **60**
Mayfield Rd. *Bath* —4E **105**
Mayfields. *Key* —3A **92**
Mayflower Gdns. *Nail* —3F **123**
Maynard Clo. *Bris* —3E **87**
Maynard Clo. *Clev* —3F **121**
Maynard Rd. *Bris* —3E **87**
Mayors Bldgs. *Bris* —2D **61**
Mays Hill. *Fram C* —5A **16**
May's La. *W Mare* —2F **131**
May St. *Bris* —1E **73**
Maytree Av. *Bris* —1D **87**
Maytree Clo. *Bris* —1D **87**
May Tree Clo. *Nail* —4B **122**
May Tree Rd. *Rads* —3B **152**
May Tree Wlk. *Key* —5E **91**
Mayville Av. *Bris* —1D **43**
Maywood Av. *Bris* —3D **61**
Maywood Cres. *Bris* —3D **61**
Maywood Rd. *Bris* —3E **61**
Maze St. *Bris* —4D **71**
Mead Clo. *Bath* —1F **109**
Mead Clo. *Bris* —1A **54**
Mead Ct. *N Brad* —4E **155**
Mead Ct. *Wint* —3A **30**
Mead Ct. Bus. Pk. *T'bry* —5D **7**
Meade Ho. *Bath* —4B **104**
Meadgate. *E Grn* —5D **47**
Meadlands. *Cor* —5D **95**
Mead La. *Brad S* —3A **28**
Mead La. *Salt* —1B **94**
Meadowbank. *W Mare* —1D **129**
Meadow Clo. *Back* —2D **125**
Meadow Clo. *Bris* —5B **46**
Meadow Clo. *Nail* —2D **123**
Meadow Ct. *Bath* —2B **104**
Meadow Ct. Dri. *Old C* —2E **85**
Meadow Croft. *W Mare* —1F **139**
Meadow Dri. *Bath* —4E **109**
Meadow Dri. *Lock* —4F **135**
Meadowfield. *Brad A* —3C **114**
Meadow Gdns. *Bath* —5B **98**
Meadow Gro. *Bris* —5F **37**
Meadowland. *Yat* —2A **142**
Meadowland Rd. *Bris* —5A **24**
Meadowlands. *St Geo* —2A **130**
Meadow La. *B'ptn* —5E **101**
Meadow Mead. *Fram C* —1D **31**
Meadow Mead. *Yate* —1A **18**
Meadow Pk. *Bathf* —3C **102**
Meadow Rd. *Chip S* —5C **18**
Meadow Rd. *Clev* —3E **121**
Meadow Rd. *Paul* —5C **146**
Meadows Clo. *P'head* —3B **48**
Meadow Side. *Iron A* —2F **15**
Meadowside. *T'bry* —4E **7**
Meadowside Dri. *Bris* —5C **88**
Meadows, The. *Bris* —1F **83**
Meadow St. *A'mth* —3C **36**
Meadow St. *St Pa* —3A **70** (1E **5**)
Meadow St. *W Mare* —1C **132**
Meadowsweet Av. *Bris* —1D **43**
Meadowsweet Ct. *Stap* —2A **60**
Meadow Vale. *Bris* —1C **72**
Meadow View. *Fram C* —2E **31**
Meadow View. *Rads* —3D **153**
Meadow View Clo. *Bath* —1B **104**
Meadow Way. *Brad S* —3A **28**
Mead Rise. *Bris* —5B **70**
Mead Rd. *Chip S* —1E **35**
Mead Rd. *P'head* —5E **49**
Mead Rd. *Stok G* —3A **28**
Meads, The. *Bris* —5B **46** (in two parts)
Mead St. *Bris* —1B **80**
Mead, The. *Alv* —2B **8**
Mead, The. *Fil* —5D **27**
Mead, The. *Mid N* —1F **157**
Mead, The. *W'ley* —2F **113**
Mead Vale. *W Mare* —4C **128**
Meadway. *Bris* —1E **55**
Mead Way. *T'bry* —5C **6**
Meadway. *Trow* —2A **118**
Meadway Av. *Nail* —3C **122**
Mearcombe La. *B'don* —5D **141**
Meardon Rd. *Bris* —2A **90**
Meare. *W Mare* —1D **139**
Meare Rd. *Bath* —2B **110**
Mede Clo. *Bris* —5A **70**
Medical Av. *Bris* —3E **69** (2A **4**)
Medina Clo. *T'bry* —5D **7**
Medway Clo. *Key* —5C **92**
Medway Ct. *T'bry* —4E **7**
Medway Dri. *Fram C* —3D **31**
Medway Dri. *Key* —5C **92**
Meere Bank. *Bris* —3D **39**
Meer Wall. *W Mare* —5A **144**
Meg Thatchers Gdns. *Bris* —3D **73**
Meg Thatcher's Grn. *Bris* —3D **73**
Melbourne Dri. *Chip S* —5D **19**
Melbourne Rd. *Bris* —3F **57**
Melbourne Ter. *Clev* —3D **121**
Melbury Rd. *Bris* —3B **80**
Melcombe Ct. *Bath* —5E **105**
Melcombe Rd. *Bath* —4E **105**
Melita Rd. *Bris* —4A **58**
Melksham Rd. *Holt* —1F **155**
Mellent Av. *Bris* —5E **87**
Mells Clo. *Key* —5A **92**
Mells La. *Rads* —2E **153**
Melrose Av. *Bris* —2D **69**
Melrose Av. *Yate* —4B **18**
Melrose Clo. *Yate* —4C **18**
Melrose Gro. *Bath* —1C **108**
Melrose Pl. *Bris* —2D **69**
Melrose Ter. *Bath* —4B **100**
Melton Cres. *Bris* —4C **42**
Melton Rd. *Trow* —5C **116**
Melville Rd. *Bris* —1D **69**
Melville Ter. *Bris* —2E **79**
Melvin Sq. *Bris* —4A **80**
Memorial Clo. *Bris* —1D **83**
Memorial Cotts. *Bath* —5D **99**
Memorial Rd. *Bris* —5D **73**
Memorial Rd. *Wrin* —1C **156**
Mendip Av. *W Mare* —3C **128**
Mendip Clo. *Key* —3F **91**
Mendip Clo. *Nail* —4D **123**
Mendip Clo. *Paul* —5B **146**
Mendip Clo. *Yat* —4B **142**
Mendip Cres. *Bris* —4C **46**
Mendip Edge. *W Mare* —3D **139**
Mendip Gdns. *Bath* —4E **109**
Mendip Gdns. *Yat* —4B **142**
Mendip Rise. *Lock* —4F **135**
Mendip Rd. *Bris* —2F **79**
Mendip Rd. *Lock* —4A **136**
Mendip Rd. *P'head* —3C **48**
Mendip Rd. *W Mare* —1E **133**
Mendip Rd. *Yat* —3A **142** (in two parts)
Mendip Ter. *Bath* —3F **107**
Mendip View. *Wick* —4B **154**
Mendip View Av. *Bris* —4C **60**
Mendip Way. *Rads* —1C **152**
Mercer Ct. *Bris* —5D **81**
Merchants Ct. *Bris* —5C **68**
Merchants Quay. *Bris* —5F **69** (5B **4**)
Merchants Rd. *Clif* —3C **68**
Merchant's Rd. *Hot* —5C **68**
Merchant St. *Bris* —3A **70** (1D **5**)
Mercia Dri. *Bris* —5C **58**
Mercier Clo. *Yate* —4B **18**
Meredith Ct. *Bris* —5C **68**
Merfield Rd. *Bris* —3D **81**
Meridian Pl. *Bris* —3D **69**
Meridian Rd. *Bris* —1E **69**
Meridian Ter. *Bris* —4A **58**
Meridian Vale. *Bris* —3D **69**
Meridian Wlk. *Trow* —2A **118**
Meriet Av. *Bris* —4D **87**
Merioneth St. *Bris* —2B **80**
Meriton St. *Bris* —5D **71**
Merlin Clo. *Bris* —4B **40**
Merlin Clo. *W Mare* —5C **128**
Merlin Ct. *Bris* —5D **41**
Merlin Pk. *P'head* —4B **48**
Merlin Ridge. *Puck* —3E **65**
Merlin Rd. *Pat* —3E **25**
Merlin Way. *Chip S* —1B **34**
Merrett Ct. *Bris* —1D **59**
Merrick Ct. *Bris* —5F **69** (5B **4**)
Merrimans Rd. *Bris* —4F **37**
Merryfield Rd. *Lock* —2F **135**
Merryweather Clo. *Brad S* —1F **27**
Merryweathers. *Bris* —3A **82**
Merrywood Clo. *Bris* —1E **79**
Merrywood Rd. *Bris* —1E **79**
Merstham Rd. *Bris* —5C **58**
Merton Rd. *Bris* —2A **58**
Mervyn Rd. *Bris* —3A **58**
Metford Gro. *Bris* —4D **57**
Metford Pl. *Bris* —4E **57**
Metford Rd. *Bris* —4D **57**
Methuen Clo. *Brad A* —5F **115**
Methwyn Clo. *W Mare* —1A **134**
Mews, The. *Bath* —1B **104**
Mezellion Pl. Bath —5C 100
(off Camden Rd.)
Michaels Mead. *Bath* —4C **98**
Middle Av. *Bris* —4F **69** (4B **4**)
Middleford Ho. *Bris* —4E **87**
Middle La. *Bath* —5C **100**
Middle La. *Trow* —5F **117**
Middle Rank. *Brad A* —2D **115**
Middle Rd. *Bris* —4A **62**
Middle Stoke. *Lim S* —3B **112**
Middleton Rd. *Bris* —4B **38**
Middle Yeo Grn. *Nail* —2C **122**
Midford. *W Mare* —1D **139**
Midford La. *Mid & Lim S* —5D **111**
Midford Rd. *Bath* —3F **109**
Midhaven Rise. *W Mare* —1C **128**
Midland Bri. Rd. *Bath* —3F **105**
Midland Rd. *Bath* —3E **105**
Midland Rd. *Stap H* —3F **61**
Midland Rd. *St Ph* —3B **70**
Midlands, The. *Holt* —2E **155**
Midland St. *Bris* —4B **70**
Midland Ter. *Bris* —4B **60**
Midland Way. *T'bry* —4C **6**
Midsomer Enterprise Pk. *Mid N* —2A **152**
Midsummer Bldgs. *Bath* —4B **100**
Milburn Rd. *W Mare* —1D **133**
Milbury Gdns. *Worl* —3F **127**
Mildred St. *Bris* —3E **71**
Miles Ct. *Bar C* —1B **84**
Miles Rd. *Bris* —1C **68**
Miles's Bldgs. *Bath* —2A **106** (2B **96**)
Miles St. *Bath* —4B **106** (5D **97**)
Mile Wlk. *Bris* —1B **88**
Milford Av. *Wick* —4A **154**
Milford St. *Bris* —1E **79**
Milk St. *Bath* —3A **106** (4B **96**)
Millard Clo. *Bris* —2E **41**
Millards Ct. *Mid N* —1E **151**
Millard's Hill. *Mid N* —1E **151**
Mill Av. *Bris* —4F **69** (4C **4**)
Millbank Clo. *Bris* —2A **82**
Millbourn Clo. *W'ley* —2E **113**
Millbrook Av. *Bris* —2B **82**
Millbrook Clo. *Bris* —4E **75**
Millbrook Pl. *Bath* —4B **106**
Millbrook Rd. *Yate* —4D **17**
Mill Clo. *Fram C* —2E **31**
Mill Clo. *P'bry* —5A **52**
Mill Cres. *W'lgh* —5D **33**
Millcross. *Clev* —5C **120**
Millers Clo. *Pill* —3E **53**
Millers Dri. *Bris* —5E **75**
Miller's Rise. *W Mare* —1E **129**
Miller Wlk. *B'ptn* —5F **101**
Millfield. *Mid N* —4C **150**
Millfield. *T'bry* —2D **7**
Millfield Dri. *Bris* —4E **75**
Millground Rd. *Bris* —4A **86**
Millhand Vs. *Trow* —3E **119**
Mill Ho., The. *Brad A* —3F **115**
Milliman Clo. *Bris* —3F **87**
Millington Dri. *Trow* —3A **118**
Mill La. *B'ptn* —4A **102**
Mill La. *Bedm* —1F **79**
Mill La. *Bit* —5F **85**
Mill La. *Brad A* —3E **115**
Mill La. *Chip S* —5C **18**
Mill La. *Cong* —2D **145**
Mill La. *Fram C* —5D **15**
Mill La. *Mon C* —4F **111**
Mill La. *Old S* —3F **35**
Mill La. *P'bry* —4A **52**
Mill La. *Rads* —1E **153**
Mill La. *Tim* —2E **157**
Mill La. *Trow* —1C **118**
Mill La. *Twer A* —3C **104**
Mill La. *War* —5D **75**
Mill Leg. *Cong* —2D **145**
Millmead Ho. *Bris* —4E **87**
Millmead Rd. *Bath* —4D **105**
Millpond St. *Bris* —1C **70**
Mill Pool. *Bris* —3D **41**
Mill Rd. *Rads* —2D **153**
Mill Rd. *Wint D* —5F **29**
Mill Rd. Ind. Est. *Rads* —1D **153**
Mill Steps. *Wint D* —1A **46**
Mill St. *Trow* —2D **119**
Millward Gro. *Bris* —3E **61**
Millward Ter. *Paul* —3B **146**
Milner Grn. *Bris* —5C **74**
Milner Rd. *Bris* —2B **58**
Milsom St. *Bath* —2A **106** (2B **96**)
Milsom St. *Bris* —2C **70**
Milton Av. *Bath* —5A **106**
Milton Av. *W Mare* —5E **127**
Milton Brow. *W Mare* —4F **127**
Milton Clo. *Nail* —2D **123**
Milton Clo. *Yate* —4F **17**
Milton Grn. *W Mare* —4A **128**
Milton Hill. *W Mare* —3F **127**
Milton Pk. *Bris* —3E **71**
Milton Pk. Rd. *W Mare* —4A **128**
Milton Rise. *W Mare* —4A **128**
Milton Rd. *Bris* —1A **58**
Milton Rd. *Rads* —3F **151**
Milton Rd. *W Mare* —5D **127**
Milton Rd. *Yate* —4F **17**
Miltons Clo. *Bris* —4F **87**
Milverton. *W Mare* —1D **139**
Milverton Gdns. *Bris* —5B **58**
Milward Rd. *Key* —2A **92**
Mina Rd. *Bris* —4B **58**
Minehead Rd. *Bris* —4B **80**
Minerva Gdns. *Bath* —4D **105**
Minor's La. *H'ley* —1C **22**
Minsmere Rd. *Key* —5C **92**

Poole Ct. Dri.—Ravenswood Rd.

Poole Ct. Dri. *Yate* —4A **18**
Poole Ho. *Bath* —4A **104**
Poolemead Rd. *Bath* —4A **104**
Poole St. *Bris* —4D **37**
Pool Ho. *Pat* —1C **26**
Pool Rd. *Bris* —4A **62**
Popes Wlk. *Bath* —2C **110**
Poplar Av. *Bris* —1F **55**
Poplar Clo. *Bath* —5E **105**
Poplar Clo. *Bris* —4E **75**
Poplar Dri. *Puck* —2D **65**
Poplar La. *Wickw* —3C **154**
Poplar Pl. *Bris* —4C **60**
Poplar Pl. *W Mare* —5C **126**
Poplar Rd. *Bath* —4E **109**
Poplar Rd. *Bed D* —1B **86**
Poplar Rd. *Han* —5C **72**
Poplar Rd. *S'wll* —1B **72**
Poplar Rd. *War* —5E **75**
Poplars, The. *E'ton G* —3D **53**
Poplars, The. *W Mare* —4E **129**
Poplar Ter. *Bris* —2B **74**
Poplar Wlk. *Lock* —3C **134**
Porlock Clo. *Clev* —5E **121**
Porlock Clo. *W Mare* —1D **139**
Porlock Gdns. *Nail* —4D **123**
Porlock Rd. *Bath* —3B **110**
Porlock Rd. *Bris* —2F **79**
Portbury Comn. *P'head* —4A **50**
Portbury Gro. *Bris* —1F **53**
Portbury Hundred, The. *P'bry* —3A **52**
Portbury Hundred, The. *P'head* —4B **50**
Portbury La. *P'bry* —5A **52**
Portbury Sawmills Est. *P'bry* —1B **52**
Portbury Wlk. *Bris* —1F **53**
Portbury Way. *P'bry* —3F **51**
Portishead Rd. *W Mare* —1F **129**
Portishead Way. *Bris* —2A **78**
Portland Clo. *Nail* —4C **122**
Portland Ct. *Bris* —5D **69**
Portland Dri. *P'head* —4A **50**
Portland Pl. *Bath* —1A **106**
Portland Pl. *Stap H* —3F **61**
Portland Sq. *Bris* —2A **70**
Portland St. *Clif* —3B **68**
Portland St. *K'dwn* —2E **69**
Portland St. *Stap H* —4F **61**
*Portland Ter. Bath —1A **106***
(off Harley St.)
Portmeirion Clo. *Bris* —3D **89**
Port Side Clo. *St G* —4B **72**
Port View. *Pill* —2E **53**
Portview Rd. *Bris* —3D **37**
Portwall La. *Bris* —5A **70** (5D **5**)
Portwall La. E. *Bris* —5A **70** (5E **5**)
Portway. *A'mth* —4E **37**
Portway. *Bris* —5F **55**
Portway La. *Chip S* —4E **19**
Post Office La. *Bris* —2A **72**
Post Office Rd. *Lock* —3F **135**
Post Office Rd. *W Mare* —5B **126**
Poston Way. *W'ley* —2F **113**
Pottery Clo. *W Mare* —2E **133**
Potts Clo. *Bathe* —2A **102**
Poulton. *Brad A* —4E **115**
Poulton La. *Brad A* —5F **115**
Pound Dri. *Bris* —2B **60**
Pound Farm Clo. *Hil M* —3E **117**
Pound La. *Brad A* —3D **115**
Pound La. *Bris* —3B **60**
Pound La. *Nail* —3B **122**
Pound Rd. *Bris* —5B **62**
Pound, The. *Alm* —1C **10**
Pountney Dri. *Bris* —2D **71**
Powis Clo. *W Mare* —3A **128**
Powlett Ct. *Bath* —2C **106** (1E **97**)
Powlett Rd. *Bath* —1C **106**
Pow's Hill. *Rads* —5A **148**
Pow's Orchard. *Mid N* —3D **151**
Pow's Rd. *Bris* —3F **73**
Poxon Clo. *Trow* —1B **118**
Poyntz Ct. *L Grn* —2B **84**
Poyntz Rd. *Bris* —5B **80**
Prattens La. *Bris* —3F **61**
Preacher Clo. *Bris* —4D **73**
Preanes Grn. *W Mare* —3E **129**
Precinct, The. *P'head* —3F **49**
Preddy's La. *Bris* —4C **72**
Prescot Clo. *W Mare* —3F **127**
Prescott. *Yate* —1F **33**
Press Moor Dri. *Bar C* —1B **84**
Prestbury. *Yate* —1F **33**
Preston Wlk. *Bris* —4C **80**
Prestwick Clo. *Bris* —4F **81**
Pretoria Rd. *Pat* —1B **26**
Prewett St. *Bris* —5A **70**
Priddy Clo. *Bath* —4C **104**
(in two parts)
Priddy Ct. *Bris* —3D **89**
Priddy Dri. *Bris* —3D **89**
Priests Way. *W Mare* —3B **128**
Priestwood Clo. *Bris* —1C **40**
Primrose Clo. *Brad S* —4F **11**
Primrose Clo. *Bris* —1E **73**
Primrose Dri. *T'bry* —2E **7**
Primrose Hill. *Bath* —5E **99**
Primrose La. *Bris* —1E **73**
Primrose La. *Mid N* —3E **151**
Primrose Ter. *Bris* —1E **73**
Primrose Ter. *Mid N* —3E **151**
Princes Bldgs. *Bath* —4C **106** (5E **97**)
(Pulteney Rd.)
*Princes Bldgs. Bath —2A **106** (2B **96**)*
(off George St.)
Princes' Bldgs. *Bris* —4B **68**
Princes Ct. *L Grn* —1B **84**
Princes' La. *Bris* —4B **68**
Prince's Pl. *Bris* —4A **58**
Prince's Rd. *Clev* —3D **121**
Princess Clo. *Key* —4A **92**
Princess Gdns. *Bris* —1F **59**
Princess Gdns. *Trow* —3E **117**
Princess Row. *Bris* —2F **69**
Princess Royal Gdns. *Bris* —2E **71**
Princess St. *Bedm* —1A **80**
Princess St. *Bris* —3C **70**
Princes St. *Bath* —3A **106** (3B **96**)
Prince's St. *Bris* —2B **70**
Prince's St. *Rads* —4B **148**
Princess Victoria St. *Bris* —4B **68**
Prince St. *Bris* —5F **69** (5B **4**)
*Prior Pk. Bldgs. Bath —4C **106***
(off Prior Pk. Rd.)
Prior Pk. Cotts. *Bath* —4C **106**
Prior Pk. Gdns. *Bath* —4C **106**
Prior Pk. Rd. *Bath* —4C **106**
Priors Hill. *Tim* —1D **157**
Prior's Hill Flats. *Bris* —1F **69**
Priors Lea. *Yate* —5F **17**
Priory Acre. *W Mare* —3B **128**
Priory Av. *Bris* —5C **40**
Priory Clo. *Bath* —2C **110**
Priory Clo. *Brad A* —2D **115**
Priory Clo. *Mid N* —3D **151**
Priory Ct. *Bris* —2E **83**
Priory Ct. Rd. *Bris* —5C **40**
Priory Dene. *Bris* —5C **40**
Priory Farm Est. *P'bry* —5F **51**
Priory Gdns. *Bris* —5F **37**
Priory Gdns. *E'ton G* —3D **53**
Priory Gdns. *Hor* —4B **42**
Priory M. *W Mare* —1F **133**
Priory Pk. *Brad A* —2E **115**
Priory Rd. *Clif* —2D **69**
Priory Rd. *E'ton G* —3D **53**
Priory Rd. *Key* —1A **92**
Priory Rd. *Know* —3D **81**
Priory Rd. *P'bry* —5F **51**
Priory Rd. *Shire* —1F **53**
Priory Rd. *W Mare* —1E **133**
Priory Wlk. *P'bry* —5F **51**
Priston Clo. *W Mare* —1F **129**
Pritchard St. *Bris* —2A **70**
Probyn Clo. *Bris* —5C **44**
Pro-Cathedral La. *Bris* —3D **69**
Proctor Clo. *Bris* —4F **81**
Proctor Ho. *Bris* —5A **70**
Promenade, The. *Bishop* —5F **57**
Promenade, The. *Bris* —2B **68**
Prospect Av. *K'dwn* —2F **69**
Prospect Av. *K'wd* —1D **73**
Prospect Bldgs. *Bath* —1A **102**
Prospect Clo. *Fram C* —1B **30**
Prospect Clo. *Wint* —5A **30**
Prospect Cres. *Bris* —5B **62**
Prospect Gdns. *Bathe* —1A **102**
Prospect La. *Fram C* —1B **30**
Prospect Pl. *Bath* —4A **106**
(Beechen Cliff Rd.)
Prospect Pl. *Bath* —5B **100**
(Camden Rd.)
Prospect Pl. *Bathf* —4E **103**
Prospect Pl. *Bedm* —2E **79**
Prospect Pl. *Bris* —5B **42**
Prospect Pl. *C Down* —3C **110**
Prospect Pl. *Cot* —5F **57**
Prospect Pl. *Trow* —1D **119**
Prospect Pl. *W'hall* —2E **71**
Prospect Pl. *W Mare* —5C **126**
Prospect Pl. *W'ton* —4D **99**
Prospect Rd. *Bath* —5D **107**
Prospect Rd. *Sev.B* —5B **20**
Providence La. *L Ash* —2B **76**
Providence Pl. *Bedm* —2F **79**
Providence Pl. *Bris* —4B **70** (3F **5**)
Providence Pl. *Redf* —3E **71**
Providence View. *L Ash* —4C **76**
Prudham St. *Bris* —1E **71**
Pucklechurch Trad. Est. *Puck* —3D **65**
Puffin Clo. *W Mare* —5D **129**
Pullen's Grn. *T'bry* —3C **6**
Pullin Ct. *Bris* —1F **85**
Pulteney Av. *Bath* —3C **106** (4E **97**)
Pulteney Bri. *Bath* —3B **106** (3C **96**)
Pulteney Gdns. *Bath* —3C **106** (4E **97**)
Pulteney Gro. *Bath* —4C **106** (5E **97**)
Pulteney M. *Bath* —2B **106** (2D **97**)
Pulteney Rd. *Bath* —4C **106** (5E **97**)
*Pulteney Ter. Bath —3C **106***
(off Pulteney Av.)
Pump La. *Bathf* —5C **102**
Pump La. *Bris* —5A **70** (5D **5**)
Pump Sq. *Pill* —2F **53**
Purcell Wlk. *Bris* —1F **87**
Purdey Rd. *Bris* —3B **60**
Purdown Rd. *Bris* —2B **58**
Purdue Clo. *W Mare* —2F **129**
Purlewent Dri. *Bath* —4D **99**
Purn International Holiday Pk. *B'don* —5E **139**
Purn La. *W Mare* —3E **139**
Purn Rd. *W Mare* —3D **139**
Purn Way. *B'don* —4E **139**
Pursey Dri. *Brad S* —3B **28**
Purton Clo. *Bris* —4A **74**
Purton Rd. *Bris* —5F **57**
Puttingthorpe Dri. *W Mare* —1A **134**
Puxley Clo. *Bris* —2A **90**
Puxton Rd. *Hew* —5F **131**
Pye Croft. *Brad S* —3A **12**
Pyecroft Av. *Bris* —5D **41**
Pylle Hill Cres. *Bris* —1B **80**
Pyne Point. *Clev* —3C **120**
Pynne Clo. *Bris* —2B **90**
Pynne Rd. *Bris* —3B **90**
Pyracantha Wlk. *Bris* —2C **88**

Quadrangle, The. *W'lgh* —5E **33**
Quadrant. *Alm* —3D **11**
Quadrant E. *Bris* —4E **61**
Quadrant, The. *Bris* —4D **57**
Quadrant W. *Bris* —4E **61**
Quaker La. *T'bry* —3C **6**
Quakers Clo. *Bris* —4F **45**
Quakers' Friars. *Bris* —3A **70** (1D **5**)
Quaker's Rd. *Bris* —3F **45**
Quantock Clo. *Bris* —5E **75**
Quantock Rd. *Bris* —2F **79**
Quantock Rd. *P'head* —3D **49**
Quantock Rd. *W Mare* —4B **132**
Quantocks. *Bath* —3B **110**
Quantock Ter. *Bath* —3F **107**
Quarries, The. *Alm* —1D **11**
Quarrington Rd. *Bris* —2A **58**
Quarry Barton. *Ham* —5E **29**
Quarry Clo. *Bath* —3A **110**
Quarry Clo. *Lim S* —3E **113**
Quarry La. *Bris* —3E **39**
Quarry La. *Wint D* —5A **30**
Quarrymans Ct. *Bath* —3C **110**
Quarry Mead. *Alv* —2A **8**
Quarry Rd. *Alv* —2A **8**
Quarry Rd. *Bath* —4E **107**
Quarry Rd. *Chip S* —5C **18**
Quarry Rd. *Clif* —5C **56**
Quarry Rd. *Fren* —5D **45**
Quarry Rd. *K'wd* —4F **73**
Quarry Rd. *P'head* —4E **49**
Quarry Rock Gdns. Cvn. Pk. *Bath* —5E **107**
Quarry Steps. *Bris* —5C **56**
Quarry Way. *Nail* —3C **122**
Quarry Way. *Stap* —2A **60**
Quaterway La. *Trow* —1E **119**
Quayside. *Bris* —4A **70** (3E **5**)
Quayside. *St G* —4B **72**
Quayside Ho. *Bris* —4D **69**
Quay St. *Bris* —3F **69** (2B **4**)
Quebec. *Bath* —3B **104**
Quedgeley. *Yate* —1E **33**
Queen Ann Rd. *Bris* —4D **71**
Queen Charlotte St. *Bris* —4F **69** (3C **4**)
Queen Charlton La. *Bris* —5F **89**
Queen Quay. *Bris* —4F **69** (4C **4**)
Queen's Av. *Bris* —3D **69**
Queens Av. *P'head* —3E **49**
Queens Club Gdns. *Trow* —2A **118**
*Queen's Ct. Bris —3D **69***
(off Queen's Rd.)
Queensdale Cres. *Bris* —4C **80**
Queensdown Gdns. *Bris* —2E **81**
Queen's Dri. *Bath* —2B **110**
Queen's Dri. *Bishop* —3E **57**
Queens Dri. *Han* —1D **83**
Queens Gdns. *Trow* —3E **117**
Queenshill Rd. *Bris* —3C **80**
Queensholm Av. *Bris* —3A **46**
Queensholm Cres. *Bris* —3F **45**
Queensholm Dri. *Bris* —3A **46**
Queensholme Clo. *Bris* —3A **46**
Queens Pde. *Bath* —2A **106** (2A **96**)
Queen's Pde. *Bris* —4D **69**
Queens Pde. Pl. *Bath* —2A **106** (2B **96**)
Queens Pl. *Bath* —4C **106** (5E **97**)
Queen Sq. *Bath* —2A **106** (2B **96**)
Queen Sq. *Bris* —4F **69** (4B **4**)
Queen Sq. *Salt* —1B **94**
Queen Sq. Av. *Bris* —4F **69** (4C **4**)
Queen Sq. Pl. *Bath* —2A **106** (2A **96**)
Queens Rd. *Ash D* —3B **58**
Queens Rd. *Ban* —5E **137**
Queen's Rd. *B'wth* —5B **86**
Queen's Rd. *Clev* —3D **121**
Queen's Rd. *Clif* —3C **68**
Queens Rd. *Key* —4F **91**
Queens Rd. *Know* —3E **81**
Queen's Rd. *Nail* —4B **122**
Queen's Rd. *P'head* —4A **48**
Queen's Rd. *Puck* —2D **65**
Queen's Rd. *Rads* —2E **153**
Queen's Rd. *St G* —2B **72**
Queens Rd. *Trow* —5C **116**
Queens Rd. *War* —1C **84**
Queen's Rd. *W Mare* —4B **126**
Queen St. *A'mth* —3C **36**
Queen St. *Bath* —3A **106** (3B **96**)
Queen St. *Eastv* —4F **59**
Queen St. *K'wd* —3D **73**
Queen St. *St Ph* —3A **70** (2E **5**)
Queens Wlk. *T'bry* —1C **6**
Queensway. *Lit S* —3E **27**
Queen's Way. *P'head* —4A **48**
Queen's Way. *W Mare* —1C **128**
Queen Victoria Rd. *Bris* —3C **56**
Queen Victoria St. *Bris* —4C **70**
Queenwood Av. *Bath* —5B **100**
Quickthorn Clo. *Bris* —2C **88**
Quiet St. *Bath* —3A **106** (3B **96**)
Quilling Clo. *Trow* —3E **119**
Quilter Gro. *Bris* —1F **87**

Raby M. *Bathw* —2C **106** (2E **97**)
Raby Pl. *Bathw* —2C **106** (2E **97**)
Raby Vs. *Bath* —2C **106** (2F **97**)
Rackfield Pl. *Bath* —3C **104**
Rackham Clo. *Bris* —1D **59**
Rackhay. *Bris* —4F **69** (3C **4**)
Rackvernal Rd. *Mid N* —3E **151**
Radford Hill. *Tim* —1E **157**
Radley Rd. *Bris* —3D **61**
Radnor Rd. *Hor* —2F **57**
Radnor Rd. *W Trym* —2D **57**
Radstock Rd. *Mid N* —2E **151**
Raeburn Rd. *Bris* —3D **73**
*Raglan Clo. Bath —4B **100***
(off Raglan La.)
Rag La. *Wickw* —2A **154**
Raglan La. *Bath* —4B **100**
Raglan La. *Bris* —3C **72**
Raglan Pl. *Bris* —4F **57**
Raglan Pl. *T'bry* —4C **6**
Raglan Pl. *W Mare* —5A **126**
Raglan Rd. *Bris* —4F **57**
Raglan St. *Bath* —4B **100**
Raglan Ter. *Bath* —4B **100**
Raglan Vs. *Bath* —4B **100**
Raglan Wlk. *Key* —4F **91**
Ragleth Gro. *Trow* —5E **117**
Railton Jones Clo. *Stok G* —1A **44**
Railway Bldgs. *Bath* —3D **105**
Railway Pl. *Bath* —4B **106** (5D **97**)
Railway Rd. *Bath* —4B **106** (5C **96**)
Railway St. *Bath* —4B **106** (5C **96**)
Railway Ter. *Bris* —3E **61**
Railway View. *Ham* —1F **45**
Railway View Pl. *Mid N* —2E **151**
Railway Wlk. *Wins* —3A **156**
Raleigh Clo. *Salt* —5F **93**
Raleigh Ct. *Trow* —2D **119**
Raleigh Rise. *P'head* —2D **49**
Raleigh Rd. *Bedm* —2C **78**
Ralph Allen Dri. *Bath* —5C **106**
Ralph Rd. *Bris* —3B **58**
Rambler Clo. *Trow* —1A **118**
Ram Hill. *Coal H* —4E **31**
Ramsbury Wlk. *Trow* —4D **119**
Ramsey Clo. *W Mare* —1C **128**
Ramsey Rd. *Bris* —5B **42**
Ranchway. *P'head* —4B **48**
Randall Clo. *Bris* —5B **62**
Randall Rd. *Bris* —4C **68**
Randolph Av. *Bris* —3D **87**
Randolph Av. *Yate* —2F **17**
Randolph Clo. *Bris* —3D **87**
Rangers Wlk. *Bris* —1E **83**
Rank, The. *N Brad* —4D **155**
Rannoch Rd. *Bris* —2B **42**
Ranscombe Av. *W Mare* —3B **128**
Ransford. *Clev* —5B **120**
Raphael Ct. *Redc* —5A **70**
Ratcliffe Dri. *Stok G* —4A **28**
Rathbone Clo. *Coal H* —4E **31**
Raven Clo. *W Mare* —4C **128**
Ravendale Dri. *L Grn* —3C **84**
Ravenglass Cres. *Bris* —2E **41**
Ravenhead Dri. *Bris* —5D **81**
Ravenhill Av. *Bris* —3B **80**
Ravenhill Rd. *Bris* —2B **80**
Ravenscourt Rd. *Pat* —2D **27**
Ravenscroft Gdns. *Trow* —1F **119**
Ravenswood. *L Grn* —2C **84**
Ravenswood Rd. *Bris* —1E **69**

Rawlins Av.—Rozel Rd.

Rawlins Av. W Mare —1E 129
Rayens Clo. L Ash —4B 76
Rayens Cross Rd. L Ash —4B 76
Rayleigh Rd. Bris —5F 39
Raymend Rd. Bris —2A 80
Raymend Wlk. Bris —3A 80
Raymill. Bris —3C 82
Raymore Rise. L Ash —5B 76
Raynes Rd. Bris —2C 78
Rectors Way. W Mare —2D 133
Rectory Clo. Yate —3B 18
Rectory Dri. Yat —4C 142
Rectory Gdns. Bris —2A 40
Rectory La. B'don —5A 140
Rectory La. Brad S —1C 42
Rectory La. Tim —1E 157
Rectory Rd. E'ton G —4D 53
Rectory Rd. Fram C —1C 30
Rectory Way. Yat —4C 142
Redcar Ct. Down —3C 46
Redcatch Rd. Bris & Know —2B 80
Redcliff Backs. Bris —4A 70 (4D 5)
Redcliffe Clo. P'head —5A 48
Redcliffe Pde. E. Bris —5F 69 (5C 4)
Redcliffe Pde. W. Bris —5F 69 (5C 4)
Redcliffe Way. Bris (in two parts) —4F 69 (4B 4)
Redcliff Hill. Bris —5A 70
Redcliff Mead La. Bris —5A 70 (5E 5)
Redcliff Pde. Bris —5F 69
Redcliff St. Bris —4A 70 (3D 5)
Redcross La. Bris —3B 70 (1F 5)
Redcross St. Bris —3B 70 (2F 5)
Redding Rd. Bris —5D 59
Reddings, The. Bris —5B 62
Redfield Gro. Mid N —3D 151
Redfield Hill. Old C —1F 85
Redfield Rd. Mid N —4C 150
Redfield Rd. Pat —2D 27
Redford Cres. Bris —5A 86
Redford La. Yate —3E 65
Redford Wlk. Bris —5B 86
Red Hill. C'ton —1B 148
Redhill Clo. Bris —4A 60
Redhill Dri. Bris —4A 60
Red Ho. La. Alm —2D 11
Red Ho. La. Bris —1A 56
Redland Ct. Rd. Bris —4E 57
Redland Grn. Rd. Bris —4D 57
Redland Gro. Bris —5E 57
Redland Hill. Redl —5C 56
Redland Pk. Bath —3A 104 (in two parts)
Redland Pk. Bris —5D 57
Redland Rd. Bris —4C 56
Redland Rd. P'bry —1B 52
Redlands Ter. Mid N —4C 150
Redland Ter. Bris —5D 57
Red Post Ct. Bath —2E 149
Redshelf Wlk. Bris —1E 41
Redwick Clo. Bris —2E 39
Redwick Rd. Piln —1B 20
Redwing Dri. W Mare —4D 129
Redwing Gdns. Bris —1A 60
Redwood Clo. L Grn —2C 84
Redwood Clo. Nail —3F 123
Redwood Clo. Rads —4B 152
Redwood Ho. Bris —5F 87
Redwoods, The. Key —2F 91
Reed Ct. L Grn —1B 84
Reedley Rd. Bris —2A 56
Reedling Clo. Bris —1A 60
Regency Dri. Bris —3C 82
Regent Rd. Bris —1F 79
Regents Clo. T'bry —1C 6
Regents Field. Bath —1E 107
Regent's Pl. Brad A —3E 115
Regent St. Clif —4C 68
Regent St. K'wd —2F 73
Regent St. W Mare —1B 132
Regina, The. Bath —2A 106 (1B 96) (off Bennett St.)
Remenham Dri. Bris —2D 57
Rendcomb Clo. W Mare —3F 127
Rene Rd. Bris —1D 71
Repton Rd. Bris —2E 81
Retreat, The. W Mare —4A 126
Reynold's Clo. Key —3C 92
Reynolds Wlk. Bris —5C 42
Rhode Clo. Key —5C 92
Rhododendron Wlk. Bris —3A 40
Rhodyate Hill. Clav —5E 143
Rhodyate La. C've —4F 143
Rhyne Ter. Uph —1B 138
Rhyne View. Nail —4A 122
Ribblesdale. T'bry —4D 7
Richards Clo. W Mare —1F 129
Richardson Pl. C Down —3D 111
Richeson Clo. Bris —2B 40
Richeson Wlk. Bris —2B 40
Richmond Av. Bris —5B 58
Richmond Av. Stok G —4A 28
Richmond Clo. Bath —5A 100
Richmond Clo. Key —4F 91
Richmond Clo. P'head —3A 50
Richmond Clo. Trow —3A 118
Richmond Ct. Pat —5B 10
Richmond Dale. Bris —5C 56
Richmond Grn. Nail —4E 123
Richmond Heights. Bath —4A 100
Richmond Hill. Bath —5A 100
Richmond Hill. Bris —3D 69
Richmond Hill Av. Bris —3D 69
Richmond La. Bath —5A 100
Richmond La. Bris —3C 68
Richmond M. Bris —3C 68
Richmond Pk. Rd. Bris —3C 68
Richmond Pl. Bath —5A 100
Richmond Rd. Bath —4A 100
Richmond Rd. Bris —1A 70
Richmond Rd. Mang —2C 62
Richmond Rd. Mont —5B 58
Richmond Rd. St G —2A 72
Richmond St. Bris —1B 80
Richmond St. W Mare —1B 132
Richmond Ter. A'mth —3C 36
Richmond Ter. Bath —5B 100 (off Rivers Rd.)
Richmond Ter. Clif —3C 68
Richmond Vs. Bris —3C 36
Ricketts La. W Mare —3E 129
Rickfield. Brad A —3C 114
Rickford Rd. Nail —4E 123
Rickyard Rd. Wrin —1C 156
Ride, The. Bris —1C 74
Ridge Clo. P'head —4C 48
Ridge Green Clo. Bath —4E 109
Ridgehill. Bris —1E 57
Ridgemeade. Bris —4D 89
Ridge, The. Bris —5A 38
Ridge, The. Coal H —2E 31
Ridge, The. Yat —3B 142
Ridge View. L Ash —3D 77
Ridgeway. Fram C —2F 31
Ridgeway. Nail —4B 122
Ridgeway. Yate —4B 18
Ridgeway Av. W Mare —2C 132
Ridgeway Ct. Bris —3C 40
Ridgeway Gdns. Bris —3E 89
Ridgeway La. Bris —4D 89
Ridgeway Pde. Bris —4A 60
Ridgeway Rd. Bris —4A 60
Ridgeway Rd. L Ash —4C 76
Ridge Way, The. W Mare —3F 127
Ridgeway, The. W Trym —3C 40
Ridgewood. Bris —4F 55
Ridgewood. Chip S —5B 18
Riding Barn Hill. Wick —5A 154
Riding Cotts. Chip S —4D 19
Ridingleaze. Bris —3C 38
Ridings Clo. Chip S —5E 19
Ridings Rd. Coal H —3E 31
Ridings, The. Bris —4A 86
Ridings, The. Coal H —3E 31
Ringswell Gdns. Bath —5C 100
Ringwood Cres. Bris —3E 41
Ringwood Gro. W Mare —4E 127
Ringwood Rd. Bath —3D 105
Ripley Rd. Bris —1C 72
Ripon Ct. Down —2B 46
Ripon Rd. Bris —4A 72
Rippleside. P'head —3E 49
Rippleside Rd. Clev —2E 121
Ripple, The. Tic —1C 122
Risdale Rd. Bris —4A 78
Risedale Rd. Wins —4B 156
Rivendell. W Mare —1E 129
Riverland Dri. Bris —4B 86
Riverleaze. Bris —2D 55
Riverleaze. P'head —2B 48
River Mead. Clev —5D 121
River Path. Clev —5B 120
River Pl. Bath —3C 104
River Rd. Chip S —5C 18
River Rd. P'bry —3A 36
Riverside. Ban —2F 137
Riverside Bus. Pk. St Ap —4F 71
Riverside Clo. Bris —2B 54
Riverside Clo. Clev —4B 120
Riverside Clo. Mid N —5C 150
Riverside Cotts. Rads —2D 153
Riverside Ct. Bath —3A 106 (4A 96)
Riverside Ct. St Ap —4B 72
Riverside Dri. Bris —5E 45
Riverside Gdns. Bath —3A 106 (off Kingsmead East.)
Riverside Gdns. Mid N —5B 150
Riverside M. St Ap —4B 72
Riverside Pk. Sev B —4A 20
Riverside Rd. Bath —3F 105
Riverside Rd. Mid N —5C 150
Riverside Steps St Ap —3A 72
Riverside Wlk. Mid N —5C 150
Riverside Wlk. St G —4B 72
Riverside Way. Bris —2E 83
Rivers Rd. Bath —1B 106
Rivers St. Bath —2A 106 (1A 96)
Rivers St. M. Bath —2A 106 (1A 96)
Rivers St. Pl. Bath —2A 106 (off Rivers St.)
River St. Bris —3B 70 (1F 5)
River Ter. Key —3B 92
River View. Bris —2A 60
Riverway. Nail —2E 123
River Way. Trow —1C 118
Riverway Ind. Pk. Trow —1C 118
Riverwood Rd. Bris —3E 45
Riviera Cres. Bris —3A 62
Roath Rd. P'head —3F 49
Robbins Clo. Brad S —3B 28
Robel Av. Fram C —1B 30
Robert Ct. Bris —4A 68
Robert Ct. E Grn —5D 47
Robertson Dri. St Ap —4B 72
Robertson Rd. Bris —5D 59
Robert St. Bar H —3D 71
Robert St. Eastv —5D 59
Robin Clo. Bris —2F 89
Robin Clo. Mid N —4E 151
Robin Clo. W Mare —5C 128
Robin Clo. W Trym —2D 41
Robin Dri. Hut —1C 140
Robin Hood La. Bris —3E 69 (1A 4)
Robinia Wlk. Bris —1B 88
Robin La. Clev —1D 121
Robinson Clo. Back —3C 124
Robinson Dri. Bris —1C 70
Robinson Way. Back —3C 124
Robin Way. Chip S —2B 34
Roblyn Ct. Wins —4A 156
Rochester Clo. W Mare —2E 139
Rochester Rd. Bris —5A 72
Rochfort Ct. Bath —1B 106
Rochfort Pl. Bath —1B 106
Rock Av. Nail —3B 122
Rock Clo. Bris —3A 82
Rock Cotts. Bath —3C 110
Rockfield. W Mare —4F 127
Rock Hall Cotts. Bath —3C 110
Rock Hall La. Bath —3C 110
Rock Ho. Bris —1E 41
Rockingham Gro. W Mare —4E 127
Rockingham Ho. Bris —4C 38
Rockland Gro. Bris —1F 59
Rockland Rd. Bris —5E 45
Rock La. C Down —3C 110
Rock La. Stok G —4B 28
Rockleaze. Bris —5A 56
Rockleaze Av. Bris —4A 56
Rockleaze Ct. Bris —4A 56
Rockleaze Rd. Bris —4A 56
Rockliffe Av. Bath —1C 106
Rockliffe Rd. Bath —1C 106
Rock Rd. Key —3A 92
Rock Rd. Mid N —2E 151
Rock Rd. Trow —3B 118
Rock Rd. Wick —4B 154
Rock Rd. Yat —4C 142
Rockside Av. Bris —4B 46
Rockside Dri. Bris —1D 57
Rockside Gdns. Bris —4B 46
Rockside Gdns. Fram C —1E 31
Rockstowes Way. Bris —1F 41
Rock St. T'bry —4C 6
Rock, The. Bris —2A 82
Rockwell Av. Bris —3D 39
Rockwood Ho. Yate —2C 18
Rocky La. Ban —5F 137
Rodborough. Yate —2E 33
Rodborough Way. Bris —3C 74
Rodbourne Rd. Bris —5F 41
Rodfords Mead. Bris —1C 88
Rodford Way. Yate —2E 33
Rodmead Wlk. Bris —4C 86
Rodmoor Rd. P'head —2F 49
Rodney. W Mare —1E 139
Rodney Av. Bris —2C 72
Rodney Cres. Bris —5D 27
Rodney Ho. Bath —3B 104
Rodney Pl. Bris —3C 68
Rodney Rd. Back —2C 124
Rodney Rd. Bris —1C 72
Rodney Rd. Salt —2A 94
Rodney Wlk. Bris —1C 72
Rodsleigh. Trow —4A 118
Rodway Hill. Mang —3C 62
Rodway Hill Rd. Mang —2C 62
Rodway Rd. Mang —2C 62
Rodway Rd. Pat —1B 26
Rodway View. Bris —4B 62
Rodwell Pk. Trow —5E 117
Roebuck Clo. W Mare —1E 129
Roegate Dri. St Ap —4A 72
Rogers Clo. Bris —5D 75
Rokeby Av. Bris —1E 69
Roman Farm Ct. Bris —2E 39
Roman Rd. B'don —3E 139
Roman Rd. Bris —1D 71
Roman Rd. Eng —4D 109
Roman Wlk. Brisl —2E 81
Roman Wlk. Stok G —4A 28
Roman Way. Bris —3E 55
Roman Way. Paul —3A 146
Romney Av. Bris —2C 58
Ronald Rd. Bris —1B 60
Ronayne Wlk. Bris —1E 61
Rookery Clo. W Mare —2C 128
Rookery Rd. Bris —2B 80
Rookery Way. Bris —4B 88
Rooksbridge Wlk. Bath —3D 105
Roper's La. Wrin —1B 156
Rope Wlk., The. Brad A —3D 115
Rose Acre. Bris —1C 40
Rosebay Mead. Bris —2A 60
Roseberry Pk. Bris —2F 71
Roseberry Pl. Bath —3E 105
Roseberry Rd. Bath —3D 105
Roseberry Rd. Bris —3E 71
Rosebery Av. Bris —1C 70
Rosebery Ter. Bris —4D 69
Rose Clo. Wint D —5A 30
Rose Cotts. C Hay —4D 109
Rose Cotts. S'ske —5A 110
Rosedale Av. W Mare —1E 133
Rosedale Gdns. Trow —1A 118
Rosedale Rd. Bris —4D 61
Rose Gdns. W Mare —1F 129
Rose Grn. Bris —5F 59
Rose Grn. Clo. Bris —5A 60
Rose Grn. Rd. Bris —5F 59
Rose Hill. Bath —4C 100 (in two parts)
Rose La. Coal H —2F 31
Roselarge Gdns. Bris —2C 40
Rosemary Clo. Brad S —2B 28
Rosemary La. Bris —5E 59
Rosemary La. F'frd —5B 112
Rosemary Steps. Brad A —3D 115
Rose Mead. Bris —5C 42
Rosemeare Gdns. Bris —1A 86
Rosemont Ter. Bris —4C 68
Rosemount Ct. Bris —2D 73
Rosemount La. Bath —5C 106
Rosenberg Houses. Bath —3A 106 (off Westgate Bldgs.)
Rose Oak La. Coal H —2F 31
Rose Rd. Bris —3A 72
Rosery Clo. Bris —4C 40
Rosery, The. Bris —4E 61
Rose St. Bris —4A 70 (4F 5)
Roseville Av. L Grn —3C 84
Rose Wlk. Bris —4E 61
Rosewarn Clo. Bath —5B 104
Rosewell Ct. Bath —3A 106 (3A 96)
Rosewood Av. Alv —2A 8
Rosling Rd. Bris —1A 58
Roslyn Av. W Mare —4A 128
Roslyn Rd. Bris —5E 57
Rossall Av. Lit S —3E 27
Rossall Rd. Bris —2F 81
Rossendale Clo. W Mare —2D 129
Rossett Gdns. Trow —2A 118
Rossiter Rd. Bath —4B 106 (5D 97)
Rossiter's La. Bris —4C 72
Rossiter Wood Ct. Bris —2D 39
Rosslyn Rd. Bath —2C 104
Rosslyn Way. T'bry —1D 7
Rounceval St. Chip S —5C 18
Roundhill Gro. Bath —1C 108
Roundhill Pk. Bath —5B 104
Roundmoor Clo. Salt —5F 93
Roundmoor Gdns. Bris —2F 89
Roundstone St. Trow —1D 119
Roundways. Coal H —3E 31
Rousham Rd. Bris —4C 58
Rowacres. Bath —1C 108
Rowacres. Bris —2B 88
Rowan Clo. Bris —5C 60
Rowan Clo. Nail —3F 123
Rowan Ct. Bris —3D 71
Rowan Ct. Rads —3A 152
Rowan Ho. Bris —4F 87
Rowans, The. Bris —3D 45
Rowans, The. P'head —4D 49
Rowan Wlk. Key —4E 91
Rowan Way. Bris —2E 83
Rowberrow. Bris —1B 88
Rowberrow Way. Nail —4D 123
Rowden La. Brad A —5E 115
Rowland Av. Bris —3F 59
Rowlands Clo. Bathf —4D 103
Rowlandson Gdns. Bris —1D 59
Rowley St. Bris —2E 79
Rownham Clo. Bris —1A 78
Rownham Ct. Bris —5C 68
Rownham Hill. Bris —4A 68
Rownham Mead. Bris —5C 68
Rows, The. W Mare —3C 128
Royal Albert Rd. Bris —3C 56
Royal Av. Bath —2F 105
Royal Clo. Bris —1E 39
Royal Cres. Bath —2F 105
Royal Cres. W Mare —5B 126
Royal Fort Rd. Bris —3E 69 (1A 4)
Royal Oak Av. Bris —4F 69 (5B 4)
Royal Pde. W Mare —5B 126
Royal Pk. Bris —3C 68
Royal Portbury Dock Rd. P'bry —3B 52
Royal Rd. Mang —1C 62
Royal York Cres. Bris —4B 68
Royal York M. Bris —4C 68
Royal York Vs. Bris —4C 68
Royate Hill. Bris —5F 59
Roycroft Rd. Bris —2D 43
Roy King Gdns. Bris —4E 75
Royston Wlk. Bris —2F 41
Rozel Rd. Bris —2A 58

188 A-Z Bristol Deluxe

Rubens Clo.—Salisbury View

Rubens Clo. *Key* —3C **92**
Rubens Ct. *W Mare* —2D **129**
Ruby St. *Bris* —2D **79**
Ruddymead. *Clev* —4D **121**
Rudford Clo. *Pat* —5D **11**
Rudge Clo. *K'wd* —5B **62**
Rudgeway Pk. *Rudg* —5A **8**
Rudgeway Rd. *Paul* —4B **146**
Rudgewood Clo. *Bris* —4F **87**
Rudgleigh Av. *Pill* —3E **53**
Rudgleigh Rd. *Pill* —3E **53**
Rudhall Grn. *W Mare* —2F **129**
Rudhall Gro. *Bris* —5A **42**
Rudmore Pk. *Bath* —2B **104**
Rudthorpe Rd. *Bris* —2A **58**
Ruett La. *Far G* —5A **146**
Ruffet Rd. *Wint* —1C **46**
Rugby Rd. *Bris* —2F **81**
Runnymead Av. *Bris* —4F **81**
Runnymeade. *Bris* —1A **74**
Runswick Rd. *Bris* —2E **81**
Rupert St. *Bris* —3F **69** (2B **4**)
Rupert St. *Redf* —3E **71**
Rush Clo. *Brad S* —4F **11**
Rush Hill. *Bath* —2C **108**
Rushmoor. *Clev* —5A **120**
Rushmoor Gro. *Back* —3C **124**
Rushmoor La. *Back* —3C **124**
Rushton Dri. *Coal H* —2F **31**
Rushy. *Bris* —1C **84**
Ruskin Gro. *Bris* —4C **42**
Ruskin Rd. *Rads* —3F **151**
Russell Av. *Bris* —3A **74**
Russell Gro. *Bris* —2E **57**
Russell Rd. *Clev* —3C **120**
Russell Rd. *Fish* —5D **61**
Russell Rd. *Lock* —2F **135**
Russell Rd. *W'bry P* —3D **57**
Russell St. *Bath* —2A **106** (1B **96**)
Russell Town Av. *Bris* —2D **71**
Russet Ct. *Trow* —3D **119**
Russett Clo. *Back* —2D **125**
Russett Gro. *Nail* —5B **122**
Russet Way. *Pea J* —5D **157**
Russ St. *Bris* —4B **70**
Rustic Pk. Cvn. Site. *Sev B* —4B **20**
Rutherford Clo. *L Grn* —2C **84**
Ruthven Rd. *Bris* —5A **80**
Rutland. *Bris* —5A **38**
Rutland Av. *Will* —3C **84**
Rutland Clo. *W Mare* —5A **128**
Rutland Ct. *Trow* —4C **118**
Rutland Cres. *Trow* —4C **118**
Rutland Rd. *Bris* —4A **58**
Rydal Av. *Lock* —4D **135**
Rydal Rd. *W Mare* —4D **133**
Ryde Rd. *Bris* —3D **81**
Rye Clo. *Bris* —2A **86**
Ryecroft Av. *W Mare* —3C **128**
Ryecroft Rise. *L Ash* —4D **77**
Ryecroft Rd. *Fram C* —1E **31**
Ryedown La. *Bit* —3E **85**
Ryland Pl. *Bris* —5C **58**
Rylestone Clo. *Fram C* —1B **30**
Rylestone Gro. *Bris* —2B **56**
Rysdale Rd. *Bris* —1B **56**

Sabrina Way. *Bris* —3E **55**
Sadbury Clo. *W Mare* —1F **129**
Sadlier Clo. *Bris* —4B **38**
Saffron Clo. *W'hall* —2E **71**
Saffron Ct. *Bath* —1B **106**
Saffrons, The. *W Mare* —1F **129**
Saffron St. *Bris* —2E **71**
Sage Clo. *P'head* —4A **48**
Sages Mead. *Brad S* —1A **28**
St Agnes Av. *Bris* —3B **80**
St Agnes Clo. *Nail* —4F **123**
St Agnes Gdns. *Bris* —3B **80**
St Agnes Wlk. *Bris* —3B **80**
St Aidans Clo. *Bris* —4D **73**
St Aidans Rd. *Bris* —4C **72**
St Albans Rd. *Bris* —3D **57**
St Aldams Dri. *Puck* —2D **65**
St Aldhelm Rd. *Brad A* —4F **115**
St Aldwyn's Clo. *Bris* —4B **42**
St Andrews. *War* —4D **75**
St Andrews. *Yate* —5B **18**
St Andrews Clo. *Cong* —2C **144**
St Andrew's Clo. *Nail* —4F **123**
St Andrews Clo. *W Mare* —2D **129**
St Andrews Dri. *Clev* —4A **120**
St Andrews Ind. Est. *Bris* —2D **37**
St Andrew's Pde. *W Mare* —4D **133**
St Andrew's Rd. *A'mth* —3D **37**
St Andrew's Rd. *Back* —3D **125**
St Andrew's Rd. *Bris* —1A **70**
St Andrews Rd. *Mont* —1A **70**
St Andrews Ter. *Bath* —2A **106** (2B **96**)
St Andrews Wlk. *Bris* —4C **68**
St Annes Av. *Key* —2F **91**
St Annes Clo. *Bris* —1D **85**
St Annes Clo. *St G* —4B **72**
St Anne's Ct. *Bris* —5F **71**
St Anne's Ct. *Key* —2F **91**
St Anne's Dri. *Coal H* —4E **31**
St Annes Dri. *Old C* —3E **85**
St Anne's Dri. *Wick* —4A **154**
St Annes Pk. Rd. *Bris* —5A **72**
St Anne's Rd. *St Ap & Avon V* —4F **71**
St Anne's Rd. *St G* —4D **73**
St Anne's Ter. *Bris* —5A **72**
*St Ann's Pl. Bath —3A **106** (3A **96**) (off New King St.)*
St Ann's Way. *Bath* —3C **106** (3F **97**)
St Anthony's Clo. *Mid N* —2D **151**
St Anthony's Dri. *Wick* —4A **154**
St Aubin's Av. *Bris* —2B **82**
St Aubyn's Av. *Uph* —1B **138**
St Augustine's Clo. *P'head* —4A **48**
St Augustine's Pde. *Bris* —4F **69** (3B **4**)
*St Augustines Pl. Bris —4F **69** (off Colston St.)*
*St Augustines Rd. Key (off Station Rd.) —2B **92***
St Augustines Rd. *Trow* —2B **118**
*St Augustines Yd. Bris —4E **69** (off Gaunts La.)*
*St Augustines Yd. Bris —4E **69** (off Orchard La.)*
St Austell Clo. *Nail* —5F **123**
St Austell Rd. *W Mare* —5F **127**
St Barnabas Clo. *Bris* —4B **80**
St Barnabas Clo. *Mid N* —1E **151**
St Barnabas Clo. *War* —3E **75**
St Bartholomew's Rd. *Bris* —4B **58**
St Bede's Rd. *Bris* —5E **61**
St Bernards Rd. *Bris* —1A **54**
St Brelades Gro. *Bris* —5B **72**
St Brendans Way. *Bris* —3D **37**
St Briavels Dri. *Yate* —1F **33**
St Cadoc Ho. *Key* —3B **92**
*St Catherine Pl. Bris —1F **79** (off East St.)*
St Catherine's Clo. *Bath* —3D **107**
St Catherines Ct. *Bedm* —3D **81**
St Catherine's Mead. *Pill* —4F **53**
St Chad's Av. *Mid N* —3D **151**
St Chad's Grn. *Mid N* —3D **151**
St Charles Clo. *Mid N* —2D **151**
St Christopher's Clo. *Bath* —2D **107**
St Clements Ct. *Clev* —2C **120**
St Clement's Ct. *Key* —4A **92**
St Clements Ct. *W Mare* —3E **129**
St Clement's Rd. *Key* —4A **92** (in two parts)
St David's Av. *Bris* —5C **74**
St David's Clo. *W Mare* —3F **127**
St David's Cres. *Bris* —4B **72**
St David's Rd. *T'bry* —3D **7**
St Dunstan's Rd. *Bris* —3E **79**
St Edward's Rd. *Bris* —4D **69**
St Edyths Rd. *Bris* —1D **55**
St Fagans Ct. *Will* —3D **85**
St Francis Dri. *Wick* —4A **154**
St Francis Dri. *Wint* —3B **30**
St Francis Rd. *Bris* —1C **78**
St Francis Rd. *Key* —2E **91**
St Gabriel's Rd. *Bris* —2D **71**
St Georges Av. *St G* —4B **72**
*St Georges Bldgs. Bath (off Up. Bristol Rd.) —2F **105***
St George's Hill. *B'ptn* —1E **107**
St Georges Hill. *E'ton G* —4C **52**
*St George's Ho. Bris —4D **69** (off St George's Rd.)*
*St Georges Pl. Bath —2F **105** (off Up. Bristol Rd.)*
St George's Rd. *Bris* —4D **69**
St Georges Rd. *Key* —2F **91**
St George's Rd. *P'bry* —5A **36**
St Georges Ter. *Trow* —2C **118**
St Gregory's Rd. *Bris* —4B **42**
St Gregory's Wlk. *Bris* —4B **42**
St Helena Rd. *Bris* —3D **57**
St Helens Dri. *Old C* —3E **85**
St Helens Dri. *Wick* —4B **154**
St Helen's Wlk. *Bris* —1C **72**
St Helier Av. *Bris* —1B **82**
St Hilary Clo. *Bris* —2F **55**
St Ivel Way. *Bris* —4E **75**
St Ives Clo. *Nail* —4F **123**
St Ives Rd. *W Mare* —4E **133**
St James Barton. *Bris* —2A **70**
St James Clo. *T'bry* —1D **7**
St James Pde. *Bris* —3F **69** (1C **4**)
St James Pl. *Mang* —2C **62**
St James's Pde. *Bath* —3A **106** (4B **96**)
St James's Pk. *Bath* —1A **106**
St James's Pl. *Bath* —1A **106**
St James's Sq. *Bath* —1F **105**
St James's St. *Bath* —1A **106**
St James St. *Mang* —2C **62**
St James St. *W Mare* —1B **132**
St John's Av. *Clev* —3D **121**
St John's Bldgs. *Bedm* —1F **79**
St John's Clo. *Pea J* —2E **149**
St John's Clo. *W Mare* —4B **126**
St John's Ct. *Key* —2A **92**
St John's Cres. *Bris* —3A **80**
St John's Cres. *Mid N* —2D **151**
St John's Cres. *Trow* —4A **118**
St John's La. *Bris* —2E **79**
St John's Pl. *Bath* —3A **106** (3B **96**)
St John's Rd. *Back* —3D **125**
St John's Rd. *Bathw* —2B **106** (2C **96**)
St John's Rd. *Bedm* —2E **79**
St John's Rd. *Clev* —3D **121**
St John's Rd. *Clif* —1C **68**
St John's Rd. *Lwr W* —2D **105**
St John's Rd. *S'vle* —1F **79**
St Johns Rd. *Tim* —2E **157**
St John's St. *Bris* —2E **79**
St John St. *T'bry* —3C **6**
St John's Way. *Chip S* —4D **19**
St Joseph's Rd. *Bris* —1D **41**
St Joseph's Rd. *W Mare* —4C **126**
St Judes Ter. *W Mare* —4A **128**
St Katherine's Quay. *Brad A* —4E **115**
St Kenya Ct. *Key* —3B **92**
St Keyna Rd. *Key* —3A **92**
St Kilda's Rd. *Bath* —4E **105**
St Ladoc Rd. *Key* —2F **91**
St Laud Clo. *Bris* —2F **55**
St Laurence Rd. *Brad A* —4F **115**
St Leonard's Rd. *G'bnk* —5E **59**
St Leonard's Rd. *Hor* —1A **58**
St Loe Clo. *Bris* —5B **88**
St Lucia Clo. *Bris* —4A **42**
St Lucia Cres. *Bris* —5A **42**
St Lukes Ct. *Bris* —1A **80**
St Luke's Cres. *Bris* —1B **80**
St Luke's Gdns. *Bris* —3A **82**
St Luke's Rd. *Bath* —1A **110**
St Luke's Rd. *Bris* —1A **80**
St Lukes Rd. *Mid N* —2C **150**
St Luke's Steps. *Bris* —1B **80**
St Luke St. *Bris* —3D **71**
St Margaret's Clo. *Back* —3C **124**
St Margaret's Clo. *Key* —2F **91**
St Margarets Clo. *Trow* —4A **118**
St Margaret's Ct. *Brad A* —3E **115**
St Margaret's Dri. *Bris* —2E **57**
St Margaret's Hill. *Brad A* —3E **115**
St Margarets La. *Back* —3C **124**
St Margaret's Pl. *Brad A* —3E **115**
St Margaret's St. *Brad A* —3E **115**
St Margaret's Ter. *W Mare* —5B **126**
St Margaret's Vs. *Brad A* —3E **115**
St Mark's Av. *Bris* —5E **59**
St Marks Clo. *Key* —2A **92**
St Marks Gdns. *Bath* —4B **106**
St Mark's Grn. *Tim* —1E **157**
St Mark's Gro. *Bris* —1D **71**
St Mark's Rd. *Bath* —4B **106**
St Mark's Rd. *Bris* —1D **71**
St Mark's Rd. *Mid N* —2D **151**
St Mark's Rd. *W Mare* —1D **129**
St Mark's Ter. *Bris* —1D **71**
St Martins. *L Ash* —4C **76**
St Martin's Clo. *Bris* —3D **81**
St Martin's Ct. *Bath* —3F **109**
St Martins Ct. *W Mare* —2C **128**
St Martin's Gdns. *Bris* —4D **81**
St Martin's Rd. *Bris* —3D **81**
St Martin's Wlk. *Bris* —4D **81**
St Mary's Bldgs. *Bath* —4A **106** (5A **96**)
St Mary's Clo. *Bath* —3C **106** (3F **97**)
St Mary's Clo. *Hil M* —3F **117**
St Mary's Clo. *Hut* —1B **140**
St Mary's Clo. *Tim* —1E **157**
St Mary's Ct. *W Mare* —2E **139**
St Mary's Gdns. *Hil M* —3E **117**
St Mary's Gro. *Nail* —5B **122**
St Mary's Pk. *Nail* —5B **122**
St Mary's Pk. Rd. *P'head* —4E **49**
St Marys Rise. *Writ* —2F **153**
St Mary's Rd. *Hut* —1B **140**
St Mary's Rd. *L Wds* —4F **67**
St Mary's Rd. *P'head* —4E **49**
St Mary's Rd. *Shire* —5E **37**
St Mary St. *T'bry* —4C **6**
St Mary's Wlk. *Bris* —1F **53**
St Marys Way. *T'bry* —3C **6**
St Mary's Way. *Yate* —4B **18**
St Matthew's Av. *Bris* —1F **69**
St Matthew's Clo. *W Mare* —4B **126**
St Matthew's Pl. *Bath* —4C **106**
St Matthew's Rd. *Bris* —2F **69**
St Matthias Pk. *Bris* —3B **70** (1F **5**)
St Michael's Av. *Clev* —5D **121**
St Michael's Av. *W Mare* —2E **129**
St Michaels Clo. *Bris* —3A **58**
St Michael's Clo. *Hil* —4F **117**
St Michael's Clo. *Wint* —2A **30**
St Michael's Ct. *Bris* —2D **73**
St Michaels Ct. *Mon C* —4F **111**
St Michael's Hill. *Bris* —2E **69**
St Michael's Pk. *Bris* —2E **69**
St Michael's Pl. *Bath* —3A **106** (4B **96**)
St Michael's Rd. *Lwr W* —2E **105**
St Michael's Rd. *W'way* —4B **104**
St Nicholas Clo. *N Brad* —4E **155**
St Nicholas Clo. *W'ley* —2E **113**
St Nicholas Ct. *B'ptn* —5A **102**
St Nicholas Mkt. *Bris* —4F **69** (3C **4**)
St Nicholas Pk. *Bris* —1D **71**
St Nicholas Rd. *St Pa* —1B **70**
St Nicholas Rd. *Uph* —1B **138**
St Nicholas Rd. *W'chu* —4E **89**
St Nicholas St. *Bris* —4F **69** (3C **4**)
St Oswald's Ct. *Bris* —4D **57**
St Oswald's Rd. *Bris* —4D **57**
St Patrick's Ct. *Bath* —3C **106** (3F **97**)
St Patrick's Ct. *Key* —3A **92**
St Pauls Pl. *Bath* —3A **106** (3A **96**)
St Paul's Pl. *Mid N* —2D **151**
St Paul's Rd. *Bris* —1F **79**
St Paul's Rd. *Clif* —3D **69**
St Paul's Rd. *W Mare* —3C **132**
St Paul St. *Bris* —2A **70**
St Peter's Av. *W Mare* —4B **126**
St Peter's Cres. *Fram C* —1D **31**
St Peter's Rise. *Bris* —1C **86**
St Peter's Rd. *Mid N* —4F **151**
St Peter's Rd. *P'head* —4F **49**
St Peter's Ter. *Bath* —3E **105**
St Peter's Wlk. *Bris* —1D **57**
St Philips Causeway. *Bris* —4D **71**
St Philips Central Ind. Est. *Bris* —5C **70**
St Philips Rd. *St Ph* —3B **70**
St Pierre Dri. *War* —4D **75**
St Ronan's Av. *Bris* —1E **69**
St Saviours Rd. *Lark* —5D **101**
St Saviour's Ter. *Bath* —5C **100**
St Saviours Way. *Bath* —5D **101**
St Silas St. *Bris* —5C **70**
St Stephen's Av. *Bris* —4F **69** (3B **4**)
*St Stephens Bus. Cen. War (off Poplar Rd.) —5E **75***
St Stephen's Clo. *Bath* —5A **100**
St Stephen's Clo. *Bris* —2E **41**
St Stephen's Clo. *Soun* —4A **62**
St Stephen's Ct. *Bath* —1A **106**
*St Stephen's Pl. Bath —1A **106** (off St Stephen's Rd.)*
St Stephen's Pl. *Trow* —2D **119**
St Stephen's Rd. *Bath* —1A **106**
St Stephen's Rd. *Bris* —5F **61**
St Stephen's St. *Bris* —3F **69** (2B **4**)
St Swithin's Pl. *Bath* —1B **106**
St Thomas' Pas. *Trow* —1D **119**
St Thomas Rd. *Mid N* —2E **151**
St Thomas Rd. *Trow* —1E **119**
St Thomas St. *Bris* —4A **70** (3D **5**)
St Thomas St. E. *Bris* —4A **70** (4D **5**)
St Vincents Hill. *Bris* —5C **56**
St Vincents Rd. *Bris* —4C **68**
St Vincents Trad. Est. *Bris* —4F **71**
St Werburgh's Pk. *Bris* —5C **58**
St Werburgh's Rd. *Bris* —5B **58**
St Whytes Rd. *Bris* —5F **79**
St Winifred's Dri. *C Down* —2E **111**
Salcombe Gdns. *W Mare* —2E **129**
Salcombe Rd. *Bris* —4B **80**
Salem Rd. *Wint* —2B **30**
Salisbury Av. *Bris* —2D **73**
Salisbury Gdns. *Bris* —2A **62**
Salisbury Pk. *Bris* —1A **62**
Salisbury Rd. *Bath* —4C **100**
Salisbury Rd. *Down* —1A **62**
Salisbury Rd. *Paul* —5C **146**
Salisbury Rd. *Redl* —5F **57**
Salisbury Rd. *St Ap* —5F **71**
Salisbury Rd. *W Mare* —4A **128**
Salisbury St. *Bar H* —4D **71**
Salisbury St. *St G* —3A **72**
Salisbury Ter. *W Mare* —5B **126**
Salisbury View. *B'ptn* —5A **102**

Smythe Croft—Stibbs Hill

Smythe Croft. Bris —5C 88
Smyth Rd. Bris —2C 78
Smyth's Clo. Bris —3D 37
Snarland Gro. Bris —4E 87
Snowberry Clo. W Mare —4E 129
Snowberry Wlk. Bris —2A 72
Snowdon Clo. Bris —3B 60
Snowdon Rd. Bris —2B 60
Snowdon Vale. W Mare —4E 127
Snow Hill. Bath —1B 106
Snow Hill Ho. Bath —1B 106
Soapers La. T'bry —4C 6
Sodbury La. W'lgh —4A 34
Sodbury Rd. Wickw —2B 154
Solent Way. T'bry —5E 7
Solsbury Ct. Bath —2A 102
Solsbury View. Bath —4B 100 (off Fairfield Pk.)
Solsbury Way. Bath —4B 100 (in three parts)
Somer Av. Mid N —2B 150
Somerby Clo. Brad S —2F 27
Somerdale Av. Bath —2D 109
Somerdale Av. Bris —5B 80
Somerdale Av. W Mare —5A 128
Somerdale Clo. W Mare —5A 128
Somerdale Rd. Key —2B 92
Somerdale Rd. N. Key —5B 84
Somerdale View. Bath —2D 109
Somermead. Bris —4E 79
Somer Rd. Mid N —2C 150
Somerset Av. Lock —1C 134
Somerset Av. Yate —3B 18
Somerset Cres. Stok G —4B 28
Somerset Folly. Tim —1E 157
Somerset Ho. Bath —1E 109
Somerset La. Bath —5F 99
Somerset M. W Mare —2D 133
Somerset Pl. Bath —5F 99
Somerset Rd. Bris —2C 80
Somerset Rd. Clev —3E 121
Somerset Rd. P'head —3B 48
Somerset Sq. Bris —5A 70
Somerset Sq. Nail —3D 123
Somerset St. Bath —4B 106 (5C 96)
Somerset St. K'dwn —2F 69
Somerset St. Redc —5A 70 (5E 5)
Somerset Ter. Bris —2F 79
Somerset Way. Paul —3B 146
Somerton Clo. Bris —3A 74
Somerton Rd. Bris —1A 58
Somerton Rd. Clev —5E 121
Somervale Rd. Rads —2A 152
Somerville Clo. Salt —2A 94
Sommerville Rd. Bris —4A 58
Sommerville Rd. S. Bris —5B 58
Sophia Gdns. W Mare —1F 129
Sorrel Clo. T'bry —2E 7
Sorrel Clo. Trow —5D 119
Soundwell Rd. Bris —1E 73
South Av. Bath —4E 105
South Av. P'head —2F 49
South Av. Yate —5D 17
Southblow Ho. Bris —2C 78
Southbourne Gdns. Bath —5C 100
S. Combe. B'don —5F 139
Southcot Pl. Bath —4B 106
S. Croft. Bris —5E 41
South Dene. Bris —1A 56
Southdown. W Mare —1D 129
Southdown Av. Bath —1C 108
Southdown Rd. Bath —5C 104
Southdown Rd. Bris —4B 40
Southdowns. Bris —1C 68
Southend Gdns. Wickw —2B 154
Southend Ho. Wickw —2C 154
Southend Rd. W Mare —4C 132
Southernhay. Clif W —4D 69
Southernhay. Stap H —3E 61
Southernhay Av. Bris —4D 69
Southernhay Cres. Bris —4D 69
Southern Ring Path. Clev (in two parts) —5C 120
Southern Way. Clev —4B 120
Southey Av. Bris —1F 73
Southey Ct. Bris —1F 73
Southey Rd. Clev —4D 121
Southey St. Bris —5B 58
Southfield. Rads —2D 153
Southfield Av. Bris —1A 74
Southfield Clo. Nail —2D 123
Southfield Clo. Uph —1B 138
Southfield Ct. Bris —5C 40
Southfield Rd. Cot —1F 69
Southfield Rd. Nail —2D 123 (in two parts)
Southfield Rd. W Trym —5C 40
Southfields. Rads —2D 153
Southfield Trad. Est. Nail —2E 123
Southgate. Bath —3B 106 (4C 96)
South Grn. St. Bris —4B 68
South Gro. Bris —2E 57
South Gro. Pill —3E 53
S. Hayes. Bris —3D 59
Southlands. Bath —4B 98 (in two parts)
Southlands Dri. Tim —2E 157
Southlands Way. Cong —1D 145
South Lawn. Lock —4E 135
S. Lawn Clo. Lock —4D 135
S. Lea Rd. Bath —1B 104
Southleaze. Wins —5B 156
Southleigh. Brad A —4D 115
Southleigh Rd. Bris —2D 69
S. Liberty La. Bris —4A 78
S. Lodge. Bris —1F 55
Southmead. Wins —4B 156
S. Meadows. Wrin —1C 156
Southmead Rd. W Mare —1F 133
Southmead Rd. W Trym & Fil —5E 41
Southover Clo. Bris —4C 40
South Pde. Bath —3B 106 (4D 97)
South Pde. Bris —2D 69
South Pde. W Mare —5B 126
South Pde. Yate —5A 18
South Pde. Cotts. Bath (off Tyning Rd.) —3D 111
South Quay. Bris —4A 70 (3E 5)
Southridge Heights. W Mare —3E 139
South Rd. Bedm —2E 79
South Rd. K'wd —2F 73
South Rd. Mid N —3D 151
South Rd. P'head —2F 49
South Rd. Redl —5E 57
South Rd. Tim —2E 157
South Rd. W Mare —4A 126
Southsea Rd. Pat —2C 26
South Side. Cong —1E 145
Southside. W Mare —5C 126
Southside Clo. Bris —4D 39
Southside Cres. Kew —1E 127
Southstoke La. S'ske —5A 110
Southstoke Rd. Bath —3A 110
South St. Bris —2D 79
South Ter. Bris —5D 57
South Ter. W Mare —5B 126
South View. Bath —5B 100 (off Camden Rd.)
South View. Bris —2A 62
South View. Fram C —2D 31
South View. Mid N —4B 148
South View. Mon C —3F 111
South View. Paul —3B 146
South View. P'head —1F 49
South View. Tim —1E 157
Southview Clo. Hut —1C 140
S. View Cres. Coal H —3F 31
S. View Pl. Bath —4D 109
S. View Pl. Mid N —2E 151
S. View Rise. Coal H —3E 31
S. View Rd. Bath —3E 105
Southview Rd. Trow —4D 119
Southview Ter. Yat —2B 142
Southville Clo. Brad A —4F 115
Southville Pl. Bris —1F 79
Southville Rd. Brad A —4F 115
Southville Rd. Bris —1E 79
Southville Rd. W Mare —4C 132
Southville Ter. Bath —5C 106
South Wlk. Yate —5A 18
South Way. Trow —3D 119
Southway Dri. Bris —5F 75
Southway Rd. Brad A —5E 115
Southwell St. Bris —2E 69
Southwick Rd. N Brad —5D 155
Southwood Av. Bris —4E 39
Southwood Dri. Bris —5D 39
Southwood Dri. E. Bris —4E 39
Southwood Rd. Trow —2F 119
Sovereign Shopping Cen. W Mare —1B 132
Spa La. Bath —4D 101
Spalding Clo. Bris —4C 58
Spar Rd. Yate —4F 17
Spartley Dri. Bris —2B 86
Spartley Wlk. Bris —2B 86
Specklemead. Paul —4A 146
Speedwell Av. Bris —3F 71
Speedwell Clo. T'bry —2E 7
Speedwell Clo. Trow —4D 119
Speedwell Rd. Bris —1B 72
Spencer Dri. W Mare —2F 129
Spencer Ho. Bris —5A 70
Spencers Belle Vue. Bath —1A 106
Spencers Orchard Brad A —5E 115
Sperring Ct. Mid N —4C 150
Spey Clo. T'bry —4D 7
Spindleberry Gro. Nail —3F 123
Spinners Croft. Trow —3D 119
Spinners End. W Mare —1F 129
Spinney Croft. Bris —3B 86
Spinney, The. Brad S —2A 28
Spinney, The. Fram C —2D 31
Spinney, The. Trow —2F 119
Spinney, The. W Mare —2D 139
Spinnings Drove. Clev —5F 125
Spires View. Bris —2A 60
Spitfire Retail Pk. Trow —5D 119
Spring Cres. Bath —3B 106 (4D 97)
Springfield. Brad A —3F 115 (in three parts)
Springfield. Pea J —2F 149
Springfield. T'bry —4E 7
Springfield Av. Hor —2B 58
Springfield Av. Mang —1C 62
Springfield Av. Shire —1F 53
Springfield Av. W Mare —4B 128
Springfield Bldgs. Rads —1D 153
Springfield Bungalows. Mid N —2A 150
Springfield Clo. Bath —4C 104
Springfield Clo. Mang —5C 46
Springfield Clo. Trow —5E 117
Springfield Crest. Rads —1D 153
Springfield Gdns. Ban —5E 137
Springfield Gro. Bris —2D 57
Springfield Heights. Rads —5B 148
Springfield Lawns. Bris —1F 53
Springfield Pk. Trow —1E 119
Springfield Pl. Bath —5A 100
Springfield Pl. Rads —5B 148
Springfield Rd. Bris —1F 69
Springfield Rd. Mang —5C 46
Springfield Rd. Pill —3E 53
Springfield Rd. P'head —3D 49
Springfields. Fil —2C 42
Spring Gdns. Bath —3B 106 (off Spring Gdns. Rd.)
Spring Gdns. Bris —4C 80
Spring Gdns. Rd. Bath —3B 106 (3D 97) (in two parts)
Spring Ground Rd. Paul —4B 146
Spring Hill. K'dwn —2F 69 (in two parts)
Spring Hill. K'wd —5A 62
Spring Hill. W Mare —3A 128
Springhill Clo. Paul —3A 146
Spring Hill Dri. W Mare —4B 128
Spring La. Bath —4C 100
Springleaze. Bris —4C 80
Springleaze. Mang —5C 46
Spring Rise. P'head —5E 49
Spring St. Bedm —1A 80
Spring St. Pl. Bris —1A 80
Spring Ter. W Mare —3A 128
Spring Vale. Bath —4C 100
Spring Valley. W Mare —3A 128
Springville Clo. L Grn —2C 84
Springwood Dri. Bris —1F 39
Springwood Gdns. Hut —5C 134
Spruce Way. Bath —4F 109
Spruce Way. Pat —2A 26
Spryngham Ho. Bris —4C 86
Square, The. Alv —3B 8
Square, The. Ban —5F 137
Square, The. Brisl —3F 81
Square, The. Know —4C 80
Square, The. Stap H —3A 62
Square, The. Stav —1D 117
Square, The. Tim —1E 157
Square, The. Wins —5A 156
Squires Ct. L Grn —1B 84
Squires Leaze. T'bry —2D 7
Stable Yd. Bath —3E 105
Stackpool Rd. Bris —1D 79
Staddlestones. Mid N —5C 150
Stadium Rd. Bris —2E 57
Stafford Cres. T'bry —3C 6
Stafford Pl. W Mare —5C 126
Stafford Rd. Bris —5C 58
Stafford Rd. P'head —4A 50
Stafford Rd. W Mare —5D 127
Staffords Ct. Bris —4C 74
Stafford St. Bris —1F 79
Stainer Clo. Bris —2F 87
Stallard St. Trow —2C 118
Stall St. Bath —3B 106 (4C 96)
Stambrook Pk. Bathe —1B 102
Stanbridge Clo. Bris —1B 62
Stanbridge Rd. Bris —1B 62
Stanbury Av. Bris —2E 61
Stanbury Rd. Bris —2A 80
Stancomb Av. Trow —1E 119
Standfast Rd. Bris —1B 40
Standish Av. Pat —5D 11
Standish Clo. Bris —3B 40
Standon Way. Bris —2E 41
Stane Way. Bris —5E 37
Stanfast Rd. Bris —1B 40
Stanfield Clo. Bris —1D 59
Stanford Clo. Fram C —1B 30
Stanford Pl. Bris —1F 87
Stanhope Pl. Bath —3F 105
Stanhope Rd. L Grn —3B 84
Stanhope Rd. W Mare —5C 132
Stanhope St. Bris —5C 70
Stanier Rd. Bath —3F 105
Stanley Av. Bishop —4A 58
Stanley Av. Fil —2D 43
Stanley Chase. Bris —5F 59
Stanley Ct. Mid N —2E 151
Stanley Cres. Bris —2D 43
Stanley Gdns. Old C —1D 85
Stanley Gro. W Mare —1D 133
Stanley Hill. Bris —1C 80
Stanley Mead. Brad S —4A 12
Stanley Pk. Bris —1E 71
Stanley Pk. Rd. Bris —4A 62
Stanley Rd. Cot —5E 57
Stanley Rd. War —2D 75
Stanley Rd. W Mare —1D 133
Stanley Rd. W. Bath —4E 105
Stanley St. Bris —2E 79
Stanley St. N. Bris —2E 79
Stanley St. S. Bris —2E 79
Stanley Ter. Bris —3E 79
Stanley Ter. Rads —1D 153
Stanley Vs. Bath —5B 100 (off Camden Rd.)
Stanshaw Clo. Bris —5C 44
Stanshawe Cres. Yate —5A 18
Stanshawes Ct. Yate —1A 34
Stanshawes Ct. Dri. Yate —1A 34
Stanshawes Dri. Yate —5F 17
Stanshaw Rd. Bris —5C 44
Stanshaws Clo. Brad S —4E 11
Stanton Clo. Bris —1B 74
Stanton Clo. Trow —5D 119
Stanton Rd. Bris —3F 41
Stanway. Bit —4E 85
Stanway Clo. Bath —3E 109
Staple Gro. Key —3F 91
Staplegrove Cres. Bris —3C 72
Staplehill Rd. Bris —2D 61
Staples Clo. Clev —5E 121
Staples Grn. W Mare —2F 129
Staples Hill. F'frd —5D 113
Staples Rd. Yate —4F 17
Stapleton Clo. Bris —2F 59
Stapleton Rd. Bris —2C 70
Star Barn Rd. Wint —2A 30
Starcross Rd. W Mare —2E 129
Star La. Bris —4B 60
Star La. Pill —3E 53
Starling Clo. W Mare —5C 128
Star, The. Holt —2E 155
States Way. Bris —1E 57
Station App. Brad A —3D 115
Station App. W Mare —1D 133
Station App. Rd. Bris —5B 70 (5F 5)
Station Av. Bris —3C 60
Station Clo. Back —1B 124
Station Clo. Chip S —1F 35
Station Clo. Cong —2C 144
Station Clo. War —2E 75
Station Ct. Bath —2D 105
Station La. Bris —3C 58
Station Rd. Ash D —3B 58
Station Rd. B'ptn —4A 102
Station Rd. Bris —3F 81
Station Rd. Clev —3D 121
Station Rd. Coal H —4E 31
Station Rd. Cong —2C 144
Station Rd. Fil —1D 43
Station Rd. Fish —3C 60
Station Rd. F'frd —4D 113
Station Rd. Hen —2A 40
Station Rd. Holt —2E 155
Station Rd. Iron A —3F 15
Station Rd. Key —2A 92
Station Rd. K'wd —3A 62
Station Rd. Lit S —3E 27
Station Rd. Lwr W —2D 105
Station Rd. Mid N —2E 151
Station Rd. Mont —5F 57
Station Rd. Nail —3D 123 (in two parts)
Station Rd. Pill —3E 53
Station Rd. P'bry —5F 51
Station Rd. P'head —2F 49
Station Rd. Sev B —4A 20
Station Rd. Shire —2F 53
Station Rd. St Ap —5A 72
Station Rd. St Geo —3A 130
Station Rd. War —3E 75
Station Rd. Wickw —1B 154
Station Rd. Wint —5A 30
Station Rd. W Mare —1C 132
Station Rd. Wor —3D 129
Station Rd. Wrin —1B 156
Station Rd. Yat —2A 142
Station Rd. Yate —4E 17
Station Way. Trow —2C 118
Statnton Clo. Bris —1B 74
Staunton Fields. Bris —5E 89
Staunton La. Bris —4E 89
Staunton Way. Bris —5F 89
Staveley Cres. Bris —2E 41
Staverton Clo. Pat —5D 11
Staverton Way. Bris —3C 74
Stavordale Gro. Bris —2D 89
Staynes Cres. K'wd —2A 74
Steam Mills. Mid N —4C 150
Stean Bri. Rd. Lit S —3F 27
Steel Ct. L Grn —2B 84
Steel Mills. Key —4B 92
Stella Gro. Bris —3C 78
Stephen's Dri. Bar C —5B 74
Stephen St. Redf —2E 71
Stepney Rd. Bris —1E 71
Stepney Wlk. Bris —1E 71
Stepping Stones, The. St Ap —4A 72
Sterncourt Rd. Bris —5C 44
Steven's Cres. Bris —1B 80
Steway La. Bathe —1B 102
Stibbs Ct. L Grn —1B 84
Stibbs Hill. Bris —3C 72

Valley View Rd.—Wesley Rd.

Valley View Rd. Paul —3B 146
Valley Wlk. Mid N —2E 151
Valley Way Rd. Nail —2D 123
Valls, The. Brad S —3B 28
Valma Rocks. Bris —4C 72
Van Diemen's La. Bath —4F 99
Vandyck Av. Key —2B 92
Vane St. Bath —2C 106 (2E 97)
Varsity Way. Lock —2F 135
Vassall Ct. Bris —2D 61
Vassall Rd. Bris —2D 61
Vattingstone La. Alv —2A 8
Vaughan Clo. Bris —1B 40
Vauxhall Av. Bris —1C 78
Vauxhall Ter. Bris —1C 78
Vayre Clo. Chip S —5E 19
Veale, The. B'don —5A 140
Veitch Clo. Salt —5E 93
Vellore La. Bath
  —2C 106 (2F 97)
Ventnor Av. Bris —2B 72
Ventnor Rd. Fil —1E 43
Ventnor Rd. S'wll & St G
  —1B 72
Venton Ct. Bris —5D 73
  (off Henbury Rd.)
Venus St. Cong —4E 145
Vera Rd. Bris —5B 60
Verbena Way. W Mare
  —4E 129
Vereland Rd. Hut —5C 134
Verlands. Cong —1E 145
Vernham Gro. Bath —3D 109
Vernon Clo. Salt —5F 93
Vernon Pk. Bath —3D 105
Vernon St. Bris —1B 80
Vernon Ter. Bath —3D 105
Vernslade. Bath —4B 98
Verrier Rd. Bris —3E 71
Verwood Dri. Bit —4E 85
Vian Ho. W Mare —1C 128
Vicarage Clo. W Mare —2E 129
Vicarage Ct. Han —5D 73
Vicarage Gdns. Pea J —1E 149
Vicarage Rd. B'wth —2B 86
Vicarage Rd. Coal H —3E 31
Vicarage Rd. Han —5D 73
Vicarage Rd. L Wds —3F 67
Vicarage Rd. Redf —2E 71
Vicarage Rd. S'vle —1D 79
Vicars Clo. Bris —3D 61
Victor Ho. Lit S —2E 27
Victoria Av. Bris —3E 71
Victoria Bri. Rd. Bath —3F 105
Victoria Bldgs. Bath —3E 105
Victoria Clo. Bath —4D 105
Victoria Clo. P'head —3F 49
Victoria Clo. T'bry —1C 6
Victoria Ct. P'head —3F 49
Victoria Cres. Sev B —4B 20
Victoria Gdns. Bathe —3A 102
Victoria Gdns. Bris —1F 69
Victoria Gdns. Trow —5E 117
Victoria Gro. Bris —1A 80
Victoria Ho. Bath —1E 105
Victoria Pde. Bris —2E 71
Victoria Pk. Fish —2C 60
Victoria Pk. K'wd —1F 73
Victoria Pk. W Mare —4B 126
Victoria Pk. Bus. Cen. Bath
  —2E 105
Victoria Pl. Bris —1E 79
Victoria Pl. C Down —3D 111
  (Combe Down)
Victoria Pl. C Down —5A 110
  (South Stoke)
Victoria Pl. Lark —5D 101
  (off St Saviours Rd.)
Victoria Pl. Paul —4A 146
Victoria Pl. W Mare —5B 126
Victoria Quad. W Mare
  —5C 126
Victoria Rd. A'mth —5D 37
Victoria Rd. Bath —3E 105
Victoria Rd. Clev —2C 120
Victoria Rd. Han —5E 73
Victoria Rd. Salt —5F 93
Victoria Rd. St Ph —5C 70
  (in two parts)
Victoria Rd. Trow —4E 117
Victoria Rd. War —5E 75
Victoria Sq. Bris —3C 68
Victoria Sq. P'head —3F 49
Victoria Sq. W Mare —1B 132

Victoria St. Bris —4A 70 (3D 5)
Victoria St. Stap H —3F 61
Victoria Ter. Bath —3E 105
Victoria Ter. Clif —4B 68
Victoria Ter. Paul —3B 146
Victoria Ter. St Ph —5D 71
Victoria Wlk. Bris —1F 69
Victor Rd. Bris —2E 79
Victor St. Bar H —4D 71
Victor St. Bris —1C 80
Victory Gdns. Bath —2B 102
Vigar Gdns. Bris —4A 86
Vigor Rd. Bris —3D 87
Village Clo. Yate —5F 17
Villa Rosa. W Mare —4A 126
  (off Shrubbery Rd.)
Villiers Rd. Bris —1D 71
Vilner La. T'bry —5C 6
Vimpany Clo. Bris —1B 40
Vimpennys La. E Comp
  —1A 24
Vincent Clo. Bris —2E 39
Vine Acres. Bris —2C 58
Vine Cottage. Salt —1B 94
Vine Cotts. Brad A —3D 115
Vine Cotts. Bris —3C 60
Vine Gdns. W Mare —3E 129
Vinery, The. Wins —5B 156
Vineyards. Bath
  —2B 106 (1C 96)
Vining Wlk. Bris —2D 71
Vinny Av. Bris —5C 46
Vintery Leys. Bris —5D 41
Virginia Clo. Chip S —5C 18
Vivian St. Bris —2F 79
Vivien Av. Mid N —2D 151
Vowell Clo. Bris —4D 87
Vynes Clo. Nail —4F 123
Vynes Way. Nail —4F 123
Vyvyan Rd. Bris —3C 68
Vyvyan Ter. Bris —3C 68

Wadehurst Ind. Pk. Bris
  —3C 70
Wade Rd. Yate —3C 16
Wades Rd. Bris —1D 43
Wade St. Bris —2B 70
Wadham Dri. Bris —3D 45
Wadham St. W Mare —5B 126
Wagtail Gdns. W Mare
  —5C 128
Wainbrook Dri. Bris —5F 59
Wains Clo. Clev —4C 120
Wainwright Clo. W Mare
  —1F 129
Waits Clo. Ban —5D 137
Wakedean Gdns. Yat —2A 142
Wakeford Rd. Bris —5C 46
Walcot Bldgs. Bath —1B 106
Walcot Ct. Bath —1B 106
Walcot Ga. Bath
  —1B 106 (1C 96)
Walcot Ho. Bath —1B 106
Walcot Pde. Bath —1B 106
  (off London Rd.)
Walcot St. Bath
  —2B 106 (2C 96)
Walcot Ter. Bath —1B 106
Waldegrave Rd. Bath —5F 99
Waldegrave Ter. Rads
  —1D 153
Walden Rd. Key —4C 92
Walford Av. W Mare —1F 129
Walker Clo. Down —5C 46
Walker Clo. E'tn —2D 71
Walker St. K'dwn —2E 69
Walker Way. T'bry —5C 6
Walk, The. Holt —2D 155
Wallace Rd. Bath —5C 100
Wallcroft Ho. Bris —4C 56
Wallenge Clo. Paul —3C 146
Wallenge Dri. Paul —3B 146
Waller Ct. Bris —2D 73
Wallingford Rd. Bris —1F 87
Walliscote Av. Bris —1E 57
Walliscote Gro. Rd. W Mare
  —1C 132
Walliscote Rd. Bris —1E 57
Walliscote Rd. W Mare
  —3B 132
Walliscote Rd. S. W Mare
  —4B 132
Wallscourt Rd. Bris —2D 43

Wallscourt Rd. S. Bris —3D 43
Walmsley Ter. Bath —5C 100
  (off Snow Hill)
Walnut Av. Yate —4C 18
Walnut Bldgs. Rads —1D 153
Walnut Clo. Bris —1B 74
Walnut Clo. E'ton G —4C 52
Walnut Clo. Key —4E 91
Walnut Clo. Nail —5D 123
Walnut Clo. T'bry —3E 7
Walnut Clo. W Mare —1F 139
Walnut Cres. Bris —2B 74
Walnut Dri. Bath —5F 105
Walnut Gro. Trow —4B 118
Walnut La. Bris —2C 74
Walnut Tree Clo. Alm —1C 10
Walnut Tree Ct. Cong —2D 145
Walnut Wlk. Bris —2C 86
Walnut Wlk. Key —4E 91
Walsh Av. Bris —1C 88
Walsh Clo. W Mare —1F 139
Walshe Av. Chip S —5E 19
Walsingham Rd. Bris —5A 58
Walter St. Bris —1C 78
Waltining La. Bath —5F 95
  (in two parts)
Walton. W Mare —1E 139
Walton Av. Bris —5F 71
Walton Clo. Bit —4E 85
Walton Clo. Key —4F 91
Walton Heath. Yate —5B 18
Walton Rise. Bris —4C 40
Walton Rd. Bris —1F 53
Walton Rd. Clev —2F 121
Walton St. E'tn —1D 71
Walwyn Clo. Bath —3B 104
Walwyn Gdns. Bris —5F 87
Wansbeck Rd. Key —4C 92
Wansbrough Rd. W Mare
  —2F 129
Wanscow Wlk. Bris —1D 57
Wansdyke Bus. Cen. Bath
  —5E 105
Wansdyke Ct. Bris —3D 89
Wansdyke Rd. Bath —3D 109
Wansdyke Workshops. Key
  —3C 92
Wapley Hill. W'lgh —4A 34
Wapley Rank. W'lgh —4F 33
Wapley Rd. Cod —5A 34
Wapping Rd. Bris
  —5F 69 (5B 4)
Warbler Clo. Trow —2B 118
Warburton Clo. Trow —4A 118
Warden Rd. Bris —1E 79
Wardour Rd. Bris —5F 79
Ware Ct. Wint —4F 29
Wareham Clo. Nail —4C 122
Warleigh Dri. Bathe —3B 102
Warleigh La. Bath —5C 102
Warman Clo. Bris —2B 90
Warman Rd. Bris —2B 90
Warmington Rd. Bris —5E 81
Warminster Rd. Bath
  —1D 107 (1F 97)
Warminster Rd. Bris —5C 58
Warminster Rd. Lim S & Mon C
  —5A 112
Warner Clo. Bris —4B 74
Warne Rd. W Mare —2E 133
Warns, The. Bris —1C 84
Warren Clo. Brad S —3F 11
Warren Clo. Hut —1B 140
Warren Gdns. Bris —3B 90
Warren La. L Ash —4A 76
Warren Rd. Bris —1D 43
Warren Way. Yate —3A 18
Warrington Rd. Bris —3F 81
Warwick Av. Bris —1D 71
Warwick Clo. Will —3D 85
Warwick Clo. W Mare —5A 128
Warwick Pl. T'bry —3B 6
Warwick Rd. Bath —2C 104
Warwick Rd. E'tn —1D 71
Warwick Rd. Key —4F 91
Warwick Rd. Redl —1D 69
Warwick Vs. Bath —4D 105
Wasborough. Bris —5A 38
Washingpool La. Chit —2A 22
Washing Pound La. Bris
  —4D 89
Washing Pound La. Tic
  —2A 122
Washington Av. Bris —1E 71

Washpool La. Bath —2A 108
Watch Elm Clo. Brad S —3A 28
Watch Ho. Rd. Pill —3F 53
Watchill Av. Bris —2B 86
Watchill Clo. Bris —2B 86
Waterbridge Rd. Bris —3B 86
Watercress Rd. Bris —4B 58
Waterdale Clo. Bris —5E 41
Waterdale Gdns. Bris —5E 41
Waterford Clo. T'bry —4E 7
Waterford Pk. Rads —4A 152
Waterford Rd. Bris —1D 57
Waterhouse La. Mon C
  —5F 111
Water La. Bedm —2B 80
Water La. Brisl —4F 81
  (in two parts)
Water La. Bris —4A 70 (3E 5)
Water La. Mid N —5D 147
Water La. Pill —3E 53
Waterloo Bldgs. Twer A
  (in two parts)   —3C 104
Waterloo Houses. Pill —2F 53
  (off Underbanks)
Waterloo Rd. Bris —3B 70
Waterloo Rd. Rads —2C 152
Waterloo St. Clif —3B 68
Waterloo St. St Ph —3B 70
Waterloo St. W Mare —5B 126
Watermead Clo. Bath —3A 106
  (off Kingsmead West)
Watermore Clo. Fram C
  —2E 31
Waterside Cres. Rads —3A 152
Waterside Dri. Azt W —5C 10
Waterside La. Mid N —5C 152
Waterside Pk. P'head —4A 48
Waterside Rd. Rads —3A 152
Waterside Way. Rads —3A 152
Water's La. Bris —5C 40
Waters Rd. Bris —2E 73
Waterworks Rd. Trow
  —3B 118
Watery La. Bath —3B 104
Watery La. Nail —3A 122
Watery La. Yate —1E 17
Wathen Rd. Bris —4B 58
Wathen St. Bris —2F 61
Watkins Yd. Bris —4C 40
Watleys End Rd. Wint —2A 30
Watling Way. Bris —5E 37
Watson Av. Bris —1F 81
  (in two parts)
Watson's Rd. L Grn —2B 84
Watters Clo. Coal H —3F 31
Wavell Clo. Yate —2F 17
Waveney Rd. Key —5C 92
Waverley Rd. Back —1C 124
Waverley Rd. Bris —1E 69
Waverley Rd. Shire —1A 54
Waverley Rd. W Mare
  —4D 133
Waverley St. Bris —1C 70
Wayacre Drove. W Mare
  —5B 138
Wayfarer Rd. Bris —3D 25
Wayfield Gdns. Bath —2A 102
Wayford Clo. Key —5C 92
Wayland Rd. W Mare —2C 128
Wayleaze. Coal H —2F 31
Wayside. W Mare —3B 128
Wayside Dri. Clev —1E 121
Wayside Dri. Fram C —2D 31
Weal, The. Bath —4D 99
Weare Ct. Bris —5C 68
Weatherly Av. Bath —2E 109
Weatherly Dri. P'head —4B 48
Weavers Dri. Trow —3D 119
Webb Clo. Bris —4B 74
Webbers Ct. Trow —4A 118
Webbs Heath. Bris —1F 75
Webb St. Bris —2C 70
Webbs Wood Rd. Brad S
  —3B 28
Wedgwood Clo. Bris —3D 89
Wedgwood Rd. Bath —4A 104
Wedgwood Rd. Bris —3F 45
Wedmore Clo. Bris —3B 74
Wedmore Clo. W Mare
  —1D 139
Wedmore Pk. Bath —1B 108
Wedmore Rd. Clev —5B 120
Wedmore Rd. Nail —5D 123

Wedmore Rd. Salt —4F 93
Wedmore Vale. Bris —3A 80
Weedon Clo. Bris —5C 58
Weekesley La. Tim —1F 147
Weetwood Rd. Cong —1E 145
Weight Rd. Bris —3E 71
Weind, The. W Mare —3B 128
Weir La. Bris —4A 66
Weir Rd. Cong —3E 145
Weirside Mill. Brad A —3F 115
Welland Rd. Key —4B 92
Wellard Clo. W Mare —1F 129
Well Clo. L Ash —4D 77
Well Clo. Wins —4B 156
Well Clo. W Mare —1F 139
Wellgarth Ct. Bris —3C 80
Wellgarth Rd. Bris —3C 80
Wellgarth Wlk. Bris —3C 80
Wellington Av. Bris —1A 70
Wellington Bldgs. Bath —4C 98
Wellington Cres. Bris —1A 58
Wellington Dri. Bris —1F 57
Wellington Dri. Yate —4D 17
Wellington Hill. Bris —1A 58
Wellington Hill W. Bris —5E 41
Wellington La. Bris —1A 70
Wellington M. Bris —2F 53
Wellington Pk. Bris —1C 68
Wellington Pl. Bris —3D 45
Wellington Pl. W Mare
  —1B 132
Wellington Rd. K'wd —5F 61
Wellington Rd. St Pa
  —3B 70 (1E 5)
Wellington Rd. Yate —2A 18
Wellington Ter. Bris —4B 68
Wellington Ter. Clev —1C 120
Wellington Wlk. Bris —5E 41
Well La. Yat —3C 142
Wellow Brook Meadow. Mid N
  —2E 151
Wellow La. Pea J —2E 149
Wellow Mead. Pea J —2E 149
Wellow Rd. Bath —5F 157
Wellow Tyning. Pea J —5D 157
Well Pk. Cong —1D 145
Well Path. Brad A —3D 115
Wells Clo. Bris —3E 89
Wells Clo. Nail —4F 123
Wellsea Gro. W Mare —1F 133
Wells Hill. Rads —2C 152
Wells Rd. Bath
  —4F 105 (5B 96)
Wells Rd. Bris & H'gro —1B 80
Wells Rd. Clev —5D 121
Wells Rd. Cor —5A 94
Wells Rd. Rads —4F 151
Wells Sq. Rads —2A 152
Wells St. Bris —1C 78
Wellstead Av. Yate —5F 17
Wellsway. Bath —4E 109
Wellsway. Key —3B 92
Wellsway Pk. Bath —4E 109
Welsford Av. Bris —3F 59
Welsford Rd. Bris —3E 59
Welsh Back. Bris
  —4F 69 (4C 4)
Welton Gro. Mid N —1D 151
Welton Rd. Rads —2B 152
Welton Vale. Mid N —2E 151
Welton Wlk. Bris —5E 61
Wemberham Cres. Yat
  —2A 142
Wemberham La. Yat —3A 142
Wenmore Clo. Bris —5E 61
Wentforth Dri. Bris —5E 61
Wentwood Dri. W Mare
  —2E 139
Wentworth. War —4C 74
Wentworth. Yate —5A 18
Wentworth Clo. W Mare
  —2E 129
Wentworth Rd. Bris —4F 57
Wesley Av. Bris —5F 73
Wesley Av. Rads —3F 151
Wesley Clo. Bris —4F 61
Wesley Clo. W'hall —1F 71
Wesley Dri. W Mare —2E 129
Wesley Hill. Bris —1F 73
Wesley La. Bris —5D 75
Wesley Pl. Bris —5C 56
Wesley Rd. Bris —3A 58
Wesley Rd. Trow —3C 118

Wesley St.—Windermere Rd.

Wesley St. *Bris* —2E **79**
Wessex Av. *Bris* —5B **42**
Wessex Ho. *Bris* —4A **70** (3E **5**)
Wessex Rd. *W Mare* —1F **139**
Westacre Clo. *Bris* —2C **40**
W. Ashton Rd. *Yarn* —3F **119**
West Av. *Bath* —4D **105**
Westaway Clo. *Yat* —4C **142**
Westaway Pk. *Yat* —4D **143**
Westbourne Av. *Clev* —4B **120**
Westbourne Av. *Key* —3A **92**
Westbourne Cotts. *Bris* —5D **45**
Westbourne Cres. *Clev* —4B **120**
Westbourne Gdns. *Trow* —2B **118**
Westbourne Gro. *Bris* —2E **79**
Westbourne Pl. *Bris* —3D **69**
Westbourne Rd. *Down* —4B **46**
Westbourne Rd. *E'tn* —2D **71**
Westbourne Rd. *Trow* —2B **118**
Westbourne Ter. *Bris* —5D **45**
West B'way. *Bris* —1F **57**
Westbrooke Ct. *Bris* —5C **68**
Westbrook Pk. *W'ton* —4B **98**
Westbrook Rd. *Bris* —5F **81**
Westbrook Rd. *W Mare* —4A **128**
Westbury Ct. Rd. *Bris* —5B **40**
Westbury Cres. *W Mare* —1D **139**
Westbury Hill. *Bris* —5C **40**
Westbury La. *Bris* —5D **39**
Westbury Pk. *Bris* —3C **56**
Westbury Rd. *N Brad* —4E **155**
Westbury Rd. *W Trym & Redl* —1C **56**
West Clo. *Bath* —4B **104**
W. Coombe. *Bris* —1F **55**
West Cotts. *Bath* —3D **111**
Westcourt Dri. *Old C* —1D **85**
W. Croft. *Bris* —5E **41**
West Croft. *Clev* —4B **120**
Westcroft St. *Trow* —1C **118**
West Dene. *Bris* —1A **56**
W. Dock Rd. *P'bry* —1A **52**
West End. *Bedm* —5E **69**
West End. *Bris* —2F **69**
W. End Farm Cvn. Pk. *Lock* —3D **135**
Westend Rd. *Wickw* —3A **154**
W. End Trad. Est. *Nail* —4A **122**
Westering Clo. *Mang* —2C **62**
Westerleigh Clo. *Bris* —5B **46**
Westerleigh Rd. *Bath* —3C **110**
Westerleigh Rd. *Clev* —4B **120**
Westerleigh Rd. *Down & E Grn* —1A **62**
Westerleigh Rd. *Puck* —1D **65**
Westerleigh Rd. *Yate & W'lgh* —3D **33**
Western Av. *Fram C* —5C **14**
Western Ct. *Clev* —3D **121**
Western Dri. *Bris* —1A **88**
Western Rd. *Bris* —1A **58**
Westfield. *Brad A* —2C **114**
Westfield. *Clev* —5D **121**
Westfield Clo. *Back* —2C **124**
Westfield Clo. *Bath* —1F **109**
Westfield Clo. *Bris* —5F **73**
Westfield Clo. *Key* —3E **91**
Westfield Clo. *Trow* —4A **118**
Westfield Clo. *Uph* —1B **138**
Westfield Dri. *Back* —2C **124**
Westfield Ind. & Trad. Est. *Rads* —5F **151**
Westfield La. *Stok G* —1A **44**
Westfield Pk. *Bath* —2B **104**
Westfield Pk. *Bris* —1D **69**
Westfield Pk. S. *Bath* —2B **104**
Westfield Pl. *Bris* —3B **68**
Westfield Rd. *Back* —2C **124**
Westfield Rd. *Ban* —5E **137**
Westfield Rd. *Bris* —4C **40**
Westfield Rd. *Trow* —3A **118**
Westfield Rd. *W Mare* —1B **138**
Westfield Ter. *Rads* —3A **152**
Westfield Way. *Brad S* —4F **11**
W. Garston. *Ban* —5E **137**
Westgate Bldgs. *Bath* —3A **106** (3B **96**)
Westgate St. *Bath* —3A **106** (3B **96**)
West Gro. *Bris* —1B **70**
Westhall Rd. *Bath* —2E **105**
W. Haven Clo. *Back* —2C **124**
W. Hay Rd. *Udl* —1B **156**
West Hill. *P'head* —3D **49**
West Hill. *Wrax* —1E **123**
W. Hill Gdns. *P'head* —3E **49**
West Hill Gdns. *Rads* —3A **152**
W. Hill Rd. *Rads* —3A **152**
Westland Av. *Old C* —1E **85**
W. Lea Rd. *Bath* —1B **104**
W. Leaze Pl. *Brad S* —3A **28**
Westleigh Clo. *S'mead* —3F **41**
Westleigh Clo. *Yate* —5E **17**
Westleigh Pk. *Bris* —5C **80**
Westleigh Rd. *Bris* —3E **41**
W. Links Clo. *W Mare* —2F **127**
West Mall. *Bris* —3B **68**
Westmarch Way. *W Mare* —1E **129**
Westmead Cres. *Trow* —5B **118**
Westmead Gdns. *W'ton* —4B **98**
Westmead Rd. *Bris* —3D **73**
Westminstere Ct. *W Trym* —5C **40**
Westminster Rd. *Bris* —2F **71**
Westmoreland Dri. *Bath* —3F **105**
Westmoreland Pl. E. *Bath* —3F **105**
Westmoreland Rd. *Bath* —4F **105**
Westmoreland Rd. *Bris* —4D **57**
Westmoreland Sta. Rd. *Bath* —4F **105**
Westmoreland St. *Bath* —4F **105**
Westmorland Ho. *Bris* —4C **56**
Weston Av. *Bris* —3F **71**
Weston Clo. *Bris* —5E **39**
Weston Cres. *Bris* —1A **58**
Weston Farm La. *Bath* —4D **99**
Weston Gateway Cvn. Pk. *W Mare* —4A **130**
Westonian Ct. *Bris* —3E **55**
Weston La. *Bath* —5D **99**
Weston Links. *W Mare* —3F **133**
Weston Pk. *Bath* —5D **99**
Weston Pk. Ct. *Bath* —5E **99**
Weston Pk. E. *Bath* —1D **105**
Weston Pk. W. *Bath* —5D **99**
Weston Rd. *Bath* —1E **105**
Weston Rd. *Cong* —1A **144**
Weston Rd. *Fail* —5A **76**
Weston Rd. *L Ash* —5A **76**
Westons Way. *Bris* —4B **74**
Weston Way. *Hut* —1D **141**
Weston Wood Rd. *P'head* —5E **49**
Westover Clo. *Bris* —3B **40**
Westover Dri. *Bris* —4C **40**
Westover Gdns. *Bris* —3B **40**
Westover Rise. *Bris* —3C **40**
Westover Rd. *Bris* —3B **40**
West Pde. *Bris* —5E **39**
West Pk. *Bris* —2D **69**
West Pk. Rd. *Bris* —2A **62**
W. Point Row. *Brad S* —3E **11**
W. Priory Clo. *Bris* —5C **40**
W. Ridge. *Fram C* —2E **31**
West Rd. *Mid N* —1C **150**
West Rd. *Yat* —4B **142**
W. Rocke Av. *Bris* —5F **39**
W. Rolstone Rd. *Hew* —3D **131**
W. Shrubbery. *Bris* —5D **57**
West St. *Ban* —5F **137**
West St. *Bedm* —3D **79**
West St. *K'wd* —2F **73**
West St. *Old C* —1E **85**
West St. *St Ph* —3B **70**
West St. *Trow* —2C **118**
West St. *W Mare* —5B **126**
W. Town Av. *Bris* —4F **81**
W. Town Ct. *Bris* —3A **82**
W. Town Dri. *Bris* —4F **81**
W. Town Gro. *Bris* —5F **81**
W. Town La. *Bris* —5D **81**
W. Town Pk. *Bris* —4F **81**
W. Town Rd. *Back* —3C **124**
W. Town Rd. *Bris* —5E **37** (in two parts)
West View. *Alv* —3A **8**
West View. *Mang* —1C **62**
Westview. *Paul* —4A **146**
Westview Orchard *Mid N* —4C **112**
W. View Rd. *Bathe* —3B **102**
W. View Rd. *Bris* —2D **79**
W. View Rd. *Key* —3A **92**
West Wlk. Yate —5A ***18*** *(off Station Rd.)*
Westward Clo. *Wrin* —1B **156**
Westward Dri. *Pill* —3E **53**
Westward Gdns. *L Ash* —3D **77**
Westward Rd. *Bris* —1B **86**
West Way. *Bris* —5F **25**
West Way. *Clev* —3C **120**
Westway. *Nail* —3D **123**
Westwood Clo. *W Mare* —3D **129**
Westwood Cres. *Bris* —4F **71**
Westwood Rd. *Bris* —5F **81**
Westwood Rd. *Trow* —1A **118**
Westwoods. *Bath* —3C **102**
Westwood View. *Bath* —4D **109**
Wetherby Ct. *Bris* —3B **46**
Wetherell Pl. *Bris* —3D **69**
Wetlands La. *P'head* —5E **49**
Wexford Rd. *Bris* —5F **79**
Weymouth Rd. *Bris* —3F **79**
Weymouth St. *Bath* —1C **106**
Wharfedale. *T'bry* —4E **7**
Wharf La. *P'bry* —2D **51**
Wharf Rd. *Bris* —3B **60**
Wharnecliffe Clo. *Bris* —3D **89**
Wharnecliffe Gdns. *Bris* —3D **89**
Whatley Ct. *Bris* —1D **69**
Whatley Rd. *Bris* —1D **69**
Wheatfield Dri. *Brad S* —5E **11**
Wheathill Clo. *Key* —3E **91**
Wheelers Clo. *Mid N* —2A **152**
Wheelers Dri. *Mid N* —2F **151**
Wheelers Rd. *Mid N* —2F **151**
Whinchat Gdns. *Bris* —1B **60**
Whippington Ct. *Bris* —3A **70** (1D **5**)
Whitby Rd. *Bris* —1E **81** (in two parts)
Whitchurch La. *B'wth* —2C **86** (in two parts)
Whitchurch La. *Bris* —3F **87**
Whitchurch Rd. *Bris* —2C **86**
Whitebeam Ct. *Bris* —2A **72**
Whitebrook La. *Pea J* —1C **148**
Whitecroft Way. *Bris* —3C **74**
Whitecross Av. *Bris* —2E **89**
Whitecross La. *Ban* —4E **137**
Whitecross Rd. *W Mare* —3C **132**
White Dri. *P'head* —4F **49**
Whitefield Av. *Han* —5F **73**
Whitefield Av. *S'wll* —1C **72**
Whitefield Clo. *Bathe* —2C **102**
Whitefield Rd. *Bris* —1B **72**
Whitefields. *Chip S* —5E **19**
Whitefriars. *Bris* —3F **69** (1B **4**)
Whitegate Clo. *B'don* —5F **139**
Whitehall Av. *Bris* —1A **72**
Whitehall Gdns. *Bris* —1F **71**
Whitehall Rd. *Bris* —2D **71**
White Hart Steps. *Clif W* —4D **69**
White Hart Yd. *Trow* —2D **119**
Whitehaven. *Bath* —4D **103**
Whiteheads La. *Brad A* —2E **115**
Whitehill. *Brad A* —2E **115**
White Horse Bus. Pk. *Trow* —3F **155**
White Horse Clo. *Trow* —4D **119**
White Horse Rd. *W'ley* —2F **113**
Whitehouse La. *Bris* —2F **79**
Whitehouse Pl. *Bris* —1A **80**
White Ho. Rd. *Clav* —3F **143**
Whitehouse St. *Bris* —1A **80**
Whiteladies Ga. *Bris* —1D **69**
Whiteladies Rd. *Bris* —5C **56**
Whiteleaze. *Bris* —4E **41**
White Lodge Pk. *P'head* —2F **49**
White Lodge Rd. *Bris* —3B **62**
Whitemead Ho. *Bris* —2C **78**
Whitemore Ct. *Bathe* —1B **102**
Whiteoak Way. *Nail* —5C **122**
White Ox Mead La. *Pea J* (in two parts) —3E **157**
White Row Hill. *Trow* —5A **118**
Whiterow Pk. *Trow* —4A **118**
Whitesfield Rd. *Nail* —4C **122**
White's Hill. *Bris* —4C **72**
Whiteshill. *Ham* —1F **45**
White St. *Bris* —2B **70**
White Tree Rd. *Bris* —3D **57**
Whitewall La. *T'bry* —2F **7**
Whiteway Av. *Bath* —1B **108**
Whiteway Clo. *Bris* —2C **72**
Whiteway Clo. *St Ap* —4A **72**
Whiteway Ct. *Bris* —2C **72**
Whiteway M. *Bris* —2C **72**
Whiteway Rd. *Bris* —2B **72**
Whiteway Rd. *W'way* —4A **104**
Whitewells Rd. *Bath* —4B **100**
Whitewood Rd. *Bris* —1B **72**
Whitfield Clo. *Bris* —5F **61**
Whitfield Rd. *T'bry* —2D **7**
Whiting Rd. *Bris* —4C **86**
Whitland Av. *Bris* —3D **87**
Whitland Rd. *Bris* —3D **87**
Whitley Clo. *Yate* —3E **17**
Whitley Mead. *Stok G* —1A **44**
Whitmead Gdns. *Bris* —4E **87**
Whitmore Av. *Bris* —2C **82**
Whitson St. *Bris* —2F **69**
Whitting Rd. *W Mare* —4C **132**
Whittington Dri. *W Mare* —3B **128**
Whittington Rd. *Bris* —1E **61**
Whittock Rd. *Bris* —3F **89**
Whittock Sq. *Bris* —1F **89**
Whittucks Clo. *Bris* —1F **83**
Whittucks Rd. *Han* —2E **83**
Whitwell Rd. *Bris* —5D **81**
Whytes Clo. *Bris* —4C **40**
Wick Cres. *Bris* —2F **81**
Wicker Hill. *Trow* —1C **118**
Wickets, The. *K'wd* —5F **61**
Wicket, The. *Bris* —2F **71**
Wicketts, The. *Bris* —3B **42**
Wickfield. *Clev* —5C **120**
Wickham Clo. *Chip S* —1F **35**
Wickham Ct. *Bris* —2F **59**
Wickham Ct. *Clev* —3C **120**
Wickham Glen. *Bris* —2F **59**
Wickham Hill. *Bris* —2F **59**
Wickham View. *Bris* —2F **59**
Wick Ho. Clo. *Salt* —5F **93**
Wick La. *C'ton* —1C **148**
Wicklow Rd. *Bris* —5A **80**
Wick Rd. *Bris* —3F **81**
Wickwar Rd. *Yate* —1C **18**
Widbrook Meadow. *Trow* —2A **118**
Widbrook View. *Brad A* —4F **115**
Widcombe. *Bris* —2C **88**
Widcombe Clo. *Bris* —3C **72**
Widcombe Cres. *Bath* —4C **106**
Widcombe Hill. *Bath* —4C **106**
Widcombe Pde. Bath —4B ***106*** *(off Claverton St.)*
Widcombe Rise. *Bath* —4C **106**
Widcombe Ter. *Bath* —5C **106**
Wigmore Gdns. *W Mare* —3A **128**
Wigton Cres. *Bris* —3E **41**
Wilbye Gro. *Bris* —1F **87**
Wilcot Clo. *Trow* —4D **119**
Wilcox Clo. *Bris* —4E **73**
Wild Country La. *L Ash* —5A **76**
Wildcroft Ho. *Bris* —3D **57**
Wildcroft Rd. *Bris* —2D **57**
Wilder Ct. *Bris* —2A **70**
Wilderness, The. *Brad A* —2D **115**
Wilder St. *St Pa* —2A **70**
Willada Clo. *Bris* —3D **79**
William Daw Clo. *Ban* —5D **137**
William Mason Clo. *Bris* —3D **71**
Williams Clo. *L Grn* —2B **84**
Williamson Rd. *Bris* —4B **58**
Williamstowe. *Bath* —3D **111**
William St. *Bath* —2B **106** (2D **97**)
William St. *Bedm* —1A **80**
William St. *Fish* —4D **61**
William St. *Redf* —2E **71**
William St. *St Pa* —1B **70**
William St. *St Ph* —4C **70**
William St. *Tot* —1B **80**
Willinton Rd. *Bris* —1B **88**
Willis Rd. *Bris* —5B **62**
Williton Cres. *W Mare* —1D **139**
Willment Way. *Bris* —3F **37**
Willmott Clo. *Bris* —5B **88**
Willoughby Clo. *Alv* —3B **8**
Willoughby Clo. *Bris* —1D **87**
Willoughby Rd. *Bris* —2A **58**
Willowbank. *Bris* —5E **41**
Willow Bed Clo. *Bris* —1D **61**
Willow Clo. *Bath* —4F **109**
Willow Clo. *Bris* —4F **75**
Willow Clo. *Clev* —3E **121**
Willow Clo. *L Ash* —4B **76**
Willow Clo. *Pat* —2A **26**
Willow Clo. *P'head* —3E **49**
Willow Clo. *Rads* —3B **152**
Willow Clo. *St Geo* —3A **130**
Willow Clo. *Uph* —1C **138**
Willow Clo. *Wick* —5A **154**
Willowdown. *W Mare* —1C **128**
Willow Dri. *Hut* —1C **140**
Willow Dri. *B'don* —5A **140**
Willow Dri. *Lock* —3C **134**
Willow Falls, The. *Bath* —3F **101**
Willow Gdns. *St Geo* —3B **130**
Willow Grn. *Bath* —5F **105**
Willow Gro. *Bris* —5E **61**
Willow Gro. *Trow* —5B **118**
Willow Ho. *Bris* —4F **87**
Willow Rd. *Bris* —2E **83**
Willow Shopping Cen., The. *Bris* —1A **62**
Willows, The. *Brad S* —1F **27**
Willows, The. *Bris* —3D **45**
Willows, The. *Nail* —2E **123**
Willows, The. *Yate* —4F **17**
Willow View. *N Brad* —4D **155**
Willow Wlk. *Bris* —1D **41**
Willow Wlk. *Key* —4F **91**
Willow Way. *Coal H* —3E **31**
Willsbridge Hill. *Will* —3C **84**
Wills Dri. *Bris* —2C **70**
Willway St. *Bedm* —1F **79**
Willway St. *Bris* —3B **70**
Wilmot Ct. *Bris* —4C **74**
Wilmots Way. *Pill* —3F **53**
Wilshire Av. *Bris* —5F **73**
Wilson Av. *Bris* —2B **70**
Wilson Pl. *Bris* —2B **70**
Wilson St. *Bris* —2B **70**
Wilton Clo. *Bris* —4E **41**
Wilton Dri. *Trow* —4D **119**
Wilton Gdns. *W Mare* —1C **132**
Wiltons. *Wrin* —1B **156**
Wiltshire Av. *Yate* —3C **18**
Wiltshire Dri. *Trow* —5C **118**
Wiltshire Pl. *Bris* —4A **62**
Wiltshire Way. *Bath* —4B **100**
Wilverley Ind. Est. *Bris* —4A **82**
Wimbledon Rd. *Bris* —2E **57**
Wimborne Rd. *Bris* —4E **79**
Winash Clo. *Bris* —1F **89**
Wincanton Clo. *Down* —3B **46**
Wincanton Clo. *Nail* —4F **123**
Winchcombe Clo. *Nail* —5F **123**
Winchcombe Gro. *Bris* —2B **54**
Winchcombe Rd. *Fram C* —1D **31**
Winchcombe Trad. Est. *Bris* —1C **80**
Winchester Av. *Bris* —2F **81**
Winchester Rd. *Bath* —4E **105**
Winchester Rd. *Bris* —2F **81**
Wincroft. *Old C* —1E **85** (in two parts)
Windcliff Cres. *Bris* —4A **38**
Windermere. *W Trym* —2F **41**
Windermere Av. *W Mare* —4D **133**
Windermere Rd. *Pat* —1C **26**

Windermere Rd.—Zion Rd.

Windermere Rd. *Trow* —5E **117**
Windermere Way. *Bris* —4F **75**
Windmill Clo. *Bris* —1A **80**
Windmill Farm Bus. Cen. *Bris* —1F **79**
Windmill Hill. *Bris* —2F **79**
Windmill Hill. *Hut* —1D **141**
Windmill La. *Bris* —1F **39**
Windrush Clo. *Bath* —5A **104**
Windrush Ct. *T'bry* —4D **7**
Windrush Grn. *Key* —4C **92**
Windrush Rd. *Key* —4C **92**
Windsor Av. *Bris* —4D **73**
Windsor Av. *Key* —4A **92**
Windsor Bri. Rd. *Bath* —3E **105**
Windsor Clo. *Clev* —4C **120**
Windsor Clo. *Stok G* —4A **28**
Windsor Ct. *Bath* —2D **105**
Windsor Ct. *Bris* —4B **68**
Windsor Ct. *Down* —5A **46**
Windsor Ct. *Wick* —4B **154**
Windsor Cres. *H'len* —5E **23**
Windsor Dri. *Nail* —3D **123**
Windsor Dri. *Trow* —5B **118**
Windsor Dri. *Yate* —4F **17**
Windsor Gro. *Bris* —2D **71**
Windsor Pl. *Bris* —4B **68**
Windsor Pl. *Mang* —2C **62**
Windsor Rd. *Bris* —5A **58**
Windsor Rd. *L Grn* —3B **84**
Windsor Rd. *Whit B* —3F **155**
Windsor Rd. *W Mare* —3A **128**
Windsor Ter. *Clif* —4B **68**
Windsor Ter. *Paul* —4B **146**
Windsor Ter. *Tot* —1B **80**
Windsor Vs. *Bath* —2D **105**
Windwhistle Circ. *W Mare* —5D **133**
Windwhistle La. *W Mare* (in three parts) —5C **132**
Windwhistle Rd. *W Mare* —5B **132**
Wineberry Clo. *Bris* —1F **71**
Wine St. *Bath* —3B **106** (4C **96**)
Wine St. *Brad A* —2D **115**
Wine St. *Bris* —3F **69** (2C **4**)
Wine St. Ter. *Brad A* —3D **115**
Winfield Rd. *Bris* —3E **75**
Winford Clo. *P'head* —4A **50**
Winford Gro. *Bris* —5C **78**
Wingard Clo. *Uph* —1B **138**
Wingfield Rd. *Bris* —3A **80**
Wingfield Rd. *Trow* —3A **118**
Winifred's La. *Bath* —5F **99**
Winkworth Pl. *Bris* —1B **70**
Winsbury Way. *Pat* —5E **11**
Winscombe Clo. *Key* —2F **91**
Winscombe Rd. *W Mare* —1E **133**
Winsford St. *Bris* —2C **70**
Winsham Clo. *Bris* —3D **89**
Winsley By-Pass. *Brad A* —2E **113**
Winsley Hill. *Lim S* —2B **112**
Winsley Rd. *Brad A* —2B **114**
Winsley Rd. *Bris* —1F **69**
Winterbourne Hill. *Wint* —4F **29**
Winterbourne Rd. *Stok G* —3A **28**
Winterfield Pk. *Paul* —4B **146**
Winterfield Rd. *Paul* —4B **146**
Winterslow Rd. *Trow* —5B **118**
Winterstoke Clo. *Bris* —3D **79**
Winterstoke Ho. *Bris* —1C **78**
Winterstoke Rd. *Bris* —2B **78**
Winterstoke Rd. *W Mare* —2D **133**
Winterstoke Underpass. *Bris* —1B **78**
Winton St. *Bris* —1B **80**
Wintour Ho. *Bris* —4C **38**
Wisteria Av. *Chip S* —5C **18**
Wisteria Av. *Hut* —1B **140**
Witchell Rd. *Bris* —3E **71**
Witch Hazel Rd. *Bris* —5A **88**
Witcombe. *Yate* —2E **33**
Witcombe Clo. *Bris* —1B **74**
Witham Rd. *Key* —5C **92**
Withey Clo. E. *Bris* —1B **56**
Withey Clo. W. *Bris* —2B **56**
Witheys, The. *Bris* —4E **89**
Withies La. *Mid N* —5C **150**
Withies Pk. *Mid N* —4C **150**
Withington Clo. *Bit* —3E **85**
Withleigh Rd. *Bris* —3D **81**
Withy Clo. *Trow* —4E **117**
Withypool Gdns. *Bris* —3D **89**
Withys, The. *Pill* —4F **53**
Withywood Gdns. *Bris* —3B **86**
Withywood Rd. *Bris* —4B **86**
Witney Clo. *Salt* —5F **93**
Woburn Clo. *Bar C* —5B **74**
Woburn Clo. *Trow* —2A **118**
Woburn Rd. *Bris* —4D **59**
Wolferton Rd. *Bris* —5B **58**
Wolfridge Gdns. *Bris* —5C **24**
Wolfridge La. *Alv* —3A **8**
Wolfridge Ride. *Alv* —3A **8**
Wolseley Rd. *Bris* —4F **57**
Woltson Ter. *Bath* —3F **107**
Wolvershill Pk. *Ban* —5E **137**
Wolvershill Rd. *Ban* —5A **130**
Woodbine Rd. *Bris* —2F **71**
Woodborough Clo. *Trow* —5D **119**
Woodborough Cres. *Wins* —5B **156**
Woodborough Dri. *Wins* —4B **156**
Woodborough La. *Rads* —5D **149**
Woodborough Rd. *Rads* —1D **153**
Woodborough Rd. *Wins* —4A **156**
Woodborough St. *Bris* —1D **71**
Woodbridge Rd. *Bris* —3C **80**
Woodbury La. *Bris* —5C **56**
Woodchester. *Bris* —4A **62**
Woodchester. *Yate* —3A **34**
Woodchester Rd. *Bris* —5E **41**
Woodcliff Av. *W Mare* —4A **128**
Woodcliff Rd. *W Mare* —4A **128**
Woodcote. *Bris* —4F **73**
Woodcote Rd. *Bris* —4D **61**
Woodcote Wlk. *Bris* —5D **61**
Woodcroft Av. *Bris* —1F **71**
Woodcroft Clo. *Bris* —1A **82**
Woodcroft Rd. *Bris* —1A **82**
Woodend. *Bris* —4F **73**
Woodend Rd. *Fram C* —2D **31**
Wood End Wlk. *Bris* —1E **55**
Woodfield Rd. *Bris* —5D **57**
Woodford Clo. *Nail* —4F **123**
Woodgrove Rd. *Bris* —2F **39**
Woodhall Clo. *Bris* —1B **62**
Wood Hill. *Cong* —5D **143**
Woodhill Av. *P'head* —1F **49**
Wood Hill Pk. *P'head* —1F **49**
Wood Hill Pl. *Bath* —4E **107**
Woodhill Rd. *P'head* —2F **49**
Woodhill Views. *Nail* —2E **123**
Woodhouse Gro. *Bris* —1A **58**
Woodhouse Rd. *Bath* —3B **104**
Woodhurst Rd. *W Mare* —1E **133**
Woodington Ct. *Bar C* —1B **84**
Woodington Rd. *Clev* —5C **120**
Wood Kilns, The. *Yat* —2A **142**
Woodland Av. *Bris* —5F **61**
Woodland Clo. *Bris* —5E **61**
Woodland Ct. *Bris* —4E **55**
Woodland Glade. *Clev* —1E **121**
Woodland Gro. *Bath* —4F **107**
Woodland Gro. *Bris* —1F **55**
Woodland La. *Bris* —5F **89**
Woodland Pl. *Bath* —4E **107**
Woodland Rise. *Bris* —3E **69** (2A **4**)
Woodland Rd. *Clif & Bris* (in two parts) —2E **69**
Woodland Rd. *Nail* —2D **123**
Woodland Rd. *W Mare* —4B **132**
Woodlands. *Alm* —3F **11**
Woodlands *Down* —1A **62**
Woodlands Cvn. Pk. *Brad S* —3E **11**
Woodlands Ct. *Alm* —3D **11**
Woodlands Dri. *Mid N* —3C **112**
Woodlands Edge. *Trow* —3F **119**
Woodlands La. *Alm* —4D **11** (in two parts)
Woodlands Pk. *Bath* —4D **101**
Woodlands Pk. Cvn. Site. *Brad S* —3E **11**
Woodlands Rise. *Bris* —1F **61**
Woodlands Rd. *Clev* —2C **120**
Woodlands Rd. *P'head* —1F **49**
Woodland Ter. *K'wd* —2A **74**
Woodland Ter. *Redl* —5D **57**
Woodland Way. *Bris* —5E **61**
Wood La. *Clav* —4E **143**
Wood La. *W Mare* —4D **127**
Woodleaze. *Bris* —1D **55**
Wood Leaze. *Chip S* —5B **18**
Woodleigh. *T'bry* —3D **7**
Woodleigh Gdns. *Bris* —2E **89**
Woodmancote. *Yate* —1F **33**
Woodmancote Rd. *Bris* —1A **70**
Woodmand. *Holt* —2F **155**
Woodmans Clo. *Chip S* —1D **35**
Woodmans Rd. *Chip S* —1D **35**
Woodmans Vale. *Chip S* —1E **35**
Woodmarsh. *N Brad* —3E **155**
Woodmarsh Clo. *Bris* —4C **88**
Woodmead Gdns. *Bris* —4E **87**
Woodmill. *Yat* —2A **142**
Woodnock, The. *Bris* —2E **41**
Woodpecker Av. *Mid N* —4E **151**
Woodpecker Cres. *Puck* —3E **65**
Woodpecker Dri. *W Mare* —5C **128**
Wood Rd. *K'wd* —2F **73**
Woods Hill. *Lim S* —3B **112**
Woodside. *Bris* —4F **55**
Woodside. *Mid N* —3B **150**
Woodside Av. *W Mare* —1F **139**
Woodside Cotts. *Bath* —4D **109**
Woodside Gdns. *P'head* —3A **48**
Woodside Gro. *Bris* —1F **39**
Woodside Rd. *Brisl* —4A **72**
Woodside Rd. *Clev* —1E **121**
Woodside Rd. *Coal H* —2F **31**
Woodside Rd. *Down* —5E **45**
Woodside Rd. *K'wd* —3E **73**
Woodspring Av. *W Mare* —2E **127**
Woodspring Cres. *W Mare* —2E **127**
Woodstock Av. *Bris* —1E **69**
Woodstock Clo. *Bris* —2B **74**
Woodstock Rd. *K'wd* —2B **74**
Woodstock Rd. *Redl* —5D **57**
Woodstock Rd. *W Mare* —5F **127**
Wood St. *Bath* —4A **106** (5A **96**) (Lwr. Bristol Rd.)
Wood St. *Bath* —3A **106** (3B **96**) (Queen Sq.)
Wood St. *Bris* —5D **59**
Woodview. *Clev* —3F **121**
Woodview. *Paul* —4A **146**
Woodview Clo. *Bris* —5A **38**
Wood View Ter. *Nail* —3E **123**
Woodview Ter. *W Mare* —2E **133**
Woodward Dri. *Bris* —1B **84**
Woodwell Rd. *Bris* —1A **54** (in two parts)
Woodyleaze. *Bris* —4E **73**
Woodyleaze Dri. *Bris* —4E **73**
Wookey Clo. *Nail* —5E **123**
Woolcot St. *Bris* —5D **57**
Wooler Rd. *W Mare* —5C **126**
Woollard La. *Bris* —5F **89**
Woolley Clo. *Brad A* —2F **115**
Woolley Dri. *Brad A* —2F **115**
Woolley La. *Bath* —1A **100**
Woolley Rd. *Bris* —3A **90**
Woolley St. *Brad A* —3E **115**
Woolley Ter. *Brad A* —2F **115**
Woolpack Meadows. *Trow* —3E **119**
Woolvers Way. *Lock* —2F **135**
Wootton Cres. *Bris* —4A **72**
Wootton Pk. *Bris* —4D **81** (in two parts)
Wootton Rd. *Bris* —4A **72**
Worcester Bldgs. *Bath* —4C **100**
Worcester Clo. *Bris* —5D **61**
Worcester Ct. Bath —4C ***100*** *(off Worcester Pk.)*
Worcester Cres. *Bris* —2C **68**
Worcester Gdns. *Nail* —5A **122**
Worcester Pk. *Bath* —4C **100**
Worcester Pl. *Bath* —4C **100**
Worcester Rd. *Clif* —2C **68**
Worcester Rd. *K'wd* —1F **73**
Worcester Ter. *Bath* —5C **100**
Worcester Ter. *Bris* —2C **68**
Worcester Vs. *Bath* —4C **100**
Wordsworth Ho. *Pat* —1C **26**
Wordsworth Rd. *Bris* —1C **58**
Wordsworth Rd. *Clev* —4C **120**
Wordsworth Rd. *W Mare* —5E **133**
Worlds End La. *Bris* —4D **69**
Worlds End La. *Key* —3E **93**
Worlebury Clo. *W Mare* —2F **127**
Worlebury Hill Rd. *W Mare* —3E **127**
Worlebury Pk. Rd. *W Mare* —2E **127**
Worle Ct. *W Mare* —2D **129**
Worrall M. *Clif* —5C **56**
Worrall Rd. *Bris* —5C **56**
Worrell's La. *Ham* —1F **45**
Worsley St. *Bris* —2F **71**
Worsted Clo. *Trow* —3E **119**
Worthing Rd. *Pat* —1B **26**
Worthy La. *W Mare* —5C **126**
Worthy Pl. *W Mare* —5B **126**
Worthys, The. *Brad S* —3C **28**
Wotton Rd. *Iron A* —2A **16**
Wrangle Farm Grn. *Clev* —4E **121**
Wraxall Gro. *Bris* —5B **78**
Wraxall Rd. *Bris* —4C **74** (in two parts)
Wrenbert Rd. *Bris* —2F **61**
Wren Clo. *W Mare* —5B **128**
Wren Ct. *Trow* —2B **118**
Wren Dri. *Bris* —1B **60**
Wrington Clo. *Lit S* —2E **27**
Wrington Cres. *Bris* —1C **86**
Wrington Hill. *Wrin* —1C **156**
Wrington La. *Cong* —1E **145**
Wrington Mead. *Cong* —1E **145**
Wrington Rd. *Cong* —1E **145**
Writhlington Ct. *Rads* —2F **153**
Wroughton Dri. *Bris* —4F **87**
Wroughton Gdns. *Bris* —4F **87**
Wroxham Dri. *Lit S* —1E **27**
Wyatt Av. *Bris* —3B **86**
Wyatt Clo. *Bris* —3B **86**
Wyatt's Clo. *Nail* —3C **122**
Wyatts View. *St Ap* —4A **72**
Wychwood. *Bris* —4A **74**
Wyck Beck Rd. *Bris* —5B **24**
Wycombe Gro. *Bris* —3F **81**
Wyecliffe Rd. *Bris* —5D **41**
Wye Ct. *T'bry* —4D **7**
Wyecroft Clo. *Bris* —1F **41**
Wyedale Av. *Bris* —5D **39**
Wyke Rd. *Trow* —4E **117**
Wykis Ct. *Bris* —5A **74**
Wyllie Ct. *W Mare* —1E **129**
Wymbush Cres. *Bris* —3E **87**
Wymbush Gdns. *Bris* —3E **87**
Wyndham Cres. *Bris* —1B **82**
Wyndham Cres. *E'ton G* —3D **53**
Wyndham Way. *P'head* —2F **49**
Wynstones, The. *Bris* —3E **73**
Wynter Clo. *W Mare* —2E **129**
Wytherlies Dri. *Bris* —1B **60**

Yadley Clo. *Wins* —5B **156**
Yadley La. *Wins* —5B **156**
Yadley Way. *Wins* —5B **156**
Yanleigh Est. *L Ash* —5D **77**
Yanley La. *L Ash* —3D **77**
Yarbury Way. *W Mare* —4F **129**
Yarn Ter. *Trow* —3E **119**
Yate Rd. *Iron A* —3A **16**
Yate Rocks. *Yate* —1B **18**
Yeaman's Ho. *Bris* —5A **70**
Yelverton Rd. *Bris* —4A **82**
Yeo Clo. *W Mare* —3E **133**
Yeo Ct. *Cong* —2D **145**
Yeolands Dri. *Clev* —5B **120**
Yeo La. *L Ash* —4B **76**
Yeoman's Clo. *Bris* —2F **55**
Yeomanside Clo. *Bris* —3E **89**
Yeomans Orchard. *Wrin* —1C **156**
Yeoman Way. *Trow* —3C **118**
Yeomead. *Nail* —2E **123**
Yeomeads. *L Ash* —4B **76**
Yeo Moor. *Clev* —4E **121**
Yeoward Rd. *Clev* —5E **121**
Yeo Way. *Clev* —4B **120**
Yerbury St. *Trow* —1D **119**
Yewcroft Clo. *Bris* —4C **88**
Yew Tree Clo. *Nail* —4B **122**
Yew Tree Ct. *Bris* —3D **89**
Yew Tree Dri. *Bris* —4A **62**
Yew Tree Gdns. *E'ton G* —3E **53**
Yew Tree Gdns. *Nail* —4B **122**
Yew Tree Pk. *Cong* —3D **145**
Yomede Pk. *Bath* —1B **104**
York Av. *Bris* —3B **58**
York Building. *Bath* —2A **106** (2B **96**)
York Bldgs. *Trow* —1D **119**
York Clo. *Down* —3B **46**
York Clo. *Stok G* —5F **27**
York Clo. *W Mare* —1E **129**
York Clo. *Yate* —2A **18**
York Gdns. *Bris* —4B **68**
York Gdns. *Wint* —1B **30**
York Pl. *Bris* —4E **69**
York Pl. *Clif* —3D **69**
York Rd. *Bedm* —1A **80**
York Rd. *E'tn* —1E **71**
York Rd. *Mont* —1A **70**
York Rd. *Stap H* —3A **62**
York St. *Bar H* —3E **71**
York St. *Bath* —3B **106** (4C **96**)
York St. *Bris* —2A **70**
York St. *Clif* —5C **56**
York St. *St W* —5B **58**
York St. *W Mare* —1B **132**
Youngs Ct. *E Grn* —4D **47**
Youngwood La. *Nail* —5D **123**
Youngwood La. *Nail* —5D **123**

Zed All. *Bris* —3F **69** (2B **4**)
Zetland Rd. *Bris* —5F **57**
Zig Zag. *Clev* —2D **121**
Zion Rd. *Bris* —2C **70**

HOSPITALS and HEALTH CENTRES
covered by this atlas.

N.B. Where Hospitals and Health Centres are not named on the map, the reference given is for the road in which they are situated.

BLACKBERRY HILL HOSPITAL —2B **60**
Manor Rd., Fishponds,
Bristol, BS16 2EW
Tel: (0117) 9656061

BRADFORD-ON-AVON COMMUNITY
HOSPITAL —1E **115**
Berryfields, Berryfield Rd.,
Bradford on Avon, BA15 1TA
Tel: (01225) 862975

Bradford-on-Avon Family Health Centre
—3D **115**
Station App.,
Bradford on Avon,
BA15 1DQ
Tel: (01225) 865660

BRENTRY HOSPITAL —2D **41**
Charlton Rd., Brentry,
Bristol, BS10 6JA
Tel: (0117) 9500500

BRISTOL BUPA HOSPITAL —5C **56**
The Glen, Redland Hill,
Durdham Down,
Bristol, BS6 6UT
Tel: (0117) 9732562

BRISTOL DENTAL HOSPITAL
—3F **69** (1B **4**)
Lower Maudlin St.,
Bristol, BS1 2LY
Tel: (0117) 9230050

BRISTOL EYE HOSPITAL —3F **69** (1B **4**)
Lower Maudlin St.,
Bristol, BS1 2LX
Tel: (0117) 9230060

BRISTOL GENERAL HOSPITAL —5F **69**
Guinea St.,
Bristol, BS1 6SY
Tel: (0117) 9265001

BRISTOL ONCOLOGY CENTRE
—3F **69** (1B **4**)
Horfield Rd.,
Bristol, BS2 8ED
Tel: (0117) 9230000

BRISTOL ROYAL HOSPITAL FOR SICK
CHILDREN —3E **69**
St Michael's Hill,
Bristol, BS2 8BJ
Tel: (0117) 9215411

BRISTOL ROYAL INFIRMARY —3F **69**
Marlborough St.,
Bristol, BS2 8H
Tel: (0117) 9230000

Brooklea Health Centre —5A **72**
Wick Rd., Brislington,
Bristol, BS4 4HU
Tel: (0117) 9711211

BURDEN HOSPITAL —4A **44**
Stoke La., Stapleton,
Bristol, BS16 1QT
Tel: (0117) 9701212

Cadbury Heath Health Centre —5C **74**
Parkwall Rd.,
Cadbury Heath,
Bristol, BS15 5HS
Tel: (0117) 9600129

Charlotte Keel Health Centre —1C **70**
Seymour Rd., Easton,
Bristol, BS5 0UA
Tel: (0117) 9512244

CHESTERFIELD HOSPITAL, THE
—4C **68**
3 Clifton Hill,
Bristol, BS8 1BP
Tel: (0117) 9467424

Clevedon Health Centre —3E **121**
Old St., Clevedon,
BS21 6DG
Tel: (01275) 871454

CLEVEDON HOSPITAL —3E **121**
Old Street, Clevedon,
BS21 6BS
Tel: (01275) 872212

COSSHAM HOSPITAL —5E **61**
Lodge Rd., Kingswood,
Bristol, BS15 1LF
Tel: (0117) 9671661

DROVE ROAD HOSPITAL —3D **133**
Drove Rd., Weston-Super-Mare,
BS23 3NT
Tel: (01934) 636363

Eastville Health Centre —5E **59**
East Pk., Eastville,
Bristol, BS5 6YA
Tel: (0117) 9511261

Fairfield Park Health Centre —5C **100**
Tyning La., Camden Rd.,
Bath, BA1 6EA
Tel: (01225) 331616

Fishponds Health Centre —3D **61**
Beechwood Rd., Fishponds,
Bristol, BS16 3TD
Tel: (0117) 9656281

FRENCHAY HOSPITAL —4D **45**
Frenchay Park Rd., Frenchay,
Bristol, BS16 1LE
Tel: (0117) 9701212

GROVE ROAD DAY HOSPITAL —5C **56**
Grove Rd., Redland,
Bristol, BS6 6UJ
Tel: (0117) 9730225

HANHAM HALL HOSPITAL —1F **83**
Whittucks Rd., Hanham,
Bristol, BS15 3PU
Tel: (0117) 9085000

Hartcliffe Health Centre —4E **87**
Hareclive Rd., Hartcliffe,
Bristol, BS13 0JP
Tel: (0117) 941020

HEATH HOUSE PRIORY HOSPITAL
—3D **59**
Heath House La., off Bell Hill,
Stapleton, Bristol,
BS16 1EQ
Tel: (0117) 9525255

Horfield Health Centre —1C **58**
Lockleaze Rd., Horfield,
Bristol, BS7 9RR
Tel: (0117) 9695391

KEYNSHAM HOSPITAL —4B **92**
St Clement's Rd., Keynsham,
Bristol, BS18 1AG
Tel: (0117) 9862356

Kingswood Health Centre —2A **74**
Alma Rd., Kingswood,
Bristol, BS15 4EJ
Tel: (0117) 9677191

Lawrence Hill Health Centre —3C **70**
Hassell Dri., Lawrence Hill, Bristol,
Avon, BS2 0AN
Tel: (0117) 9555241

Montpelier Health Centre —1A **70**
Bath Buildings, Montpelier,
Bristol, BS6 5PT
Tel: (0117) 9426811

Nailsea Health Centre —3D **123**
Somerset Sq.,
Nailsea, BS19 2EY
Tel: (01275) 856611

PAULTON HOSPITAL —5C **146**
Salisbury Rd.,
Paulton, BS18 5SB
Tel: (01761) 412315

Portishead Health Centre —3F **49**
Victoria Sq., Portishead,
Bristol, BS20 9AQ
Tel: (01275) 847474

ROBERT SMITH UNIT DAY HOSPITAL
—3C **68**
Mortimer Rd.,
Bristol, BS8 4EX
Tel: (0117) 9735004

ROYAL NATIONAL HOSPITAL FOR
RHEUMATIC DISEASES
—3A **106** (3B **96**)
Upper Borough Walls,
Bath, BA1 1RL
Tel: (01225) 465941

ROYAL UNITED HOSPITAL —1C **104**
Combe Pk., Bath,
Avon, BA1 3NG
Tel: (01225) 428331

St George Health Centre —2C **72**
Bellevue Rd., St George,
Bristol, BS5 7PH
Tel: (0117) 9612161

St Johns Lane Health Centre —3A **80**
St Johns La., Bedminster,
Bristol, BS14 8PT
Tel: (0117) 667681

ST MARTIN'S HOSPITAL —3F **109**
Midford Rd., Bath,
BA2 5RP
Tel: (01225) 832383

ST MARY'S HOSPITAL —3D **69**
Upper Byron Pl., Clifton,
Bristol, BS8 1JU
Tel: (0117) 9872727

ST MICHAEL'S HOSPITAL —2E **69**
Southwell St., St Michael's Hill,
Bristol, BS2 8EG
Tel: (0117) 9215411

St Peter's Hospice —3B **80**
St Agnes Av., Knowle,
Bristol, BS4 2DU
Tel: (0117) 9774605

Shirehampton Health Centre —1A **54**
Pembroke Rd., Shirehampton,
Bristol, BS11 0QE
Tel: (0117) 9828181

Southmead Health Centre —2E **41**
Ullswater Rd., Southmead,
Bristol, BS10 6DF
Tel: (0117) 9507000

SOUTHMEAD HOSPITAL —4A **42**
Westbury-on-Trym,
Bristol, BS10 5NB
Tel: (0117) 9505050

Stockwood Health Centre —3A **90**
Hollway Rd., Stockwood,
Bristol, BS14 8PT
Tel: (01275) 833103

Thornbury Health Centre —3D **7**
Eastland Rd., Thornbury,
BS12 1DS
Tel: (01454) 414477

THORNBURY HOSPITAL —3D **7**
Eastland Rd., Thornbury, BS12 1DN
Tel: (01454) 412636

TROWBRIDGE COMMUNITY HOSPITAL
—1C **118**
Adcroft St., Trowbridge,
BA14 8PH
Tel: (01225) 752558

Trowbridge Family Health Centre
—1D **119**
The Halve, Trowbridge,
BA14 8SA
Tel: (01225) 766161

WESTON GENERAL HOSPITAL —2C **138**
Grange Rd., Uphill,
Weston-Super-Mare,
BS23 4TQ
Tel: (01934) 636363

Whitchurch Health Centre —3C **88**
Armada Rd., Whitchurch,
Bristol, BS8 2PU
Tel: (01275) 839421

Whiteladies Health Centre —1D **69**
Whatley Rd., Clifton,
Bristol, BS8 1NL
Tel: (0117) 9731201

William Bud Health Centre —5F **79**
Leinster Av., Knowle,
Bristol, BS4 1NL
Tel: (0117) 9633152

Worle Health Centre —3C **128**
125 High St., Worle,
Weston-Super-Mare,
BS22 0HB
Tel: (01934) 510510

Yate Health Centre —5A **18**
21 West Wlk., Yate,
Bristol, BS17 4AX
Tel: (01454) 313374

INDEX TO PLACES OF INTEREST

with their map square reference

Printed and bound in Great Britain by
Butler & Tanner Ltd, Frome and London